La pratique
de l'action
communautaire

Membre de
L'ASSOCIATION
NATIONALE
DES ÉDITEURS
DE LIVRES

Presses de l'Université du Québec
Le Delta I, 2875, boulevard Laurier
bureau 450, Québec (Québec) G1V 2M2
Téléphone : 418 657-4399 – Télécopieur : 418 657-2096
Courriel : puq@puq.ca – Internet : www.puq.ca

Diffusion / Distribution :

CANADA   Prologue inc., 1650, boulevard Lionel-Bertrand
          Boisbriand (Québec) J7H 1N7 – Tél. : 450 434-0306 / 1 800 363-2864

FRANCE ET Sofédis, 11, rue Soufflot
BELGIQUE 75005 Paris, France – Tél. : 01 53 10 25 25

          Sodis, 128, avenue du Maréchal de Lattre de Tassigny
          77403 Lagny, France – Tél. : 01 60 07 82 99

SUISSE   Servidis SA, chemin des Chalets 7
          1279 Chavannes-de-Bogis, Suisse – Tél. : 022 960.95.25

Diffusion / Distribution (ouvrages anglophones) :

Independent Publishers Group, 814 N. Franklin Street
Chicago, IL 60610 – Tel. : (800) 888-4741

La pratique de l'action communautaire

4e ÉDITION

Jocelyne Lavoie
Jean Panet-Raymond

Presses de l'Université du Québec

Catalogage avant publication de Bibliothèque et Archives nationales du Québec et Bibliothèque et Archives Canada

Titre : La pratique de l'action communautaire / [sous la direction de] Jocelyne Lavoie et Jean Panet-Raymond.

Noms : Lavoie, Jocelyne, 1954- éditeur intellectuel. | Panet-Raymond, Jean, éditeur intellectuel.

Description : 4ᵉ édition. | Comprend des références bibliographiques.

Identifiants : Canadiana (livre imprimé) 20200089927 | Canadiana (livre numérique) 20200089935 | ISBN 9782760554375 | ISBN 9782760554382 (PDF) | ISBN 9782760554399 (EPUB)

Vedettes-matière : RVM : Organisation communautaire. | RVM : Développement communautaire. | RVM : Action sociale. | RVM : Service social communautaire. | RVM : Organisation communautaire—Québec (Province)

Classification : LCC HN49.C6 P72 2020 | CDD 361.8—dc23

Financé par le gouvernement du Canada   Funded by the Government of Canada   Canadä

SODEC
Québec

Révision
Hélène Ricard

Correction d'épreuves
Évelyne Dicaire

Conception graphique
Michèle Blondeau

Mise en page
Marie-Noëlle Morrier

Image de couverture
Lino, <http://agoodson.com/lino/>

Dépôt légal : 4ᵉ trimestre 2020

› Bibliothèque et Archives nationales du Québec
› Bibliothèque et Archives Canada

Imprimé au Canada
D5437-1 [01]

REMERCIEMENTS

Nous tenons à remercier très chaleureusement les nombreuses personnes qui nous ont soutenus pour la production de ce livre. Ces remerciements s'adressent d'abord à nos proches qui nous ont encouragés à entreprendre ce travail et qui ont accepté que nous y mettions un temps qui aurait pu, autrement, leur être en partie consacré. Ils s'adressent aussi aux centaines de personnes qui, actives à divers titres dans les organismes communautaires autonomes et les établissements publics avec lesquels nous entretenons des liens, nous ont généreusement fait part de leurs expériences, de leurs conseils et de leurs observations. Il convient enfin de remercier nos étudiantes et nos étudiants qui, souvent sans s'en rendre compte, nous instruisent autant que nous le faisons.

CHOIX DU GENRE

Les auteurs sont conscients qu'une nette majorité de femmes sont actives dans les milieux communautaires. Afin de ne pas alourdir le texte et par souci linguistique, ils ont choisi de témoigner de cette réalité en utilisant des termes génériques là où c'est possible et en employant le genre féminin lorsqu'une référence porte spécifiquement sur une pratique qui touche surtout les femmes.

AVANT-PROPOS

La pratique de l'action communautaire a beaucoup évolué depuis la publication de la première édition de cet ouvrage en 1996. Nous voici maintenant rendus à la quatrième édition, après diverses réimpressions et rééditions, ce qui démontre à quel point le savoir-faire méthodologique et technique de la pratique de l'action communautaire ne cesse de s'enrichir et de se renouveler.

Depuis la première édition de cet ouvrage, deux des coauteurs ont quitté le navire. Ce fut d'abord Robert Mayer, professeur titulaire à l'École de travail social de l'Université de Montréal, qui fut des nôtres jusqu'à son décès en 2003. Un autre compagnon qui a, lui aussi, quitté le navire en 2010 pour explorer de nouveaux horizons est Henri Lamoureux. Henri et Robert ont contribué de façon marquante à l'évolution de notre réflexion et de notre écriture.

Le renouveau qui marque cette quatrième édition est l'ajout d'un chapitre sur les modèles d'intervention en organisation communautaire, et l'arrivée d'une nouvelle collaboratrice à la rédaction de ce chapitre. Ce nouveau contenu théorique répond à un besoin exprimé par les enseignantes et les enseignants en travail social qui souhaitent transmettre à leurs élèves le concept de modèle d'intervention, sa pertinence pour l'analyse des pratiques, et connaître l'évolution des typologiques basées sur l'expérience québécoise.

Cette quatrième édition compte toujours sur le soutien de nos collaboratrices et de collaborateurs de la troisième édition dont les activités d'enseignement et de recherche, de même que l'expérience professionnelle et l'implication militante, représentent à la fois une expertise bien établie et un enrichissement quant à la transmission des divers savoirs associés à la pratique de l'action communautaire. Cet ouvrage se veut donc plus « à jour » quant au renouveau entourant les pratiques, et ce, dans une conjoncture en constante évolution. Ces pratiques innovatrices, à leur tour, renvoient à une constante dialectique d'action-réflexion-action, contribuant ainsi à élargir la palette des fondements méthodologiques et techniques en action communautaire.

Depuis la publication de la première édition de ce livre, on a vu apparaître plusieurs ouvrages et articles touchant les fondements, les approches et les pratiques en organisation communautaire[1]. Cette littérature a aussi enrichi notre réflexion et notre analyse. Elle témoigne de l'évolution des divers mouvements communautaires et du soin que prennent les intervenants, chercheurs, intellectuels et militants solidaires de ces mouvements à nous communiquer la réflexion issue de l'expérience. C'est dans ce terreau fertile que le présent livre souhaite s'inscrire. Il demeure néanmoins fidèle à son objectif d'origine, qui est de fournir un outil de base pour réaliser des changements sociaux en situant le processus d'intervention, et les principes et méthodes qui s'y rattachent, dans un cadre éthique en congruence avec les valeurs portées par l'action communautaire.

UNE ORIENTATION PARTAGÉE

Les auteurs et les collaborateurs de cet ouvrage sont engagés dans des activités d'enseignement au cégep et à l'université. Ils sont par ailleurs engagés dans des activités de recherche, de militantisme et, plus largement, d'implication citoyenne et politique. On les retrouve au sein de divers groupes, organismes et regroupements communautaires, tant sur les plans local, régional et national qu'international. Ces auteurs, en tant que femme, homme, conjoint, parent, enfant, ami, proche aidant, consommateur et éternel étudiant, vivent des réalités que partagent les lecteurs et lectrices de cet ouvrage.

La pratique de l'action communautaire n'étant pas neutre, les auteurs et collaborateurs se sont donné le droit de faire part de leur analyse, de leur réflexion et du regard critique qu'ils portent sur les divers aspects de cette pratique. Un soin particulier a été accordé au «sens» et à la «finalité» sociale, politique et éthique des savoirs et des savoir-faire qui sont transmis. En effet, selon nous, l'action communautaire se distingue de certaines pratiques communautaires plus strictement caritatives ou philanthropiques, voire de pratiques qui n'ont plus rien d'«autonomes» parce que s'éloignant des «bonnes» causes

---

1. Mentionnons notamment *L'organisation communautaire. Fondements, approches et champs de pratique,* publié en 2007 aux Presses de l'Université du Québec, sous la direction de D. Bourque, Y. Comeau, L. Favreau et L. Fréchette, ainsi que le nouveau cadre de référence du Regroupement québécois des intervenants et intervenantes en action communautaire en CSSS (RQIIAC), *Pratiques d'organisation communautaire en CSSS,* aux Presses de l'Université du Québec, publié en 2010.

à financer ou jugées par l'État comme trop «dérangeantes ou subversives[2]». L'affirmation de ce positionnement idéologique nous semble importante, car elle exprime la limite de notre objectivité et notre volonté de nous démarquer de certains courants plus strictement technicistes et économistes qui verraient dans l'action communautaire, l'un, une démarche de type strictement organisationnel, l'autre, la perspective d'une solution de rechange communautaire peu coûteuse aux services rendus par l'État.

Nous sommes aussi parfaitement conscients que l'action communautaire s'est professionnalisée[3]. Nous en enseignons les fondements, méthodes et techniques dans nos universités et cégeps respectifs, et plusieurs de nos collègues font de même dans des organismes d'éducation populaire[4]. Cette professionnalisation s'exprime notamment par l'engagement de centaines de personnes dans des pratiques d'organisation communautaire réalisées par des institutions de l'État, notamment les centres intégrés de santé et de services sociaux (CISSS) et les centres intégrés universitaires de santé et de services sociaux (CIUSSS)[5]. Donc, si l'action communautaire est d'abord et avant tout celle de personnes qui choisissent librement de s'y engager en se joignant à des milliers de groupes actifs partout au Québec, elle offre aussi une perspective d'emploi. Cependant, si les pratiques d'action communautaire conduisent de plus en plus à un emploi, elles ne sauraient, sous peine de se dénaturer, se résumer à ces seules fonction et perspective. Les personnes engagées en action communautaire aspirent ou devraient aspirer à une diminution radicale des causes des problèmes sociaux. En ce sens, l'action communautaire, c'est avant tout un engagement basé sur la conscience des inégalités socioéconomiques et de l'exclusion. C'est donc dire que les femmes et les hommes qui interviennent dans un milieu sont porteurs d'un projet de société qui s'oppose plus ou moins radicalement aux causes structurelles de telles inégalités.

---

2. Pour avoir un aperçu des luttes menées par le mouvement communautaire pour affirmer cette nécessaire autonomie des organismes communautaires, on peut se reporter au site de la campagne Non à la convention PSOC (<http://www.nonalaconvention.org/>).
3. Trois critères permettent de considérer l'existence d'une profession : 1) un ancrage organisationnel où se manifeste une reconnaissance du métier ; 2) des méthodes et des techniques associées spécifiquement à ce travail ; 3) une certaine personnalisation dans la manière d'utiliser ces méthodes et ces techniques qui se rapporte à l'autonomie professionnelle. Par ailleurs, la convention collective qui régit les relations de travail dans le réseau public de la santé et des services sociaux reconnaît l'organisation communautaire comme profession depuis 1976.
4. Mentionnons notamment les formations offertes par le Centre Saint-Pierre, le Centre de formation populaire et l'organisme Communagir.
5. Environ 300 organisatrices et organisateurs communautaires exercent dans le réseau public.

Les auteurs de ce livre constatent que les valeurs guidant l'action communautaire sont fondamentales, mais que les sociétés capitalistes[6], ainsi que l'idéologie néolibérale[7] qui les sous-tend, ne les respectent généralement pas ou les dénaturent. L'injustice, les inégalités, l'exclusion, l'individualisme, l'absence de respect des droits humains et la concentration du pouvoir au sein d'une oligarchie[8] sont donc encore au cœur des rapports sociaux. Ainsi, l'action communautaire devrait défendre les intérêts de ceux et celles qui subissent les effets négatifs du développement économique de la société. L'action communautaire est une pratique qui doit d'abord être un outil de changement social pour ceux et celles qui souhaitent lutter contre le modèle individualiste de représentation et de comportement qu'impose le capitalisme, se tournant plutôt vers une logique collective de recherche du bien commun. Nous misons donc sur la capacité des communautés à prendre en main leur développement social, culturel, économique et politique dans une perspective où la richesse collective est orientée vers des activités socialement utiles à faible impact écologique.

Prenant appui sur ces balises, voici notre définition de l'action communautaire :

L'action communautaire | L'action communautaire désigne toute initiative issue de personnes, d'organismes communautaires, de communautés (territoriale, d'intérêts, d'identité) visant à apporter une solution collective et solidaire à un problème social ou à un besoin commun.

---

6. Selon Kempf, dans l'ouvrage *Pour sauver la planète, sortez du capitalisme*, Paris, Seuil (2009), le capitalisme est un processus historique qui se déploie depuis deux à trois siècles. D'un point de vue technique, le capitalisme est un état social dans lequel les individus sont censés n'être motivés que par la recherche de profits et consentent à laisser régler par le mécanisme du marché toutes les activités qui les mettent en relation.

7. Le néolibéralisme désigne tout à la fois une idéologie, une vision du monde, des modes de gouvernement et une théorie marquant une radicalisation du libéralisme. Il se caractérise par une limitation du rôle de l'État en matière économique, sociale et juridique, une ouverture de nouveaux domaines d'activité à la loi du marché et une vision de l'individu en tant que capital humain, que celui-ci parviendra à développer et à faire fructifier à condition qu'il sache s'adapter et innover.

8. Selon Kempf, dans l'ouvrage *L'oligarchie, ça suffit, vive la démocratie*, Paris, Seuil (2011), le capitalisme actuel glisse vers une forme oubliée de système politique : l'oligarchie. L'oligarchie n'est ni la démocratie – le pouvoir du peuple par le peuple –, ni la dictature – le pouvoir d'un seul aux fins qui lui sont propres –; c'est un régime politique où un petit nombre, une étroite couche dirigeante, discute et adopte en son sein les décisions qu'il lui paraît nécessaire de prendre.

L'action communautaire s'actualise par des pratiques multiples et diversifiées, guidées par des valeurs de justice sociale, de solidarité, de démocratie, d'autonomie et de respect.

Ces actions sont menées avec un souci d'éducation populaire et de fonctionnement démocratique afin de favoriser l'autonomie des personnes et des communautés (*empowerment*).

Cette définition rejoint celle de plusieurs organismes communautaires et regroupements nationaux, et elle est partagée par la plupart des personnes actives dans les milieux communautaires autonomes ou œuvrant dans le secteur public.

L'organisation communautaire

Les organisatrices et organisateurs communautaires des CISSS et des CIUSSS du Québec, regroupés au sein du Regroupement québécois des intervenantes et intervenants en action communautaire en CISSS et CIUSSS (RQIIAC), se sont donné une définition de l'organisation communautaire que l'on confond souvent avec l'action communautaire. Nous pensons qu'il est utile de distinguer ces deux termes. Selon le RQIIAC, l'organisation communautaire :

- est une intervention de soutien professionnel et d'influence dans une communauté donnée, qu'elle soit territoriale, d'identité ou d'intérêts ;
- s'adresse prioritairement aux communautés affectées par les inégalités, la dépendance, la marginalité, l'exclusion et l'appauvrissement, dans une perspective de justice sociale ;
- est pratiquée en soutien au processus planifié d'action communautaire par lequel la communauté identifie ses besoins, mobilise ses ressources et développe une action pour y répondre ;
- est orientée vers le changement social par le renforcement de l'autonomie de la communauté, de la solidarité de ses membres et de leur participation sociale dans le cadre de pratiques démocratiques[9].

---

9. Regroupement québécois des intervenants et intervenantes en action communautaire en CSSS (RQIIAC) (2010), *Pratiques d'organisation communautaire en CSSS. Cadre de référence du RQIIAC*, Québec, Presses de l'Université du Québec, p. 34.

*Les approches
en organisation
communautaire*[10]

Les pratiques d'action communautaire sont plurielles et les champs de pratique sont nombreux au Québec. Ils se déploient dans des expériences diversifiées avec des groupes sociaux et des communautés variés. Pour tenter d'en cerner les principaux contours et critères, diverses typologies ont été élaborées au fil des ans, mais c'est sans doute celle élaborée par Rothman (1970) et adaptée par Doucet et Favreau (1991) qui a influencé le plus longtemps l'enseignement de l'organisation communautaire au Québec. Cette typologie comprenait trois approches[11] : action sociale, développement local et planification sociale.

En 2007, Bourque, Comeau, Favreau et Fréchette ont proposé une nouvelle typologie des approches stratégiques en organisation communautaire s'inspirant de l'expertise québécoise. Cette nouvelle typologie comporte quatre approches[12] :

1) Sociopolitique : résolution de problèmes sociaux par la défense et la promotion des droits sociaux.

2) Socioéconomique : autodéveloppement économique et social.

3) Socio-institutionnelle : résolution de problèmes par une intervention publique de proximité.

4) Sociocommunautaire : organisation de l'entraide entre personnes et groupes fragilisés dans la communauté.

À qui s'adresse ce livre ?

Les auteurs de ce livre occupant ou ayant occupé des fonctions d'enseignants en travail social, cela va de soi qu'ils poursuivent des objectifs liés à cette activité professionnelle. Par ailleurs, étant également actifs dans divers mouvements sociaux, ils ont voulu que ce livre soit utile non seulement aux étudiants en intervention communautaire, mais aussi aux personnes, employés, militants ou bénévoles qui agissent dans leur collectivité afin que les conditions de vie et la qualité de la vie y soient meilleures dans le respect du bien commun. Par conséquent, voici comment le terme *intervenant communautaire* est défini dans cet ouvrage :

---

10. Selon le RQIIAC, « une approche, c'est une manière d'envisager une problématique et de prévoir l'intervention appropriée », *ibid.*, p. 40.

11. L'ouvrage de Bourque *et al.* (dir.) (2007), *L'organisation communautaire. Fondements, approches et champs de pratique*, publié aux Presses de l'Université du Québec, analyse et décrit diverses expériences d'intervention se rattachant aux principaux champs de pratique et approches en organisation communautaire.

12. *Ibid.*, p. 14.

Intervenant communautaire

Une intervenante ou un intervenant communautaire désigne toute personne qui apporte un soutien organisationnel et technique à un groupe de personnes ou à une communauté qui entreprend ou mène une action communautaire. Selon le cas, cette personne sera soit un intervenant professionnel du réseau public (organisateur ou travailleur communautaire, agent de développement), soit un salarié d'un organisme communautaire, ou encore un militant actif au sein d'un mouvement social.

L'ensemble des connaissances, des stratégies et des moyens mis en œuvre par l'intervenant communautaire ainsi défini devraient respecter un processus démocratique et éducatif favorisant la mobilisation ainsi que le développement du pouvoir d'agir des personnes, des organismes et des communautés (*empowerment*).

La structure de l'ouvrage

Ce livre comporte trois parties. Dans la première partie, nous avons voulu décrire le contexte historique de l'évolution des pratiques communautaires au Québec, les valeurs portées par l'action communautaire et introduire le concept de modèle d'intervention à l'origine du développement des typologies de modèles d'intervention. La seconde partie présente les étapes de la méthodologie du processus d'intervention communautaire. Enfin, la troisième partie est consacrée aux divers moyens, techniques et outils rattachés à la pratique de l'action communautaire. Il va sans dire que cette troisième partie est liée à un savoir-faire complexe et diversifié qui est marqué par des préoccupations d'ordre éthique et politique.

Enfin, s'il est un secteur de l'activité humaine où le savoir et le savoir-faire résultent de l'action des mouvements sociaux dans une société où les enjeux et les problèmes sociaux sont en constante évolution, c'est bien celui de l'action communautaire. Il importe donc de souligner que cet ouvrage n'a pas la prétention de représenter tout ce qui se fait de créatif et d'imaginatif en action communautaire. Et c'est très bien ainsi…

TABLE DES MATIÈRES

Chapitre 11
L'évaluation _____ 399

PARTIE I

HISTORIQUE, VALEURS ET MODÈLES D'INTERVENTION

L'ÉVOLUTION DES PRATIQUES COMMUNAUTAIRES AU QUÉBEC

CLÉMENT MERCIER
JEAN PANET-RAYMOND
JOCELYNE LAVOIE

PLAN DU CHAPITRE 1

INTRODUCTION

Pour apprécier la place occupée par la pratique de l'action communautaire dans la vie démocratique du Québec actuel, il importe de connaître l'évolution des contextes sociohistoriques qui l'ont vue naître et dont l'expression se décline actuellement en réseaux multiples, pluriels et autonomes. Comprendre l'apport fondamental de l'action communautaire à la société québécoise requiert en outre que l'on explore les fondements et les sources d'inspiration qui ont façonné ses divers champs de pratique. L'histoire de la pratique de l'action communautaire, c'est aussi celle des acteurs sociaux et des mouvements sociaux qui comptent maintenant plus de 5 000 groupes à l'œuvre dans de multiples secteurs de la vie sociale. Enfin, le parcours de l'action communautaire, c'est celui de l'émergence d'une profession ayant développé un savoir-faire méthodologique et technique ainsi qu'une éthique qui lui sont propres.

Dans ce chapitre, nous effectuerons un survol des six périodes de l'évolution de l'action communautaire au Québec que nous associons, de concert avec divers analystes[1], à six grandes étapes ou générations de groupes communautaires : 1) avant les années 1960, celle de l'émergence des mouvements coopératif et syndical et de l'influence des mouvements d'action catholique ; 2) les années 1960, celle de l'animation sociale et des comités de citoyens ; 3) les années 1970, celle des groupes populaires ; 4) les années 1980, celle de la multiplication et de la diversité des organismes communautaires ; 5) les années 1990, celle du développement des concertations et du renouvellement des mouvements sociaux ; 6) les années 2000, celle où se concrétisent la consolidation du partenariat et une radicalisation des luttes anticapitalistes et antiautoritaires[2].

Ce chapitre analysera aussi la dynamique des liens qui se sont tissés, de 1960 à nos jours, entre l'infrastructure sociale québécoise et les pratiques d'action communautaire. Pour chaque période, nous présenterons l'évolution de l'action communautaire à travers sa réalité complexe, laquelle a été largement

---

1. Notamment, M. D'Amours (1997), *L'économie sociale au Québec : cadre théorique, histoire, réalités et défis*, Montréal, Institut de formation en développement économique communautaire (IFDEC), 79 p. ; J.F. René, D. Fournier et L. Gervais (1997), « Le mouvement communautaire au Québec à l'heure de la fragilisation des liens sociaux », *Politiques sociales*, nos 3-4, p. 85-101.
2. Nous avons découpé les périodes selon les décennies, car elles font sens si l'on retient les grandes caractéristiques de chaque étape. Cela dit, il faut préciser que, jusqu'à présent, les générations d'organismes communautaires n'écartent pas les précédentes lorsqu'elles apparaissent. Elles ont plutôt tendance à se superposer ou à se tailler de nouveaux espaces d'intervention, ce qui peut, à la limite, créer des tensions entre différents réseaux communautaires.

tributaire du contexte social, politique, culturel et économique des différentes époques considérées. Nous relèverons également les principales pratiques et les acteurs clés qui ont marqué ces époques.

QUELQUES MOTS SUR LE CONCEPT DE MOUVEMENTS SOCIAUX

L'action communautaire se réalise par l'entremise de groupes et d'organismes qui constituent ce que certains auteurs[3] qualifient de mouvement communautaire. Ce mouvement communautaire est en réalité le reflet d'une vaste mosaïque ou nébuleuse d'initiatives provenant de plusieurs types de groupes communautaires, différenciés par leur origine, les problématiques ciblées et le contexte ou l'époque de leur apparition, mais qui ont un engagement commun «dans les luttes et actions quotidiennes contre la pauvreté et l'exclusion, et pour l'égalité; dans les actions et les luttes sociales visant la transformation sociale; dans la création d'espaces démocratiques et la revitalisation de la société civile; et dans l'éducation à la citoyenneté[4]». Cette définition de l'action communautaire nous amène à considérer celle-ci comme étant issue et partie prenante de l'action des nouveaux mouvements sociaux qui ont émergé au Québec et ailleurs dans le monde au tournant des années 1960.

Les mouvements sociaux | Le concept de mouvement social s'appuie sur les théories d'action sociale d'Alain Touraine. Elles sont présentées ici, brièvement, comme des repères aidant à mieux comprendre et à mieux situer l'action communautaire dans l'univers de l'action sociale. Cet univers renvoie aux rapports de pouvoir qui influencent et même dominent les conditions de vie et de travail du sujet-acteur citoyen et sur lesquelles il peut en retour agir et exercer une influence; ces actions citoyennes varient selon l'ouverture au changement que permet le système social et politique par les voies démocratiques dans les sociétés modernes.

---

3. P. Bélanger et B. Lévesque (1992), «Le mouvement populaire et communautaire: de la revendication au partenariat (1963-1992)», dans G. Daigle et G. Rocher, *Le Québec en jeu: comprendre les grands défis*, Montréal, Les Presses de l'Université de Montréal, p. 714.
4. Comité aviseur de l'ACA, *Bulletin n° 4*, 1999.

Le concept de mouvement social peut être défini par les énoncés suivants :

- Il recouvre les conduites collectives[5] adoptées par un ou plusieurs groupes sociaux, correspondant aux communautés géographique, d'identité et d'intérêts. Ces conduites présentent un caractère conflictuel par des luttes qui remettent en question ou contestent des situations vécues au regard des conditions de vie et de travail, des modes de vie, de la qualité des milieux de vie, de l'accès aux ressources, aux services et au pouvoir, etc.

- Elles proposent, en dehors de l'action politique partisane, des changements à des niveaux plus ou moins réformistes ou radicaux des organisations publiques et privées, dans les grandes institutions qui déterminent la place des individus et leurs rôles dans la société, mais aussi du côté des grands systèmes de valeurs et de visions qui structurent les rapports sociaux et conditionnent les systèmes dominants du développement de nos sociétés (ex. : capitaliste, néolibéral, patriarcal ou raciste).

- La portée de ces conduites sera plus ou moins grande selon qu'elles intègrent les trois principes constitutifs complémentaires d'identité[6], d'opposition[7] et de totalité[8].

---

5. Ce terme désigne l'ensemble des pratiques d'un groupe, à partir de ses modes d'organisation interne et de dispensation de services, jusqu'aux formes d'intervention dans l'espace public, ce qui inclut les actions de protestation (manifestations, pétitions, grèves, etc.), mais aussi des modes de vie et d'organisation du travail.
6. Le principe d'*identité* sert à déterminer au nom de qui l'action est posée ou la revendication est faite, ce qui suppose que le ou les groupes revendicateurs ou représentés dans l'action ont pu se donner une vision claire et affirmée de l'identité au nom de laquelle la lutte est vue comme nécessaire et par rapport à laquelle on a développé un sentiment d'appartenance.
7. Le principe d'*opposition* suppose qu'on a défini l'objet de la lutte à travers l'adversaire ou la situation contre lesquels on lutte. Ce principe détermine la construction du projet de changement par l'identification non seulement du problème vécu, mais aussi du positionnement par rapport aux acteurs sociaux ou structures sociales qui en sont la cause. Ainsi, en prenant conscience ou en reconnaissant l'existence d'une situation d'oppression, de ressources manquantes, d'iniquités à corriger, de droits à faire reconnaître, de valeurs à transformer, pour situer son « problème » comme déterminé par un rapport de pouvoir, le groupe doit identifier les « oppresseurs » responsables de la situation ou les adversaires qui empêchent de la changer. C'est ainsi que l'élaboration d'une action de mouvement social passe par une phase obligée d'opposition fondamentale susceptible d'évoluer selon les changements obtenus.
8. Le principe de *totalité* propulse l'énergie du groupe revendicateur dans une demande de changement social de portée plus ou moins large, par la définition de ce pour quoi on lutte et agit, par exemple la revendication d'un droit, d'un programme, d'un service, etc. Pour qu'on puisse parler de mouvement social, l'enjeu doit être de l'ordre d'un choix de société, à travers la perspective plus ou moins universelle de la demande, au nom de valeurs, d'idéaux, d'une philosophie ou d'un projet de société. Cette demande procède d'une nouvelle vision du vivre et agir ensemble, qui traduit une certaine conception de la personne, des rapports sociaux, du changement social, du modèle de développement, etc.

Ces principes sont présentés ici comme des absolus, des idéaux-types, qu'il ne faut pas chercher à accoler à des organisations concrètes (un syndicat ou un groupe de femmes, de jeunes, etc.) ou à des événements ponctuels portant sur des thèmes précis. Ils constituent plutôt des outils permettant de dégager la nature et le sens d'une action ou d'une lutte qui doit s'exprimer dans une certaine continuité et être en mesure de mobiliser un grand nombre de personnes et de groupes représentatifs ou impliqués dans l'enjeu visé.

Ainsi, les Marches des femmes qui ont eu lieu en 1995, 2000 et 2010 ont constitué des moments forts de la relance du mouvement féministe sur de nouveaux enjeux de la condition féminine que ce mouvement central porte depuis les années 1960.

Anciens et nouveaux mouvements sociaux

On reconnaît que le mouvement ouvrier, le mouvement du socialisme démocratique et le mouvement coopératif ont été des acteurs sociaux déterminants de la transformation des sociétés occidentales depuis l'avènement de la société industrielle au XIXe siècle, notamment au regard des conditions de travail mais aussi des conditions de vie. Touraine les définit comme les anciens mouvements sociaux, en raison de leur contribution historique aux changements sociaux du XXe siècle. Dans la société moderne, qualifiée de postindustrielle, de nouveaux mouvements sociaux ont émergé depuis les années 1960 dans plusieurs sphères de la vie privée. Ceux-ci touchent davantage l'identité personnelle et les modes de vie, et ont agi sur de nouvelles problématiques sociales : la condition féminine, la place des jeunes, l'orientation sexuelle, la santé mentale, la question autochtone, l'environnement, la consommation, le logement, les droits sociaux, le chômage, l'immigration, la mondialisation néolibérale, la paix, la contre-culture, etc.

Les fonctions des mouvements sociaux

Tout en étant situés et définis de façon variable dans le temps et dans l'espace, suivant le développement et l'ouverture au changement de chaque société, les mouvements sociaux exercent, selon Rocher, trois fonctions principales dans toute société.

Comme agents de médiation, les mouvements sociaux permettent de créer des liens entre l'individu et la société, et ce faisant constituent des lieux de participation sociale et citoyenne dans les sociétés modernes, complexes et démocratiques.

Comme acteurs de clarification de la conscience collective, ils sonnent l'alarme en regard de problèmes sociaux, qui, grâce à eux, peuvent être définis par ceux qui les vivent et qui agissent de façon autonome et critique pour les faire reconnaître. Ainsi, la définition et la reconnaissance des problèmes de même que leurs solutions n'appartiennent pas seulement aux institutions et appareils technocratiques et professionnels, qui ne peuvent que les élaborer à partir de normes scientifiques ou morales préétablies ou décrétées par les pouvoirs en place.

> Enfin, par la pression qu'ils exercent sur l'opinion publique et les pouvoirs institutionnels et politiques, les mouvements sociaux ont une influence relative mais certaine sur le développement historique, en particulier les mouvements animés par des groupes opprimés, marginalisés ou exclus.

Ainsi, les mouvements sociaux influencent les pratiques communautaires et les acteurs qui sont parfois issus de ces mouvements. En retour, les acteurs et pratiques communautaires influencent les mouvements sociaux, les initient ou en sont des éléments plus visibles.

1. AVANT LES ANNÉES 1960

L'ÉMERGENCE DES MOUVEMENTS SYNDICAL ET COOPÉRATIF ET L'INFLUENCE DES MOUVEMENTS D'ACTION CATHOLIQUE

On a tendance à situer l'émergence de l'action communautaire au Québec durant les années 1960. Ce jugement nous apparaît quelque peu injuste eu égard aux pratiques sociales relevées auparavant au sein des institutions de développement social et d'éducation populaire, dont plusieurs étaient encadrées par l'Église catholique, et appliquées par l'action sociale des mouvements syndical et coopératif. Ces institutions ont en effet contribué à l'avènement de profonds changements sociaux, qui vont se réaliser avec la Révolution tranquille. Sans entrer dans les détails, il convient de rappeler brièvement quelques éléments de cette période d'avant 1960[9].

Avec la révolution industrielle et l'urbanisation accélérée de la fin du XIXᵉ siècle, les institutions traditionnelles d'assistance à caractère local et bénévole se sont trouvées débordées ; on a alors assisté à la mise sur pied peu cohérente de diverses œuvres philanthropiques. Cette période constitue le début du travail social professionnel, dont les origines nous viennent des États-Unis. À ce propos, deux mouvements importants doivent être signalés : d'une part, le « mouvement

---

9. Ce survol de cette période est forcément sommaire, tout comme les présentations que nous ferons des cinq périodes couvrant par décennie les années 1960 à 2011. Pour en savoir plus, on consultera avec intérêt les ouvrages de R. Mayer (2002), *Évolution des pratiques en service social*, Boucherville, Gaëtan Morin ; Y. Comeau *et al.* (2008), *L'organisation communautaire en mutation*, Québec, Presses de l'Université Laval ; D. Bourque *et al.* (2007), *L'organisation communautaire, fondements, approches et champs de pratique*, Québec, Presses de l'Université du Québec.

de l'organisation de la charité » (*charity organization society* ou COS), qui est à l'origine du développement du travail social individuel (*casework*) et, d'autre part, le « mouvement des résidences sociales » (*settlements*), qui constitue l'ancêtre de la pratique d'intervention en action communautaire (organisation communautaire)[10]. Blondin[11] a bien décrit les trois grandes étapes de ce mouvement aux États-Unis, que nous évoquons ici sommairement :

1) La création, entre 1880 et 1910, de tout un réseau de *university settlements*, qui sont des résidences sociales situées en milieu ouvrier : de jeunes universitaires viennent s'installer pour connaître les conditions de vie des milieux pauvres, chercher à soulager la misère individuelle et réclamer des réformes pour ces populations. C'est la recherche de reconstruction du tissu social qui caractérise le *settlement*, avec l'ambition de reconstruire la communauté détruite par la grande ville. En général, et contrairement aux COS, les *settlements* n'offraient pas de secours financier, mais plutôt divers services communautaires susceptibles de favoriser et de faciliter l'intégration sociale. Au Canada, les *settlements* ont surtout été implantés, vers 1920, dans les quartiers anglophones de Montréal et à Toronto. De plus, une évolution similaire a été vécue en Europe, notamment avec le mouvement des maisons sociales en France.

2) La transformation, vers 1920, des *settlements* en *community centers* (CC), orientés vers l'intégration d'éléments marginaux à la société ambiante :

   Il s'agissait d'américaniser les immigrants et les ruraux qui vivaient dans les quartiers détériorés à proximité des centres-villes. Le CC facilite l'homogénéisation de la population américaine et rend possible, à ceux qui le désirent, leur ascension dans l'échelle sociale[12].

3) Les comités de citoyens (*neighborhood councils*), à partir des années 1950, visaient sur une base non officielle à améliorer la situation de leur quartier et constituaient une façon d'instaurer une forme de démocratie locale. Ces regroupements, mis en place par des organismes extérieurs au quartier, mobilisaient la population locale concernée par des problèmes locaux majeurs ou dans le cadre de projets d'aménagement ou de rénovation des

10. J.-F. Médard (1969), *Communauté locale et organisation communautaire aux États-Unis*, Paris, Armand Colin, 315 p.

11. M. Blondin (1965), « L'animation sociale en milieu urbain, une solution », *Recherches sociographiques*, vol. 6, n° 3, p. 283-304.

12. M. Blondin (1967), « Notes sur l'animation sociale en milieu urbain », *Les Cahiers de l'ICEA*, vol. 4-5, p. 54.

quartiers urbains. Ils verront leur action renouvelée et autonomisée par les liens qu'ils tisseront avec les luttes des *nouveaux mouvements sociaux* émergents à l'époque des grandes contestations étudiantes, notamment de la guerre au Vietnam, de la contre-culture et du mouvement féministe, et des grandes campagnes de « guerre à la pauvreté » des années 1960.

À ces mouvements citoyens, il faut ajouter l'influence du mouvement syndical[13] qui, aux États-Unis jusqu'au début du xxᵉ siècle, sera très engagé politiquement dans la reconnaissance des droits des salariés et des droits sociaux de la classe ouvrière. Inspiré du syndicalisme et du mouvement socialiste européens, il contribuera à la mise sur pied d'œuvres philanthropiques (logement, santé, secours direct…) dans les quartiers ouvriers.

Au Québec

Le mouvement des résidences sociales est présent vers 1920 à Montréal en milieu anglophone avec la mise sur pied du McGill University Settlement[14]. Du côté francophone, il aura peu d'influence directe, contrairement au modèle COS qui inspirera les premières organisations de services sociaux mises sur pied sous l'égide de l'Église.

Du côté des pratiques de type développement communautaire en lien avec le mouvement des résidences sociales, on doit souligner le rôle particulièrement important, vers le milieu des années 1940, de certains mouvements d'action catholique, comme la Jeunesse ouvrière catholique (JOC) ou encore la Ligue ouvrière catholique (LOC), qui s'adresse surtout aux adultes dans le développement des pratiques communautaires[15] et qui contribue à l'organisation des premières coopératives d'habitation dans les principales villes du Québec à cette époque[16]. De même, le mouvement de la Jeunesse ouvrière catholique féminine (JOCF) a constitué un lieu dynamique de formation à l'action communautaire

---

13. Citons en particulier l'action des Chevaliers du travail, qui ont aussi été très présents à Montréal au début du xxᵉ siècle.
14. En association avec l'Université McGill jusque dans les années 1970, cette résidence sociale demeure encore présente, portant depuis 1979 l'appellation *Centre multiethnique Saint-Louis*.
15. L. Doucet et L. Favreau (dir.) (1991), *Théorie et pratiques en organisation communautaire*, Québec, Presses de l'Université du Québec, p. 74.
16. J.-P. Collin (1987), « Crise du logement et action catholique à Montréal, 1940-1960 », *Revue d'histoire de l'Amérique française*, vol. 41, nᵒ 2, p. 179-203 ; *id.* (1993), « La Ligue ouvrière catholique et l'organisation communautaire dans le Québec urbain des années 1940 », *Revue d'histoire de l'Amérique française*, vol. 47, nᵒ 2, p. 163-191.

pour des centaines de jeunes filles des milieux ouvriers québécois[17], tout comme le mouvement de la Jeunesse étudiante, qui sera présent dans les collèges classiques et les écoles secondaires, ainsi qu'en milieu rural avec la Jeunesse agricole catholique (JAC)[18], et qui fournira à la jeunesse catholique francophone des occasions d'engagement «laïc», par l'initiation à la méthode du «voir-juger-agir». Chacun de ces mouvements dits spécialisés (par secteur), où cohabiteront en tension «action nationale» et «action sociale», développera en parallèle des activités de militantisme dans le milieu et des services pour ses membres (service artistique, coopératives, camps de vacances). Les instances nationales qui coordonnent l'ensemble de ces mouvements ont été des lieux de formation, mais aussi, sinon d'opposition, du moins de critique «laïque» des idéologies dominantes et des pratiques des élites religieuses et politiques de l'époque, dite «de la grande noirceur». Comme le note Bienvenue: «C'est ainsi que tant de vocations sociales et politiques ont pu être suscitées et que le rêve d'une société modernisée et laïcisée – sans être pour autant déchristianisée – a pu prendre forme au sein même des structures de l'Église» (2003, p. 18).

Aux côtés de ces mouvements proches de l'Église, on retrouvera des pratiques d'organisation communautaire dans différents lieux plus proches des organisations populaires, syndicales et coopératives, le plus souvent sous forme de militantisme et de bénévolat, mais parfois sous forme de pratique salariée. Ces pratiques se développent dans divers lieux comme les centres des loisirs paroissiaux ou municipaux, alors beaucoup associés à l'éducation non scolaire des jeunes, et dans des projets et programmes d'éducation des adultes, sous des formes très variées d'éducation populaire: des cercles d'études inspirés de pratiques innovatrices d'éducation coopérative, des cours à la radio, des sessions de formation périodiques, des cours du soir, etc.

On retrouve aussi les contributions des syndicats qui, par l'entremise d'«associations de bienfaisance», vont œuvrer à la mise sur pied de services communautaires et de programmes de protection collective: mutuelles d'assurance, coopératives de services d'«utilité publique», coopératives de construction, de travail ou de consommation.

17. L. Piché (1999), «La jeunesse ouvrière catholique féminine, un lieu de formation sociale et d'action communautaire, 1931-1966», *Revue d'histoire de l'Amérique française*, vol. 52, p. 481-506.
18. La JAC maintient des liens avec l'Association catholique de la jeunesse canadienne-française (ACJC), qui existe depuis le début du siècle avec une orientation nationaliste, et aura une grande influence sur le mouvement du scoutisme et des Cercles des jeunes naturalistes.

Finalement, avec Côté et Maurice[19], nous devons reconnaître l'influence importante des femmes dans le développement de pratiques d'action communautaire proches des mouvements sociaux de cette époque, bien avant la Révolution tranquille ; nous en avons pour exemple l'action sociale de trois pionnières. Il s'agit de Marie (née Beaubien) Gérin-Lajoie (1880-1971), qui va assumer un rôle de premier plan dans la formation en travail social et la mise sur pied d'organisations inspirées par le mouvement des résidences sociales ; de Thérèse (née Forget) Casgrain (1896-1981), qui va donner ses lettres de noblesse à l'action politique dans le domaine social et, finalement, de Simonne (née Monet) Chartrand (1919-1993), qui développera une pratique engagée dans le domaine du bénévolat social.

2. LES ANNÉES 1960

LA PREMIÈRE GÉNÉRATION DE GROUPES COMMUNAUTAIRES : LES COMITÉS DE CITOYENS

2.1. Éléments de contexte

C'est dans un contexte de profonde remise en question des politiques conservatrices antérieures[20] qu'en 1960, au fil de la Révolution tranquille, s'amorce un immense processus de modernisation des structures et modes d'intervention de l'État québécois, dont la professionnalisation et la syndicalisation de la fonction publique. Cette modernisation importante passera par la prise en charge collective des grands secteurs économiques, la restructuration du système d'éducation et l'instauration de nouveaux programmes sociaux, ce qui amènera la révision des pratiques sociales et propulsera par la même occasion le Québec « ancien » dans une ère de modernité.

L'ensemble de ces transformations entraînera des changements importants dans la prise en charge des problèmes sociaux. En 1961, le ministère de la Famille et du Bien-être social est créé. Le rapport Boucher[21] (1963) incite l'État à accroître

---

19. D. Côté et M.-P. Maurice (1999), « L'organisation communautaire avant la Révolution tranquille : portraits de trois précurseurs », *Intervention*, n° 110, p. 38-52.
20. Ces politiques ont dominé la période qu'on a longtemps désignée comme la « Grande Noirceur ».
21. Comité d'étude sur l'assistance publique.

son intervention afin d'améliorer les conditions de vie et de travail de la population. La décennie 1960 voit apparaître une série de réformes importantes, notamment la Loi de l'aide sociale, votée en 1969, qui unifie des mesures diverses (mères nécessiteuses, aveugles, assistance chômage, etc.) en un seul programme et qui reconnaît pour la première fois le droit de recevoir l'assistance de l'État sur la base de besoins socialement reconnus. À partir de 1966, une vaste commission d'enquête (Castonguay-Nepveu) analyse l'organisation des services de santé et des services sociaux : son rapport entraînera une réforme majeure au début des années 1970.

Le Québec des années 1960 en mouvement : les grands courants

On peut retenir que toute cette volonté de changement de la Révolution tranquille est portée au Québec par deux principaux courants d'idées issus pour une bonne part des mouvements sociaux d'avant 1960. Il y a d'abord le nationalisme québécois réformiste, qu'on associe à deux thèmes : 1) la dynamique créée par la nouvelle affirmation identitaire de la nation, redéfinie sous l'angle de l'affirmation du français ; 2) la vision réformiste de la société, qui inscrit «la modernisation sous toutes ses formes comme le meilleur garant de l'avenir du Québec[22]».

Ce courant nationaliste réformiste, d'inspiration libérale, cohabite avec un second courant plus critique, l'égalitarisme de gauche. Celui-ci priorise les questions sociales, guidé par les valeurs de justice et d'égalité, et des visions politiques du changement, par la transformation économique et politique visant à mettre «fin à l'exploitation dont sont victimes les travailleurs, les chômeurs, les assistés sociaux et tous les groupes défavorisés[23]».

En outre, l'égalitarisme de gauche se traduit soit sur le plan socioéconomique (les chômeurs, les assistés sociaux, les victimes de l'endettement, les régions et quartiers en déclin), soit sur le plan identitaire personnel (les femmes, les jeunes, surtout les étudiants, les autochtones…). Il prend forme dans de nouvelles organisations qui deviennent des lieux de mobilisation et d'action collective

---

22. P.-A. Linteau *et al.* (1986), *Histoire du Québec contemporain : le Québec depuis 1930*, Montréal, Boréal, p. 616.
23. *Ibid.*, p. 620.

à la source de l'émergence québécoise de nouveaux mouvements sociaux et du renouvellement d'anciens mouvements, notamment les acteurs collectifs suivants, qui agissent souvent en interaction :

- Le mouvement féministe se constitue d'abord dans une tendance réformiste avec la Fédération des femmes du Québec ou FFQ (1965) et l'Association féminine d'éducation et d'action sociale ou AFEAS (1966).

- Avec l'Union générale des étudiants du Québec ou UGEQ (1964), le mouvement étudiant développera un projet d'accessibilité gratuite aux études supérieures et une vision pédagogique participative, revendications qui culmineront dans les vagues de grèves étudiantes de 1968[24].

- La protection des consommateurs devient la préoccupation centrale des associations coopératives d'économie familiale (ACEF) : celles-ci mobilisent les mouvements syndical et coopératif ainsi que des organismes sociaux autour de luttes politiques et juridiques visant à contrer l'endettement engendré par la consommation de masse et les pratiques abusives des sociétés de crédit ; les revendications portées par ces luttes sont souvent inspirées des mouvements américains de consommateurs, notamment celui de Ralph Nader.

- Inspirés par les idéaux de la participation et de l'égalité des chances, et sous l'influence de programmes américains et européens de lutte contre la pauvreté, des projets et programmes d'éducation des adultes, de défense des droits sociaux et de développement communautaire sont mis en place au gouvernement fédéral (Compagnie des Jeunes Canadiens, le pendant des *Peace Corps* américains) et sur l'initiative du ministère de l'Éducation et de l'UGEQ (Travailleurs étudiants du Québec, programme qui mobilisera des étudiants dans des projets d'été de développement communautaire, volet « Formation sur mesure » des Services d'éducation permanente des commissions scolaires, TEVEC et Multi-média)[25]. Par ailleurs, le Québec « social » des années 1960 vit au rythme du monde par l'influence qu'auront deux grands courants de pensée et de pratiques d'action sociale de portée mondiale :

---

24. Il semble y avoir un lien entre le programme d'action *L'école au cœur des transformations sociales*, que la JÉC publia en mai 1968 et qui était une contestation généralisée du contenu de l'enseignement et du système scolaire québécois, et le mouvement d'occupation des collèges d'enseignement général et professionnel (cégeps) en octobre 1968.

25. TEVEC (Télévision éducative et communautaire) fut une expérience d'éducation populaire à distance et d'animation sociale avec le recours aux médias de masse, réalisée au Saguenay–Lac-Saint-Jean dans la seconde moitié des années 1960 ; elle donna lieu à la mise sur pied dans d'autres régions du programme Multi-Média.

- les mouvements américains de contestation sociale, des minorités[26], noires en particulier, de la guerre contre la pauvreté, des grandes contestations étudiantes contre la guerre du Vietnam notamment, le mouvement féministe, et la contre-culture *flower power* et *beatnik* ;
- les mouvements européens et tiers-mondistes, de contestation de la société de consommation, de recherche de l'autogestion ouvrière et sociale et de libération nationale, qui seront aussi des références déterminantes ; on se tournera vers des expériences d'aménagement rural en Europe et en développement communautaire en Afrique, tout comme vers des pratiques d'inspirations socialiste et chrétienne radicale en provenance de l'Amérique latine, notamment les projets d'alphabétisation et de conscientisation de Paulo Freire, et la théologie de la libération[27].

Ce sont ces dernières influences, en interaction avec le renouvellement des mouvements sociaux précités, qui, au milieu des années 1960, provoquent de nouvelles mobilisations dans des communautés et des catégories sociales marginalisées, autour des problématiques socioéconomiques des conditions de vie (revenu, emploi, logement, accès aux services de proximité…) et des milieux de vie (quartiers urbains délabrés et délaissés ; régions en déclin, victimes de l'exode de leur population vers les grandes villes, surtout Montréal)[28].

On assiste alors à l'émergence du mouvement communautaire actuel, dont le projet initial est largement inspiré par l'idéologie de la participation citoyenne, qui promeut l'affirmation du pouvoir et de la responsabilité citoyenne comme complément à l'action de l'État et des autres acteurs sociopolitiques. Cette idéologie sera principalement portée par l'approche de l'animation sociale et sera aussi présente dans des projets de développement régional et d'éducation des adultes.

2.2. Les pratiques : la participation citoyenne et l'animation sociale rurale et urbaine

L'animation sociale visait à susciter chez les citoyens de communautés appauvries la prise de conscience de leur situation, à les aider à se former à des outils de « rationalisation de l'action » et à se donner des organisations pour changer

---

26. Citons notamment celle de Saul Alinsky : l'organisation des minorités ethniques, et celle de Martin Luther King : la pratique de la non-violence active.
27. P. Freire (1974), *Pédagogie des opprimés*, Paris, Maspero.
28. On identifie alors ces milieux comme les « laissés-pour-compte » de la croissance et de la société de consommation.

leur situation dans le cadre d'un projet collectif porteur de nouvelles valeurs et d'un nouveau projet de société. C'est cette approche qui, au milieu des années 1960, sera à l'origine des premiers comités de citoyens, dans les quartiers défavorisés des principales villes du Québec. À l'initiative et sous le leadership des animateurs sociaux[29], ces groupes de citoyens vont d'abord se mobiliser sur des enjeux liés à des réclamations ponctuelles limitées (école de quartier, activités de loisir pour les jeunes, etc.) et étendre graduellement leurs revendications[30] à la mise sur pied et la gestion collective de divers services, comme des maisons de quartier, des cliniques de santé, des cliniques juridiques, etc. La même mobilisation des citoyens va se manifester en milieu rural afin de contrer la fermeture de localités fortement en déclin, suivant l'expérience du Bureau d'aménagement de l'Est du Québec (BAEQ).

2.2.1. *En milieu rural : le BAEQ et les Opérations Dignité*

La démarche menée par le Bureau d'aménagement de l'Est du Québec (BAEQ) de 1963 à 1966 constitue la toute première expérience d'intervention planifiée par l'État au Québec, en misant sur la participation de la population locale rurale de cette région[31], connue pour son extrême pauvreté. Ce projet d'aménagement global du territoire aura des répercussions profondes non seulement dans la région visée, mais aussi dans l'ensemble du Québec, grâce aux pratiques nouvelles de développement régional qu'il va engendrer.

---

29. Les animateurs sociaux sont les premiers salariés intervenant auprès de groupes d'action communautaire. Au Québec, le terme *animateur social* n'a jamais correspondu à une activité professionnelle déterminée, bien qu'il ait été le plus souvent associé à la méthode de l'organisation communautaire enseignée dans la formation en travail social. Devant la grande diversité des définitions formelles de l'animation, on s'est entendu à l'époque pour dire que cette intervention visait à rationaliser l'action d'un comité de citoyens et à favoriser le développement de nouveaux leaders dans les milieux ciblés. Voir M. Doray (1967), « Méthodes et techniques d'animation », *Les Cahiers de l'ICEA*, vol. 4-5, p. 25-27.

30. Selon Blondin, à l'origine, les comités que les animateurs sociaux formaient « se choisissaient un nom selon l'activité concrète qui les regroupait : comité des parents, comité des loisirs. L'expression "comité de citoyens" a été créée par les animateurs comme une expression générique qui englobait les différentes formes de regroupements qui étaient présents sur le terrain ». M. Blondin (2008), *Le changement social : la nécessité d'innover. Quelques leçons de trois moments significatifs de mon engagement social*, document non publié, p. 3.

    On peut trouver une réflexion sur le cheminement de Blondin dans M. Blondin, Y. Comeau et Y. Provencher (2012), *Innover pour mobiliser. L'actualité de l'expérience de Michel Blondin*, Québec, Presses de l'Université du Québec.

31. L'Est du Québec englobe le Bas-Saint-Laurent, la Gaspésie et les Îles-de-la-Madeleine.

Inspiré des expériences d'aménagement rural et d'animation sociale observées dans les années 1930 aux États-Unis, et dans l'après-guerre en milieu rural français et en Afrique francophone, le projet voulait s'attaquer à la problématique du sous-développement endémique de cette région. Il cherchait à combiner les études techniques et scientifiques de divers secteurs d'activité, et les actions de formation, d'information et de mobilisation de la population qui avaient cours dans les différentes localités du territoire, en particulier en milieu rural. L'imposante équipe d'animateurs sociaux s'activera durant près de trois ans à créer, alimenter et animer une véritable mosaïque de comités locaux d'aménagement et de programmes d'éducation des adultes. Cependant, lorsque les projets émanant des comités locaux de citoyens furent confrontés à ceux des experts, ce sont ces derniers qui ont prévalu dans le plan proposé en 1966, provoquant une profonde frustration dans la population et la démobilisation de celle-ci.

L'expérience d'aménagement avec la participation populaire n'aura été finalement qu'une opération visant le changement des mentalités et la rationalisation des activités économiques et du territoire, en fonction des secteurs économiques et pôles géographiques présumés les plus forts d'après les règles dominantes du marché capitaliste ; elle est restée dans l'imaginaire collectif régional et québécois comme une opération technocratique typique de l'intervention étatique menée de l'extérieur, sans respect pour les dynamiques locales et l'«expertise citoyenne», dont les images les plus fortes ont été la fermeture de plusieurs villages et la relocalisation des populations dans les petites villes environnantes.

On doit en revanche lui donner le crédit d'avoir engendré, grâce à la démarche d'animation sociale[32], un nouveau leadership local qui, à l'initiative de nouveaux animateurs sociaux issus du milieu, sera mobilisé dans les Opérations Dignité formées en opposition aux plans du BAEQ ; on pense notamment à la fermeture de villages et à l'intégration de l'activité agroforestière sous le leadership et la rationalité de la grande entreprise privée. Les grandes actions collectives réalisées dès le début des années 1970[33] sont le produit de plusieurs mouvements de mobilisation des milieux ruraux dans des projets de relance populaire du développement de ces milieux et de revendication d'une approche différente – et même opposée – de celle prônée par le gouvernement.

---

32. Au moment de la rédaction finale du plan d'aménagement de l'Est du Québec, plusieurs animateurs sociaux ont choisi de démissionner du projet, pour protester contre le rejet de la vision de développement et des projets émanant des comités locaux qu'ils avaient mis sur pied.
33. Il y eut trois Opérations Dignité qui, sur trois ans, ont rejoint quelque 65 paroisses et plus de 6 000 personnes par l'entremise de comités locaux de citoyens.

Ces actions ont donné lieu à de nouvelles solutions de rechange au développement de l'industrie forestière qui deviendront par la suite des références pour l'ensemble du territoire québécois. On a ainsi créé des groupements forestiers, des coopératives agricoles, des organismes de gestion en commun qui mèneront à des projets d'aménagement intégré des ressources de certains secteurs, réalisés par les citoyens eux-mêmes, dont l'expérience de développement agroforestier regroupant les municipalités de Saint-Just, Auclair et Lejeune, au Témiscouata (projet JAL). Ainsi, les revendications des Opérations Dignité porteront surtout sur les aspects économiques du développement, bien que la demande de services collectifs soit aussi présente. Si cette vaste mobilisation n'a pas permis d'empêcher la fermeture de certaines paroisses, elle aura au moins permis, selon certains, de freiner la fermeture d'autres villages.

2.2.2. *En milieu urbain*

La rénovation urbaine, qui visait l'amélioration de la qualité de vie des quartiers, et une tentative bureaucratique de transformer l'organisation des territoires ont suscité des réactions populaires qui vont de l'incompréhension à l'inquiétude, voire à la colère. Des comités de citoyens réagissent à cette planification sociale et revendiquent le droit de la population à déterminer l'aménagement du territoire.

C'est en 1963 à Montréal, dans les quartiers de Saint-Henri, de Pointe-Saint-Charles et de La Petite-Bourgogne, que naissent les premiers comités de citoyens de milieu urbain. Ces comités favorisent une approche collective qui suppose que la solution des problèmes du quartier passe par la constitution d'un leadership local et par l'obtention de services collectifs pour lesquels ils interpellent les pouvoirs publics. Ils réclament alors non seulement la mise en place de services collectifs, mais aussi le contrôle populaire[34] sur ces services. Dans ce contexte, plusieurs auteurs affirment que les comités de citoyens participent en quelque sorte à la construction de l'État-providence[35]. Certains auteurs[36] ont aussi vu dans ces revendications une forme de « syndicalisme de la consommation collective ».

---

34. Le terme *populaire*, qui est d'abord utilisé en référence au pouvoir des élus politiques et élites dirigeantes, prendra graduellement une signification de classe sociale, qui fera qu'on désignera plus tard les comités de citoyens comme des « groupes populaires ».
35. H. Lamoureux (1999), *Les dérives de la démocratie*, Montréal, VLB, p. 11-19.
36. M. Castells (1973), *Luttes urbaines*, Paris, Maspero.

Symboles de démocratie locale, les comités de citoyens se multiplient assez rapidement entre 1966 et 1970 grâce à l'appui des Conseils des œuvres de Montréal[37] et de Québec. Au départ, ce sont diverses préoccupations sociales, comme l'éducation, l'accès aux soins de santé, la rénovation urbaine et l'aménagement du territoire, qui favorisent la prise de conscience de ces groupes chez qui les animateurs sociaux réussissent à faire naître un véritable sentiment d'appartenance à leur quartier. Les nombreuses expériences d'animation sociale qui vont suivre traduisent la volonté de la population de participer à la construction d'un Québec moderne. C'est dans cette foulée que sont créés, entre autres, le Projet de réaménagement social et urbain (PRSU) à Montréal en 1964 et les comités de citoyens de Saint-Roch, à Québec, en 1966, et de Hull en 1968. Très vite, les comités de citoyens s'activent à mettre en place de nouvelles ressources communautaires entre 1967 et 1970. C'est ainsi que surgissent des garderies, de nouveaux comptoirs alimentaires (en 1967), des cliniques communautaires de santé (en 1968), des maisons de chômeurs et des ACEF.

Vers la fin des années 1960, on constate que les comités de citoyens ont peu de prise sur les programmes et les politiques qui les concernent, «et que trop souvent leur participation sert de caution à la politique sociale des gouvernements[38]». «Participer, c'est se faire fourrer», se disait-on de plus en plus chez les animateurs et les militants, ainsi que chez les partisans du mouvement étudiant des années 1967-1968. Les limites de l'animation sociale et des luttes des comités de citoyens, notamment du côté des luttes urbaines, soulèvent alors en 1968 la nécessité de développer de nouvelles pratiques. Deux directions principales seront privilégiées: d'une part, l'action politique, pour les groupes les plus militants; d'autre part, la prestation de services, pour ceux qui sont déjà engagés dans cette voie et soutenus par l'État à cette fin. Dans bien des cas, les groupes s'inscriront dans les deux courants, louvoyant entre les exigences des bailleurs de fonds et la nécessaire harmonie avec ce qui fonde leur raison d'être. Ces deux tendances vont s'accentuer dans les années 1970. Progressivement, l'action sociale se radicalise: pétitions, manifestations et occupations se succèdent. Par ailleurs, afin de renforcer les bases des comités de citoyens, les animateurs sociaux se lancent dans la mise sur pied de services communautaires avec l'assistance financière et professionnelle du clergé, d'organismes de bienfaisance, de fondations privées, du milieu universitaire et de certains syndicats.

37. Le Conseil des œuvres de Montréal deviendra plus tard, en 1970, le Conseil de développement social de Montréal métropolitain.
38. R. Mayer (2002), *Évolution des pratiques en service social*, Boucherville, Gaëtan Morin, p. 250.

2.3. Les acteurs : le rôle des animateurs et citoyens

L'échec relatif de l'action menée par les comités de citoyens conduit à une critique vigoureuse de leur action. Pour certains, les animateurs sociaux et les militants des comités de citoyens ne sont que « des agents de diversion et de divertissement[39] ». Par ailleurs, plusieurs analystes concluent à une mise en tutelle des groupes populaires par les intervenants salariés ; selon eux, l'animation sociale n'est pas un mouvement qui émane des couches défavorisées, mais plutôt le résultat de nouvelles techniques d'intervention mises au point par les « animateurs sociaux » en quête d'un meilleur statut professionnel. McGraw[40] ainsi que Godbout et Collin[41] estiment que l'apparition des comités de citoyens correspond à la conjonction de deux principaux facteurs : les réactions plus fortes des défavorisés face à leurs conditions de vie et les pratiques sociales novatrices de certains organismes de bien-être, centrées sur l'organisation communautaire.

Au cours des années 1960, deux approches en organisation communautaire s'affrontent : l'approche consensuelle et l'approche conflictuelle. Cet affrontement se fait sentir jusque dans les écoles de travail social. À cette époque, l'organisation communautaire américaine est d'orientation plutôt consensuelle. Dans cette perspective, l'organisation communautaire s'appuie sur deux principes fondamentaux : d'une part, la primauté est accordée à la communauté comme terrain d'action ; d'autre part, l'accent est mis sur la participation et l'entraide. Selon cette perspective, la participation ne devait pas déboucher sur la pression et le conflit, considéré comme un gaspillage d'énergie, mais sur la coopération.

Toutefois, aux États-Unis, Alinsky a reproché aux tenants de l'approche consensuelle leur insistance sur l'intégration sociale et l'adaptation des citoyens à leurs conditions d'existence[42]. Critique à l'endroit d'une théorie qui, tout en refusant le conflit, ne tient pas compte de l'inégalité de la distribution des ressources et du pouvoir entre les groupes sociaux, Alinsky développe une approche plus conflictuelle. Cette stratégie sera essentiellement une technique de contestation et

---

39. F. Lesemann (1975), « À propos de la formation à l'intervention collective », *Revue canadienne d'éducation en service social*, vol. 2, n⁰ 2, p. 15.
40. D. McGraw (1978), *Le développement des groupes populaires à Montréal*, Montréal, Albert Saint-Martin, p. 64.
41. J. Godbout et J.-P. Collin (1977), *Les organismes populaires et milieu urbain*, Montréal, INRS-Urbanisation, p. 213.
42. A. Alinsky (1976), *Manuel de l'animateur social. Une action directe non violente*, Paris, Seuil, 250 p.

d'agitation dans la mesure où sa mise en œuvre repose sur trois concepts fonda-mentaux : l'idée d'intérêt personnel, l'idée du pouvoir par le nombre et l'organisa-tion et, enfin, l'idée du conflit pour promouvoir et défendre ses idées et ses intérêts.

Il ne faut toutefois pas pousser à l'extrême l'opposition entre ces deux stratégies, consensuelle et conflictuelle, car, comme l'ont souligné certains auteurs, la différence a porté sur le degré plutôt que sur la nature. L'approche conflictuelle demeure en effet dans la tradition pragmatique américaine des groupes de pression et ne repose pas sur la reconnaissance du caractère antago-nique des intérêts de classes. C'est là sa limite. Et c'est cette limite qui sera éven-tuellement l'objet de la critique d'inspiration marxiste, mais aussi, et d'une autre manière, du courant féministe.

3. LES ANNÉES 1970

LA DEUXIÈME GÉNÉRATION : LES GROUPES POPULAIRES OU GROUPES AUTONOMES DE SERVICES

3.1. Éléments de contexte

La période des années 1970 s'ouvre sur une situation de crise politique majeure, avec les événements d'Octobre, qui amènent dans l'espace public québécois l'affirmation de rapports de classes sociales et de l'usage de la violence à des fins politiques. Elle est également dominée par une situation économique dite « de stagflation », où l'inflation galopante est accompagnée d'un chômage en crois-sance et par de durs et longs conflits de travail, qui vont engendrer une situation de crises sociales de plus en plus ouvertes. Le pouvoir d'achat des salariés, chô-meurs et assistés sociaux va s'en trouver réduit, ce qui accroît les inégalités de conditions de vie et provoque des affrontements de plus en plus âpres entre l'État québécois et les grandes centrales syndicales et les autres mouvements sociaux, qui iront jusqu'à la désobéissance civile et la lutte politique ouverte contre le gouvernement en place[43]. L'arrivée du Parti québécois (PQ) au pouvoir en 1976 est, avec l'accentuation de la question linguistique et des rapports difficiles avec l'État fédéral, en grande partie une conséquence de ces affrontements à la fois idéologiques et politiques, mais aussi l'affirmation d'un projet de société combinant le rêve de l'indépendance et un préjugé favorable envers les revendications sociales des classes ouvrière et populaire.

Le début des années 1970 consacre par ailleurs la mise en place de l'État-providence, à travers l'implantation de plusieurs réformes pensées durant les années 1960 et souvent calquées sur les demandes et les projets expérimentés par des mouvements sociaux de cette période, notamment l'aide juridique, la loi de protection du consommateur, l'assurance-maladie, la santé et la sécurité au travail, les premières mesures de protection de l'environnement et, en premier lieu, la vaste réforme du réseau sociosanitaire, instaurée à la suite de la publication du *Rapport de la Commission Castonguay-Nepveu*. Avec la création du ministère des Affaires sociales en 1970, cette réforme va créer un réseau complet d'établissements publics dont les centres locaux de services communautaires (CLSC), conçus à l'image des cliniques populaires, seront la porte d'entrée, avec une approche globale intégrant le social et le médical, la prévention et les soins curatifs. Une composante majeure des premiers CLSC, qui seront mis sur pied à partir de 1972, est le module d'organisation communautaire, dont la vocation est de soutenir le développement de la communauté d'appartenance. À ces réformes s'ajoute l'action des Conseils régionaux de développement, qui poursuivent, à la grandeur du Québec, la démarche de planification du développement régional suivant les travaux du BAEQ ; ces conseils font appel à des formes de participation du milieu dans une approche de développement plus globale, qui les constituent en interlocuteurs des structures gouvernementales qui se déploient en régions et les réorganisent.

---

43. Signalons les manifestes de la Confédération des syndicats nationaux (CSN), *Ne comptons que sur nos propres moyens* (1971), celui de la Fédération des travailleurs et travailleuses du Québec (FTQ), *L'État, rouage de notre exploitation* (1971), et celui de la Centrale des enseignants du Québec (CEQ, ancêtre de la Centrale des syndicats du Québec, CSQ), *L'École au service de la classe dominante* (1972). La grève du Front commun des syndiqués des services publics et parapublics de 1972 se conclura par une loi spéciale défiée ouvertement par les grévistes, qui conduira à l'emprisonnement des chefs des trois centrales syndicales.

Avec la réforme de l'éducation déjà implantée, l'État-providence complétera l'approche interventionniste et plutôt centralisatrice de l'État québécois en voie de modernisation, qui permet d'offrir un panier de base de programmes universels et de services « standards » (éducation, santé, services sociaux, environnement) sur tout le territoire.

Les mouvements sociaux : désillusion, radicalisation et recherche de solutions de rechange

Sur le plan de l'action sociale, les mouvements sociaux actifs durant la décennie 1960 poursuivront leurs luttes et certains d'entre eux se radicaliseront. Ainsi, le mouvement des femmes évoluera vers des positions appuyées sur une analyse « de genre » et s'associera ainsi au vaste Mouvement de libération des femmes qui se répand aux États-Unis et en Europe. Cette radicalisation les amènera à mettre à l'avant-scène des revendications relatives au contrôle de leur corps (avortement, contraception, accouchement naturel) mais aussi, plus largement, à la construction de nouveaux rapports sociaux interpersonnels faisant du domaine de la vie privée le lieu privilégié de la domination masculine : « le personnel est politique ». On verra par ailleurs la reconnaissance gouvernementale de la revendication identitaire féministe par la création du Conseil du statut de la femme en 1973 et du Secrétariat à la condition féminine en 1979.

Le mouvement syndical, au fil de la radicalisation de ses revendications et stratégies, s'alimente à plus d'une analyse marxiste et en vient à assimiler les rapports patrons-travailleurs à des rapports de classes. Le mouvement coopératif organisé s'engage dans la défense des consommateurs avec la Charte des droits des consommateurs et la mise sur pied de l'Institut de promotion des intérêts du consommateur (IPIC) et des Cooprix, qui sont des projets de coopératives de consommation qui rassemblent leaders syndicaux, militants sociaux, communautaires et politiques. On assiste en parallèle au développement d'un réseau de petites coopératives dans le champ de la consommation et du logement. Les thèses de l'antipsychiatrie, qui dénonce en particulier le pouvoir que s'octroie le spécialiste sur son « malade » et le recours massif à la médication, donnent forme au mouvement québécois de la solution de rechange en santé mentale, qui associera défense de droits et services de psychothérapie faisant appel à l'entraide entre pairs et aidants. Les problématiques du travail sous-payé (aide domestique) et du chômage deviennent de nouveaux enjeux, de même que « la solution de rechange à la vie chère», qui favorise l'inflation galopante, les taux usuraires de crédit à la consommation et les pratiques commerciales des grandes chaînes d'alimentation.

Globalement, le Québec social, jusque-là marqué par l'idéologie de la participation, connaîtra durant les années 1970 une période de grande désillusion à la suite d'un certain nombre de constats d'échec reliés aux grands projets de la Révolution tranquille et des contradictions relevées dans l'approche d'animation sociale des années 1960. En effet, l'écart entre le discours, les rêves de grande prospérité nationale et la réalité transforme progressivement le discours conciliant des militants les plus engagés dans les comités de citoyens en un discours plus radical. On assiste alors à la naissance de partis politiques de gauche, notamment, à Montréal, le Front d'action politique (FRAP).

3.2. Les pratiques : services et action politique

Vers la fin des années 1960, les comités de citoyens connaîtront une scission. Certains comités de citoyens, au lieu de se lancer dans l'action politique ou de faire appel à l'État pour obtenir des services, cherchent à résoudre eux-mêmes des problèmes qui touchent leur quartier[44]. Ils revendiquent et développent des ressources autogérées répondant mieux aux besoins et aux aspirations de la population qui veut se prendre en charge et exercer un contrôle sur ces services. C'est la naissance d'une seconde génération de groupes communautaires, soit les groupes autonomes de services ou groupes populaires de services. Il s'agit le plus souvent de collectifs autogérés, œuvrant comme organismes sans but lucratif ou sous la formule coopérative ; ils sont formés de bénévoles, de permanents et d'usagers, qui expérimentent de nouveaux rapports de travail. Certains se définissent comme des voies alternatives aux services offerts aussi bien par l'État que par le secteur privé. Ainsi, ces groupes veulent offrir des services différents, complémentaires à ceux auxquels donne accès le réseau sociosanitaire public ; et pour ce faire, ils réclament une aide financière de l'État tout en gardant jalousement leur autonomie de gestion et d'intervention.

Apparaissent alors successivement des coopératives et comptoirs d'alimentation traditionnelle et naturelle, des cliniques communautaires et des centres de santé pour femmes, des groupes de défense des chômeurs et des prestataires de l'aide sociale, des garderies, des comités de logement et des coopératives d'habitation, des groupes d'éducation populaire et d'alphabétisation, des orga-

---

44. Bélanger et Lévesque (1992), *op. cit.*, p. 719.

nismes alternatifs en santé mentale, des médias (radio-TV) communautaires, etc.[45]. Ainsi, plutôt que de faire appel à l'État pour la mise sur pied de ces services, des comités de citoyens cherchent à résoudre eux-mêmes des problèmes qui concernent l'ensemble du quartier.

La plupart de ces groupes de services autogérés ont pu voir le jour grâce aux programmes fédéraux de création temporaire d'emplois comme Perspectives Jeunesse et les Projets d'initiatives locales (PIL) ou encore grâce au nouveau Programme de soutien aux organismes communautaires (PSOC) du ministère des Affaires sociales. D'autres seront soutenus par les programmes d'éducation permanente des commissions scolaires, et plusieurs enfin seront subventionnés en tant qu'Organismes volontaires d'éducation populaire (OVEP), dans le cadre d'un programme du ministère de l'Éducation qui reconnaissait la dimension éducative de l'action de ces groupes.

L'exploration de cette nouvelle avenue ne signifie pas pour autant la fin des revendications pour l'élargissement des droits sociaux et pour des services collectifs étatiques. Ainsi, durant cette période, plusieurs associations de défense des droits se constituent : des associations pour la défense des droits des personnes assistées sociales, des associations de locataires, le Front d'action populaire en réaménagement urbain (FRAPRU), l'Association québécoise pour la défense des droits des retraités (AQDR), les associations d'accidentés du travail, des groupes écologiques, etc. On observe aussi un début de professionnalisation dans ces groupes, qui se traduit par la présence de militants et de militantes qui occupent la permanence de ces groupes et en assurent la coordination.

Par ailleurs, certains des groupes les plus engagés se déclareront ouvertement en faveur d'une action politique et emprunteront, à partir de ce moment, un chemin différent. Leur critique entraînera une transformation progressive des activités d'animation sociale et conduira à la conception d'un projet politique exigeant un changement social majeur, de type socialiste. Ainsi, l'action politique, sur le plan municipal dans un premier temps, devient une voie obligée. La quasi-totalité des animateurs sociaux s'y engagent résolument. Les comités de citoyens donnent naissance aux comités d'action politique de quartier (CAP), regroupés

---

45. D'Amours, *op. cit.*, p. 40.

au sein du Front d'action politique (FRAP)[46]. Rejoint par des militants syndicaux et étudiants, ce mouvement subira un cuisant revers aux élections municipales de 1970. Son activité, au départ prometteuse, sera associée à celle du Front de libération du Québec (FLQ) par certains ténors du gouvernement fédéral et de la Ville de Montréal, et sera neutralisée au moment de l'occupation du Québec par l'armée canadienne lors des événements d'octobre 1970.

Après quelques années de flottement et de remise en question, l'aventure du FRAP conduira à la formation de partis politiques municipaux d'opposition, aussi bien à Montréal, en 1974, avec le Rassemblement des citoyens de Montréal (RCM), qu'à Québec, en 1979, avec le Rassemblement populaire (RP)[47].

Par ailleurs, certains CAP vont encore beaucoup plus loin et se radicalisent davantage. Ils deviennent alors des groupes politiques qui, sous l'étiquette «marxiste-léniniste», s'identifient à une extrême gauche alors en renouvellement ici aussi bien qu'en Europe, sous l'influence de la Chine. Ces militants investissent les groupes populaires dans le but d'en faire de véritables groupes révolutionnaires pour qui l'État est l'ennemi qui ne protège que les intérêts de la classe dominante aux dépens d'un prolétariat dont la composition est plutôt diffuse. En rupture avec l'idéologie de la participation et de la stratégie de la coopération, l'accent est mis plus que jamais sur la stratégie d'affrontement.

3.3. Les acteurs : militants «politiques» ou intervenants professionnels

Profitant du terreau fertilisé par l'animation sociale, par les activistes du FRAP, par certains syndicalistes radicaux et par les associations étudiantes, les groupes marxistes-léninistes vont se développer, notamment En lutte, né en 1973, et la Ligue communiste (marxiste-léniniste) du Canada, en 1975. Les activistes impliqués dans ces groupes comptent, outre des étudiants, des syndicalistes et des chrétiens engagés, des militants et animateurs sociaux de comités de citoyens et groupes populaires, de même que des organisateurs communautaires de CLSC. Ils engageront des actions de propagande et des débats idéologiques chez les

---

46. Front d'action politique (1970), *Les salariés au pouvoir. Manifeste et plate-forme électorale du FRAP*, Montréal, Les Presses libres, 138 p. On lira également, sur ce sujet, L. Favreau (1972), *Les travailleurs face au pouvoir*, Montréal, CFP–Québec-Presse, 174 p.; H. Lamoureux (1971), «L'action politique du FRAP: une récolte à venir», dans *Bilan d'activité 1970 du Projet d'organisation populaire, d'information et de regroupement (POPIR)*, Montréal, archives du POPIR, 27 p.

47. Des démarches semblables de moindre envergure auront lieu dans d'autres villes en région, notamment Saint-Jérôme, Sherbrooke et Malartic.

travailleurs syndiqués et dans les groupes communautaires et populaires dans le but de les rallier à leur cause, et de transformer syndicats et groupes en « organismes de lutte de classes ». Selon Favreau et Hurtubise[48], ils ont tenté de subordonner l'action communautaire à l'action politique, ce qui a parfois conduit à des confrontations douloureuses et énergivores qui ont déstabilisé plusieurs groupes, entraînant même la disparition de certains.

L'arrivée au pouvoir du Parti québécois en 1976, conjuguée au dogmatisme de certains intervenants membres de groupes politiques, entraîne temporairement une forte baisse des activités du mouvement d'action communautaire. Par ailleurs, le personnel politique des ministères provient parfois des rangs de plusieurs mouvements sociaux.

Les groupes marxistes-léninistes disparaîtront au début des années 1980, victimes de la dynamique qui conduit à l'éclatement du référent idéologique incarné par l'Union soviétique et la Chine, et victimes de leurs propres contradictions entre le discours et la pratique, notamment concernant les rapports hommes-femmes dans leurs groupes. Cependant, ils constitueront des lieux de formation pour plusieurs activistes qui deviendront les leaders de plusieurs mouvements sociaux québécois importants, notamment le mouvement féministe, le mouvement syndical, les ressources alternatives en santé mentale et le mouvement de lutte contre la pauvreté.

L'intervention communautaire en CLSC

À partir de 1972, les CLSC vont graduellement offrir des services qui avaient été instaurés par la population dans certains milieux urbains, par l'entremise de cliniques populaires, notamment dans les domaines de la santé, de l'éducation, des services sociaux et des services juridiques. Cette institutionnalisation (ou récupération…) de l'action communautaire ne se fera pas sans débat ni résistance. Pour plusieurs, la perspective « politique » est évincée au profit de services intégrés à l'ensemble du réseau public. Par ailleurs, cette réforme amène à reconnaître explicitement la fonction d'organisateur communautaire[49]. Ainsi se développe dans les CLSC une tendance – qui s'accentuera par la suite – à associer la pratique

---

48. L. Favreau et Y. Hurtubise (1991), « L'action politique locale : une autre forme d'organisation communautaire », dans L. Doucet et L. Favreau (dir.), *op. cit.*, p. 145.
49. G. Doré (1992), « L'organisation communautaire et les mutations des services sociaux au Québec, 1961-1991 », *Service social*, vol. 41, n° 2, p. 138.

d'organisation communautaire à une pratique de développement de services ou encore de «coordination de groupes de bénévoles», aux côtés d'une pratique d'intervention collective basée sur la participation active des personnes concernées.

Le déploiement de nouveaux acteurs issus des institutions suscite de nombreux débats sur le statut, le rôle et l'engagement des intervenants en action communautaire. Ainsi, parallèlement à la radicalisation des luttes sociales et au questionnement du pouvoir exercé par les animateurs sociaux dans les comités de citoyens au début des années 1970, on assiste à l'établissement d'institutions locales – les CLSC – où les organisateurs communautaires jouent un rôle central dans la mise en œuvre, assumant un rôle de soutien à la mobilisation collective (action politique) et au développement de ressources. Comme ils sont souvent issus des rangs des militants des groupes communautaires et populaires, ils vivront une tension continue entre ces deux options, qui s'exprimera en 1977 dans le *Manifeste des organisateurs communautaires du Québec* et la formation du premier Regroupement des organisateurs communautaires du Québec (ROCQ). Ce regroupement deviendra en 1983 le Collectif québécois de conscientisation, qui se consacrera à la formation à l'approche conscientisante en tant que méthode d'éducation populaire inspirée par la pensée et la pratique de Paulo Freire au Brésil. Cette approche, qui favorise la prise de conscience par un groupe opprimé de ses conditions d'existence et des moyens de s'engager à les changer, est proche du courant de l'*empowerment* comme démarche combinant le changement individuel et collectif, mais s'en démarque par les outils de formation et d'intervention développés, qui permettent la mobilisation à travers un processus qui intègre la réflexion et l'action[50].

En somme, les années 1970 marquent la fin de l'approche d'animation sociale et ouvrent deux voies qui évolueront de façon parallèle ou complémentaire pour les prochaines décennies: la création de services et le recours à l'action politique pour soutenir les populations les plus opprimées et favoriser leur émancipation.

---

50. Voir, par exemple, L. Gendreau, (2005), *La mobilisation des personnes sans emploi. Une enquête conscientisante dans les quartiers centraux de Québec*, Québec, Collectif québécois d'édition populaire.

4. LES ANNÉES 1980

LA TROISIÈME GÉNÉRATION: LA MULTIPLICATION ET LA DIVERSITÉ DES ORGANISMES COMMUNAUTAIRES

4.1. Éléments de contexte

La décennie 1980 se distinguera par la remise en question des grandes orientations de développement et des stratégies interventionnistes de l'État et de la société québécoises introduites par la Révolution tranquille. Elle commence sur le plan politique sous le signe de la défaite du mouvement nationaliste lors du premier référendum portant sur l'accession du Québec à la souveraineté. Reporté au pouvoir en 1981, le PQ est aux prises avec une situation budgétaire très difficile, ce qui conduit à des conflits majeurs avec le mouvement syndical, à qui il impose des reculs sur des ententes salariales négociées dans le secteur public. Ayant à gérer une société déprimée sur le plan identitaire et en crise sur le plan économique, le gouvernement péquiste est remplacé par les libéraux en 1985, tandis qu'à Ottawa les conservateurs accèdent au pouvoir en 1984. Ces gouvernements sont porteurs du courant de néolibéralisme qui s'est installé depuis le début des années 1980 aux États-Unis et en Angleterre avec les régimes Reagan et Thatcher. En somme, les années 1980 sont essentiellement marquées au Québec par un climat de morosité et d'incertitude politiques, et ce, malgré les efforts déployés dans l'Accord du lac Meech, qui visait à faire sortir le Québec de son isolement constitutionnel face au reste du Canada. L'échec de cet accord en 1990 entraînera un regain du mouvement nationaliste québécois.

Par ailleurs, la récession, qui est d'envergure mondiale, donne lieu à une vague de fermetures d'usines et d'entreprises qui affectent des communautés en déclin et des régions entières, fragilisant davantage les catégories sociales déjà défavorisées par rapport à l'emploi: les jeunes, les autochtones, les femmes, etc. Elle a aussi pour principal effet de remettre en cause les acquis du système de

protection sociale mis en place durant les années 1960. L'offensive néolibérale propose comme modèle de sortie de crise de réduire le rôle de l'État et de laisser au «libre marché» ouvert à la mondialisation et au libre-échange la gestion de l'économie, au détriment du rôle régulateur de l'État-providence, notamment dans la distribution des services sociaux et des services de santé. La loi d'aide sociale de 1969, marquée par la notion de droit social et la reconnaissance de besoins de base, deviendra une mesure de dernier recours assortie de l'obligation de parcours actifs d'insertion dans des mesures dites «actives» de développement de l'employabilité pour les «aptes au travail[51]». De nouvelles avenues de prise en charge sont suggérées, qui obligent les familles à se responsabiliser à l'égard de leurs «jeunes» dont l'âge limite est rehaussée jusqu'à 35 ans; elles prônent le bénévolat et le retour à l'entraide communautaire et familiale, entraînant ce que certains ont qualifié de virage communautaire par rapport à l'intervention dominante de l'État-providence.

La Commission d'enquête Rochon[52], chargée entre autres de dresser le bilan de l'implantation de l'ensemble du réseau public, conclut en 1988 que le système est inefficace et mal géré, peu favorable à la participation citoyenne, et globalement «pris en otage par ses producteurs». La commission Rochon propose de nouveaux mécanismes de décentralisation de la gestion en région et l'orientation du réseau vers des objectifs de résultat et davantage de collaborations intersectorielles, sur lesquelles le gouvernement en place s'appuiera pour restructurer le réseau à partir du début de la décennie 1990. Selon Godbout et Lesemann[53], le rapport Rochon ouvrira la porte à une logique technocratique accrue et à la priorisation des services sociaux vers les clientèles vulnérables et à risque, plutôt que le maintien de l'universalité des services, tout en négligeant les difficultés d'implantation du réseau de première ligne, les CLSC.

En 1985, le nouveau gouvernement libéral s'interroge à nouveau sur l'efficacité des CLSC. Il confie alors au comité Brunet la tâche de les évaluer et, dans son rapport en 1987, celui-ci recommande, d'une part, de recentrer la mission des CLSC en préconisant des programmes moins nombreux[54] mais plus reconnus et mieux financés et, d'autre part, de parachever le réseau, alors implanté à moins de 50 % par rapport au programme initial de 1972.

---

51. Signe d'une approche plus orientée vers le retour au travail et le contrôle des prestations pour les «aptes», le programme de l'aide sociale, jusque-là confié aux Affaires sociales, sera transféré en 1982 au ministère du Travail et la Main-d'œuvre, qui deviendra le ministère de la Main-d'œuvre et de la Sécurité du revenu.

52. Commission d'enquête sur les services de santé et les services sociaux, 1988.

53. J. T. Godbout (1988), «Des grandes solutions pour des petits problèmes… À propos de la décentralisation», *Revue internationale d'action communautaire*, vol. 20, n° 60, p. 139-143; F. Lesemann (1988), «Le rapport Rochon: l'introuvable consensus», *Revue internationale d'action communautaire*, vol. 19, n° 59, p. 137-143.

54. Le rapport Brunet recommande des programmes de base obligatoires pour tous les CLSC et un programme «optionnel» que chacun peut offrir.

Au cours de cette période, les CLSC se verront progressivement confier de nouveaux mandats, notamment dans le champ de la promotion de meilleures habitudes de vie et de la prévention : services à domicile, services de santé maternelle et infantile, services en milieu scolaire, services sociaux courants et services de santé mentale.

4.2. Les pratiques : de l'affrontement à la concertation et à la prise en charge autonome

Malgré le climat d'affrontement avec les syndicats du secteur public qui a marqué la fin du régime du Parti québécois, des actions de concertation globale impliquant le mouvement syndical et le patronat sont entreprises pour faire face à la grave crise économique de 1982. Celles-ci se réaliseront notamment à travers des sommets socioéconomiques nationaux qui vont mener à des opérations de partenariat visant la relance de l'emploi, dont Corvée Habitation, qui amènera la mise sur pied du Fonds de solidarité FTQ[55]. Cela donnera naissance à ce que certains ont appelé le modèle partenarial québécois[56], qui a succédé au leadership directif de l'État caractéristique de la Révolution tranquille. Dans ce modèle, une nouvelle instance créée à la fin des années 1970, la municipalité régionale de comté (MRC)[57], dont le principal mandat était de planifier l'aménagement du territoire sur une base plus proche de la communauté d'appartenance que la région administrative, prendra de plus en plus de place dans la gestion des rapports entre l'échelon local, la région et l'État central.

Cette approche partenariale a permis au mouvement syndical de poursuivre son action sociopolitique, mais en y contribuant sur une base de « participation institutionnalisée » – reconnue et non confrontante –, et qui tient compte de la réduction de la mobilisation syndicale engendrée par la crise économique et la montée du néolibéralisme. Le mouvement coopératif[58] participera aussi à

---

55. Corvée Habitation était un vaste programme de construction domiciliaire parrainé conjointement par l'État et les centrales syndicales. Fondé en 1983, le Fonds FTQ a pour mission de recueillir les épargnes des travailleurs et d'investir dans le développement socioéconomique du Québec ; avec des actifs de plus de sept milliards, il est devenu l'un des principaux acteurs du financement de la petite et moyenne entreprise déployé à l'échelle du Québec.

56. G. Bourque (2000), *Le modèle québécois : de l'émergence au renouvellement*, Québec, Presses de l'Université du Québec.

57. La MRC regroupe les maires des municipalités rurales et urbaines d'une circonscription provinciale.

58. Il s'agit surtout du mouvement « institutionnalisé », soit les grandes organisations comme le Mouvement Desjardins et les Coopératives agricoles et forestières.

ce modèle, mais il connaîtra un déclin dans les secteurs porteurs de projets sociaux émergents durant les années 1970, pour se redéployer dans les coopératives de travail. On verra aussi des mobilisations de concertation locale associant les groupes communautaires, les coopératives, les institutions et les petites entreprises privées dans des corporations de développement économique communautaire (CDEC), dont les premières voient le jour dans les quartiers les plus dévitalisés de Montréal à l'initiative de groupes populaires issus des premiers comités de citoyens[59].

Du côté des groupes populaires, les années 1980 sont aussi marquées par « une diversification des tendances dans les mouvements sociaux et une nouvelle manière de pratiquer l'action sociopolitique », qui amènent un élargissement des pratiques qui touchent plusieurs groupes sociaux ou communautés caractérisés autant par une identité particulière (femmes, jeunes, orientation sexuelle, autochtones, immigrants, personnes handicapées, etc.) que par des conditions de vie (revenu, chômage, logement, santé). Loin d'occasionner le ralentissement de l'action communautaire, la crise économique et la montée du conservatisme social contribuent à son élargissement. Au milieu de la décennie, une troisième génération de groupes fait son apparition : progressivement, la notion de groupes populaires est remplacée par celle d'organismes communautaires qui se qualifient rapidement d'« autonomes » pour se démarquer des activités communautaires encadrées par l'État, notamment en CLSC et en Carrefour jeunesse emploi (CJE). Ces nouveaux groupes bénéficient de l'accroissement du financement de l'État, soit grâce au Programme de soutien aux organismes communautaires (PSOC) du ministère de la Santé et des Services sociaux, soit par des programmes spécifiques. C'est notamment le cas des groupes de femmes, de jeunes, de personnes qui interviennent en santé mentale et dans le secteur de la défense des droits. Dans la plupart de ces groupes, les anciennes stratégies d'affrontement cohabitent avec de nouvelles expériences de partenariat et de concertation « soit avec les institutions publiques (comme dans le cas des groupes en santé mentale), soit avec des partenaires privés (comme dans le cas des corporations de développement économique communautaire)[60] ».

---

59. Il s'agit du Programme économique de Pointe-Saint-Charles (PEP), né en 1984, et dont l'action a prolongé dans le domaine économique la mobilisation maintenue par la Clinique communautaire, devenue CLSC, tout en conservant son statut initial de groupe communautaire. Le PEP deviendra en 1989 le Regroupement économique et social du Sud-Ouest (RESO), première corporation de développement économique communautaire, qui s'étend alors à tout le sud-ouest de Montréal.

60. D'Amours, *op. cit.*, p. 40.

Le mouvement féministe québécois prend son envol comme acteur collectif et finira par jouer un rôle de chef de file à l'échelle mondiale. C'est principalement entre les années 1980 et 1990 que se constituent un très grand nombre de groupes de femmes qui rayonnent partout au Québec. Les centres de femmes, les maisons d'hébergement, les centres d'aide et de lutte contre les agressions à caractère sexuel (CALACS) et les groupes d'intervention concernant le travail non traditionnel des femmes accordent une grande importance au service direct et personnel. C'est sur cette base très concrète qu'ils comptent réaliser la mobilisation des femmes dans des luttes majeures touchant, entre autres, la pauvreté, la violence conjugale et sociale et l'accès à des services d'interruption de grossesse. Leur dynamisme entraîne plusieurs autres groupes populaires et communautaires. Cette pratique d'action communautaire auprès des femmes permet l'identification de nouveaux problèmes et la mise en lumière de certains autres qui ont été occultés, ce qui conduit à la création de nouveaux projets. De plus, ce mouvement met en relief l'importance de la participation des femmes au développement communautaire et suscite, par sa critique, une importante réflexion sur la place faite aux femmes à l'intérieur des mouvements sociaux.

Les jeunes sont un autre groupe social particulièrement touché par les effets de la crise économique du début des années 1980. Ils doivent faire face aux problèmes d'insertion socioéconomique, problèmes que les organismes communautaires jeunesse tentent de résoudre[61]. Les maisons de jeunes se multiplient partout au Québec et sont d'importants lieux d'animation et de socialisation pour les adolescents. Les Maisons d'hébergement jeunesse accueillent les jeunes adultes qui sont confrontés à des problèmes de logement, de travail ou d'alimentation. Le Regroupement autonome des jeunes (RAJ), créé en 1983, se veut plus militant et revendique la parité de l'aide sociale pour les 18-30 ans.

À Montréal, la pratique communautaire s'étend aux groupes d'immigrants de diverses origines. Les nombreux organismes communautaires qui en sont issus visent l'entraide et la défense des droits des immigrants. Il importe également de signaler la croissance, durant cette décennie, des pratiques de coopération internationale, promouvant la justice sociale et la paix. Le mouvement écologique prend aussi de l'ampleur.

---

61. J.-F. René (1991), «L'organisation communautaire avec des jeunes», dans L. Doucet et L. Favreau (dir.), *op. cit.*, p. 275-292.

L'ensemble de cette dynamique favorise une reconnaissance plus formelle de l'action communautaire par les pouvoirs publics dans le champ de la santé mentale, où les ressources alternatives mises en place dans les années 1970 vont se développer davantage en lien avec l'accentuation du mouvement de «désinstitutionnalisation» amorcé depuis les années 1960, qui a amené la fin des «asiles» et la prise en charge par les familles et les communautés des ex-patients psychiatriques. Avec la crise économique et en l'absence d'une offre de services adéquate dans les milieux de vie, les problèmes d'hébergement, d'encadrement et de suivi démontrent qu'on fait face à un modèle d'organisation qui ne permet pas la continuité des services et contribue au « syndrome de la porte tournante ». Le comité Harnois[62], en 1987, dans son rapport *Pour un partenariat élargi*, prône notamment une approche globale (biopsychosociale) de la santé mentale et une stratégie de partenariat élargi avec les usagers, les familles, les groupes d'entraide et la communauté. Ces orientations vont inspirer la Politique québécoise de santé mentale de 1989, qui préconise une collaboration plus étroite avec les groupes communautaires dans l'offre des services.

Durant les années 1980, de grandes opérations de mobilisation ont aussi eu lieu autour de certaines problématiques décrétées par les Nations Unies, dans le cadre des Années internationales des personnes handicapées (1981), de la jeunesse (1985), du logement des sans-abri (1987) et de l'alphabétisation (1990). Institué à la fin des années 1970, l'Office des personnes handicapées a pu lancer, dans le cadre de leur année internationale, une vaste démarche d'intégration à l'emploi des personnes handicapées[63], et plusieurs groupes communautaires sont par la suite devenus actifs dans la promotion de l'accessibilité des lieux publics et de services adaptés (logement, soins, loisirs, transport…).

Sur un autre registre, soulignons l'expérience de la Coalition des organismes communautaires du Québec (COCQ) qui, pendant six ans (1985-1991), a représenté un lieu important de solidarité intersectorielle[64], ainsi que la naissance des premières corporations de développement communautaire (CDC)[65],

---

62. Comité québécois pour la santé mentale (MSSS), 1987.
63. Cette démarche débouchera en 1984 sur l'adoption de la politique «À part égale… L'intégration des personnes handicapées».
64. M. Parazelli (1994), «La coalition des organismes communautaires du Québec (1985-1991): d'une pratique démocratique à un mimétisme adhocratique», *Nouvelles pratiques sociales*, vol. 7, n° 1, p. 111-130.
65. La première CDC, créée à Victoriaville en 1984 (Corporation des Bois-Francs), sera l'initiatrice d'un colloque sur le développement communautaire en 1986, qui marquera un certain renouveau pour le mouvement communautaire par son thème: *Fais-moi signe de changement*.

qui sont des regroupements multisectoriels opérant sur une base territoriale locale, en mobilisant leurs membres dans des stratégies promouvant une vision de développement global et intégré de leur milieu. On voit aussi la formation de plusieurs regroupements sectoriels nationaux (femmes, jeunes, santé mentale, employabilité, logement, droits sociaux, environnement) et en coopération internationale souvent constitués à partir des programmes gouvernementaux. Ces regroupements ou coalitions, qui fonctionnent surtout en réseau, donc peu hiérarchisés ou permanents, permettent à leurs membres de partager leurs outils d'intervention et de formation ou d'en favoriser l'élaboration, aident à l'organisation de mobilisations sur certains dossiers et assurent au besoin la représentation de leurs membres auprès des partenaires et bailleurs de fonds. Ces nouveaux lieux de pratiques accentuent la professionnalisation des intervenants salariés, lesquels par le contrôle qu'ils détiennent sur la production et la circulation de l'information acquièrent un pouvoir accru sur les orientations et le fonctionnement des groupes de base et des regroupements. Par conséquent, ils contribuent à l'institutionnalisation progressive du mouvement communautaire et au recours à de nouvelles pratiques.

La concertation, du politique à l'économique

Les nouvelles pratiques des groupes communautaires sont le résultat de divers facteurs. Sur le plan externe, la crise économique rend les conditions de vie plus difficiles, non seulement pour les salariés, mais surtout pour certains groupes sociaux, notamment les jeunes et les femmes. L'accroissement des besoins sociaux intensifie la pression sur les groupes communautaires qui sont confrontés à une augmentation de la demande, alors qu'ils connaissent déjà d'importantes difficultés de financement. Motivés par des considérations économiques dramatisées par le diktat de l'élimination du déficit des finances publiques, les politiciens et les technocrates vont élaborer un nouveau discours tout orienté vers la concertation et le partenariat, la prise en charge par le milieu, et le recours au communautaire et au bénévolat.

Les difficultés des groupes sont aussi liées au contexte interne. Le fonctionnement en réseau des regroupements et les besoins accrus de financement accaparent beaucoup d'énergie, ce qui explique une certaine technocratisation et professionnalisation des groupes. Cette prise en charge par les permanences n'est pas sans avoir des effets négatifs sur la participation des membres. De plus, le phénomène du vieillissement affecte maintenant plusieurs intervenants, et certains n'hésitent pas à parler d'usure et de fatigue professionnelle. Par ailleurs, la crainte d'une certaine conscription des groupes communautaires s'exprime et pose les prémisses de débats à venir.

La croissance de l'intervention communautaire dans le secteur économique est l'un des phénomènes majeurs de cette décennie. Devant les défis posés par le déclin socioéconomique de leurs communautés locales au bénéfice de la modernisation – développement du centre-ville, gentrification, exode rural –, les groupes à l'œuvre dans la sphère de l'économie sociale proposent une perspective nouvelle, du moins en action communautaire, qui consiste à ne pas séparer les problèmes économiques et les problèmes sociaux[66]. Si cette perspective n'est pas nouvelle, elle peut aussi traduire une vision plus économiciste des années 1980[67].

4.3. Les acteurs : transformation du militantisme, redécouverte du bénévolat et pratique sociale en CLSC

Dans un contexte général caractérisé par la montée du conservatisme ambiant, plusieurs n'ont pas manqué de prophétiser la mort du militantisme. Mais, loin de disparaître, la pratique militante s'est plutôt transformée : au lieu de l'engagement total, plusieurs visent maintenant une meilleure intégration de la vie personnelle et de l'engagement social. Mais, plus fondamentalement, c'est le rapport avec la sphère politique qui est modifié ; il ressort que l'action politique partisane n'est plus le seul lieu où l'intervention politique puisse se réaliser.

Par ailleurs, à l'occasion de la crise économique du début des années 1980, on « redécouvre » les mérites du bénévolat[68]. Il faut dire qu'au cours des années antérieures les organismes bénévoles, quoique très actifs, avaient été moins valorisés[69]. Surtout préoccupé par la réduction des coûts des services publics, l'État encourage vivement l'utilisation des réseaux informels d'entraide qui, selon lui, ont souvent plus de potentiel que la pratique sociale professionnelle. Dans

---

66. L. Favreau, (1989), *Mouvement populaire et intervention communautaire de 1960 à nos jours. Continuité et ruptures*, Montréal, Centre de formation populaire et Éditions du Fleuve, p. 51.
67. Lamoureux, *op. cit.*, p. 48-57.
68. A. Fortin (1994), « La famille, premier et ultime recours », dans F. Dumont, S. Langlois et Y. Martin (dir.), *Traité des problèmes sociaux*, Québec, Institut québécois de recherche sur la culture, p. 947-962.
69. J. Perron (1986), *Administration sociale et services sociaux*, Boucherville, Gaëtan Morin, p. 235.

le milieu syndical, par contre, elle est parfois considérée comme une menace pour les travailleurs qui qualifient les bénévoles de « voleurs de jobs » et qui s'inquiètent de la mise en place d'une « fonction publique parallèle[70] ».

Progressivement, la méfiance des intervenants communautaires à l'égard de l'action volontaire (bénévole) s'atténue. Désormais, le partenariat et la concertation caractérisent toute une nouvelle génération d'organismes communautaires actifs dans le développement économique local et les services sociosanitaires[71]. De plus, nous avons assisté à un réel rapprochement entre les anciens groupes populaires, plus portés vers l'action revendicative, et les groupes plus orientés vers l'entraide et les services.

Quant à l'action communautaire en CLSC, le rapport Brunet estime qu'elle vit une crise d'identité et recommande que l'on privilégie dorénavant « les groupes à risques retenus par les CLSC » et qu'elle « ne se substitue pas aux divers agents de développement socioéconomique (création d'emplois, formation de coopérative, radio communautaire…)[72] ». L'organisation communautaire ne sera préservée que si elle accepte de mieux s'intégrer aux programmes préétablis et de servir au contrôle des populations cibles, ce que certains dénonceront[73].

C'est dans ce contexte de menace à l'autonomie et à l'identité professionnelles de cette pratique en milieu institutionnel que sera formé en 1988 le Regroupement des intervenants et intervenantes communautaires en CLSC et Centres de santé (RQIIAC). Cette initiative, qui a fait suite à une recherche menée auprès de ces intervenants[74], visait à contrer les risques d'isolement que couraient ces derniers dans les équipes multidisciplinaires dans lesquelles ils se retrouvaient de plus en plus et où ils ne pouvaient pas toujours faire valoir leurs com-

---

70. Coalition nationale des centrales syndicales (2000), *Mémoire au ministre de la Solidarité sociale portant sur la Politique de reconnaissance à l'action communautaire*, document réalisé par Henri Lamoureux et Marie Pelchat, Montréal, CSQ, 40 p.

71. Bélanger et Lévesque, *op. cit.*, p. 728 ; J. Panet-Raymond (1985), « Nouvelles pratiques des organisations populaires… Du militantisme au bénévolat au service de l'État », *Service social*, vol. 34,

nos 2-3, p. 340-352.

72. Ministère de la Santé et des Services sociaux (1987), *Rapport du comité de réflexion et d'analyse des services dispensés par les CLSC* (rapport Brunet), Québec, Les Publications du Québec, p. 66.

73. L. Bozzini (1989), « Les Centres locaux de services communautaires (CLSC) : évaluation et perspective », *Intervention*, no 83, p. 4-16.

74. Y. Hurtubise *et al.* (1989), *Pratiques d'organisation et de travail communautaires en CLSC*, Québec, Presses de l'Université du Québec ; Y. Hurtubise, « L'action communautaire en CLSC : problèmes et enjeux », *Intervention*, no 83, p. 51-57.

pétences. Ils se constituaient ainsi un cadre de nature «professionnelle» leur permettant de mieux se définir par rapport aux autres intervenants, et de se donner un lieu et des occasions de formation, jugée insuffisante pour affronter les nouveaux défis de leur pratique.

5. LES ANNÉES 1990

LA QUATRIÈME GÉNÉRATION : LA CONCERTATION ET LE RENOUVELLEMENT DES MOUVEMENTS SOCIAUX

5.1. Éléments de contexte

La chute du mur de Berlin en 1989 et l'éclatement accéléré du bloc soviétique de l'Est, porteur du «modèle communiste», consacreront la suprématie du modèle capitaliste et des visions néolibérales déjà à la base de la mondialisation des échanges politiques et économiques. Les États verront leurs pouvoirs de régulation nationale de plus en plus réduits, s'en remettant à une idéologie et à des règles qui les justifient de comprimer les dépenses publiques, au profit des droits et avantages de l'entreprise privée, surtout les multinationales qui deviennent les maîtres du jeu de la mondialisation. Les principes de la gestion néolibérale accentuent la compétition entre les pays par le recours à des pratiques managériales misant sur la productivité de la main-d'œuvre et la performance financière à court terme, ce qui accélère la délocalisation des sites de production là où les coûts de la main-d'œuvre, les exigences environnementales et les protections sociales sont les plus faibles. Cette stratégie accentue la situation de crise économique et la perte d'emplois déjà présentes.

En outre, les nouvelles technologies de l'information et de la communication (NTIC) vont graduellement nous faire entrer dans ce qu'on a appelé la «société informationnelle», soit l'informatique et Internet comme modes majeurs de structuration des échanges et de circulation de l'information. Ces NTIC vont provoquer une véritable révolution, tant dans les modes de production et de gestion des entreprises (robotique, commerce en ligne, télétravail, etc.) et des institutions que dans les rapports interpersonnels, avec l'accès continu et instantané à l'information à la grandeur de la planète. Outils d'insertion «désocialisée» pour des individus et groupes «branchés» autant que facteurs de cohésion pour les mouvements sociaux, elles contribuent aussi à créer de nouvelles formes d'exclusion sociale (les analphabètes du Web). Au mouvement pour le développement durable fait écho un mouvement antimondialiste, qui devient graduellement « altermondialiste », plutôt hétérogène, qui se rassemble autour du slogan *Un autre monde est possible.*

Au Canada et au Québec

Sur le plan canadien, les politiques sociales ont été réorientées, transformées et revues à la baisse, notamment le programme de l'assurance-chômage, devenue l'assurance-emploi, qui fera l'objet, malgré une vive opposition de l'ensemble des milieux syndicaux et communautaires, de réductions importantes des durées et niveaux de protection. Le programme ainsi réorienté engendrera des surplus qui seront utilisés pour l'élimination du déficit, devenue la priorité du gouvernement libéral qui a remplacé les conservateurs en 1993. Les réductions majeures du budget fédéral et des paiements de transfert aux provinces viseront particulièrement les secteurs de la santé et des services sociaux, l'éducation postsecondaire et le logement social.

Au Québec, deux grandes réformes seront amorcées dès le début de la décennie ; elles seront marquées par une volonté d'accroître la régionalisation et la décentralisation.

1) La réforme du développement régional

   La réforme de l'intervention en développement régional (réforme Picotte) amènera le passage de l'État-providence à « l'État partenaire ou accompagnateur » en accroissant le niveau de responsabilité des régions par la transformation des conseils régionaux de développement (CRD), qui deviendront des organes de coordination et de programmation du développement[75]. Le rôle des CRD doit être « d'assurer la coordination et le suivi d'actions et de programmes de développement, et de gérer, en concertation avec le ministre délégué, un fonds de développement régional qui sera attribué à toutes les

---

75. Le nouveau Conseil régional devra être composé d'un nombre de membres qui peut varier entre 20 et 50 selon les régions, qui seront répartis de la façon suivante : des représentants des élus municipaux, pour au moins un tiers des membres, des agents de développement socio-économique (secteur privé), des organismes dispensateurs de services sur le territoire (secteur parapublic) et les députés de l'Assemblée nationale présents sur le territoire.

régions[76] ». Cette orientation sera maintenue après le Sommet socioéconomique de 1996, où les acteurs du communautaire seront présents avec un large éventail de représentants de la société civile, et qui définira le plan de match de la lutte contre le déficit ainsi que les grandes priorités et stratégies nationales de développement. Ce sommet favorisera une ouverture plus grande et plus stable au financement de l'action communautaire[77] et à la promotion de l'économie sociale, dont le programme de centres de la petite enfance (CPE) et les places de garderie à 5 $.

La politique de développement régional sera renforcée et élargie avec la création du ministère des Régions en 1998 et la mise en place de centres locaux de développement (CLD) dans chacune des MRC, leur gestion devant être assurée par un conseil d'administration formé d'intervenants de tous les milieux (gens d'affaires, élus municipaux, chefs syndicaux, représentants d'organismes communautaires, de la culture, etc.), afin d'accroître la mobilisation et d'avoir une vision plus globale du développement des communautés locales.

2) La réforme du réseau sociosanitaire

La réforme Côté, mise en branle par le projet de loi 120, adopté en 1991 dans la foulée du rapport Rochon (1988) et de la Politique de santé mentale (1989), vise à mettre le citoyen au centre du système, comme « consommateur, décideur et payeur », tout en préservant le caractère public du système, malgré le modèle néolibéral ambiant qui incite à recourir à la privatisation. Cette réforme, qui sera achevée en 1992 par la Politique de la santé et du bien-être[78], amène la restructuration des institutions mises en place par la réforme Castonguay de 1971, en y favorisant une plus grande participation citoyenne et d'usagers dans les conseils d'administration. Elle amorce en même temps le mouvement de fusion d'établissements[79] qui leur enlèvera graduellement sa dimension humaine. Cette réforme prépare aussi la voie au « virage ambulatoire » qui, à partir de 1995, mobilisera les ressources et organisations du milieu vers le suivi de soins médicaux post-hospitaliers

---

76. H. Dionne et J.-L. Klein (1993), « La question régionale du Québec contemporain », *Cahiers de géographie du Québec*, vol. 37, n° 101, p. 219-240.

77. Financement supplémentaire du Fonds d'aide à l'action communautaire assuré par un pourcentage sur les profits des casinos.

78. Cette politique met l'accent sur la prévention et la prise en compte des déterminants sociaux (revenu, logement, scolarité, emploi) et propose une démarche globale reposant sur des stratégies globales et la détermination des problèmes qui doivent être traités par le système sociosanitaire et les autres acteurs publics.

79. Les CHSLD, les CLSC et les CH seront graduellement incités à fusionner dans les milieux ruraux.

dans la communauté. La conséquence la plus importante de cette réforme pour les groupes communautaires est leur reconnaissance à travers un statut officiel dans la Loi, sous l'appellation *organisme communautaire*. Ce statut garantit le respect de leur identité et de leur autonomie, tout en les inscrivant dans une approche de complémentarité aux priorités et orientations des programmes gouvernementaux[80].

En lien avec cette réforme, les préoccupations pour l'enfance vont prendre beaucoup de place avec la publication en 1991 du rapport du Comité de travail sur la jeunesse (rapport Bouchard), *Un Québec fou de ses enfants*. Ce rapport remettra à l'ordre du jour la lutte contre la pauvreté en ciblant les jeunes familles et les familles monoparentales dirigées par une femme, dont les conditions de vie et, parfois, les compétences parentales sont considérées comme des facteurs de risque pour la sécurité et le développement des enfants en bas âge. Il ouvrira la voie au développement de programmes de santé publique en périnatalité et à des ententes de service avec des organismes communautaires famille, qui connaîtront un développement considérable grâce à ces programmes.

Comme autre élément de contexte, signalons enfin que le régime d'aide sociale continuera d'être géré dans une optique de réduction des coûts et de contrôle[81] ; en outre, on insistera sur son caractère de « dernier recours » et sur le retour au travail des personnes présumées « aptes » au travail. Les groupes et organismes communautaires seront de plus en plus sollicités[82] pour l'application des mesures d'employabilité, alors que l'aide sociale fera l'objet d'une importante réforme[83] en 1998, en vertu de laquelle les bénéficiaires de 18 à 24 ans seront tenus de s'inscrire à un parcours de réinsertion en emploi et de participer à des mesures de développement de l'employabilité.

---

80. Cette reconnaissance se traduira par une participation formelle au conseil d'administration des régies régionales et par un engagement envers la décentralisation en région du Programme de soutien aux organismes communautaires (PSOC), dont le budget passera de 1,2 million de dollars en 1977-1978 à 148 millions en 1996-1997 et à plus de 450 millions en 2010.

81. Entre autres par le recours à une stratégie d'enquête intrusive auprès des clientèles cibles présumées frauduleuses, réalisée par des agents spéciaux qu'on désignera comme les « Boubou Macoutes » du régime Bourassa.

82. Ils obtiendront ainsi une main-d'œuvre occasionnelle et des revenus liés à l'encadrement des stagiaires accueillis dans le cadre de ces mesures.

83. Tous les programmes de formation et d'aide à l'emploi du fédéral seront transférés au Québec en 1997, un changement qui mènera à l'intégration de l'aide à l'emploi et des programmes et mesures d'aide sociale au Centre local d'emploi (CLE), qui deviendra le pendant du CLD dans le plan local de création d'emplois.

5.2. Les pratiques : reconnaissance, intégration et renouvellement des mouvements sociaux et de l'action communautaire

Dans ce contexte de profondes transformations sociopolitiques et économiques, la question sociale occupe à nouveau une grande place chez les acteurs clés des mouvements sociaux, ce qui amène un certain nombre de mobilisations importantes qui tenteront d'influencer le cours des choses. Celles-ci visent soit à réagir aux effets des pratiques néolibérales de gestion, soit à contribuer au maintien et même à l'adaptation du modèle partenarial typique au Québec.

Les États généraux du monde rural en 1991 sonneront l'alarme sur la situation dramatique des milieux ruraux : les communautés doivent faire face à de nouveaux problèmes sociaux, en particulier à l'augmentation sensible des problèmes liés au vieillissement et à l'exode de la population, ainsi qu'à l'augmentation de la pauvreté et du chômage. Cette vaste mobilisation des acteurs réalisée sous l'impulsion de l'Union des producteurs agricoles (UPA) amènera la création du mouvement Solidarité rurale, qui deviendra une grande coalition d'institutions et d'organisations de la société civile visant à « promouvoir la revitalisation et le développement du monde rural, de ses villages et de ses communautés ».

Le mouvement coopératif se développe dans de nouveaux types d'organisations, dont les coopératives de solidarité, qui permettent la participation du milieu à des projets coopératifs associant usagers et employés. Ces organisations seront utilisées dans le déploiement de nouveaux programmes sociaux offerts comme entreprises d'économie sociale (CPE, aide domestique, santé).

Au cours des années 1997 et 1998, le Conseil de la santé et du bien-être (CSBE)[84] a entrepris une vaste consultation et mobilisation sur le développement social mobilisant 70 forums locaux, 13 forums régionaux et un forum national de trois jours à Québec. Cette vaste mobilisation a eu des retombées sur plusieurs plans. Les autorités gouvernementales ont été amenées à inscrire le développement social au cœur de certaines politiques gouvernementales, dont le développement régional et local, dans les obligations des villes-centres fusionnées au début de 2000. De plus, dans un certain nombre de régions, les démarches réa-

---

84. Le Conseil de la santé et du bien-être a été formé dans le cadre de la réforme Côté, avec la mission de « contribuer à l'amélioration de la santé et du bien-être de la population en fournissant des avis au ministre [de la Santé et des Services sociaux], en informant le public, en favorisant les débats et en établissant des partenariats », selon le texte de loi constitutif de 1991. Très actif dans les débats sur les grands enjeux sociaux et de santé, il a été aboli par le gouvernement Charest en 2006.

lisées grâce au forum du CSBE ont eu des retombées concrètes, notamment la création de fonds de développement social destinés à appuyer des projets locaux de lutte contre la pauvreté et de développement communautaire.

Le mouvement des femmes, qui s'est remobilisé à travers la marche des femmes contre la pauvreté *Du pain et des roses*, en 1995, a connu un succès retentissant, rassemblant autour d'une cause commune les forces vives de la majorité des secteurs de l'action communautaire et de plusieurs mouvements sociaux. Ce fut pour les femmes l'occasion d'exposer leurs revendications en faisant appel à l'économie sociale comme mode de lutte contre la pauvreté par l'accès à l'emploi et à l'offre de services adaptés à la condition des femmes. La Loi sur l'équité salariale, votée en 1996, répondra à la demande pour la reconnaissance du «salaire égal à travail égal». Cette marche, comme la participation au Sommet sur l'économie et l'emploi, où l'ensemble des revendications seront reprises, et, plus tard, au Sommet de la jeunesse en 2000, a contribué à rendre le mouvement communautaire incontournable dans les grands débats publics.

En 1995, en réponse aux demandes du mouvement communautaire, le gouvernement du Québec a créé le Secrétariat à l'action communautaire du Québec (SAC)[85], dont le mandat est de coordonner l'action de l'État à l'égard du milieu communautaire, et de contribuer directement au financement des regroupements multisectoriels nationaux et des organismes de défense collective de droits. Le mouvement communautaire imposera de modifier l'appellation du SAC en *SACA* (Secrétariat à l'Action communautaire autonome) pour bien souligner son autonomie par rapport à la création des organismes «communautaires» en employabilité et les ressources intermédiaires, notamment en santé mentale et en justice. Pour ce faire, le SACA dispose du Fonds d'aide à l'action communautaire autonome, qui sera bonifié après le Sommet de 1996 par l'injection de fonds provenant des profits des casinos. Le gouvernement a aussi doté ce dernier organisme d'un comité consultatif composé de représentants de différents secteurs d'action communautaire autonome. Le Comité aviseur à l'action communautaire autonome (CA-ACA) sera l'interlocuteur privilégié du mouvement communautaire dans les négociations sur l'élaboration d'une politique de reconnaissance générale et de soutien financier, qui verra le jour au début des années 2000.

---

85. Le SAC est devenu depuis le Secrétariat à l'action communautaire autonome et aux initiatives sociales (SACAIS).

Le mouvement écologiste s'implante et se diversifie dans divers secteurs (l'éducation à l'environnement, la restauration et la protection de lacs et rivières, la sauvegarde d'espèces menacées, la lutte contre les pluies acides). Il demeure un mouvement social par l'action citoyenne spontanée de base qui continue (comités de citoyens) et les grandes organisations militantes (Eau Secours, Greenpeace, Fondation Rivières, etc.) et un acteur public par la mise sur pied des Conseils régionaux de l'environnement (CRE) et leur regroupement, reconnus par un programme public en 1995.

Sur le plan des actions sociopolitiques impliquant l'ensemble des mouvements sociaux, la coalition syndicale-communautaire Solidarité populaire Québec (SPQ) a conduit, en 1994, à la publication de la Charte d'un Québec populaire, qui définit les termes d'un projet commun de société. D'autres regroupements d'envergure nationale, comme la Coalition Solidarité Santé, mènent une lutte essentielle pour le maintien des services publics dans le secteur névralgique des services de santé. Du côté des initiatives municipales, le Réseau québécois de Villes et Villages en santé devient un acteur important au regard des mobilisations de concertation locale sur les questions de santé globale, dont l'environnement est toujours un enjeu et un déclencheur, qui rejoint souvent les actions visant la lutte contre la pauvreté et le développement social.

Notons enfin la grande mobilisation amorcée en 1997 par le Collectif pour l'élimination de la pauvreté, dont le principal résultat est l'adoption du projet de loi 112[86] en 2002. Cette mobilisation aura également permis d'élaborer des stratégies d'éducation populaire des personnes démunies et de favoriser leur prise de parole dans l'espace public, aussi bien sur le plan national que local. Ce collectif réunit en fait divers organismes qui militent pour l'adoption d'une loi enrayant la pauvreté, qui, après de multiples consultations populaires, sera présentée à l'Assemblée nationale avec l'appui d'un nombre considérable d'organismes et d'organisations de tous horizons, et accompagnée d'une pétition de 215 307 signatures.

Par ailleurs, le Mouvement d'éducation populaire et d'action communautaire du Québec (MEPACQ), la Table des regroupements provinciaux d'organismes communautaires et bénévoles (TRPOCB) et celle des organismes communautaires actifs dans les domaines de la santé et des services sociaux sont autant de lieux de concertation entre groupes et de représentation quotidienne auprès de l'État.

---

86. Loi visant à lutter contre la pauvreté et l'exclusion sociale, adoptée à l'unanimité en 2002.

5.3. Les acteurs : diversité, vitalité et nouveaux enjeux

Le contexte global de la décennie 1990 amène une redéfinition des rapports de l'action communautaire à l'État et aux institutions et communautés locales.

Le débordement des établissements publics tels que les centres hospitaliers et les centres d'accueil fait naître le besoin de solutions nouvelles et plus efficaces. Cela entraîne la remise en question de pratiques institutionnelles en faveur de formules favorisant le maintien à domicile et l'utilisation des ressources communautaires, dans le cadre du « virage ambulatoire ». D'où l'appel des pouvoirs publics pour mobiliser les groupes communautaires, qui deviennent des organismes communautaires reconnus, dont les nouveaux à émerger sont principalement liés à des programmes et projets mis en place par la santé publique et les institutions locales en enfance et famille. Cette reconnaissance légale et financière des groupes communautaires de services comme partenaires aura pour effet d'alourdir considérablement leurs pratiques et de les rendre instables en raison des contraintes liées au financement temporaire par projets.

La génération des organismes communautaires des années 1990 se démarque des précédentes par un recours accru et déterminant à des stratégies de concertation et de partenariat avec les services publics. Le système de représentation politique dont s'est doté le milieu communautaire (regroupements locaux, régionaux, nationaux, multisectoriels, coalitions, etc.) favorise l'émergence de ces stratégies de partenariat. La stratégie de front commun dans la prise en charge des problèmes sociaux engendre des concertations plus ou moins importantes dans la mobilisation pour la lutte contre la pauvreté, le développement social, le développement durable et l'altermondialisation. Assurant de plus en plus des mandats de service public, bénéficiant d'une reconnaissance et d'un financement plus stable, les groupes communautaires doivent par ailleurs relever le défi qui consiste à préserver leur autonomie et leur identité originales, tout en participant à des structures et à des opérations de concertation[87].

---

87. L. Guay (1991), « Le choc des cultures : bilan de l'expérience de participation des ressources alternatives à l'élaboration des plans régionaux d'organisation des services en santé mentale », *Nouvelles pratiques sociales*, vol. 4, n° 2, 43-58 ; J. Lamoureux (1994), *Le partenariat à l'épreuve*, Montréal, Albert Saint-Martin.

L'économie sociale, le développement local et l'empowerment

Les groupes communautaires continuent aussi de mettre en avant de nouveaux modes d'intervention. La Marche des femmes de 1995 a donné un souffle nouveau à l'économie sociale par la formulation de diverses revendications touchant notamment la mise en place d'« infrastructures communautaires » créatrices d'emplois. En réponse à cette demande, le gouvernement québécois a décidé, en vue du Sommet sur l'économie et l'emploi d'octobre 1996, de mettre sur pied un groupe de travail sur l'économie sociale qui deviendra permanent, le Chantier de l'économie sociale, avec le mandat de poursuivre les activités de promotion et d'analyse amorcées en vue du sommet de 1996.

Les organismes communautaires s'inscrivent aussi comme agents de développement local, fonction que remplissent notamment les corporations de développement communautaire (CDC) qui se sont multipliées sur l'ensemble du territoire québécois[88]. Les CDC sont des regroupements locaux formés exclusivement d'organismes communautaires. Elles utilisent des approches intégrées combinant les dimensions économiques et sociales et mettent l'accent sur les besoins des personnes marginalisées à l'aide de stratégies de renforcement des milieux et des personnes (*empowerment*) qui font appel à la formation et à la mobilisation.

En milieu urbain, les CDEC se sont donné comme mandat de travailler à la revitalisation ou au développement des milieux appauvris[89]. Les CDEC sont formées d'organismes communautaires, de syndicats, de gens d'affaires et de représentants politiques (locaux et provinciaux) qui contribuent tous à la création d'emplois, au maintien des emplois et au développement de l'employabilité. Les CDEC de Montréal obtiendront en 1998 le mandat de CLD pour leur territoire d'intervention.

En milieu rural, l'action communautaire doit impérativement tenir compte des conséquences de la déstructuration de ces milieux, qui sont loin d'être homogènes, mais souffrent à des degrés divers des mêmes problèmes que l'on désigne sous plusieurs vocables : la désintégration, la déstructuration, la dévitalisation, etc. Devant ce déclin, la population rurale n'a pas baissé les bras. Avec Solidarité rurale, un vaste mouvement national sera très actif tout au long de la décennie[90],

---

88. L. Favreau (2000), « Le travail social au Québec (1960-2000) : 40 ans de transformation d'une profession », *Nouvelles pratiques sociales*, vol. 13, n° 1, juin, p. 27-47.
89. Mercier, *op. cit.*
90. *Ibid.*

contribuant à la mobilisation continue des milieux ruraux auprès des conseils régionaux de développement (CRD) pour des ententes régionales sur le développement social, mobilisation qui aboutira à la création de la Politique de la ruralité et des Pactes ruraux, des leviers de développement social que l'on verra naître dans les années 2000.

Nouvelles stratégies, nouveaux défis

Au cours des années 1990, les rapports des groupes communautaires à l'État se sont donc profondément transformés avec le concept de partenariat qui est au centre des grandes politiques gouvernementales[91]. Par-delà le financement à la mission de base, qui assure l'autonomie de fonctionnement et le respect de l'identité, l'État fait de plus en plus appel aux organismes communautaires, notamment dans les secteurs de la santé, des services sociaux et de la formation professionnelle, en les mettant à contribution à titre de partenaires[92]. Toutefois, ce nouveau discours suscite un certain scepticisme chez bon nombre de groupes. En effet, plusieurs chercheurs[93] et intervenants militants et salariés signalent que la coopération et la collaboration entre les organismes communautaires et l'État se révèlent très souvent un exercice parsemé d'embûches et d'écueils difficiles à surmonter. Toutefois, malgré les difficultés, certaines expériences de collaboration sont jugées positives et l'on peut en dégager certaines conditions de réussite. Selon les auteurs, divers facteurs (contextuels, organisationnels, professionnels et personnels) sont déterminants pour l'établissement d'un réel partenariat. Par ailleurs, en s'inscrivant dans une démarche de partenariat qui leur permet de recevoir un financement plus stable et en se voyant sollicités pour assumer de nouvelles fonctions, les organismes communautaires doivent garder un recul critique. Le défi est de rester autonome et fidèle à une mission de changement social tout en laissant les portes ouvertes à une collaboration qui peut permettre de promouvoir d'autres façons de définir les situations et d'élaborer des solutions dans le respect des principes et des valeurs fondamentales de l'action communautaire.

---

91. Lamoureux, *op. cit.*
92. Bélanger et Lévesque, *op. cit.*
93. A. Dumais (1991), *Les CLSC et les groupes communautaires en santé. Un aperçu de leur collaboration*, Québec, Université Laval, Centre de recherche sur les services communautaires ; Panet-Raymond et Bourque, *op. cit.* ; S. Robichaud (1994), « Le bénévolat : un langage de cœur et de raison », *Service social*, vol. 43, n° 2, p. 129-146.

Les acteurs intervenants : des pratiques plurielles

L'action des organismes et groupes communautaires s'exerce aussi par l'inter-médiaire des regroupements locaux et régionaux qui, sur un plan sectoriel ou intersectoriel, ont pour tâche de soutenir l'action de ces groupes (aide technique au fonctionnement, mise en commun de ressources, développement d'outils d'intervention et de formation) et de les représenter auprès des instances gou-vernementales. Les fonctions sur ces plans sont plus typiques de l'organisa-tion communautaire classique, soit la coordination de ressources et d'activités, l'élaboration de projets et programmes et la représentation[94].

Plusieurs organismes communautaires de base favorisent la pratique sous ses diverses formes, aussi bien professionnelle et salariée que bénévole et mili-tante, pour faire face aux problèmes de la pauvreté, de la perte d'emplois et du sous-développement économique. Ainsi, la pratique communautaire s'étend au dépannage alimentaire, à l'insertion des jeunes et des personnes handicapées au marché du travail, au travail de rue. De nombreux groupes communautaires se sont aussi orientés vers le développement de l'employabilité. Ainsi, les acteurs de l'action communautaire sont parfois des professionnels, parfois des militants, mais aussi des personnes qui s'inscrivent dans des parcours de réinsertion sociale ou en emploi. Cela peut apporter une grande richesse à la vie associative et à l'action, mais aussi être très exigeant au regard des tâches d'encadrement et d'accompagnement. Les intervenants salariés doivent donc consacrer plus de temps à l'accueil et à la formation, dans une perspective d'*empowerment* individuel et communautaire, de membres ou bénévoles qui ont des besoins importants.

En CLSC, le rôle de l'intervenant communautaire comporte toujours des dimensions de soutien technique aux groupes et organismes du milieu, d'aide à la mobilisation et à l'organisation au regard de nouveaux problèmes et besoins, et parfois même de développement de nouvelles ressources. Par ailleurs, compte tenu des réformes des années 1990 dans les services de santé, les intervenants doivent de plus en plus assumer des mandats définis par des programmes régio-naux de santé publique et des tâches de développement et de coordination des ressources et des tables de concertation.

94. Mercier, *op. cit.*

6. LES ANNÉES 2000

LA CINQUIÈME GÉNÉRATION : LA CONSOLIDATION DU PARTENARIAT ET LA RADICALISATION DES LUTTES ANTICAPITALISTES ET ANTI-AUTORITAIRES

6.1. Éléments de contexte

La dernière décennie est vraiment marquée par l'ouverture sur la mondialisation des problèmes et des actions sur les plans sociopolitique, économique et environnemental. Sur le plan sociopolitique, les attaques du 11 septembre 2001 du groupe Al-Qaïda contre les États-Unis vont mobiliser les gouvernements occidentaux dans deux guerres dites préventives (Afghanistan et Irak), suscitant dans plusieurs pays occidentaux des comportements de répression des pratiques de contestation sociale ainsi que des réflexes xénophobes envers l'immigration.

Sur le plan socioéconomique, sous l'influence de gouvernements de droite, on verra se poursuivre l'offensive du néolibéralisme, dont la traduction dans un grand projet d'Accord multilatéral sur les investissements (AMI) visera à généraliser la soumission de toutes les activités de production et de commercialisation de biens et services aux lois du libre marché mondial. Le modèle néolibéral lui-même sera par contre sérieusement ébranlé à partir de 2007 avec la plus grave crise économique vécue depuis celle des années 1930. À l'encontre des dogmes néolibéraux, les États ont dû intervenir et investir massivement pour soutenir et relancer l'activité économique, selon un modèle qui a semblé vouloir « civiliser » le capitalisme, sans par ailleurs assurer un développement plus équitable et équilibré.

Sur le plan de l'environnement, des sommets majeurs sur les changements climatiques visant à concrétiser les engagements du protocole de Kyoto (1997) ont été freinés dans leur mouvement par l'obstruction des plus grands pays pollueurs, dont le Canada, d'une part, et par les tensions entre pays dits développés et pays émergents, d'autre part. Cela traduit le difficile équilibre entre un partage de la croissance permettant de restreindre l'appétit des plus riches tout en favorisant l'amélioration des conditions de vie des plus pauvres, sans compromettre la survie des écosystèmes[95].

Devant ces grands enjeux étroitement liés, les mouvements sociaux ont été des acteurs qui, à l'échelle mondiale et locale, ont pu influencer le cours des événements par le renouvellement de l'action sociale réalisé dans le grand mouvement de l'altermondialisation, qui s'est exprimé notamment à travers l'Opération SalAMI lancée à Montréal en 1998. La mobilisation ainsi engendrée aura finalement raison de l'AMI, donnant un nouvel élan à la pratique de la désobéissance civile chez nous. Elle entraînera aussi d'autres actions de contestation d'envergure, dont la formation de l'Association pour la taxation des transactions financières pour l'aide aux citoyens (ATTAC)[96], qui a vu le jour au Québec en 2000 et est maintenant présente dans plus de quarante pays.

Il faut aussi souligner la mise sur pied du Forum social mondial (FSM), dont la première édition a eu lieu à Porto Alegre au Brésil en 2001, et qui est devenu depuis un « espace et un processus permanents de recherche et d'élaboration de solutions de rechange, qui ne se réduit pas aux manifestations sur lesquelles il s'appuie ». Le FSM a mobilisé et influencé l'action des mouvements sociaux (anciens et nouveaux) sur les enjeux de société mondiaux, permettant de canaliser les énergies et les connaissances des opposants et activistes de l'environnement, de la paix et de la justice sociale dans un vaste projet d'opposition et de recherches partagées d'idées et d'actions alternatives à la mondialisation sous le mode néolibéral. Les « utopies mobilisatrices » dont ils ont été les porteurs ont fait leur chemin dans l'opinion publique et même dans les programmes politiques de gouvernements de gauche élus en Amérique latine. La grave crise économique de 2007 a finalement donné raison aux critiques et oppositions altermondialistes aux stratégies néolibérales.

Le Canada et le Québec, sous influence néolibérale... et altermondialiste

Le Canada et le Québec vont participer à ces grands enjeux dans leur portée globale, mais aussi dans leur manifestation locale spécifique. Au Canada, la

---

95. H. Kempf (2007), *Comment les riches détruisent la planète*, Paris, Seuil ; id. (2011), *L'oligarchie ça suffit, vive la démocratie*, Paris, Seuil.

96. Cette association réclame notamment la levée d'une taxe sur les transactions sur les marchés des devises (taxe Tobin), et lutte contre les paradis fiscaux et pour la justice fiscale.

réduction du déficit se poursuit au détriment des programmes sociaux et de l'assurance-emploi, en privilégiant les réductions des impôts pour les entreprises. Outre le recul sur les engagements environnementaux, le gouvernement Harper élu en 2006 imposera graduellement sa vision ultraconservatrice et répressive influencée par la droite religieuse, compromettant les acquis au chapitre des droits humains et sociaux et même de la démocratie parlementaire.

Au Québec, l'offensive néolibérale et le virage à droite se sont accentués depuis 2003 avec l'élection du gouvernement Charest. Dès le début de son mandat, il entreprendra un vaste programme de compressions budgétaires, de tarification et de privatisation des services et équipements publics, et de pratiques fiscales régressives qui entraînera l'appauvrissement de la classe moyenne. Sous le couvert de la décentralisation, il a cherché à réformer le modèle partenarial et l'État-providence qui avaient marqué le développement du Québec depuis les années 1970, notamment en introduisant dans l'appareil public québécois une nouvelle forme de gouvernance apparentée à la nouvelle gestion publique (NGP). Par celle-ci, l'État et le pouvoir politique se limitent à déterminer les grands choix stratégiques et les objectifs des politiques et programmes, en laissant les décisions opérationnelles à des instances de gestion qui adoptent des indicateurs, règles et procédés propres à l'entreprise privée. Cette logique l'a amené à privilégier les partenariats public-privé (PPP)[97] pour la réalisation de plusieurs grands projets d'équipements publics. Cependant, l'inefficacité de ces PPP est de plus en plus démontrée par les échecs des expériences britanniques et néo-zélandaises sur lesquelles ils s'appuient.

Les mouvements sociaux québécois vont être actifs à leur façon pour relever les défis locaux et mondiaux Le mouvement altermondialiste, qui a été très actif notamment à l'occasion de tous les sommets socioéconomiques[98] et politiques des G-8 et G-20, a innové dans les moyens d'action collective, se faisant remarquer par une tendance anarchiste qui utilise judicieusement l'action directe ainsi que les nouvelles technologies de l'information et de la communication (NTIC). Les groupes écologistes de toutes orientations ont eu fort à faire sur plusieurs enjeux environnementaux, le développement de nouvelles autoroutes, de nouvelles formes et sources d'énergies (le Suroît en 2005, les gaz de schiste en 2010) et sur la privatisation du parc national du Mont-Orford en 2008.

---

97. Certains critiques associent les PPP à l'expression *Les profits pour le privé, les pertes pour le public…*
98. On pense entre autres aux Sommets de l'AMI à Montréal et à Seattle et à celui de la Zone de libre-échange des Amériques (ZLÉA) à Québec.

Pour sa part, le mouvement des femmes a encore beaucoup contribué à l'action féministe mondiale, en organisant notamment la Marche mondiale des femmes en 2000 et celle de 2010, qui a démontré la nécessité de poursuivre les luttes collectives relativement à des enjeux de violence et de pauvreté tant au Québec que dans le monde, ainsi que pour l'application des mesures d'équité et d'égalité dans les milieux de travail. La Fédération des femmes du Québec a aussi senti le besoin d'organiser des États généraux pour réfléchir sur les grands défis, notamment sur la mobilisation d'une nouvelle génération de femmes et sur les façons de les rejoindre, dans un contexte plus complexe sur les plans politique, économique, social et cultuel.

Le mouvement D'abord Solidaires, créé en 2002, a mis sur pied une vaste campagne d'éducation populaire visant à combattre la montée des idées de droite au Québec et à construire une société fondée sur le bien commun et la solidarité entre tous les citoyens du Québec. Ce mouvement, qui se définit comme alter-mondialiste, féministe, environnementaliste et indépendantiste, a donné naissance à un parti politique, Québec solidaire, qui a fait élire un premier député en 2008 et deux députés lors des élections de 2012. L'une de ces députés, Françoise David, est issue du mouvement des femmes et de l'action communautaire, ayant été organisatrice communautaire et présidente de la Fédération des femmes du Québec.

Le mouvement syndical s'est fait plus discret : il y a un courant d'antisyndicalisme qui s'affirme avec la montée de la droite, les conflits de travail sont moins nombreux et la lutte pour la survie des entreprises et le maintien des acquis les mobilisent en priorité. On doit néanmoins souligner la création en 2003 du Comité de vigilance pour lutter contre plusieurs mesures du gouvernement Charest, qui s'est prolongé dans l'Alliance sociale formée des grandes centrales syndicales et organisations étudiantes ; celle-ci s'est associée dans l'action à la Coalition opposée à la tarification et à la privatisation des services publics, formée en 2009, qui rejoint quelque 125 organisations locales et nationales des mouvements syndical, communautaire, étudiant, environnemental et religieux.

Enfin, il faut relever les réussites remarquables du mouvement étudiant à élargir le débat par sa grève sur la hausse des frais de scolarité que le gouvernement Charest a tenté d'imposer sans consensus large. En mobilisant largement ses propres assises, tant au niveau des cégeps que des universités, le mouvement étudiant a suscité un véritable débat de société en 2012. Les étudiants se sont mobilisés, pendant plusieurs mois, pendant ce qu'on a appelé le « printemps érable », pour faire un clin d'œil au « printemps arabe » pour la démocratie. Mais ils ont suscité une prise de conscience sur le projet de société que la population désirait. Cela a suscité de larges mobilisations citoyennes contre certaines formes de développement et certaines politiques gouvernementales touchant l'éducation, l'exploitation des ressources naturelles et l'environnement. L'ensemble de ces revendications a été soulevé entre autres à l'occasion de la Journée de la Terre, alors que plus de 350 000 personnes ont marché dans Montréal et plusieurs villes du Québec. Cette grève aura aussi été pour le peuple québécois, toutes générations confondues, l'occasion d'appuyer le mouvement étudiant et de manifester directement son opposition au projet de loi 78 adopté par le gouvernement pour forcer le retour en classe des étudiants. Par le mouvement des casseroles, des milliers de personnes ont défié la loi dans les villes et villages pour dénoncer les atteintes aux libertés de conscience, d'expression et d'association. Ces manifestations se sont poursuivies jusqu'au déclenchement des élections provinciales le 1er août 2012. Ces élections ont conduit à la défaite du gouvernement libéral et à l'élection du Parti québécois le 4 septembre.

Tous ces mouvements auront une influence considérable sur les pratiques communautaires et favoriseront l'émergence de nouveaux acteurs ou de nouvelles dynamiques entre ceux-ci. On constate en particulier la montée de l'anarchisme contemporain au Québec et de ses pratiques antiautoritaires et anticapitalistes[99].

Des changements qui affectent le mouvement communautaire

Le gouvernement Charest décrétera l'abolition de la participation citoyenne dans les instances de développement régional (CRD) et local (CLD) mises en place durant la décennie 1990 et à laquelle le mouvement communautaire était associé[100]. Du côté du réseau sociosanitaire, il forcera à partir de 2003 l'intégration des CLSC et des Centres d'hébergement et de soins de longue durée (CHSLD) aux hôpitaux en créant les Centres de santé et de services sociaux (CSSS). Le territoire d'intervention des nouveaux CSSS sera, dans plusieurs cas, considérablement élargi, ce qui amène à reconsidérer la notion même de « territoire vécu », pertinente pour soutenir la mobilisation citoyenne et le développement local. Le Programme national de santé publique (2003-2012) est par ailleurs venu consacrer une orien-

---

99. R. Bellemare-Caron, E. Breton, M.A. Cyr, F. Dupuis-Déri et A. Kruzunski (2013), « *Nous sommes ingouvernables. Les anarchistes au Québec aujourd'hui* », Montréal, Lux.
100. Le Conseil régional de développement (CRD) deviendra la Conférence régionale des élus (CRE), où l'on concentrera le pouvoir aux mains des élus municipaux. De même, dans les CLD, les élus peuvent limiter la participation citoyenne à une personne représentative de l'économie sociale.

tation de promotion et de prévention, en privilégiant une approche de soutien au développement des communautés qui fait appel à la participation citoyenne, à la concertation entre tous les acteurs du milieu et à l'*empowerment*.

Cette profonde transformation des infrastructures gouvernementales a été précédée par l'adoption en septembre 2001 de la Politique de reconnaissance et de soutien de l'action communautaire[101], après plusieurs années de négociation avec le mouvement communautaire représenté par le Comité aviseur de l'action communautaire autonome (CA-ACA)[102]. Si la politique porte sur l'action communautaire dans son ensemble, elle établit une distinction entre l'action communautaire en général et l'action communautaire « autonome », cette dernière ayant comme caractéristiques essentielles d'être issue de l'initiative de la communauté, de poursuivre une mission de transformation sociale et « de faire preuve de pratiques citoyennes et d'approches larges axées sur la globalité de la problématique abordée ». Ce n'est cependant qu'avec le Cadre de référence de 2004[103] que l'on verra des définitions plus opérationnelles qui institueront sur une base triennale le financement pour soutenir la mission des organismes reconnus autonomes, dont les organismes de défense collective des droits qui relèveront directement du Secrétariat à l'action communautaire autonome et aux initiatives sociales (SACAIS)[104]. Ce financement en soutien à la mission même des organismes est l'un des grands acquis de la Politique québécoise (qui elle-même constitue un précédent dans les sociétés contemporaines) en ce qu'elle établit une nette distinction par rapport à des ententes et des projets précis qui sont des formes de sous-traitance de l'État.

Une évaluation de la mise en œuvre relève néanmoins des limites sérieuses à ce financement, qui ne correspond toujours pas aux besoins des organismes[105]. Les pressions se sont accrues dans le contexte de la réorganisation du réseau sociosanitaire qui a accentué le rôle de partenaires des organismes communau-

---

101. L'action communautaire : une contribution essentielle à l'exercice de la citoyenneté et au développement social du Québec (<mess.gouv.qc.ca/sacais/action-communautaire/politique-reconnaissance-soutien/>).

102. Le CA-ACA deviendra en 2007 le Réseau québécois pour l'action communautaire autonome (RQ-ACA) (<http://www.rq-aca.org/>).

103. Cadre de référence en matière d'action communautaire (MESS-SACAIS).

104. Pour leur part, les organismes dits de services, ou intervenant dans un secteur particulier, sont rattachés par la politique au ministère chargé de leur secteur.

105. D. White *et al.* (2008), *La gouvernance intersectorielle à l'épreuve. Évaluation de la mise en œuvre et des premières retombées de la Politique de reconnaissance et de soutien de l'action communautaire*, Montréal, Université de Montréal, Centre de recherche sur les politiques et le développement social, mars.

taires en vue de constituer le Réseau local de services (RLS). Ce dernier devait être coordonné par chaque CSSS afin d'offrir un continuum de services de qualité et accessibles, mais les exigences de reddition de comptes dans les programmes qui les finançaient étaient fort contraignantes du côté des pratiques. Le projet de signature d'ententes de service et de contrat que veut imposer le ministère de la Santé et des Services sociaux dans le cadre de son Programme de soutien aux organismes communautaires (PSOC) en 2011 illustre cette nouvelle forme de gestion et de gouvernance de l'État avec les organismes. La Coalition des Tables régionales d'organismes communautaires (CTROC) et la TRPOCB[106], qui regroupent près de 3 000 organismes intervenant principalement en santé et services sociaux, ont organisé une vaste mobilisation qui a réussi à faire suspendre l'application de ces mesures.

6.2. Les pratiques : continuité et « plurielité »

Les éléments de contexte qui précèdent vont inciter les organismes communautaires à recourir à des pratiques variées qui, outre les grandes mobilisations déjà notées liées aux nouveaux mouvements mondiaux sur la paix, l'environnement et l'altermondialisme, vont les amener à s'investir davantage dans le développement local, en passant par des enjeux nouveaux dans le champ des services et des droits sociaux.

Le champ de la défense collective des droits et de l'éducation populaire

La réforme de la Loi d'aide sociale mise de l'avant en 2004 par le projet de loi 57 (Loi sur l'aide aux personnes et aux familles)[107] suscitera la formation d'une coalition pour tenter de protéger de faibles gains acquis par la « loi 112 » (Loi visant à lutter contre la pauvreté et l'exclusion sociale). La réforme propose de pénaliser encore davantage les personnes assistées sociales par des mesures punitives eu égard au partage de logement et aux revenus de travail. Le Collectif pour un Québec sans pauvreté va poursuivre un travail de vigilance et de mobilisation

---

106. Coalition des tables régionales d'organismes communautaires (<http://www.ctroc.org/>) ; Table des regroupements provinciaux d'organismes communautaires et bénévoles (<http://trpocb.typepad.com/>).

107. Ce projet de loi avait pour but de remplacer la loi existante sur le soutien du revenu et favorisant l'emploi et la solidarité sociale, mais aussi de se conformer aux exigences de la « loi 112 » et du plan d'action prescrit par cette loi et publié en avril 2004.

pour éviter des reculs sur les engagements de 2002. Cela ne pourra se faire sans la collaboration de plusieurs autres regroupements et centrales syndicales, notamment le Comité de vigilance et l'Alliance sociale, déjà évoqués.

La crise du logement qui a marqué le début des années 2000, à la suite des coupures des années 1990, donne également lieu à des mesures d'urgence d'hébergement lors des renouvellements de bail, et apporte quelques ressources financières pour des organismes communautaires de plus en plus débordés. Les comités de logement et les associations de locataires occupent donc encore beaucoup de place dans les manifestations publiques coordonnées notamment par le FRAPRU et le Regroupement des comités logement et associations de locataires du Québec (RCLACQ). Ces deux groupements poursuivent leurs actions directes pour obtenir une réglementation plus stricte sur les conditions de logement et un soutien financier au développement du logement social.

C'est sans doute le champ d'activité qui maintient le plus la stratégie de défense collective des droits, avec le mouvement de défense des chômeurs et des sans-emploi qui, lui, ne bénéficie pas d'un soutien financier aussi stable et de regroupements aussi bien structurés. Ces trois fronts de lutte pour l'aide sociale, contre le chômage et en faveur du logement continuent de faire appel à des approches d'éducation populaire, qui favorisent un patient travail de mobilisation à la base des personnes vivant dans la pauvreté et qui subissent les contrecoups des coupures dans les programmes sociaux.

Le champ des services

Le développement de programmes en enfance et famille (périnatalité) instaurés durant les années 1990 par les directions de santé publique, et dispensés par les CLSC-CSSS, a ouvert de plus en plus la porte à des partenariats qui font appel au financement par ententes et par projets, donc à des formes de sous-traitance. Ce faisant, il a contribué à inscrire un certain nombre d'organismes de ces secteurs dans une relation de complémentarité où les objectifs des programmes institutionnels ont une influence considérable sur la pratique interne des organismes.

Par ailleurs, en même temps que les organismes communautaires se voient reconnus comme acteurs exerçant une mission de « service public » et, à ce titre, sont assurés d'un financement de base, ils sont de plus en plus sollicités pour participer à des tables locales de concertation sur une base sectorielle ou multisectorielle thématique[108], ou encore territoriale[109], ce qui leur pose de nouvelles exigences en termes de temps et d'expertise, tout en les amenant à élargir leur vision et leur action à des enjeux plus globaux, soit en lien avec leur problématique ou avec le territoire local où ils œuvrent. Ces nouvelles pratiques comportent des avantages en favorisant des approches plus globales et intégrées d'intervention et de développement, mais aussi des risques pour l'autonomie et même le maintien de l'identité communautaire, suivant les conditions plus ou moins contraignantes de la participation à ces démarches et du financement qui lui est parfois associé. Ces enjeux sont d'autant plus importants qu'à la « communautarisation » des services sociaux publics correspond maintenant leur « privatisation », avec une part accrue du financement provenant de bailleurs de fonds privés, comme Centraide, mais aussi de grandes fondations privées.

C'est dans ce contexte que l'on voit arriver la Fondation Lucie et André Chagnon (FLAC)[110]. En raison de la puissance de ses moyens, qui lui permet de dicter les choix gouvernementaux dans la mise sur pied de programmes, cette fondation va modifier plus particulièrement la dynamique entre l'État et les organismes communautaires famille intervenant auprès des jeunes enfants issus de milieux pauvres. Si la FLAC dit favoriser la concertation locale avec la formation de comités locaux, il s'avère que son approche ciblée et directive bouscule les services déjà existants et surtout les dynamiques entre les acteurs locaux. La FLAC prône des interventions qui sont souvent influencées par une vision positiviste du développement des enfants, ce qui va souvent à l'encontre de la vision globale de transformation des milieux prônée par les organismes. Cette vision s'appuie largement sur l'approche des « pratiques éprouvées » ou des « données probantes » qui, par une lecture scientifique des problèmes, impose les « bons comportements » attendus autant des clientèles visées que des intervenants, de même que des règles préétablies de pratiques de concertation par des ententes contractuelles typiques du marché privé. En somme, non seulement la FLAC se substitue à l'État tout en orientant ses choix, mais elle introduit de surcroît la logique du marché et du contrat dans ses rapports avec les

---

108. Selon une problématique (santé mentale, itinérance, etc.) ou une clientèle (jeunes, aînés, femmes...).

109. D. Bourque (2008), *Concertation et partenariat*, Québec, Presses de l'Université du Québec.

110. Issue de la vente de Vidéotron à l'empire Québécor en 2000, la FLAC est devenue la plus importante fondation privée au Canada dans le domaine de la prévention de la pauvreté par la « réussite éducative des jeunes Québécois en privilégiant le développement de leur plein potentiel, dès leur conception jusqu'à 17 ans, et en contribuant à la mise en place des conditions qui répondent à leurs besoins et à ceux de leur famille » (<http://www.fondationchagnon.org/>).

communautés[111]. Le débat est bien illustré par l'opposition entre la promotion de saines habitudes de vie et le travail sur les conditions de vie. Parmi les saines habitudes de vie se trouve l'alimentation, mais au-delà de la bonne alimentation il y a l'absence de revenus suffisants pour se procurer les aliments de qualité à prix abordable.

Le développement local

En périphérie des services d'aide psychosociale et de dépannage se sont développées des pratiques qui veulent agir moins sur les habitudes de vie que sur les conditions de vie et de santé, par une intervention de prévention visant les « déterminants de la santé » dont le revenu, l'éducation, le logement, le transport et l'environnement physique. Cette approche amène à élargir les pratiques de service pour les situer dans la communauté, qui devient elle-même un déterminant : c'est la pratique du développement local.

Dans la mouvance de la décentralisation amorcée dans les années 1990, et dans la continuité de la Politique de santé et bien-être de 1992, on a vu apparaître des politiques et des programmes favorisant cette approche de développement local sous diverses appellations : *développement des communautés, approche territoriale intégrée, revitalisation urbaine intégrée* (RUI), *pacte rural, politique familiale municipale, stratégie jeunesse,* etc. Dans le cadre de la fusion des villes-centres[112] en 2002 et dans la foulée des Forums de développement social, on impose aux villes l'obligation de se doter de plans de développement social et communautaire, ce qui amène de nouvelles ouvertures à la concertation et à la participation citoyenne dans les plans de développement local. Issue de la tradition du développement communautaire, l'approche de développement local met en valeur la revitalisation du territoire, une nouvelle gouvernance collective concertée, la participation citoyenne, l'*empowerment* individuel et collectif, ainsi qu'une approche intégrée du développement.

Les programmes publics qui suscitent ou soutiennent ces initiatives de développement local procèdent selon une logique bureaucratique qui, au départ, tient davantage de la mobilisation des acteurs locaux dans un cadre et des objec-

---

111. F. Lesemann (2008), « Fonds publics/privés : quels enjeux pour les communautés ? », *Bulletin de liaison de la Fédération des associations de familles monoparentales et recomposées du Québec (FAFMRQ)*, vol. 33, n° 2.
112. Ce sont les plus grandes villes du Québec : Montréal, Québec, Trois-Rivières, Sherbrooke, Gatineau, Saguenay.

tifs prédéfinis et contrôlés par des acteurs institutionnels, selon les exigences du programme qui les encadre. Leur défi consiste à parvenir à respecter les dynamiques de la logique communautaire-citoyenne dont ils ont besoin et qui, par définition, suppose le volontariat et l'autonomie dans le choix des actions comme dans le processus de la démarche. C'est la logique paradoxale des programmes publics imposés (*top-down*) pour favoriser des approches citoyennes locales (*bottom-up*). Pour qu'on puisse opérer une jonction fructueuse de ces deux logiques et assurer ainsi le succès de ces programmes, il faut que ces programmes soient dotés d'une réelle capacité d'adaptation et de respect des logiques citoyennes et communautaires, ainsi que de règles de gestion et de financement qui favorisent le long terme dans l'action et le soutien à l'apprentissage du processus, dont la capacité des acteurs communautaires à transiger avec l'institutionnel dans une stratégie de «coopération conflictuelle».

En somme, les quelques pratiques évoquées dans les divers champs de l'action communautaire nous amènent à constater que ses acteurs sont de plus en plus variés et nombreux, ce qui entraîne, surtout dans les pratiques de développement social et local, la multiplication des concertations, actions intersectorielles et partenariats. Certains soutiennent même que toutes ces actions locales de concertation créent de l'«hyperconcertation»[113], dont les effets peuvent être tout aussi contre-productifs que le travail «en silo» qu'on prétend remplacer.

6.3. Les acteurs

Pour instaurer et soutenir ces diverses pratiques, il faut l'engagement d'une grande variété d'acteurs issus des milieux communautaire, public et privé, sans oublier celui des citoyens, qui s'impliquent ponctuellement au gré de leurs intérêts et motivations.

Les milieux communautaires : un mouvement pluriel et très institutionnalisé

Les années 2000 sont marquées par l'apparition de nombreux acteurs influencés par les éléments de contexte tant local que mondial et les *mouvements sociaux* qui en émergent : les organismes communautaires sont de plus en plus structurés et contraints par les modes de financement et la Politique de reconnaissance et de soutien de l'action communautaire. Les acteurs communautaires sont plus nom-

---

113. D. Bourque (2008), *Concertation et partenariat*, Québec, Presses de l'Université du Québec.

breux, mieux financés, et leur personnel est plus scolarisé, plus expérimenté (vieillissant…), mais il œuvre toujours dans des conditions de précarité eu égard aux conditions de travail[114] !

Le Regroupement québécois de l'action communautaire autonome (RQ-ACA), créé en 2007, tente de chapeauter les nombreux regroupements sectoriels (plus de vingt) dont les plus importants ont déjà été nommés, soit la CTROC et la TRPOCB, qui réunissent près de 3 000 organismes intervenant principalement en santé et services sociaux. Dans la dernière décennie, on a vu apparaître le Regroupement de l'action bénévole du Québec (RABQ), créé en 2003 après l'Année internationale des bénévoles en 2001.

La Coalition montréalaise des tables de quartier (CMTQ) et le Regroupement québécois de revitalisation intégrée (RQRI), créé en 2009, sont par ailleurs des porteurs d'une vision communautaire du développement local intégré et concerté avec les pouvoirs publics. Il en va de même des corporations de développement communautaire (CDC), qui jouent de plus en plus un rôle de forum et d'« incubateur » pour favoriser le développement local et la concertation multisectorielle territoriale.

Les acteurs publics

Le nombre d'acteurs publics explose en même temps qu'apparaissent les politiques et programmes pour soutenir le développement local et régional, le Pacte rural, la Stratégie jeunesse et les politiques (familiale, environnementale, sociale et communautaire, développement durable, etc.) que doivent élaborer les villes et les municipalités locales et régionales (MRC). Dans le domaine de la santé et des services sociaux, les organisateurs communautaires de CLSC, maintenant intégrés aux CSSS, voient dans certains cas leur poste aboli ou leurs fonctions ramenées au rang d'« agents de promotion de la santé » ; dans plusieurs autres cas, la stratégie de développement des communautés leur permet de maintenir l'orientation communautaire et préventive d'un établissement maintenant lourdement orienté vers le modèle médical hospitalocentrique.

Que ce soit pour se doter d'un plan d'action concerté en santé avec les directions régionales de santé publiques, d'une intervention sur les « écoles et milieux en santé » avec les commissions scolaires ou d'un « engagement jeu-

---

114. S. Didier *et al.*(2005), *Pour que travailler dans le communautaire ne rime plus avec misère*, Montréal, Relais-femmes et Centre de formation populaire.

nesse » pour coordonner le soutien aux jeunes de 16 à 24 ans, tous ces acteurs se retrouvent localement et régionalement à élaborer des plans d'action « concertée ». C'est là que l'on retrouve justement ces « logiques paradoxales[115] » ou cette tension entre la logique d'intervention publique par programme descendante (*top-down*) et la logique d'intervention communautaire et citoyenne ascendante (*bottom-up*).

Des acteurs privés

Dans la perspective de la NGP néolibérale, les gouvernements favorisent l'implication du secteur privé dans la prise en charge des services, et les fondations, et surtout la Fondation Chagnon, viennent confirmer l'approche de partenariat public-privé (PPP) dans la conception et le financement des programmes. Si l'on peut reconnaître depuis toujours l'utilité de cette contribution des fondations privées et des entreprises, on doit se préoccuper du rôle qu'elles veulent jouer dans la conception de programmes et de l'influence sur l'État grâce au financement conditionnel qu'ils y « investissent ». Il y a là un certain « déficit démocratique » qui soulève des inquiétudes, tant par sa non-transparence que par son manque de pérennité.

Et les citoyens

Enfin, on ne peut passer sous silence les acteurs les plus importants de l'action communautaire : les citoyens. Si l'on a commencé l'histoire moderne de l'action communautaire avec les comités de citoyens des années 1960, il semble que l'on y revienne depuis quelques années avec une préoccupation active de « participation citoyenne[116] », notamment dans la perspective du développement local, mais aussi dans les grands mouvements sociaux qui en constituent une expression collective importante pour transformer la société et le monde. Si les citoyens sont souvent l'objet de discussions dans les lieux de concertation entre les acteurs communautaires, publics et même privés, ils sont le plus souvent absents de ces instances. Le défi demeure de les amener à devenir des « sujets » de l'action communautaire. Le discours qui valorise la participation et le pou-

---

115. D. Bourque et J. Panet-Raymond (2009), « L'organisation communautaire au CSSS Pierre-Boucher », présentation au CSSS Pierre-Boucher, Longueuil, 24 avril.

116. Voir le numéro thématique de juin 2009 (vol. 10, n° 9) de la revue *Développement social*, « Bâtir une société démocratique : la participation citoyenne ».

voir d'autonomie des citoyens est encore souvent un «discours» et non une réalité : souvent, lorsque les professionnels et les fonctionnaires entrent dans le jeu, les citoyens en sortent.

CONCLUSION

Le panorama historique que nous venons de tracer met en évidence la capacité du mouvement communautaire à innover afin de tenter de résoudre des problématiques sociales et d'expérimenter de nouvelles approches et pratiques d'intervention. Il en ressort que les organismes communautaires ont fourni un apport appréciable à l'évolution de la société québécoise au cours des cinq dernières décennies. Ils ont, en effet, incontestablement contribué à réaliser l'éveil des consciences, à faire évoluer les idées et à remettre en question les institutions qui ne répondaient plus aux besoins de la population. Mais, surtout, ils ont permis à tous ceux qui étaient traditionnellement marginalisés de prendre la parole et de signifier à la classe dirigeante qu'elle devait désormais compter avec eux.

Notre survol de cette évolution du mouvement communautaire permet aussi de constater son cheminement, qui l'a amené à s'inscrire dans deux voies : d'une part, il s'inscrit dans l'action critique et progressiste des nouveaux mouvements sociaux sur des enjeux de justice, d'environnement et de développement ; d'autre part, il devient graduellement une partie importante des «infrastructures sociales distinctes des services publics de l'État», mises en place grâce à la participation citoyenne pour améliorer les conditions de vie quotidiennes des personnes exclues, marginalisées et laissées pour compte. Cela démontre que ce cheminement a évolué dans une grande diversité de pratiques qui ont transformé le mouvement au fil des six générations que nous avons présentées. La reconnaissance acquise dans la politique gouvernementale adoptée en 2001, « L'action communautaire, une contribution essentielle à l'exercice de la citoyenneté», et l'important financement public qui a accompagné cette reconnaissance, ont par ailleurs contribué à son institutionnalisation, comme acteur « alternatif » et autonome exerçant des mandats de service public, ce qui, pour certains organismes, a pu diluer la capacité d'action politique et la perspective de mouvement social.

Devant les défis que posent la reconnaissance et le financement par l'État pour l'identité et l'autonomie des organismes communautaires, et à travers cette diversité et les tensions qui les caractérisent, y a-t-il encore lieu de parler de véritable mouvement de transformation sociale? Doit-on plutôt les définir comme un «secteur» de services en interaction avec les services publics et l'entreprise privée?

Avec Lachapelle[117], nous pouvons avancer que, pour demeurer fidèles aux valeurs constitutives de l'action communautaire et capables d'une intervention globale (intégrant le service, l'éducation populaire, l'*empowerment*, le développement local et l'action politique), les organismes et groupes communautaires devront relever trois défis principaux:

1) Établir des contre-pouvoirs par la mobilisation des personnes et groupes qui en sont exclus, d'où la nécessité de la formation et de l'action politiques.

2) Faire reconnaître l'importance d'une approche globale des personnes et des communautés, en se réappropriant les principes de l'éducation populaire.

3) Acquérir les moyens de leurs prétentions en se donnant des instruments structurés pour résister, dont une gouvernance démocratique raffermie dans le fonctionnement des organismes et du mouvement.

Si la contribution de l'action communautaire a plus de visibilité et de reconnaissance formelles, il demeure que la réalité économique et les marges de manœuvre pour des initiatives citoyennes sont toujours contraignantes. Le mouvement communautaire a joué et devra jouer encore un rôle essentiel entre l'individu et l'État. Ces réseaux permettent aux citoyens de s'approprier le pouvoir, dont ils peuvent faire usage en groupe pour soutenir des projets collectifs, mais dont ils profitent également dans leur vie personnelle, en développant des compétences et une confiance accrue en soi. C'est la base de l'*empowerment*: reconstruire les communautés en outillant les citoyens, puis en les constituant en réseaux d'entraide et d'innovation.

---

117. R. Lachapelle (2007), «Renouveler l'État social: les enjeux de l'action communautaire au Québec», *Nouvelles pratiques sociales*, vol. 19, n° 2, p. 176-181.

ANNEXE

Faits saillants de l'évolution des pratiques et des acteurs de l'action communautaire

LES ANNÉES 1970

Contexte	Pratiques	Acteurs
■ Robert Bourassa au pouvoir (1970). ■ Adoption de la politique de l'assurance-maladie (1970). ■ 1970 : Crise d'Octobre. ■ 1971 : Radicalisation du discours des centrales syndicales (les manifestes). ■ Disparition du FRAP (1972). ■ Adoption du projet de loi 65 qui réforme le système de santé et de services sociaux au Québec : création des CLSC. ■ Récession économique et crise du pétrole (1973). ■ Diminution du financement fédéral. ■ Création du Rassemblement des citoyens et citoyennes de Montréal (RCM) (1974). ■ Le PQ au pouvoir (1976) : attentes et incertitudes. ■ Interventions bureaucratiques et récupération du mouvement populaire : – bureaux d'aide juridique (1971) ; – Office de protection du consommateur (1973) ; – Régie des loyers (1976) ; – Conseil du statut de la femme (1976) ; – Commission de la santé et de la sécurité du travail (1976) ; – Office des personnes handicapées (1976) ; – Ministère de l'Environnement (1976) ; – bureaucratisation du financement des groupes (1976) ; – FCLSCQ : « Rôles et fonctions des CLSC » ; approche globale et communautaire (1978). ■ Création du Rassemblement populaire à Québec (1978).	■ Échec de l'action politique de 1970 et recherche d'options politiques : bilan, débats internes et radicalisation des groupes. ■ Création des groupes M-L : En lutte (1973) et Parti communiste ouvrier (1975). ■ Scission et liquidation de groupes et démobilisation des « gens ordinaires ». ■ De la phase « revendicative » (vis-à-vis de l'État), on passe à une phase d'initiatives autonomes (services lancés par les groupes communautaires). ■ Naissance des groupes culturels (théâtre, vidéo) et médias communautaires (journaux, télé). ■ Naissance des groupes écologiques et mise sur pied du mouvement pacifiste. ■ Mise en place du mouvement de solidarité internationale : Comité international de solidarité ouvrière (CISO), Comité Québec-Chili. ■ Effervescence des groupes de femmes : – comités de condition féminine dans les centrales syndicales ; – Comité de lutte pour l'avortement (1975) ; – Centre d'aide aux victimes du viol (1975) ; – centres de santé des femmes ; – maisons d'hébergement pour femmes violentées. ■ Au bas de l'échelle (1975). ■ Groupes de ressources techniques (GRT) en habitation. ■ Coopératives d'habitation. ■ Garderies coopératives et populaires.	■ Efforts soutenus de rapprochement entre le mouvement syndical et le mouvement communautaire. ■ Radicalisation de l'intervention sur le plan idéologique. ■ Apparition, avec l'implantation des CLSC, d'un nouveau type de services d'action communautaire (1972). ■ Période fertile en débats et confrontations politico-idéologiques : les premiers intervenants décrochent ou vont en usine, dans les groupes marxistes-léninistes. ■ Professionnalisation du militantisme aux prises avec le problème de la compétence par champ d'intervention. ■ Disparition du Conseil de développement social du Montréal métropolitain (1976). ■ Manifeste du Regroupement des organisateurs communautaires du Québec (1977).

LES ANNÉES 1980

Contexte	Pratiques communautaires	Acteurs communautaires

▪ Référendum sur l'indépendance du Québec (1980).
▪ Réélection du PQ (1981).
▪ Adoption de la Charte des droits et libertés (Canada) (1982).
▪ Crise économique, réductions budgétaires et de services (1982).
▪ Vent néoconservateur (Thatcher et Reagan).
▪ Disparition des groupes marxistes-léninistes (1982-1983).
▪ Rapport Barclay sur l'approche communautaire (1982).
▪ Réaffirmation de l'option communautaire des CLSC et de l'option milieu des CSS (1983).
▪ Élection du Parti conservateur fédéral (1984) (Mulroney).
▪ Élection du Parti libéral provincial (1985).
▪ Rapports des trois « sages » :
  – sur la diminution de l'État (Gobeil) ;
  – sur la privatisation (Fortier) ;
  – sur la déréglementation (Scowen) (1986).
▪ Élection du RCM à Montréal (1986).
▪ Rapport Brunet sur les CLSC et la place de l'organisation communautaire (1987).
▪ Rapport Harnois sur la santé mentale (1987).
▪ Rapport Rochon sur les services de santé et les services sociaux (1988).
▪ Entrée en vigueur du traité sur le libre-échange Canada–É.-U. (1989).
▪ Réforme de la sécurité du revenu avec la « loi 37 » (1989).
	▪ Maison de jeunes, maisons d'hébergement jeunesse.
	▪ Ressources alternatives en santé mentale.
	▪ Ressources communautaires dans les domaines de la toxicomanie, de l'itinérance.
	▪ Banques alimentaires, cuisines collectives.
	▪ Ressources communautaires pour la famille, diverses communautés culturelles, les personnes âgées et les personnes handicapées.
	▪ Diversité des luttes : front écologique ; front des jeunes ; front culturel, etc.
	▪ Retour des préoccupations pacifistes et écologiques dans le mouvement communautaire.
	▪ Regroupement des organismes communautaires jeunesse (ROCJ) et création du Rassemblement autonome des jeunes (RAJ).
	▪ Création du Mouvement d'éducation populaire et d'action communautaire du Québec (MEPACQ) (1985).
	▪ Création du Regroupement des organismes communautaires du Québec (ROCQ) (1985).
	▪ Création des Corporations de développement économique communautaire (CDEC).
	▪ Colloque sur le développement communautaire à Victoriaville (1986).
	▪ Multiplication des centres de femmes et création de L'R des centres de femmes.
	▪ Lutte du Front commun des personnes assistées sociales du Québec contre le projet de loi 37 sur l'aide sociale (1988).
		▪ Nombreux débats sur le rôle de l'État, la démocratie, le financement ; les services vs la mobilisation, la place des femmes.
		▪ Vieillissement des premières générations d'intervenants (*burn-out*).
		▪ Remise en question du rôle des animateurs : professionnel *vs* militant.
		▪ Débat sur la syndicalisation dans les groupes communautaires.
		▪ Recherche d'unité avec le mouvement ouvrier : les sommets populaires (1980-1982).
		▪ Augmentation de la place des femmes dans les groupes communautaires.
		▪ Retour de l'accent sur le processus pédagogique et les compétences techniques.
		▪ Redécouverte du bénévolat et rapprochement entre mouvement populaire et organismes communautaires de services et de tradition bénévole (centres d'action bénévole).
		▪ Création du Regroupement québécois des intervenants et intervenantes en action communautaire en CLSC (RQIIAC) (1988).

LES ANNÉES 1990

Contexte	Pratiques communautaires	Acteurs communautaires

▪ Canada : montée du Bloc québécois (Québec) et du Reform Party (Ouest canadien) ; déroute du Parti conservateur (1991).
▪ Discours dominant : lutte contre la dette nationale et les déficits publics.
▪ Réforme du réseau des services de santé et des services sociaux et régionalisation (réforme Côté, 1991).
▪ Partenariat et intersectorialité : des mots à la mode.
▪ Commission Bélanger-Campeau sur l'avenir du Québec (1991-1992).
▪ Le virage ambulatoire (1994).
▪ Réforme des politiques sociales : assurance-chômage et pensions de vieillesse (réforme Axworthy). Transferts de responsabilités aux provinces (1994).
▪ Québec : victoire du Parti québécois (élection de 1994) et deuxième référendum (30 octobre 1995).
▪ Les fusions d'établissements (CLSC-CHSLD) (1996).
▪ Sommet sur l'économie et l'emploi (1996) :
  – mise sur pied du Chantier de l'économie sociale ;
  – l'économie sociale comme solution de rechange de sortie de crise ;
  – création du Fonds de lutte contre la pauvreté.
▪ Rapports Bouchard et Fortin sur la sécurité du revenu (1996).
▪ Réforme sur la sécurité du revenu (1996-1997).
▪ Politique de soutien au développement local et régional (1997) : implantation des CRD et des CLD (1998).
▪ Forum sur le développement social (1998).
▪ Création des centres locaux d'emploi (CLE) (1998).
	▪ Documents de réflexion sur l'action communautaire en CLSC par la Fédération des CLSC (1991, 1994) : le partenariat et la concertation deviennent des stratégies incontournables.
	▪ Création de la Commission populaire itinérante (1991-1992) par Solidarité populaire Québec (SPQ) qui mène à la Charte d'un Québec populaire (1994).
	▪ Foisonnement de groupes communautaires dans les secteurs de l'employabilité et du développement économique local : CDEC, CDC, SADC, coopératives de travailleurs.
	▪ Création du Secrétariat à l'action communautaire autonome (SACA) et du Comité aviseur à l'action communautaires autonome (1995).
	▪ Marche des femmes contre la pauvreté (1995).
	▪ Tenue des États généraux des organismes communautaires autonomes de Montréal (1996).
	▪ Revendication de l'appauvrissement zéro au Sommet sur l'économie et l'emploi (1996).
	▪ L'organisation communautaire en CLSC est rattachée aux programmes-clientèles.
	▪ Rencontre nationale pour la reconnaissance et le financement de l'action communautaire autonome (1996).
	▪ Les activités de concertation mobilisent beaucoup d'énergies.
	▪ Forums locaux et Forum national sur le développement social (1998).
		▪ Les intervenants deviennent de plus en plus des représentants à des instances publiques de partenariat.
		▪ Création de la Table des regroupements provinciaux d'organismes communautaires et bénévoles (1991).
		▪ Les professionnels doivent encadrer de plus en plus de « stagiaires » de programmes d'employabilité.
		▪ Le RQIIAC a 10 ans (1998).

LES ANNÉES 2000

Contexte	Pratiques communautaires	Acteurs communautaires
<ul><li>Rapport de la Commission d'étude sur les services de santé et les services sociaux (commission Clair) (2001).</li><li>Politique de reconnaissance et de soutien de l'action communautaire (2001).</li><li>Politique de la ruralité : le Pacte rural (2001).</li><li>Stratégie nationale de lutte contre la pauvreté et l'exclusion sociale (2002).</li><li>Loi sur les fusions municipales créant l'obligation pour plusieurs municipalités de se donner un plan de développement social (2001).</li><li>Rapport de la Commission sur le déséquilibre fiscal présidée par Y. Séguin (2002).</li><li>Élections d'un gouvernement libéral : Jean Charest est premier ministre (2003).</li><li>Réorganisation du réseau de la santé et des services sociaux (« loi 25 », 2004), création des CSSS.</li><li>Adoption du Cadre de référence en matière d'action communautaire (MESS-SACAIS) (2004).</li><li>Réélection du gouvernement libéral (Charest) au Québec (2008).</li><li>Élection du premier député de Québec solidaire : Amir Khadir en 2008.</li><li>Barack Obama est le premier président noir élu aux É.-U. (2008) : « Yes we can ».</li><li>Élection d'un gouvernement conservateur majoritaire (Harper) au Canada en 2011.</li><li>Élection du gouvernement minoritaire du Parti québécois en 2012 : pour la première fois au Québec, une femme est premier ministre (Pauline Marois).</li><li>Le parti Québec solidaire élit deux députés : Amir Khadir et Françoise David, ancienne présidente de la Fédération des femmes du Québec.</li></ul>	<ul><li>Les régies et agences régionales sont de plus en plus présentes dans le financement et la promotion de la santé publique.</li><li>Marche mondiale des femmes (2000).</li><li>Dépôt d'une pétition (215 307 signatures) et d'un projet de loi par le Collectif pour une loi sur l'élimination de la pauvreté (2000).</li><li>La résistance non violente s'organise contre la mondialisation avec SalAMI (1998) et au Sommet de Québec (2001) avec une vaste coalition.</li><li>Début des Sommets citoyens de Montréal 2002 : la pratique de revitalisation urbaine intégrée (RUI) adoptée au Sommet est reconnue par la Ville de Montréal et le MESS (2003).</li><li>Manifestation réunissant plus de 350 000 personnes contre la guerre en Irak (février 2003).</li><li>Manifestations violentes à l'occasion des Sommets du G8 et du G20 à Toronto (août 2010)</li><li>Marche mondiale des femmes (octobre 2010).</li><li>La grève étudiante contre la hausse des frais de scolarité s'élargit à un mouvement de contestation citoyenne (2012) : la Journée de la Terre, 22 avril 2012, réunit plus de 350 000 personnes à Montréal et plusieurs villes du Québec.</li><li>États généraux des femmes (2013).</li></ul>	<ul><li>Le RQIIAC organise, avec l'Institut de développement communautaire de Concordia, le CQDS et le CECI, la Conférence internationale sur l'action communautaire (2000).</li><li>Création du Réseau de vigilance des organismes communautaires et syndicats contre les politiques de « réingénierie de l'État » (2003).</li><li>Création du mouvement D'abord solidaire (2002), suivi du mouvement d'Option citoyenne en 2004 et du parti politique Québec solidaire en 2006. Plusieurs intervenants communautaires s'y impliquent.</li><li>Collectif contre les politiques du gouvernement libéral (Charest) « J'ai jamais voté pour ça » (2006).</li><li>Élaboration d'un cadre de référence sur l'organisation communautaire en CLSC par le Regroupement québécois des intervenants et intervenantes en action communautaire en CLSC (2003, révisé en 2010).</li><li>Création du Réseau québécois de l'action communautaire autonome (2008).</li><li>Création de la Coalition opposée à la tarification et à la privatisation des services publics (2009).</li><li>Création du Regroupement québécois de revitalisation intégrée (2009).</li><li>Création de ressources de soutien des pratiques de développement communautaire, Communagir et Dynamo (2010).</li></ul>

BIBLIOGRAPHIE SÉLECTIVE

BÉLANGER, P.R. et B. LÉVESQUE (1992), « Le mouvement populaire et communautaire : de la revendication au partenariat (1963-1992) », dans G. Daigle et G. Rocher, *Le Québec en jeu : comprendre les grands défis*, Montréal, Les Presses de l'Université de Montréal, p. 713-748.

BELLEMARE-CARON, R., BRETON, E., CYR, M.A., DUPUIS-DÉRI, F. et A. KRUZYNSKI (2013), *Nous sommes ingouvernables. Les anarchistes au Québec aujourd'hui*, Montréal, Lux, 353 p.

BIENVENUE, L. (2013), *Quand la jeunesse entre en scène (L'Action catholique avant la Révolution tranquille)*, Montréal, Boréal.

BOURQUE, D., COMEAU, Y., FAVREAU, L. et L. FRÉCHETTE (dir.) (2007), *L'organisation communautaire. Fondements, approches et champs de pratique*, Québec, Presses de l'Université du Québec, 534 p.

BOURQUE, D. (2008), *Concertation et partenariat*, Québec, Presses de l'Université du Québec.

DORÉ, G. (1985), « L'organisation communautaire : définition et paradigme », *Service social*, vol. 34, n°s 2-3, p. 210-231.

DUVAL, M., FONTAINE, A., FOURNIER, D., GARON, S. et J.-F. RENÉ (2005), *Les organismes communautaires au Québec : pratiques et enjeux*, Boucherville, Gaëtan Morin.

FAVREAU, L. (1989), *Mouvement populaire et intervention communautaire (1960-1988) : continuités et ruptures*, Montréal, Éditions du Fleuve/CFP, 314 p.

JETTÉ, C. (2008), *Les organismes communautaires et la transformation de l'État-providence : trois décennies de coconstruction des politiques publiques dans le domaine de la santé et des services sociaux*, Québec, Presses de l'Université du Québec.

MAYER, R. (2002), *Évolution des pratiques en travail social*, Boucherville, Gaëtan Morin.

McGRAW, D. (1978), *Le développement des groupes populaires à Montréal*, Montréal, Albert Saint-Martin, 185 p.

MERCIER, C. (2000), « L'organisation communautaire et le travail social », dans J.-P. Deslauriers et Y. Hurtubise (dir.), *Introduction au travail social*, Québec, Presses de l'Université Laval, p. 177-212.

TOURAINE, A. (1965), *Sociologie de l'action*, Paris, Seuil, 507 p.

TOURAINE, A. (1978), *La voix et le regard*, Paris, Seuil, 315 p.

2

LES VALEURS PORTÉES
PAR L'ACTION COMMUNAUTAIRE

JOCELYNE LAVOIE

JEAN PANET-RAYMOND

PLAN DU CHAPITRE 2

INTRODUCTION

Le moteur de l'action communautaire repose en grande partie sur l'indignation. « L'indignation […] qui se ressent au témoignage d'une injustice, qui ébranle et hérisse tout notre être, nous enjoignant d'agir et de se compromettre[1]. » Fortes de cette indignation et du rappel de notre « commune humanité[2] », c'est pour offrir des alternatives, tantôt réformistes, tantôt radicales, que les pratiques d'action communautaire au Québec se sont construites. Édifiées sur la base d'un idéal de justice sociale et de solidarité, elles ont pris naissance au début de la Révolution tranquille avec la volonté de renouveler des pratiques sociales traditionnellement soutenues par le clergé. C'est l'époque de la naissance des premiers comités de citoyens et de l'animation sociale, qui favoriseront l'émergence d'un nouveau métier et d'un nouveau mode d'intervention du « social » : l'organisation communautaire.

Depuis « l'expérience fondatrice des comités de citoyens[3] », divers mouvements sociaux n'ont cessé d'émerger au Québec et ailleurs dans le monde, portant en eux le même idéal de justice sociale, de solidarité et de démocratie. Démocratie au sens d'élargir la démocratie représentative à des formes plus larges de démocratie, qu'elles soient participatives ou directes ; à cet idéal s'est greffée une volonté de favoriser l'autonomie des collectivités à travers un processus d'*empowerment*[4]. Ces quatre valeurs s'accompagnent d'une volonté profonde d'instaurer le respect dans les rapports sociaux et, plus particulièrement, avec les groupes sociaux marginalisés.

Ce parti pris pour la justice sociale, la solidarité, la démocratie, l'autonomie et le respect a été réaffirmé en 2010 par le Regroupement québécois des intervenants et intervenantes en action communautaire en CSSS (RQIIAC) dans

---

1. J.C. Ravet (2011), « La force de l'indignation », *Relations,* n° 747, mars, p. 11.
2. *Ibid.*
3. D. Bourque *et al.* (2007), « L'organisation communautaire au Québec. Mise en perspective des principales approches stratégiques d'intervention », dans D. Bourque *et al.*, *L'organisation communautaire. Fondements, approches et champs de pratique,* Québec, Presses de l'Université du Québec, p. 4.
4. L'*empowerment* peut être défini comme « le développement de la capacité d'agir et de la solidarité » (Ninacs, 2008).

l'élaboration de leur cadre de référence[5]. Ces professionnels de l'organisation communautaire ont reconnu, en ces valeurs, les valeurs dominantes de l'intervention communautaire et les ont traduites en cinq principes d'actions collectives :

1) L'organisation communautaire considère les problèmes sociaux dans leur dimension collective et comme devant faire l'objet de solutions collectives.

2) Sa préoccupation centrale est l'organisation de nouveaux pouvoirs et services au sein et au profit des communautés.

3) Elle agit principalement dans une communauté locale et à partir d'elle, même lorsqu'elle intervient en application de politiques publiques.

4) Elle mise sur le potentiel de changement et la capacité d'innovation de la communauté locale à partir de l'identification de besoins ou de problèmes qui suscitent des tensions dans le milieu.

5) Elle porte une visée de transformation sociale et de démocratisation permanente[6].

À l'aube de ce troisième millénaire, où la démocratie nord-américaine est entre les mains d'une oligarchie politico-économique[7], et où le niveau de vie démocratisé prôné se heurte à une impasse écologique et sociale, la recherche du bien commun nous enjoint de poursuivre dans la voie de l'indignation et de l'engagement.

LES VALEURS PORTÉES PAR L'ACTION COMMUNAUTAIRE

Les valeurs constituent de puissants facteurs de la conduite humaine ; elles sont à la fois point de référence, mobiles profonds déterminant nos choix, motifs d'engagement et de dépassement. Les valeurs auxquelles adhère une société guident la construction de son univers normatif et sont à la base de son discours idéologique[8].

---

5. Regroupement québécois des intervenants et intervenantes en action communautaire en CSSS (RQIIAC), (2010), *Pratiques d'organisation communautaire en CSSS. Cadre de référence du RQIIAC*, Québec, Presses de l'Université du Québec, 158 p.

6. *Ibid.*, p. 38-39.

7. H. Kempf (2011), *L'oligarchie ça suffit, vive la démocratie*, Paris, Seuil, 182 p.

8. Selon Marx et Engels, l'idéologie est un système global d'idées instauré par chaque nouvelle classe qui prend la place de celle qui dominait avant elle. Pour parvenir à ses fins, la classe dominante est tenue de représenter son intérêt comme étant l'intérêt commun de tous les

Les valeurs sont par ailleurs des concepts souvent galvaudés, malmenés, détournés de leur nature profonde. Qui oserait en effet prétendre que le Canada et le Québec sont encore de véritables démocraties alors que la corruption et la collusion sont quasiment érigées en système, que des élections « clés en main » ont été organisées dans de nombreuses municipalités au Québec, que nos gouvernements ont « tendance à criminaliser les mouvements sociaux, à ramener grèves et manifestations à des rituels strictement réglés, et à rejeter toute contestation des formes dominantes du côté du sabotage et du terrorisme […][9] » ? Dorénavant, c'est d'oligarchie dont il faudra parler. Selon Kempf, « […] le capitalisme finissant glisse vers une forme oubliée de système politique. Ce n'est pas la démocratie – pouvoir du peuple et pour le peuple –, ce n'est pas la dictature – pouvoir d'un seul aux fins qui lui sont propres –, c'est l'oligarchie : le pouvoir de quelques-uns, qui délibèrent entre eux des solutions qu'ils vont imposer à tous[10] ». L'oligarchie, c'est aussi la collusion entre les gouvernements élus et les élites, et la tendance à l'appropriation par le privé de biens collectifs publics, glissement généralisé qui guette de nombreux États dits démocratiques, y compris le Québec.

Les valeurs portées par l'action communautaire vont à contre-courant du modèle de richesse et de démocratie véhiculé par l'idéologie dominante dans un système capitaliste. Ce modèle basé sur la consommation est, cela ne fait plus de doute, voué à l'échec, car il conduit tout droit à l'épuisement des ressources planétaires, à la destruction des écosystèmes et à l'augmentation des prix dans tous les domaines, particulièrement dans le domaine des denrées alimentaires. Les défis qui attendent l'action communautaire seront donc immenses dans les années à venir. Il s'agira de contribuer à construire de véritables alternatives au système économique et politique actuel. Innover, inventer, se regrouper, résister et, comme l'ont fait certaines communautés locales au Québec, tant en milieu rural que dans certains quartiers populaires en milieu urbain, construire des projets collectifs en cohérence avec les valeurs que l'action communautaire cherche à promouvoir.

---

membres de la société ou, pour exprimer les choses sur le plan des idées, elle est obligée de donner à ses pensées la forme de l'universalité, de les représenter comme étant les seules raisonnables, les seules universellement valables. Les pensées de la classe dominante sont aussi, à toutes les époques, les pensées dominantes, car la classe qui dispose des moyens de production matérielle dispose du même coup des moyens de production intellectuelle.

9. L.-G. Francœur, « Notre démocratie détournée », *Le Devoir*, 19 février 2011.

10. Kempf, *op. cit.*, p. 9.

Dans les pages qui suivent, nous tenterons de définir, en les mettant en contexte, les valeurs portées par l'intervention communautaire. Ces valeurs ne doivent évidemment pas être vues indépendamment les unes des autres, mais plutôt dans une perspective dialectique où la justice sociale n'est possible que s'il y a solidarité, et où l'autonomie n'est possible que s'il y a conscience que les humains et les écosystèmes sont interdépendants les uns des autres.

1. ■ LA JUSTICE SOCIALE

La justice sociale, c'est l'égalité des chances et l'équité entre les individus. Favoriser la justice sociale, c'est intervenir pour le respect des droits fondamentaux et l'avènement de changements sociaux dans le but de réduire les inégalités sociales, la pauvreté et l'oppression sous toutes ses formes : culturelle, sociale, économique et politique.

Dans le cadre de référence adopté par les intervenantes et les intervenants communautaires en CSSS (RQIIAC), la justice sociale est définie comme suit :

> La justice sociale est une valeur éminemment politique. Elle repose sur l'éga-lité fondamentale des personnes dans l'exercice de leurs droits et le refus de toute discrimination. L'équité des droits sociaux passe notamment par la répartition de la richesse et la réduction des inégalités sociales de santé. C'est à cette valeur qu'il faut rattacher la préoccupation émergente du développe-ment durable, un « développement qui répond aux besoins du présent sans compromettre la capacité des générations futures à répondre aux leurs » et qui passe par une nouvelle répartition des richesses dans chaque société et entre le Nord et le Sud[11].

C'est cette recherche de la justice sociale qui a donné naissance au mouve-ment communautaire dans les années 1960 autour de problématiques socio-économiques liées à l'amélioration des conditions des communautés locales. C'est cette même recherche qui a traversé cinq décennies d'action communautaire au Québec et qui guide une large part de ses approches et de ses pratiques.

La décennie 2010 s'est elle aussi ouverte sur la naissance de nouveaux foyers de résistance, en lutte contre un capitalisme mondialisé. En 2011, le mou-vement *Occupy Wall Street* a démontré la nécessité de poursuivre les luttes pour réduire les inégalités socioéconomiques entre riches et pauvres. Par la simplicité

---

11. RQIIAC, *op. cit.*, p. 37.

et la force de son slogan *Nous sommes les 99 %*, ce mouvement, baptisé «Mouvement des indignés» en Europe et au Québec, a dénoncé pacifiquement les abus du capitalisme financier et est venu rappeler que l'écart s'accroît entre les ultrariches (le fameux 1 %) et les 99 % restants de la population. D'ailleurs, ces inégalités économiques ne cessent de se creuser dans la plupart des pays, où le 1 % des plus riches a augmenté sa part de revenu dans 24 des 26 pays pour lesquels les données sont disponibles entre 1980 et 2012[12]. Voici comment Oxfam explique les conséquences de la concentration extrême des richesses dans un rapport déposé lors du Forum économique de Davos en 2014:

> Les inégalités économiques extrêmes sont néfastes et inquiétantes à plus d'un titre: elles sont moralement contestables, peuvent avoir des conséquences négatives sur la croissance économique et la réduction de la pauvreté et peuvent exacerber les problèmes sociaux. Elles aggravent d'autres inégalités, comme celles entre les hommes et les femmes[13].

Aux États-Unis, là où le mouvement «Occupy Wall Street» a pris naissance, les 1 % d'ultrariches touchent 23 % des revenus. Au Québec, les 1 % les plus riches accaparaient 7 % de tous les revenus en 1985, comparativement à 11 % en 2008 et à 10 % après la crise économique[14]. En revanche, les inégalités sont ressentis moins durement au Québec à cause des programmes sociaux, notamment le réseau des centres de la petite enfance, les congés parentaux, l'assurance médicaments et le maintien de droits de scolarité les plus bas en Amérique du Nord. De plus, grâce au taux d'imposition progressif de l'État québécois et aux revenus de transfert, la proportion de ménages appartenant aux classes moyennes a régressé de manière moins importante qu'elle ne l'aurait fait avec les revenus de marché. En effet, avec ces seuls revenus, la proportion de ménages appartenant aux classes moyennes aurait régressé de manière significative depuis 25 ans, passant du tiers au quart des ménages entre 1982 et 2008[15].

Ce «modèle québécois» de redistribution des richesses, nous le devons, pour une large part, aux luttes menées par les mouvements ouvrier, populaire, communautaire, féministe et étudiant du Québec. Mais comme nous l'a démontré la grève étudiante du printemps 2012 contre l'augmentation des droits de scolarité, les principes et les institutions qui ont forgé l'identité et l'âme du

---

12. OXFAM (2014), *En finir avec les inégalités extrêmes*, Montréal, OXFAM, 20 janvier, 34 p.
13. *Ibid.*, p. 2.
14. N. Zorn, Institut du Nouveau Monde, 2014.
15. S. Langlois (2010), «Mutation des classes moyennnes au Québec entre 1982 et 2008», *Les cahiers des Dix*, nº 64, p. 130.

Québec moderne ne sont pas acquis. Sur le terrain des revendications pour une plus grande justice sociale, les luttes se poursuivent, notamment pour défendre le droit au logement, réclamer des prestations d'aide sociale décentes et un salaire minimum permettant de vivre hors de la pauvreté.

Dans une perspective plus radicale qui reconnaît que l'oppression est exercée par les systèmes responsables des inégalités et des discriminations, le Québec a aussi vu émerger des mouvements sociaux plus radicaux, par exemple le mouvement anticapitaliste. Pour ce mouvement, le capitalisme est un système qui ne peut pas être humanisé, car c'est par son essence même et son fonctionnement qu'il crée des injustices sociales[16]. Cette analyse radicale, qui propose d'agir sur les racines de l'injustice et contre toute forme d'exploitation, manifeste aussi son opposition au patriarcat, au racisme, à l'impérialisme, au colonialisme et à l'hétérosexisme.

En somme, qu'elle appelle à plus de cohérence par rapport au modèle de société que le Québec moderne s'est donné au tournant des années 1960, qu'elle vise à réformer encore plus en profondeur les structures et politiques québécoises pour plus d'égalité et d'équité, ou même qu'elle s'inscrive dans une visée radicale de changement social, la quête de justice sociale reste le fondement de l'intervention communautaire.

2. LA SOLIDARITÉ

Selon le RQIIAC :

> La solidarité désigne la cohésion assurée par l'identification d'intérêts communs, et la mutualisation des efforts pour les faire reconnaître socialement. La solidarité s'exprime par l'entraide, la coopération, la concertation plutôt que la compétition. Elle assure aussi la cohésion dans les démarches de revendications de politiques publiques favorisant la redistribution de la richesse collective en fonction des besoins des populations. C'est un puissant moteur de transformation sociale[17].

---

16. R. Bellemare-Caron, É. Breton, M.A. Cyr, F. Dupuis-Déri et A. Kruzynski (2013), *Nous sommes ingouvernables. Les anarchistes au Québec aujourd'hui*, Montréal, Lux, p. 51.
17. RQIIAC, *op.cit*, p. 36-37.

En action communautaire, la solidarité repose sur la capacité de tenir compte des intérêts convergents des personnes et des groupes dans le choix des enjeux d'une action. Sur le plan éthique, la mise en évidence d'intérêts convergents conduira les personnes concernées à agir en fonction de l'intérêt collectif plutôt que de l'intérêt individuel. Sur le plan stratégique, ce principe de cohésion est déterminant, puisque la force d'une communauté (locale, d'intérêts ou d'identité) réside dans le nombre et dans le soutien que ses membres s'apportent mutuellement. La création de liens de solidarité est donc au cœur du changement social.

Pour l'intervenant communautaire, la solidarité fait référence à un parti pris en faveur des personnes les plus démunies. En action communautaire, la valeur de solidarité n'est donc pas neutre. Avoir un parti pris en faveur des plus démunis, des exclus, des « sans-voix » et des marginalisés suppose un engagement personnel de la part des intervenants communautaires qui va bien au-delà du simple soutien professionnel. Cet engagement interpelle directement l'intervenant, non seulement dans sa propre échelle de valeurs, mais aussi dans la façon dont il se situe par rapport à son appartenance de classe, de sexe ou d'orientation sexuelle.

À l'entrée du troisième millénaire, la solidarité renvoie également à la nécessaire solidarité dont devront faire preuve nos sociétés pour traverser les crises financière, économique, politique et écologique qui ébranlent les sociétés occidentales. Selon Kempf, le plus grand défi du XXIe siècle sera celui de la crise écologique, et cette crise mettra inévitablement un frein au modèle de richesse et de consommation imposé par la règle du profit dicté par le modèle capitaliste[18]. Le Secrétariat de la Convention sur la diversité biologique[19] va dans le même sens en rendant public son rapport indiquant que l'empreinte écologique de l'humanité dépasse désormais la « biocapacité » de la Terre. Cette perte de la biodiversité n'est pas qu'une perte écologique. Elle a et aura des conséquences sociales et économiques sur les collectivités, puisque l'être humain fait partie de la biodiversité et sa survie même en dépend[20].

---

18. Kempf, *op. cit.*, p. 9.
19. La Convention sur la diversité biologique (CDB) a été signée au Sommet de la Terre de Rio de Janeiro, au Brésil, en 1992 et est entrée en vigueur le 29 décembre 1993. C'est la première fois qu'un accord mondial couvre tous les aspects de la diversité biologique : la conservation de la diversité biologique, l'utilisation durable de ses composants et le partage juste et équitable des avantages découlant de l'utilisation des ressources génétiques.
20. M. J. Auclair, V. Bisaillon et L. Gratton, « En ces temps de marée noire… », *Le Devoir*, 22 mai 2010.

À cet égard, les sociétés de consommation comme la nôtre ont la responsabilité sociale d'agir en posant des gestes tangibles pour réduire leur empreinte écologique[21]. Ainsi, la place de l'économie comme principe organisateur de nos sociétés et celle de la croissance économique comme référentiel du progrès social devront tôt ou tard être remises en question. Un nouveau paradigme de développement doit émerger, où l'économie et les principes d'efficacité économique seront au service du développement humain et social, et ce, dans le respect de l'intégrité écologique. En d'autres mots, le développement humain et social devra dorénavant se poser comme finalité, l'intégrité écologique comme condition et l'économie comme moyen.

Sur le terrain du changement social, il faudra donc s'unir et choisir nos batailles avec une conscience beaucoup plus aiguë des différents facteurs qui rendent présentement l'empreinte écologique humaine insoutenable. notamment en favorisant la mise en œuvre de projets collectifs de développement social et économique axés sur le développement durable.

3. LA DÉMOCRATIE

La valeur de démocratie se traduit par l'action d'encourager et de soutenir la participation sociale des personnes dans l'expression de leurs réalités, de leurs problèmes, de leurs besoins et de leurs aspirations. La valeur de démocratie implique l'action de soutenir ou de créer des espaces de vie démocratiques, particulièrement pour les groupes sociaux qui subissent l'exclusion. Dans l'action communautaire, la valeur de démocratie est étroitement liée à l'exercice de la citoyenneté, de manière à ce que les individus, les groupes et les collectivités puissent s'informer, réfléchir et participer aux décisions et aux choix de société qui les concernent. À une plus petite échelle, cela implique de favoriser la participation des membres à la vie associative sur les mêmes principes.

---

21. L'empreinte écologique comptabilise la demande exercée par les hommes envers les «services écologiques» fournis par la nature. Plus précisément, elle mesure les surfaces biologiquement productives de terre et d'eau nécessaires pour produire les ressources qu'un individu, une population ou une activité consomme et pour absorber les déchets générés, compte tenu des technologies et de la gestion des ressources en vigueur.

Dans le cadre de référence du RQIIAC, la démocratie est ainsi définie :

La démocratie est une valeur citoyenne qui passe par la participation aux décisions qui concernent la vie en commun. Elle exige la possibilité de délibérations collectives à partir d'une bonne information et permet la prise en compte du pluralisme des opinions. Elle se traduit par le consensus ou par la décision à majorité. Les pratiques démocratiques exigent une attitude d'ouverture aux autres[22].

Dans son guide de formation sur la démocratie participative, l'organisation non gouvernementale (ONG) Alternatives soutient[23] :

La démocratie, c'est beaucoup plus que le droit de voter pour élire un gouvernement. Elle devrait être présente chaque fois qu'un groupe de gens prend une décision. Il n'y a pas que les gouvernements des pays qui doivent être démocratiques ; les groupes populaires, les municipalités, les associations étudiantes, les syndicats doivent l'être aussi ; même dans la vie de tous les jours on peut pratiquer la démocratie dans nos relations quotidiennes avec les autres[24].

Quant aux conditions nécessaires à la démocratie, il s'agit du respect des libertés et des droits fondamentaux de la personne, du sentiment d'appartenance à une communauté ou un peuple, de même que l'existence de lieux de délibérations ouvertes et respectueuses.

Dans de nombreux pays, les inégalités économiques extrêmes sont une entrave à une véritable démocratie puisque la concentration de la richesse entraîne de fortes inégalités dans la représentation politique. « Lorsque les plus riches confisquent les politiques gouvernementales, les règles sont biaisées en leur faveur et souvent au détriment du reste de la population. Cela conduit notamment à l'érosion de la gouvernance démocratique, à l'ébranlement de la cohésion et à la disparition des opportunités égales pour tous[25]. »

---

22. RQIIAC, *op. cit.*, p. 37.
23. Alternatives est une organisation de solidarité qui œuvre pour la justice et l'équité au Québec, au Canada et ailleurs dans le monde. Sa mission vise la mise en réseau, la promotion et la construction d'initiatives novatrices des mouvements populaires et sociaux luttant en faveur des droits économiques, sociaux, politiques, culturels et environnementaux. Alternatives veut renforcer l'action citoyenne et la contribution des mouvements sociaux dans la construction de sociétés durables. Pour en savoir plus, consultez son site (<http://www.alternatives.ca>).
24. M.N. Béland, S. Bouchard, È. Gauthier et J. Plourde (2005), *Le guide* Démocratie participative *à l'usage des formateurs et formatrices*, Québec, Alternatives, p. 10.
25. OXFAM (2014), *En finir avec les inégalités extrêmes*, Montréal, OXFAM, 20 janvier, p. 2.

Les formes de démocratie

L'ONG Alternatives fait une distinction entre trois formes de démocratie : la démocratie représentative, la démocratie participative et la démocratie directe. Il est intéressant de comprendre ce qui particularise ces trois formes de démocratie afin de reconnaître les enjeux reliés à l'exercice de chacune d'entre elles. Cela permet aussi d'entrevoir de quelles manières nous pouvons rendre nos groupes et nos organisations encore plus démocratiques.

- **La démocratie représentative.** Le principe à la base de cette forme de démocratie est l'élection avec délégation du pouvoir aux élus. Le pouvoir des citoyens consiste à élire leurs représentants tous les quatre ans. Le Canada, qui est une monarchie constitutionnelle à régime parlementaire, permet de voter pour ses représentants aux échelons fédéral, provincial et municipal. Les forces de cette forme de démocratie sont la stabilité, la tradition et le fait qu'elle requiert peu d'efforts de participation de la part du citoyen. Les faiblesses sont en revanche nombreuses, notamment parce que la plupart des démocraties occidentales connaissent un glissement généralisé vers l'oligarchie. Ce glissement s'observe encore plus dans les sociétés ayant un mode de scrutin uninominal majoritaire à un tour, comme c'est le cas au Canada et au Royaume-Uni, car ce mode de scrutin ne permet pas que le nombre de députés élus soit représentatif du pourcentage de votes obtenu. Ce mode de scrutin entraîne un déficit démocratique qui affaiblit la démocratie représentative. Une réforme du mode de scrutin pour un mode de scrutin proportionnnel est réclamée depuis près de 50 ans au Québec par divers mouvements sociaux, notamment le Mouvement pour une démocratie nouvelle, mais cette réforme se fait toujours attendre. Entre-temps, l'écart entre le pourcentage des votes et le pourcentage de députés élus ne cesse de se creuser, particulièrement depuis les élections de 1998, provoquant à la fois du cynisme chez les citoyens et une baisse marquée du taux de participation[26].

- **La démocratie participative.** La démocratie participative est la forme de démocratie que l'on retrouve au sein de plusieurs mouvements sociaux, notamment au sein du mouvement communautaire, syndical

---

26. Le Directeur général des élections du Québec, *Historique des taux de participation* (http://www. electionsquebec.qc.ca/francais/tableaux/historique-du-taux-de-participation.php).

et d'une partie du mouvement étudiant. La démocratie participative confie le pouvoir à l'assemblée générale avec des élus mandatés et révocables formant le conseil d'administration. Le mandat des élus est généralement de un an (parfois deux) ; outre l'assemblée générale annuelle, les groupes peuvent favoriser une participation continue en organisant des assemblées générales régulières ou spéciales. Cette forme de démocratie nécessite plus de participation de la part des membres, particulièrement si le fonctionnement de l'organisme prévoit la mise en place de comités de travail. La démocratie participative poursuit un idéal d'inclusion d'un maximum de personnes dans les décisions qui les concernent.

♦ **La démocratie directe.** Dans une démocratie directe, chacun peut s'exprimer et voter sur tout. Une gestion horizontale décentralisée et non hiérarchique permet l'implication de tous et toutes, en insistant sur la nécessité de débats et de dialogues respectueux et constructifs. Le consensus lors d'assemblées délibératrices est la méthode de prise de décision la plus courante, avec le vote indicatif. La seule représentation possible se fait à l'égard de délégués dotés d'un mandat précis, révocables en tout temps[27]. La participation et l'égalité sont au cœur de cette forme de démocratie. Plusieurs groupes féministes, altermondialistes, associations étudiantes et autres, issus de la mouvance anarchiste, privilégient la démocratie directe, aussi nommée autonomie collective[28]. Au sein des associations étudiantes, mentionnons le vaste chantier d'éducation civique à la démocratie directe qu'aura représenté la grève étudiante du printemps 2012 pour les étudiants membres de la Coalition large de l'Association pour une solidarité syndicale (CLASSE). Tout au long de ce qui fut la plus longue grève étudiante de l'histoire du Québec, la CLASSE a fonctionné en démocratie directe, tant au regard des processus de prise de décision qu'à celui de l'autonomie de ses associations membres. Le fonctionnement en démocratie directe

---

27. A. Guilbert et A. Kruzynski (2008), *Collectif libertaire. Une monographie*, Montréal, Collectif de recherche sur l'autonomie collective, p. 14.

28. Pour se familiariser avec d'autres expériences de démocratie directe au Québec, on peut consulter le *Répertoire de l'autonomie collective* réalisé par le Collectif de recherche sur l'autonomie collective (CRAC-K). Une soixantaine de groupes y sont répertoriés dans différentes catégories : anarchiste/libertaire, anti-autoritaire/horizontal, anticapitaliste, anticolonialiste/anti-impérialiste, antipatriarcal/féministe/proféministe, antiraciste, antispéciste, écologiste, non-mixte, OBNL, queer/LGBT.

de la CLASSE a aussi permis de saisir les limites du rôle de représentation des décisions prises en congrès par ses porte-parole : Jeanne Reynolds et Gabriel Nadeau-Dubois[29].

Démocratie et pratiques d'action communautaire

Les pratiques d'action communautaire, qu'elles relèvent de la démocratie participative ou de la démocratie directe, sont là pour faire contrepoids aux limitations et aux incohérences de l'exercice de la démocratie représentative en contribuant à la création et au renforcement de nouveaux espaces démocratiques. En se regroupant au sein de groupes communautaires autonomes, de comités de citoyens ou de groupes d'affinités, les personnes trouvent un lieu où elles peuvent se faire entendre et participer à la vie sociale, économique, politique et culturelle de leur communauté. Ces espaces démocratiques favorisent l'expression de réalités de la vie quotidienne et sont habituellement les premiers lieux de prise de parole et d'action liées aux aspirations sociales.

Ainsi, la valeur de démocratie est étroitement liée à la notion de citoyenneté, c'est-à-dire à des pratiques qui favorisent l'exercice d'une citoyenneté active et responsable. Des comités de citoyens aux organismes communautaires, l'histoire des mouvements sociaux au Québec témoigne de cette volonté de faire de la démocratie autre chose qu'une « coquille vidée de sa substance », en donnant aux citoyens des lieux où ils peuvent faire contrepoids à ceux que l'on nomme les « décideurs ».

La préoccupation de favoriser ou de renforcer l'exercice d'une citoyenneté active est donc au cœur de la démarche communautaire, qui ne doit jamais perdre de vue que le sens même de son existence est de donner la parole et les outils pour s'organiser aux personnes que la pauvreté, l'exclusion ou l'oppression réduisent trop souvent au silence ou à l'impuissance. La valeur de démocratie implique l'accessibilité et le contrôle des organismes communautaires par les personnes directement touchées par les problèmes sociaux qu'ils cherchent à éliminer. C'est pour cela que les organismes communautaires consacrent beaucoup d'énergie à recruter et à intégrer de nouveaux membres, à bâtir des programmes de formation à l'intention des bénévoles et militants, et à mettre en place des structures de fonctionnement favorisant l'engagement et la participation de tous.

---

29. G. Nadeau-Dubois (2013). *Tenir tête*, Montréal, Lux.

4. L'AUTONOMIE

Dans le cadre de référence du Regroupement québécois des intervenants et des intervenantes en action communautaire en CSSS (RQIIAC):

> L'autonomie renvoie à la capacité d'affirmation des personnes, à leur statut de sujet actif qui exerce un certain contrôle sur ses conditions de vie. Elle se manifeste par la prise en charge plutôt que la dépendance, notamment par rapport à l'État. C'est aussi une caractéristique déterminante de l'action communautaire portée par les organismes dont la pratique «est axée sur la transformation et sur le développement social». Les organismes communautaires sont des lieux d'autonomisation et de renforcement des capacités (*empowerment)* des personnes, des groupes et des collectivités[30].

L'autonomie est la possibilité pour une personne, un groupe ou une communauté d'avoir les moyens de contrôler sa destinée. L'autonomie implique, pour une personne, une organisation ou une communauté, l'appropriation du pouvoir nécessaire pour réfléchir, décider et agir. Ce contrôle peut difficilement être total, mais il doit, à tout le moins, permettre aux collectivités de développer leur confiance et leur capacité à faire des choix personnels, sociaux, économiques, culturels et politiques. L'autonomie repose donc sur le postulat que les individus, les groupes et les collectivités peuvent agir pour maintenir ou améliorer leurs conditions de vie et leur état de santé.

En ce sens, le rôle de l'action communautaire sera de favoriser le cheminement des personnes et des collectivités vers la mise à contribution de leurs capacités à résoudre leurs difficultés et à améliorer leurs conditions de vie. L'action communautaire encourage le milieu à se prendre en charge et à assurer son propre développement dans un processus d'*empowerment*.

Plusieurs mouvements sociaux ont choisi l'autonomie, à la fois comme valeur, comme principe de fonctionnement et comme motif de revendication.

La valeur d'autonomie est l'une des valeurs phares du mouvement communautaire, et plus particulièrement pour les organismes communautaires membres du Réseau québécois de l'action communautaire autonome (RQ-ACA). En 2001, une politique gouvernementale de reconnaissance et de soutien de l'action communautaire intitulée «L'action communautaire: une contribution essentielle à

---

30. RQIIAC, *op. cit.*, p. 36.

l'exercice de la citoyenneté et au développement social du Québec » a été adoptée. Tout en reconnaissant l'action commaunautaire au sens large, cette politique porte « une attention particulière à l'action communautaire qualifiée d'autonome et au mouvement de participation et de transformation sociale qu'elle représente[31] ».

Les orientations de la politique qui s'adressent au milieu communautaire dans son ensemble sont accessibles aux organismes qui répondent aux critères suivants :

- avoir un statut d'organisme à but non lucratif ;
- démontrer un enracinement dans la communauté ;
- entretenir une vie associative et démocratique ;
- être libre de déterminer sa mission, ses orientations, ainsi que ses approches et ses pratiques[32].

Par ailleurs, comme cette politique entend soutenir expressément les organismes communautaires autonomes, elle reconnaît les caractéristiques propres à cette forme d'action, qui est un mouvement de participation et de transformation sociale aux approches larges, aux pratiques citoyennes génératrices de liens sociaux et de cohésion sociale. Les organismes qui s'associent à ce mouvement sont autonomes dans l'initiative et la conduite de leur mission. En plus des quatre critères énumérés ci-dessus et s'appliquant à l'ensemble des organismes communautaires, ils satisfont aux critères suivants :

- avoir été constitué à l'initiative des gens de la communauté ;
- poursuivre une mission sociale propre à l'organisme et qui favorise la transformation sociale ;
- faire preuve de pratiques citoyennes et d'approches larges axées sur la globalité de la problématique abordées ;
- être dirigé par un conseil d'administration indépendant du réseau public[33].

On reconnaît dans ces quatre dernières caractéristiques à quel point l'autonomie a constitué un enjeu majeur dans ce qui fut un long, et parfois mouvementé, processus de négociation auprès du gouvernement de la part du Comité aviseur de l'action communautaire autonome qui, de 1996 à 1998, a mobilisé un large éventail d'organismes pour en arriver à un tel consensus.

---

31. Gouvernement du Québec (2001), *L'action communautaire, une contribution essentielle à l'exercice de la citoyenneté et au développement social du Québec*, Politique gouvernementale, Québec, gouvernement du Québec, p. 20.
32. *Ibid.*, p. 21.
33. *Ibid.*

L'empowerment

La valeur d'autonomie est également partagée par un grand nombre d'intervenants sociaux des secteurs public et communautaire qui font le choix d'intervenir avec des approches qui visent l'augmentation du pouvoir des individus et des collectivités et le développement de leurs capacités à agir sur leur situation (*empowerment*). La valeur d'autonomie est donc une valeur vers laquelle convergent non seulement les pratiques d'action communautaire, mais également les pratiques en travail social individuel et de groupe qui placent l'augmentation du pouvoir personnel et politique au cœur de leur intervention.

Selon Ninacs, « l'*empowerment* repose sur la prémisse que les individus et les collectivités ont le droit de participer aux décisions qui les concernent et que les compétences requises par cette participation sont déjà présentes chez les individus et les collectivités, ou que le potentiel pour les acquérir existe[34] ».

En travail social, une approche axée sur l'*empowerment* cherche donc à « soutenir les individus et les collectivités dans leurs démarches pour se procurer le pouvoir dont elles ont besoin[35] ». Ninacs distingue trois types d'*empowerment* : individuel, organisationnel et communautaire[36].

Dans cet ouvrage, nous nous intéressons davantage à l'*empowerment* communautaire, défini comme « le moyen par lequel une communauté augmente son pouvoir collectif[37] ». À ce titre, « l'*empowerment* communautaire renvoie à un état où la communauté est capable d'agir en fonction de ses propres choix et où elle favorise le développement du pouvoir d'agir de ses membres[38] ». L'*empowerment* communautaire est donc autant un processus qu'un état de situation ayant quatre composantes :

- ◆ la participation, qui comprend des lieux permettant à tous les membres de la communauté, incluant les plus démunis, de participer à sa vie et aux systèmes ainsi qu'aux décisions qui les concernent, ce qui inclut le soutien à cette participation ;

---

34. W.A. Ninacs (2008), Empowerment *et intervention*, Québec, Presses de l'Université Layal, p. 15.
35. *Ibid.*, p. 76.
36. *Ibid.*, p. 17.
37. *Ibid.*, p. 39.
38. *Ibid.*

- les compétences, qui représentent la capacité d'exploiter les forces du milieu afin d'assurer le mieux-être de tous les membres de la communauté, particulièrement lorsque sa population, en tout ou en partie, fait face à une situation de crise ;
- la communication, qui contribue à construire le climat de confiance indispensable à la libre expression, c'est-à-dire l'exercice d'un droit de parole, et qui permet l'accès à l'information requise pour réussir des projets particuliers ainsi qu'à l'information générale ;
- le capital communautaire, qui assure l'entraide sur le plan individuel et qui stimule l'action sur des questions sociétales plus larges[39].

Autonomie et *empowerment* : deux facettes d'une même réalité, car perdre son autonomie, c'est perdre sa capacité d'agir, et renverser la perte d'autonomie signifie renforcer la capacité d'agir[40].

L'autonomie collective

Pour les militants de la mouvance anti-autoritaire, la valeur d'autonomie est centrale et renvoie au concept d'autonomie collective. Pour les groupes et les collectifs qui participent à la mouvance de cette culture politique, la vision d'une société meilleure passe par l'autogestion, l'autodétermination, l'auto-organisation (*Do it yourself*) et la récupération, en limitant les interactions avec le marché capitaliste[41]. Cette autodétermination se traduit concrètement par la mise en place d'infrastructures et de services (bibliothèque, salle de spectacle, habitation collective, centre social, etc.), en développant des outils de création, de production et de diffusion alternatifs, en créant des milieux de travail autogérés à la marge de l'économie sociale (café/bar/resto, maison d'édition, ferme bio, etc.) et par l'organisation d'événements d'échange, de réseautage et de formation (p. ex. le Salon du livre anarchiste ou les journées autogérées). Dans les activités de tous les jours, ce mode de fonctionnement se réalise au sein de groupes d'affinités ou collectifs au niveau d'un quartier ou d'une ville. À l'échelle régionale ou nationale, les groupes anti-autoritaires parlent plutôt d'expansion horizontale ou de connexions, où les groupes, collectifs et réseaux convergent vers des principes communs tout en préservant leur autonomie et leur spécificité identitaire[42].

---

39. *Ibid.*, p. 40.
40. *Ibid.*, p. 11.
41. R. Sarrazin, A. Kruzynski, S. Jeppeson et É. Breton (2012), « Radicaliser l'action collective : portrait de l'option libertaire au Québec », *Lien social et politiques*, dossier « Radicalités et radicalisations » (sous la direction de P. Dufour, G. Hayes et S. Ollitrault), n° 68, p. 141-166.
42. *Ibid.*

5. LE RESPECT

Le respect est une valeur autour de laquelle un consensus social se dégage. On peut même avancer que le respect constitue la valeur primordiale dans le champ du social. Cependant, cette valeur n'a pas le même sens ni la même portée pour tous.

En action communautaire, la valeur de respect englobe à la fois le respect des personnes et des groupes au regard de leur autonomie, de leur rythme et de leur culture, mais aussi la prise en compte de toute forme de différences. La valeur de respect interpelle aussi l'intervenant communautaire afin qu'il prenne conscience de l'influence de ses propres préjugés et biais dans ses interventions afin de ne pas perpétuer les rapports dominant/dominé. Le respect suppose que l'intervenant communautaire est conscient de la dynamique d'une communauté et de l'importance de la culture, des croyances et des valeurs des membres de cette communauté. Le respect exige aussi la vérité dans l'analyse des enjeux et le courage de dire ce qui ne va pas, car le respect ne signifie pas la complaisance.

L'approche conscientisante ajoute à la valeur de respect une dimension à la fois politique et pédagogique[43]. La dimension pédagogique s'articule autour du respect de la culture des gens avec qui on intervient. Un tel respect de la culture tient compte du langage propre des personnes, de leur perception de la réalité et de leurs habitudes de vie pour entreprendre, à partir d'elles et avec elles, une démarche d'éducation populaire, à la fois émancipatoire et axée vers une transformation sociale. Cette connaissance et ce respect de la culture du milieu favorisent l'adoption d'une attitude d'écoute à l'égard de ce que les gens disent et vivent, afin d'amorcer un véritable dialogue raccroché au vécu des gens. L'attention portée à la culture conduira les organisateurs communautaires à créer des outils pédagogiques appropriés et adaptés aux caractéristiques des personnes avec lesquelles ils travaillent. Cette préoccupation les amènera à accorder beaucoup d'importance à leur façon de communiquer ainsi qu'à l'ambiance visuelle de leurs réunions et assemblées.

---

43. G. Ampleman *et al.* (1983), *Pratiques de conscientisation*, Montréal, Nouvelle Optique, p. 157-197 et p. 283-289.

Enfin, on ne peut parler de respect dans un contexte d'action communautaire sans parler de préjugés et de mythes, car les personnes actives en milieu communautaire ne sont à l'abri ni des uns ni des autres. Dans son cadre de référence, le RQIIAC souligne cette réalité en indiquant que le respect se traduit par la volonté d'encourager « les personnes à négocier leur participation et donc à faire reculer les mythes, les préjugés et toutes formes d'intolérance[44] ». L'idéologie dominante est porteuse de nombreux mythes et préjugés qui soutiennent, maintiennent et légitiment l'ordre social inégal. Par leur appartenance de classe, de sexe, d'âge, de race ou d'orientation sexuelle, les intervenants communautaires ont été et sont encore influencés par ces mythes, tandis que le discours dominant véhiculé par les médias et dans le réseau de relations sociales se charge de nourrir les préjugés.

Il importe donc de se préoccuper dans ses interventions des préjugés qui circulent à l'égard des personnes exclues ou opprimées, de même que de leurs conséquences sur le maintien de cette exclusion ou de cette oppression. Ces expressions d'intolérance contribuent à stigmatiser les personnes en les rendant responsables de leur situation de marginalisation et d'exclusion et en occultant les causes structurelles des problèmes sociaux. Selon Deniger[45], les préjugés ont une fonction sociale : celle d'assurer la conformité et l'appartenance à un groupe socialement dominant. Ils permettent à ces mêmes personnes de protéger les privilèges rattachés à leur position sociale et d'interdire aux autres membres de la société d'accéder aux ressources dont elles disposent.

CONCLUSION

Comme on vient de le démontrer, l'intervention communautaire se fonde sur un éventail de valeurs qui trouvent leur expression dans la culture politique des mouvements sociaux, ainsi que dans les revendications, les actions et les rapports aux membres et à la collectivité.

---

44. RQIIAC, *op. cit.*, p. 37.
45. M.-A. Deniger (1992), *Le BS. Mythes et réalités*, Ottawa et Montréal, Conseil canadien de développement social et Front commun des personnes assistées sociales, p. 11-12.

L'intervention communautaire est aussi un puissant générateur de cohérence sociale en dénonçant et en agissant sur les nombreuses incohérences, contradictions inhérentes aux lois, aux droits et aux autres dimensions de l'univers normatif. À ce titre, les intervenants communautaires mettront à l'épreuve les prétentions collectives à la démocratie en dénonçant les dérives de la démocratie, de même que les tentatives de restreindre la liberté d'expression et d'action des citoyens, des groupes et des organisations.

Générer de la cohérence sociale, c'est s'opposer à la marchandisation du bien commun et des services publics, notamment par une tarification et une privatisation des services publics, et proposer d'autres alternatives fiscales et économiques pour assainir les finances publiques[46]. Générer de la cohérence sociale, c'est rappeler que le Canada a beau se targuer d'être parmi les pays offrant les conditions de vie parmi les meilleures au monde, il n'en demeure pas moins que le Comité des droits économiques, sociaux et culturels des Nations Unies l'a sérieusement sermonné pour la persistance des problèmes de pauvreté, de faim et de logement[47].

Générer de la cohérence sociale, c'est aussi oser dire que la démocratie représentative traditionnelle glisse de plus en plus vers une oligarchie. De ce fait, il est impératif de lutter sur la scène politique pour une révision du mode de scrutin vers une plus grande proportionnalité et, sur le plan social, pour la création et l'élargissement des espaces de vie où la démocratie participative et directe pourra s'exercer.

Enfin, la recherche de cohérence sociale passe inévitablement par un repositionnement de notre modèle de consommation qui contribue à l'érosion de la biodiversité, à la pollution et à la détérioration de l'état de santé des populations. L'un des grands défis de l'organisation communautaire d'aujourd'hui et de demain sera de contribuer à ce que des choix individuels en cette matière deviennent aussi des choix collectifs.

---

46. Coalition opposée à la tarification et à la privatisation des services publics (2010) (http://www. nonauxhausses.org).
47. A. Shields, « Rapport du Comité des droits économiques, sociaux et culturels – L'ONU sermonne le Canada pour sa molesse dans la lutte contre la pauvreté », *Le Devoir*, 23 mai 2006.

BIBLIOGRAPHIE SÉLECTIVE

BÉLAND, M.N. *et al.* (2005), *Le guide* Démocratie participative *à l'usage des formateurs et des formatrices,* Québec, Alternatives, 75 p.

BOURQUE, D., COMEAU, Y., FAVREAU, L. et L. FRÉCHETTE (dir.) (2007), *L'organisation communautaire. Fondements, approches et champs de pratique,* Québec, Presses de l'Université du Québec, 534 p.

KEMPF, H. (2011), *L'oligarchie ça suffit, vive la démocratie,* Paris, Seuil, 183 p.

LAMOUREUX, H. (2003), *Éthique, travail social et action communautaire,* Québec, Presses de l'Université du Québec, 243 p.

LAMOUREUX, H. (2007), *L'action communautaire: des pratiques en quête de sens,* Montréal, VLB, 237 p.

NINACS, W. A. (2008), Empowerment *et intervention,* Québec, Presses de l'Université Laval, 140 p.

REGROUPEMENT QUÉBÉCOIS DES INTERVENANTS ET INTERVENANTES EN ACTION COMMUNAUTAIRE EN CSSS – RQIIAC (2010), *Pratiques d'organisation communautaire en CSSS. Cadre de référence.* Québec, Presses de l'Université du Québec, 158 p.

CHAPITRE

3

LES MODÈLES D'INTERVENTION
EN ORGANISATION COMMUNAUTAIRE

JOCELYNE LAVOIE

AVEC LA COLLABORATION DE NANCY LEMAY

PLAN DU CHAPITRE 3

INTRODUCTION

En tant que mode d'intervention visant le changement social, l'organisation communautaire repose sur un système de valeurs, un corpus systématisé de connaissances théoriques issues des sciences humaines, ainsi qu'un savoir-faire méthodologique et technique.

Au Québec, depuis l'expérience fondatrice des premiers comités de citoyens dans les quartiers populaires et les villages dévitalisés durant les années 1960, les pratiques d'action communautaire n'ont cessé de se diversifier dans le but d'agir collectivement pour résoudre des problèmes sociaux dans une perspective de plus grande justice sociale, de solidarité, de démocratie et d'*empowerment*. En dépit du fait que les enjeux sociaux, culturels, politiques, économiques et environnementaux tendent à se mondialiser dans un « Tout-Monde[1] » interconnecté, penser globalement et agir localement – et collectivement – conserve toute sa pertinence.

Mais les questions posées par les collectivités touchées par un problème social restent toujours les mêmes : Comment agir pour transformer les conditions de vie et modifier les causes structurelles des problèmes sociaux ? Quelle direction donner à l'action collective pour intervenir et changer durablement le cours des choses ? Comment sensibiliser et mobiliser les personnes et les organisations ? Quels moyens de pression privilégier ? Quelle structure organisationnelle démocratique choisir pour soutenir l'action ?

Bien que cet ouvrage vise plus spécifiquement la transmission des connaissances méthodologiques et techniques propres à l'intervention communautaire, ce chapitre propose une mise en contexte de l'organisation communautaire comme modèle normatif d'intervention, c'est-à-dire une pratique par rapport à laquelle il est possible de se situer sur le plan des valeurs et des principes d'action.

---

1. Le concept de « Tout-Monde » a été développé par le poète et homme politique martiniquais Édouard Glissant. Dans son essai *Traité du Tout-Monde* (1997), l'écrivain propose une conception du monde comme un lieu d'appartenance collectif, résultant de l'interpénétration des cultures et des imaginaires. Le Tout-Monde désigne ce faisant la coprésence nouvelle des êtres et des choses, et l'état de mondialité dans lequel règne la relation basée sur la réciprocité de rapport.

1. LE CONCEPT DE MODÈLE D'INTERVENTION

Qu'est-ce qu'un modèle d'intervention ? Selon Doré (1985) la notion de modèle d'intervention repose sur des principes d'action et des normes qui structurent la pratique selon certains critères précis qui, une fois systématisés, deviennent transmissibles. L'idéologie et les principes d'action qui sous-tendent la pratique sont ainsi susceptibles de devenir un «modèle», c'est-à-dire «une pratique codifiée par rapport à laquelle il est possible de se situer, soit pour la répéter, soit pour s'en démarquer, soit pour définir sa propre pratique[2]».

Le premier courant explicatif proposant une typologie des pratiques en organisation communautaire a été élaboré par Jack Rothman, sociologue et organisateur communautaire américain. Sa publication, «Three models of community organization practice[3]» (1970), reste à ce jour une référence pour l'analyse des pratiques en organisation communautaire. Au fil de l'évolution des pratiques, d'autres systèmes explicatifs ont été développés, tant au Québec qu'aux États-Unis.

Au Québec, trois typologies des modèles d'intervention basées sur l'expérience québécoise en organisation communautaire à partir de critères d'analyse précis ont fait l'objet de publications. La première typologie est celle élaborée par Doré (1985) dans un numéro de la revue *Service social* consacré à l'organisation communautaire. La seconde typologie est celle développée par Doucet et Favreau (1991) dans l'ouvrage *Théorie et pratiques en organisation communautaire*, publié aux Presses de l'Université du Québec. Enfin, la troisième et la plus récente typologie est celle de Bourque, Comeau, Favreau et Fréchette (2007) dans l'ouvrage *L'organisation communautaire. Fondements, approches et champs de pratique*, publié aux Presses de l'Université du Québec. Voici une synthèse des fondements théoriques de chacune de ces typologies.

---

2. G. Doré (1985). «L'organisation communautaire : définition et paradigme», *Service social*, vol. 34, n°s 2-3, Faculté des sciences sociales, Québec, Université Laval, p. 210-230.
3. Maintes fois édité par l'auteur dans différentes versions, le texte d'origine est paru dans l'ouvrage suivant : F.M. Cox *et al.* (1970). *Strategies of Community Organisation*, Itaska, F.E. Peacock Publishers. Dans ce paradigme d'analyse des pratiques, Rothman parle de *locality development* (*bottom-up*), *social planning* (*top-down*) et *social action* (*inside-out*).

2. TROIS TYPOLOGIES DE MODÈLES D'INTERVENTION

2.1. Typologie de Doré (1985)

Publiée en 1985 dans la revue *Service social*, la typologie élaborée par Gérald Doré[4] propose de regrouper les pratiques d'organisation communautaire en quatre modèles d'intervention :

1) *Intégration :* pratiques visant le renforcement de l'intégration des collectivités autour de leaders et de projets reliés aux structures de pouvoir en place ;

2) *Pression :* pratiques visant la création d'un nouveau rapport de force en faveur des intérêts immédiats de la collectivité exploitée ou dominée à laquelle les intéressés appartiennent ;

3) *Appropriation :* pratiques visant le développement d'entreprises et de projets économiques contrôlés par ceux et celles qui y travaillent ou qui en consomment les produits ou les services ;

4) *Politisation :* pratiques tentant de relier des actions collectives à des perspectives de transformation des structures politiques.

Critères d'analyse

Pour l'élaboration de cette typologie, Doré s'est appuyé sur sept dimensions de l'intervention. Chacune de ces sept dimensions communes permet d'analyser les pratiques afin de cibler leur orientation stratégique. Ces sept dimensions sont :

1) *Le contexte historique :* Où l'action a-t-elle pris forme ? Quand ? Dans quelles circonstances ?

2) *L'idéologie :* Quelle conception de la société est véhiculée dans cette pratique ? Quelle est la conception du changement social à la base du projet d'action collective ?

---

4. G. Doré (1985). *Op. cit.*, p. 210-230.

3) *La problématique :* Quelle est la définition de la situation-problème ? Quel modèle de recherche sociale est privilégié pour cerner le problème ? Dans quelle mesure les personnes directement concernées par la situation-problème ont été associées au processus de recherche ? Quel est le rôle de l'intervenant communautaire dans la recherche ?

4) *La population-cible :* Quelle est la population cible ? Quel est son rôle dans l'action ?

5) *L'agent d'intervention :* Qui sont les agents d'intervention ? À quelle organisation sont-ils associés ? Quel est leur rôle ? Face à qui ou contre qui se fait l'intervention ?

6) *Le processus d'intervention :* Comment agit-on ? Quelles sont les étapes du processus d'intervention ? Quels moyens de sensibilisation, de mobilisation et de pression sont privilégiés ?

7) *L'impact :* Quels sont les résultats de l'action ?

Exemples de pratiques d'organisation communautaire

Dans son article, Doré (1985) propose quelques exemples permettant d'illustrer les pratiques se rattachant à l'un ou l'autre de ces quatre modèles.

1) Pour le *modèle d'intégration*, les expériences d'animation sociale visant une participation citoyenne à des processus de décision contrôlés par les arrondissements, les municipalités ou un quelconque appareil étatique sont des exemples probants.

2) Pour le *modèle de pression*, l'auteur fait référence aux pratiques conflictuelles d'animation sociale de la gauche militante radicale étudiées par Alinski, (1976) ainsi qu'aux luttes syndicales.

3) Pour le *modèle d'appropriation*, toutes les formes de coopératives et d'autogestion communautaire et ouvrière sont associées à ce modèle. Les centres de femmes et les centres sociaux autogérés sont elles aussi des pratiques associées à ce modèle.

4) Pour le *modèle de politisation*, les mouvements de conscientisation et d'éducation politique pouvant éventuellement se transformer en partis politiques de gauche sont cités comme pratiques.

2.2. Typologie de Doucet et Favreau (1991)

En 1991, Laval Doucet et Louis Favreau dirigent un ouvrage sur la théorie et les pratiques d'action communautaire[5]. Dans cet ouvrage, le contenu gravite autour d'une typologie des pratiques proposant trois modèles d'intervention stratégique : le développement local, le planning social et l'action sociale. Voici comment Doucet et Favreau résument les principales caractéristiques de chacun des modèles.

1) *Développement local :* Regroupe les pratiques visant la résolution des problèmes sociaux par un autodéveloppement économique et social de communautés locales vivant dans un contexte de pauvreté. Sur le plan organisationnel, on fait référence à la mise sur pied d'entreprises communautaires (de services ou de production de biens), de coopératives et de groupes d'entraide.

2) *Planning social :* Regroupe les pratiques visant la résolution des problèmes sociaux des communautés locales par une intervention étatique de proximité à partir d'appareils sociaux qui, investis de pouvoirs et de ressources, interviennent sur le plan local ou sur le plan municipal. À ce titre, on fait référence à l'implantation de services publics de première ligne de santé et de services sociaux, de même qu'aux services communautaires financés et encadrés par l'État dans les communautés locales à partir de populations cibles bénéficiaires ou consommatrices de services.

3) *Action sociale :* Vise la résolution de problèmes sociaux par les groupes sociaux les plus démunis, plus particulièrement par un travail de défense de leurs droits et par la mise sur pied d'organismes de revendication et de pression permettant le développement d'un rapport de force qui pourrait leur être favorable. L'organisation d'actions directes, l'éducation populaire, de même que la négociation de solutions avec les autorités en place font partie de cette approche.

---

5. L. Doucet et L. Favreau (dir.) (1991). *Théorie et pratiques en organisation communautaire*, Québec, Presses de l'Université du Québec.

Critères d'analyse

La typologie de Doucet et Favreau (1991) repose sur une analyse des pratiques à partir des critères qui sont autant de variables de ces pratiques. Pour déterminer ces critères, Doucet et Favreau (1991) se réfèrent à un tableau publié par Cox et Rothman (1987) comportant 11 éléments d'analyse. Dans la 2e édition de l'ouvrage *La pratique de l'action communautaire*, Panet-Raymond et Mayer (2008) ont effectué à leur tour une traduction et une adaptation de ce même article. Cette adaptation propose 13 critères d'analyse (voir le prochain tableau).

Exemples de pratiques d'organisation communautaire

Dans leur ouvrage, Doucet et Favreau (1991) proposent quelques exemples de pratiques pour chacun des modèles se rapportant au contexte des années 1960–1990.

1) Pour le *développement local*, la démarche menée par le Bureau d'aménagement de l'Est du Québec (BAEQ) dans les années 1960, qui vise à agir collectivement sur la dévitalisation des communautés locales par la planification du développement socioéconomique misant sur la participation de la population locale rurale, est citée comme étant une expérience fondatrice pour cette approche. Par ailleurs, le développement du mouvement coopératif québécois, et plus largement celui de l'économie sociale solidaire, témoignent de la vigueur de ce modèle au Québec. Le développement local s'illustre dans des secteurs aussi diversifiés que le logement, l'aménagement du territoire, la santé et les services sociaux, le maintien à domicile, l'économie sociale et l'économie domestique.

2) Par *planning social* on entend principalement l'organisation communautaire en Centre local de services communautaires (CLSC), qui intervient à partir de programmes établis nationalement, et l'organisation de la concertation entre les organismes de l'État et les ressources communautaires locales. La mise sur pied de groupes d'entraide et de soutien, l'animation de tables de concertation locales, le soutien aux organismes communautaires autonomes ainsi que la mise sur pied et le suivi de protocoles d'entente comptent parmi ses pratiques.

3) En *action sociale*, les auteurs citent l'exemple des organismes de défense des droits sociaux, les pratiques d'éducation populaire, l'action conscientisante et les initiatives d'action politique locale.

TROIS MODÈLES EN ORGANISATION COMMUNAUTAIRE

	Développement communautaire (local et régional)	**Planification sociale et économique (local et régional)**	**Action sociopolitique (local, régional, national)**
1. **Objectifs de l'action communautaire**	■ Développement de capacité de la communauté à s'autodévelopper. ■ Intégration de la communauté. ■ Accent sur le processus.	■ Résoudre des problèmes par campagne de promotion ou création (amélioration) de ressources. ■ Accent sur la tâche, le résultat.	■ Transformer les relations de pouvoir. ■ Changer les institutions et les législations. ■ Accent sur le résultat et le processus.
2. **Type de problèmes**	■ Apathie et fatalisme. ■ Manque de relations sociales, de participation et de ressources.	■ Problèmes sociaux tels la santé, l'environnement, la violence, le transport.	■ Injustice et inégalités socioéconomiques et culturelles. ■ Oppression et exclusion.
3. **Stratégie de base**	■ Participation et concertation de la population, des organismes communautaires et publics et des leaders économiques dans la solution du problème.	■ Approche scientifique basée sur des faits et guidée par la rationalité (épidémiologie sociale).	■ Éducation et conscientisation des participants. ■ Cristalliser certains problèmes de fond (politique) et orienter l'action des exclus contre les institutions socioéconomiques et politiques.
4. **Moyens et techniques : caractéristiques générales**	■ Consensus et concertation. ■ Amélioration des canaux de communication entre les différents groupes d'intérêts dans la communauté (colloque, bulletin d'information). ■ Éducation et sensibilisation (réunions de cuisine, sessions de formation).	■ Consensus et concertation (information, éducation). ■ Conflit possible avec certains secteurs de la communauté.	■ Conflit et confrontation par l'action directe (occupations, manifestations, pétitions, actions médiatiques). ■ Négociation avec les autorités.
5. **Structure par laquelle s'effectuent les changements**	■ Petit groupe de tâche. ■ Table de concertation. ■ Conseil communautaire.	■ Organisation formelle (table de concertation, conseil régional).	■ Masses populaires et population organisée et regroupée. ■ Front commun. ■ Table de concertation.
6. **Orientation vis-à-vis la structure du pouvoir (rapport à l'État)**	■ Les membres de la structure du pouvoir sont des collaborateurs et des sources d'appui dans un projet collectif.	■ Le pouvoir et les institutions des gouvernements sont les employeurs des planificateurs.	■ Le pouvoir (en tant que législateur et allié des classes dirigeantes) devient l'ennemi qu'il faut faire plier ou renverser.

	Développement communautaire (local et régional)	Planification sociale et économique (local et régional)	Action sociopolitique (local, régional, national)
7. Type de communautés auxquelles s'adresse l'intervention.	▪ La communauté géographique comme un tout (village, quartier, ville, région). ▪ La communauté d'identité (jeunes, sans travail). ▪ La communauté d'intérêts (locataires, pauvres).	▪ Communauté géographique (quartier, MRC, région), sectoriellefonctionnelle telles des populations-cibles (personnes âgées, jeunes, handicapés, une région sous-développée).	▪ Une classe ou catégorie sociale à l'intérieur d'un secteur géographique (chômeurs, assistés sociaux, locataires, réfugiés) ayant des intérêts communs.
8. Postulat concernant les différents groupes d'intérêt d'une communauté	▪ Intérêts communs ou convergents.	▪ Intérêts réconciliables ou en conflit.	▪ Intérêts divergents ou opposés.
9. Conception de l'intérêt public	▪ Idéaliste.	▪ Rationaliste.	▪ Réaliste.
10. Conception de la communauté	▪ Citoyens (égalitarisme).	▪ Consommateurs (population-cible).	▪ Victime. ▪ Citoyens potentiels.
11. Conception du rôle de la communauté visée	▪ Participants.	▪ Bénéficiaires, clients, consommateurs.	▪ Membres, acteurs, employeurs.
12. Rôle de l'intervenant	▪ Éducateur populaire. ▪ Coordonnateur. ▪ Agent de développement. ▪ Support technique.	▪ Planificateur. ▪ Expert. ▪ Soutien technique et conseiller.	▪ Militant, partisan. ▪ Éducateur populaire.
13. Organismes où sont développés ces modèles	▪ Conseil communautaire de quartier. ▪ Centre d'action bénévole. ▪ Réseau d'entraide. ▪ Syndicats locaux. ▪ Organisme communautaire de service. ▪ Corporation de développement économique communautaire (CDEC). ▪ Groupe de ressource technique (GRT) (logement). ▪ CLSC.	▪ Essentiellement des organismes publics: – Conseil de développement social régional; – USP (unité de santé publique); – CLSC; – Régie régionale; – MRC; – Commission d'initiative et de développement économique.	▪ Syndicats. ▪ Partis ou mouvements politiques. ▪ Groupes populaires (assistés sociaux, chômeurs). ▪ Groupes de femmes, personnes âgées, handicapés, locataires. ▪ Regroupements d'organismes (R des centres de femmes, Front commun des personnes assistées sociales, Mouvement actionchômage, FACEF, etc.).

Source: H. Lamoureux, J. Lavoie, R. Mayer et J. Panet-Raymond (2008). *La pratique de l'action communautaire*, Québec, Presses de l'Université du Québec, p. 92-93.

2.3. Typologie de Bourque, Comeau, Favreau et Fréchette (2007)

En 2007, un collectif de quatre auteurs (Bourque, Comeau, Favreau, Fréchette) propose, dans *L'organisation communautaire. Fondements, approches et champs de pratique*[6], une typologie basée sur quatre modèles d'intervention.

Dans les faits, cette typologie reprend les trois modèles d'organisation communautaire élaborés par Doucet et Favreau (1991) mais en modifiant l'appellation, et lui ajoute un quatrième modèle propre à l'expérience québécoise: l'approche sociocommunautaire. Ainsi, le modèle de développement local devient l'approche socioéconomique, le modèle d'action sociale devient l'approche sociopolitique, le modèle de planning social devient l'approche socio-institutionnelle, et la quatrième approche introduite est l'approche sociocommunautaire. En voici une synthèse:

1) *Approche socioéconomique (modèle développement local):* Vise la résolution de problèmes sociaux par un autodéveloppement économique et social des communautés vivant dans un contexte de pauvreté ou de précarité. Sur le plan organisationnel, les pratiques sont axées sur la mise sur pied d'entreprises collectives (de services ou de production de biens), de coopératives, et de groupes de services dans les principaux secteurs de la vie des communautés concernées (logement, travail, loisirs).

2) *Approche sociopolitique (modèle action sociale):* Vise la résolution des problèmes sociaux par les groupes sociaux les plus démunis au moyen d'un travail de défense et de promotion de leurs droits. Sur le plan organisationnel, les pratiques s'actualisent par la mise sur pied d'organisations de lutte, de revendication et de pression permettant le développement d'un rapport de force favorable aux revendications des communautés.

3) *Approche socio-institutionnelle (modèle planning social):* Vise la résolution de problèmes sociaux des communautés par les services publics, mais à laquelle sont associés des représentants de la population afin d'orienter les ressources vers l'adaptation de programmes définis. Sur le plan organisationnel, les pratiques vont dans le sens de l'implantation de services publics de première ligne de santé, et de services sociaux et communautaires pour des populations clairement ciblées.

---

6. D. Bourque, Y. Comeau, L. Favreau et L. Fréchette L. (2007). *L'organisation communautaire. Fondements, approches et champs de pratique*, Québec, Presses de l'Université du Québec.

4) *Approche sociocommunautaire - entraide et services de proximité (approche issue du modèle de planning social)* : Constitue la quatrième et nouvelle approche introduite dans cette typologie. Elle vise la résolution de problèmes sociaux par la mise en réseau et l'entraide au sein de groupes sociaux de communautés vulnérables, le développement de services de proximité et l'animation d'activités. Cette approche cherche à décloisonner les frontières entre l'intervention sociale auprès des personnes et des familles, et l'intervention collective. Les structures organisationnelles sont ici plus informelles ou semi-informelles. Parmi les intervenants faisant appel à cette approche, les auteurs incluent les professionnels travaillant dans diverses disciplines associées à l'intervention clinique et à la relation d'aide, à condition que ces derniers adoptent une dimension communautaire dans leur analyse des problèmes et dans la conception des solutions à déployer. L'axe autour duquel s'organise l'intervention est l'identification des vulnérabilités des personnes, des familles ou des réseaux dans une communauté aux prises avec des situations d'exclusion et en processus d'insertion. Cette perspective inclut la prévention et la promotion collective, et s'inspire des enseignements de la psychologie communautaire et de la santé publique.

Critères d'analyse

Cinq critères ont été choisis par les auteurs pour cerner l'identification des pratiques d'action communautaire dans l'une ou l'autre des quatre approches (voir le prochain tableau).

Exemples de pratiques d'organisation communautaire

Pour illustrer ces quatre approches, voici quelques-uns des exemples cités par les auteurs :

1) *L'approche socioéconomique* : Sont mentionnées les coopératives (travail, consommation, épargne et crédit, agricole, d'habitation), les entreprises d'insertion, les Coopératives de développement régional (CDR) et les Corporations de développement économique communautaire (CDEC). Plus largement, tout le champ des pratiques d'économie sociale solidaire demeure un exemple de la vigueur de ce modèle au Québec[7]. Les cuisines collectives

---

7. En 2020, l'importance de ce modèle d'intervention au Québec ne cesse de croître avec plus de 11 200 entreprises collectives qui cumulent un chiffre d'affaires de 47,8 milliards de dollars. Près de 220 000 personnes y travaillent. <https://chantier.qc.ca>, consulté le 11 octobre 2020.

comptent aussi parmi les initiatives collectives ayant des incidences économiques. Les pratiques pour la revitalisation des anciens quartiers ainsi que
celles des Chantiers en développement social impliquant divers acteurs
sociaux du milieu font partie des exemples donnés par Comeau (2007)[8].

2) *L'approche sociopolitique:* Cette approche englobe une vaste gamme de mouvements de lutte et de défense des droits dont les pratiques ne cessent de
se multiplier et de se ramifier selon l'évolution des enjeux sociaux. Parmi
ceux cités par Comeau (2007)[9], mentionnons les mouvements politiques de
gauche, l'action syndicale ouvrière, le mouvement de revendication des
droits des femmes, le mouvement pour la défense des droits civiques, le
syndicalisme étudiant, le mouvement pacifiste, le mouvement de défense
des consommateurs, le mouvement de défense pour le droit au logement,
le mouvement d'éducation populaire, les pratiques de conscientisation, le
mouvement écologiste et le mouvement pour la défense des personnes
assistées sociales.

3) *L'approche socio-institutionnelle:* Sont cités les pratiques de consultation participative reconnaissant la compétence citoyenne, les projets d'intervention
communautaire issus des CLSC destinés à des populations cibles vulnérables, les tables de concertation pour des populations ou des problématiques définies, les tables intersectorielles en santé publique ayant pour
finalité la réalisation d'objectifs institutionnels.

4) *L'approche sociocommunautaire:* Cette approche rassemble les interventions
visant l'accroissement des compétences associées à des dispositifs d'entraide et à la solidarité des participants autour d'actions collectives dans
une perspective d'*empowerment*. Fréchette (2007)[10] donne l'exemple des
organismes communautaires travaillant dans le domaine de la sécurité
alimentaire (p. ex. cuisines collectives, jardins collectifs et communautaires, restaurants populaires, achats collectifs) plutôt que de centrer leur
action sur le dépannage individualisé. Les Maisons de la famille sont aussi
considérées comme des organisations où le lien familial est abordé selon
une approche sociocommunautaire en soutenant des initiatives misant sur
l'entraide et l'implication des personnes concernées, comme des magasins

---

8. Y. Comeau (2007). «L'approche de développement local en organisation communautaire», dans D. Bourque *et al.*, *L'organisation communautaire. Fondements, approches et champs de pratique*, Québec, Presses de l'Université du Québec, p. 59-79.
9. *Ibid.*, p. 81-100.
10. L. Fréchette (2007). «L'approche sociocommunautaire dans le développement social des communautés», dans D. Bourque *et al.*, *op.cit.*, p. 119-139.

ou des comptoirs communautaires animés par les parents. Enfin, l'action des centres communautaires de loisirs est ciblée comme un exemple de services de proximité soutenant l'éducation populaire, la prise en charge des participants dans l'offre d'activités de loisirs et par l'insertion sociale des familles immigrantes à la vie collective.

APPROCHES STRATÉGIQUES EN ORGANISATION COMMUNAUTAIRE

Critères	Modèles			
	Approche socioéconomique	Approche sociopolitique	Approche socio-institutionnelle	Approche sociocommunautaire
1. Finalité de l'intervention	Autodéveloppement économique et social	Défense des droits	Intervention publique de proximité	Organisation de l'entraide
2. Origine de l'action collective	Dévitalisation de quartiers/villages	Problèmes et injustices ressentis par la population locale ou certains groupes	Démarche d'expertise sur des problèmes trouvant leur solution dans des programmes-cadres des services publics	Problèmes des groupes les plus démunis, marginalisés et exclus au sein d'une communauté
3. Formes d'organisation	Groupes de services, coopératives, entreprises collectives et autogérées	Organisation de lutte, de revendication, de pression	Services publics de première ligne	Services de proximité, réseaux de voisinage et d'entraide
4. Acteurs concernés	Démarche partenariale multi-acteurs	Action directe de type conflictuelle ou de négociation	Collaboration entre services publics et associations locales	Collaboration intracommunautaire
5. Type de structures	Structures autonomes et multipartenaires	Structures autonomes de type syndical	Participation du secteur associatif aux structures publiques ; tables de concertation	Structures semi-informelles de type réseau d'entraide

Source : Inspiré de D. Bourque, Y. Comeau, L. Favreau et L. Fréchette (2007). *L'organisation communautaire au Québec. Mise en perspective des principales approches d'intervention*, Québec, Presses de l'Université du Québec, p. 3-19.

ANALYSE COMPARÉE ET CONCLUSION

Cette synthèse sur les modèles de pratique en organisation communautaire élaborée à partir de l'expérience québécoise démontre l'existence de similitudes et de différences entre les trois typologies.

Sur le plan des similitudes, le modèle de pression élaboré par Doré (1985) est semblable au modèle d'action sociale de Doucet et Favreau (1991), et au modèle sociopolitique proposé par Bourque, Comeau, Favreau et Fréchette (2007).

Cela signifie qu'au fil des décennies, les pratiques de pression et de défense des droits sont toujours très présentes dans l'expérience québécoise en organisation communautaire.

Quant aux différences, on peut faire l'hypothèse qu'elles sont le reflet du contexte social dans lequel l'une ou l'autre des typologies a émergé, et illustrent l'importance que les auteurs accordent à certains critères et variables dans l'analyse des pratiques. Ainsi, Bourque, Comeau, Favreau et Fréchette (2007) ont scindé en deux le modèle de planning social de la typologie de Doucet et Favreau (1991), le planning social devenant l'approche socio-institutionnelle et l'approche sociocommunautaire, chacune des approches ayant ses caractéristiques propres. Par ailleurs, on constate que Doré (1985) est le seul auteur à proposer une typologie qui distingue le modèle de pression du modèle de politisation, les deux autres typologies rassemblant en un seul modèle les pratiques de défense et promotion des droits et les pratiques tentant de relier des actions collectives à des perspectives de transformation des structures politiques. Dans le modèle de Doucet et Favreau (1991), ces deux catégories de pratiques relèvent de l'action sociale, tandis que dans le modèle de Bourque, Comeau, Favreau et Fréchette (2007), l'approche sociopolitique couvre un éventail très large de pratiques incluant la défense des droits, l'action sociale, l'éducation populaire et les initiatives populaire et syndicale visant la mise sur pied d'une organisation politique, soit sous forme de mouvement ou de parti politique.

De tels changements indiquent que l'analyse et la codification des pratiques en organisation communautaire sont en constante évolution. Et que selon l'évolution des pratiques, il peut être souhaitable de faire ressortir les spécificités d'une catégorie de pratiques par rapport à une autre.

Cependant, on doit reconnaître qu'aucune typologie ne permet de penser et de catégoriser la totalité des pratiques, certaines pratiques échappant en effet à une catégorisation réunissant l'ensemble des critères servant à la décrire. À la fin des années 1990, Rothman a lui-même reconnu que certaines pratiques échappent à sa typologie. Par ailleurs, des voix se sont élevées parmi le mouvement féministe pour critiquer le modèle de Rothman, notamment parce que les pratiques issues de l'approche féministe ne s'identifiaient pas aux critères des trois modèles élaborés par Rothman[11]. De telles critiques rappellent à juste

---

11. C. Hyde (1996). « A feminist response to Rothman's: The interweaving of community intervention approaches », *Journal of Community Practice*, vol. 3, n°s 3-4, p. 127-145.

titre que les perspectives de recherche en sciences humaines sont multiples et que selon la perspective choisie, les résultats pourront être différents. Et dans une société patriarcale, on doit garder en tête que c'est le modèle masculin de développement des connaissances qui domine.

Quant au choix d'un modèle par rapport à un autre pour agir collectivement sur un problème social, certaines organisations se donnent la latitude de varier leur approche selon le type de problème, l'objectif à atteindre, le contexte social et la communauté concernée. De manière générale, cependant, l'organisation à partir de laquelle l'intervenant communautaire agit — sa mission, ses objectifs, ses activités et services, de même que le regard qu'il porte sur le rôle du citoyen comme acteur social — aura un lien direct avec les possibilités d'action envisagées pour agir collectivement sur un problème social.

En conclusion, l'exercice de penser les pratiques en fonction de certains critères d'analyse tels que leur idéologie, leur conception de la société et des rapports de pouvoir, ou la place donnée aux acteurs sociaux concernés, permet une représentation plus systématique de l'organisation communautaire comme pratique sociale. Les typologies répondent aussi au besoin de transmission des savoirs en organisation communautaire en envisageant la totalité des orientations normatives possibles.

BIBLIOGRAPHIE SÉLECTIVE

ALINSKY, S. (1976). *Manuel de l'animateur social*, Paris, Seuil.

BOURQUE, D., COMEAU, Y., FAVREAU, L. ET L. FRÉCHETTE (dir.) (2007). *L'organisation communautaire. Fondements, approches et champs de pratiques*, Québec, Presses de l'Université du Québec.

COX, F., ERLICH, J. ET J. ROTHMAN (1979). *Strategies of Community Organization*, 3ᵉ éd., Itasca, Illinois, F.E. Peacock Publishers.

DORÉ, G. (1985). « L'organisation communautaire : définition et paradigme », *Service social*, vol. 34, nᵒˢ 2-3, p. 210-230.

DOUCET, L. ET L. FAVREAU (dir.) (1991). *Théorie et pratiques en organisation communautaire*, Québec, Presses de l'Université du Québec.

HYDE, C. (1996). « A feminist response to Rothman's : The interweaving of community intervention approaches », *Journal of Community Practice*, vol. 3, nᵒˢ 3-4, p. 127-145.

LAMOUREUX, H., LAVOIE, J., MAYER, R. ET J. PANET-RAYMOND (2008). *La pratique de l'action communautaire*, Québec, Presses de l'Université du Québec.

PANET-RAYMOND, J. ET R. MAYER (1991). « L'action communautaire de défense des droits sociaux », dans L. Doucet et L. Favreau (dir.), *Théorie et pratiques en organisation communautaire*, Québec, Presses de l'Université du Québec, p. 97-118.

MÉTHODOLOGIE DE L'ORGANISATION COMMUNAUTAIRE

4

LES ÉTAPES DU PROCESSUS D'INTERVENTION COMMUNAUTAIRE

JOCELYNE LAVOIE

JEAN PANET-RAYMOND

PLAN DU CHAPITRE 4

INTRODUCTION

Un processus d'intervention communautaire est un processus de changement social planifié qui s'appuie sur une méthode générale d'intervention. Le changement social planifié sera indissociable d'une éthique communautaire portée par des valeurs de justice sociale, de solidarité, de démocratie, d'autonomie et de respect[1].

Dans cet ouvrage, le processus d'intervention communautaire est présenté sous forme de schéma linéaire pour des motifs pédagogiques. Il convient cependant de préciser qu'une démarche d'action collective correspond davantage à un modèle dynamique et circulaire qu'à un modèle linéaire. L'action communautaire est faite d'interactions, d'effets d'action-réaction et de jeux circulaires entre acteurs dans des rapports tantôt consensuels, tantôt conflictuels. Dans cet esprit, Dumas et Séguier[2] estiment que toute démarche d'action collective résulte d'une dynamique qui doit prendre en considération des dimensions d'enjeux liés à l'analyse d'un contexte en constante évolution qui met en présence plusieurs protagonistes concernés par des intérêts à la fois convergents et divergents.

Ainsi, tout au long des étapes du processus d'intervention, et particulièrement à l'étape de la réalisation de l'action, l'évaluation des effets de changement des actions est constante et tributaire de divers facteurs interdépendants. Pour en illustrer quelques-uns, mentionnons les effets sociaux escomptés par rapport aux effets observés au fur et à mesure du développement de l'action, le maintien des liens de solidarité, de brusques coupures gouvernementales du côté du financement, ou encore la fragilisation d'une démarche d'*empowerment* collectif suivant le départ d'un acteur exerçant un leadership important au sein du groupe.

La dynamique du processus d'intervention communautaire conduira donc l'intervenant à adapter le nombre et l'ordre des étapes du processus d'intervention au contexte de l'action collective dans lequel elle s'inscrit. En effet, bien que le processus décrit puisse comporter jusqu'à huit étapes réparties dans trois grandes phases (préparation, réalisation et évaluation), divers facteurs pourront modifier tant le nombre des étapes requises que l'ordre des étapes suggérées. Par exemple, l'intégration d'un intervenant communautaire au sein d'une communauté locale et l'existence bien établie d'une collaboration avec un comité de

---

1. H. Lamoureux, J. Lavoie, R. Mayer et J. Panet-Raymond (2008), « Les fondements éthiques de l'action communautaire », dans *La pratique de l'action communautaire*, 2ᵉ édition actualisée, Québec, Presses de l'Université du Québec, p. 99-146.
2. B. Dumas et M. Séguier (2004), *Construire des actions collectives*, Lyon, Chronique sociale, p. 65-71.

citoyens dans le milieu ayant effectué l'analyse d'un enjeu local permettront d'amorcer l'intervention à l'étape de l'élaboration d'un plan d'action sans avoir à franchir les étapes qui la précèdent.

C'est donc en considérant à la fois le caractère dynamique du processus d'intervention et le contexte dans lequel l'intervenant communautaire se voit confier un mandat que devra être adaptée la méthodologie d'intervention décrite dans ce chapitre.

Cependant, quelles que soient les nuances qui s'imposeront, trois grandes phases resteront « incontournables » à l'intérieur du processus d'intervention :

1) la préparation,

2) la réalisation,

3) l'évaluation.

Ces trois phases, parfois présentées sous la forme du processus circulaire du voir-juger-agir-réviser[3], correspondent à une même démarche de base dans la mesure où la révision ou l'évaluation constitue une nouvelle analyse permettant de faire de nouveaux choix pour relancer l'action.

LA PRÉPARATION DE L'INTERVENTION

1. L'ANALYSE DE SA BASE D'INTERVENTION

Qu'il soit à l'emploi d'un établissement public comme un CSSS, d'un organisme communautaire ou d'un regroupement d'organismes, l'intervenant communautaire nouvellement mandaté pour soutenir un projet d'action collective prendra le temps et utilisera les moyens de connaître sa base d'intervention. L'étape de l'analyse de sa base d'intervention est une condition préalable à la mise en œuvre

---

3. R. Lachapelle (dir.) (2003), *L'organisation communautaire en CLSC*, Québec, Presses de l'Université Laval, p. 51.

de projets qui relèvent de l'action communautaire. Prendre le temps et se donner les moyens de réaliser cette étape facilitera l'intégration de l'intervenant communautaire au sein de l'organisme et du milieu, et lui permettra de mieux préciser son mandat. Cette étape du processus d'intervention s'appliquera aussi aux étudiants amorçant un stage de formation pratique, de même qu'aux bénévoles et militants qui souhaitent s'investir de manière significative dans une action collective citoyenne au sein d'un groupe.

1.1. Connaître l'organisme dans lequel on intervient

Avant de se lancer dans l'action, prendre le temps de se présenter, de se faire connaître et de connaître l'organisme qui sera sa base d'intervention devrait constituer une toute première préoccupation. On a parfois tendance à négliger cette étape tant on est pressé d'entrer dans l'action.

Comme le soulignent Henderson et Thomas dans un ouvrage consacré au savoir-faire en développement social[4], cette étape de reconnaissance est à double sens : l'intervenant communautaire doit donner aux autres intervenants de l'organisme et à la communauté l'occasion de le voir et de le connaître, et se donner à lui-même le temps et l'occasion de connaître son organisme et la communauté dans laquelle il sera appelé à intervenir. Il y a des barrières à franchir avant de ne plus être considéré comme un étranger ou un intrus. Les intervenants seront donc tout autant observés et mis à l'épreuve qu'ils observeront et exploreront leur milieu.

Pour mieux négocier son entrée et se présenter au sein de son propre organisme, l'intervenant communautaire pourra échanger, discuter et effectuer un certain nombre de lectures autour d'un ou plusieurs des aspects suivants touchant la vie de l'organisme : son historique, sa mission, ses valeurs, les services et les activités offerts, les caractéristiques de la population visée, les particularités du territoire desservi, les rôles et les fonctions du personnel salarié, le fonctionnement de l'équipe, le pouvoir des membres, les sources de financement et les conditions qui y sont rattachées, les politiques et les règlements internes, la participation de l'organisme à divers regroupements et tables de concertation, les alliances et les tensions avec d'autres acteurs du milieu, les liens avec le pouvoir local et les médias locaux, etc.

---

4. P. Henderson et D.N. Thomas (1992), *Savoir-faire en développement social*, Paris, Bayard, coll. « Travail social », 237 p.

Comme sources d'information, l'intervenant pourra consulter les documents suivants : rapport annuel d'activités, procès-verbaux, dépliant et brochures d'information, demandes de subventions, dossier de presse, bulletins de liaison à l'intention des membres, rapports de recherche, etc. Lorsque l'organisme a un site Web, plusieurs de ces documents se retrouvent sur ce site, ce qui en facilite la consultation. Pour le reste, discussions et échanges avec les membres de l'équipe permettent tout à la fois de mieux connaître l'organisme et de se faire connaître. Le fait d'assister aux réunions d'équipe et, si possible, à celles du conseil d'administration, aux assemblées générales ainsi qu'aux rencontres de tables de concertation et autres instances partenaires permettra de compléter le portrait dynamique de l'organisme, de se faire une idée des rôles et des responsabilités de chacun, et de repérer les personnes susceptibles de devenir des collaborateurs.

Il serait aussi bon d'ajouter à cela des échanges avec des personnes qui fréquentent l'organisme, participent à ses activités ou en utilisent les services. En outre, quelques échanges avec des citoyens qui connaissent bien la communauté peuvent fournir des renseignements intéressants sur l'influence de l'organisme et la perception qu'en ont les gens du milieu. Cette connaissance sera précieuse lors d'éventuelles rencontres avec la population, groupes et organismes du milieu ainsi qu'avec les décideurs. Ainsi, l'intervenant pourra prévoir les facteurs susceptibles d'irriter les éventuels interlocuteurs ou de faciliter l'établissement de rapports de collaboration.

Dans certaines circonstances, cette connaissance de l'organisme permettra d'initier des propositions visant un changement organisationnel. En effet, quand on pose un regard neuf sur un organisme, on peut être amené à formuler des propositions intéressantes qui permettraient notamment à l'organisme dans lequel on intervient de mieux rejoindre la population visée par son action, de choisir des moyens d'action plus efficaces pour atteindre ses objectifs ou encore de réviser certains éléments de son fonctionnement. Toutefois, de telles suggestions ne doivent pas être émises avant que l'intervenant ne prenne le temps de s'intégrer, sinon elles risquent d'être perçues comme des critiques négatives plutôt que comme de précieuses contributions.

1.2. Préciser son mandat

Les personnes qui occupent des fonctions d'intervenants communautaires sont souvent perçues comme des individus polyvalents qui savent tout faire et à qui l'on impose parfois un fardeau trop lourd.

Bien que la fonction d'intervenant communautaire implique un choix de vie difficilement compatible avec une description de tâches rigide et un horaire de 9 à 5, étant donné que la dynamique de l'action et la conjoncture dictent très souvent les impératifs de son travail, il est important de préciser les attentes réciproques de chacun. Il en va de même pour le mandat général de l'intervenant et les principaux rôles et responsabilités à exercer dans divers dossiers. Sans être tatillon, ce « contrat » entre la personne mandatée et l'organisme pour lequel elle travaille ou milite doit être le plus clair possible. Dans le cas particulier d'un stage de formation pratique, on doit tenir compte des objectifs d'apprentissage de l'établissement d'enseignement. Il s'agit donc pour l'intervenant communautaire de distinguer clairement de qui il tient son mandat, ce qui déterminera son rôle et précisera la nature de son engagement. L'intervenant pourrait, par exemple, se voir imposer des objectifs et contraintes, soit par l'organisme employeur, soit en raison des exigences d'un bailleur de fonds.

En outre, le fait de bien préciser son mandat permet de se faire une idée des limites de son travail, quitte à les remettre en question plus tard, une fois que la connaissance du milieu et de la situation sera plus claire. Dans certains cas – surtout si la base d'intervention est un établissement public comme un CSSS –, l'intervenant pourra être amené à vivre le dilemme que pose sa double allégeance, car les attentes du groupe ou les intérêts de la communauté peuvent différer du mandat qui lui est confié par l'établissement. De telles situations risquent de susciter chez l'intervenant un questionnement d'ordre éthique et de le placer en contradiction avec les valeurs qui guident son intervention. Lorsqu'un tel questionnement surgit, l'intervenant a tout avantage à « ouvrir » la situation avec son employeur et à confronter, si nécessaire, les besoins exprimés par la communauté au mandat confié par son établissement.

En somme, la marge de manœuvre de l'intervenant communautaire peut varier énormément selon les conditions rattachées à son mandat. Il est donc important de négocier avec les parties concernées une entente précisant à la fois le mandat, les rôles et les responsabilités. Une telle clarification permettra d'abord d'éviter des sources possibles de tension et de conflit, et servira ensuite de base pour évaluer l'intervention au moment du bilan.

Enfin, il est important de mentionner qu'un mandat peut évoluer au fur et à mesure que l'action progresse. Un mandat n'est figé ni dans sa forme ni dans le temps ; il doit être à la fois clair et souple afin de s'adapter aux besoins et à la réalité à laquelle l'intervenant sera confronté dans la dynamique de l'action.

2. L'ANALYSE DE LA SITUATION

Avant de s'engager dans un projet d'action communautaire, il est essentiel que le groupe prenne le temps de connaître la situation qu'il souhaite améliorer ou transformer.

L'analyse de la situation	Étape d'enquête ou de recherche servant à cerner les problèmes et les besoins d'une communauté donnée, qu'elle soit locale, d'intérêts ou d'identité. Cette étape pourra aussi servir à faire l'analyse d'un problème social particulier ou à faire l'étude d'une situation-problème précise.

Cette recherche ou cette enquête peut être menée à la demande de quelques personnes qui sont touchées par un problème que l'on soupçonne d'être collectif et qui pourrait donner lieu à une intervention communautaire. La demande peut aussi venir d'un groupe existant qui possède déjà une connaissance empirique et partielle d'un milieu ou d'une situation, mais qui souhaite l'approfondir pour vérifier certaines hypothèses. Enfin, il est possible qu'aucune demande particulière ne soit formulée et qu'il s'agisse plutôt d'un établissement public ou d'un organisme communautaire qui désire procéder à une analyse de situation afin d'orienter ou de réorienter ses priorités d'action. D'ailleurs, ce genre d'analyse est effectué de plus en plus régulièrement, tant par les organismes communautaires que publics, pour soutenir leur planification stratégique.

L'étape de l'analyse de la situation s'inscrit généralement dans un processus de recherche-action[5] qui fait appel à la participation des personnes concernées. Par sa perspective axée sur une stratégie de changement, la recherche-action tient compte du regard et du vécu des personnes concernées. Elle permet de découvrir ce qu'il y aurait lieu d'améliorer, les capacités des divers acteurs du milieu à se mobiliser pour initier ou contribuer à ces changements, de même que les obstacles ou l'inertie au changement avec lesquels il faudra composer. À ce titre, la recherche-action « n'a pas pour but d'établir des statistiques ou des

---

5. Il existe une abondante littérature sur la méthode de recherche-action. Relais-femmes a contribué à la traduction d'un guide pratique sur ce sujet; voir J. Barnsley et D. Ellis (1992), *La recherche en vue de stratégies de changement. Guide de recherche-action pour les groupes communautaires*, Vancouver, The Women's Research Centre, 102 p.

mesures uniquement quantitatives, elle repose sur des méthodes dites qualitatives, c'est-à-dire qui décrivent des situations et des milieux, ou qui rendent compte des conditions de vie d'un milieu, ou encore d'un problème vécu[6]».

Au terme de l'analyse de situation, l'intervenant communautaire devrait détenir plus qu'un portrait statistique, objectif et factuel de la situation, mais aussi le portrait d'une réalité coconstruite qui prend en considération le regard et le vécu des personnes, organismes et institutions concernés. Une telle analyse tentera de réconcilier les savoirs scientifiques d'experts et les savoirs expérientiels des personnes touchées par la situation. L'analyse de situation se veut ainsi une étape de l'intervention qui favorise l'*empowerment* communautaire[7] dans la mesure où elle renforcera, chez les personnes et les collectivités engagées, une prise de conscience de leurs propres capacités à déclencher et à contrôler l'action en valorisant un rapport actif aux savoirs et à la réalité.

Le fruit du travail de recherche fait généralement l'objet d'un rapport qui présente le résultat de l'analyse et des conclusions, auquel s'ajoutent dans bien des cas des recommandations et des pistes d'action pour résoudre les problèmes ou répondre aux besoins identifiés. Comme le soulignent Henderson et Thomas[8], il existe bien des formes de rédaction et différents types de rapports, et il est important de se placer dans le cadre des expériences des personnes ou des groupes à qui ce rapport s'adresse. Mais quel que soit le type de rapport privilégié par l'intervenant-chercheur, les auteurs rappellent que pour être un moyen de communication efficace et mobilisateur, le rapport doit : avoir un plan clair, ordonné et logique ; comporter un résumé ; permettre les annotations, ce qui suppose que les marges et les espaces soient assez larges ; être clair et lisible, notamment en évitant les phrases et les paragraphes trop longs et en employant la forme affirmative ; être agréable à lire, par exemple par la conversion des statistiques en graphiques et par l'insertion de tableaux, cartes, images et photos éloquents[9]. On peut aussi prévoir une version vulgarisée et des rencontres qui visent une certaine appropriation par un public élargi.

La validation ou la transmission d'un rapport de recherche s'inscrit, idéalement, dans une stratégie visant à sensibiliser et à mobiliser les personnes, organismes, institutions, leaders, décideurs ou autres acteurs du milieu concernés

---

6. *Ibid.*, p. 9.
7. W.A. Ninacs (2008), *Empowerment et intervention*, Québec, Presses de l'Université Laval, 140 p.
8. Henderson et Thomas, *op. cit.*, p. 62.
9. *Ibid.*, p. 63.

autour d'actions visant à agir collectivement sur les problèmes ou les besoins identifiés. Ainsi, une fois le rapport de recherche complété, l'intervenant pourra choisir de valider, compléter ou transmettre les faits saillants de cette recherche au moyen de petits groupes de discussion, lors d'une réunion d'un conseil d'administration, d'une assemblée générale, d'un colloque, d'un forum, ou de tout autre rencontre ou événement pertinent dans le contexte. Ces rencontres peuvent aussi être accompagnées de communications sous forme de conférence de presse devant les médias.

L'étape de l'analyse de la situation pourra ainsi être un moteur sur le plan de la mobilisation et de l'action, révélant ainsi le caractère dynamique et circulaire du processus d'intervention.

Pour illustrer plus concrètement cette étape du processus d'intervention communautaire, voici les cinq principaux axes qui pourront faire l'objet d'une recherche-action :

- ◆ l'analyse d'une communauté locale, comme un quartier, un village, une municipalité ou une région ;
- ◆ l'analyse d'une communauté d'intérêts, par exemple le portrait des ménages locataires d'une municipalité ;
- ◆ l'analyse d'une communauté d'identité, par exemple une recherche sur la situation des femmes chefs de famille monoparentale d'un quartier ;
- ◆ l'analyse d'un problème social particulier, par exemple une étude sur l'itinérance et l'instabilité résidentielle dans une région ;
- ◆ l'analyse d'une situation-problème, par exemple une enquête sur les pratiques commerciales de certains commerçants réalisée par une association vouée à la promotion, à la défense et au respect des intérêts des consommateurs.

2.1. L'analyse d'une communauté locale

Communauté locale | L'analyse d'une communauté locale renvoie à la notion de communauté géographique définie comme un territoire commun, des intérêts socioéconomiques semblables, des relations de collaboration entre les habitants pour influencer différents aspects de la vie sociale et une identité partagée. On parle donc d'un « territoire vécu » plutôt que simplement administratif, comme certains arrondissements produits de la fusion de quartiers ou de municipalités.

Selon les circonstances, la communauté locale pourra tantôt faire référence à un quartier, un village, une ville, un territoire de CSSS, une municipalité régionale de comté (MRC) ou une région. Dans certains cas, on pourra utiliser la notion de communauté locale pour faire référence à un pâté de maisons, un complexe d'immeubles à appartements ou d'habitations à loyer modique (HLM), à un quadrilatère, ou même à un ou quelques rangs bien circonscrits dans un village. Dans ce cas, le terme *îlot*[10] ou *milieu de vie* pourra servir à désigner cet ensemble.

Comme étape du processus d'intervention, l'analyse d'une communauté locale vise à comprendre la vie collective des personnes habitant un milieu géographiquement déterminé. Il s'agit de découvrir la dynamique sociale, économique et culturelle d'un milieu, de même que ses organisations, institutions et infrastructures, et sa vie associative. Une telle recherche devrait conduire à l'identification et à l'analyse des problèmes et des besoins de sa population ainsi que de ses capacités. Elle donnera aussi un aperçu des rapports entre les groupes sociaux et permettra d'évaluer le dynamisme communautaire et institutionnel. Elle fournit enfin l'occasion de dégager des pistes de solution ou d'action et d'anticiper les obstacles à franchir pour résoudre certains problèmes, voire insuffler une vision du développement local.

À partir de ce que l'intervenant communautaire ou le groupe souhaite entreprendre comme recherche, et en tenant compte de l'information qu'il possède déjà, l'analyse de la communauté locale portera sur l'ensemble ou sur une partie des aspects suivants. En s'inspirant des travaux de Henderson et Thomas[11] sur la découverte d'un quartier, voici un aperçu des points pouvant faire l'objet d'une collecte de données :

- un **historique** des étapes de développement de la communauté ;
- un portrait de la **population** : données sociodémographiques (population totale, population par groupe d'âge, types de ménages, nombre d'enfants, etc.), données socioéconomiques (taux d'emploi, taux de chômage, revenu moyen par ménage, familles monoparentales, scolarité, pourcentage de logements locataires, etc.), données ethnoculturelles (immigration, origines ethniques, minorités visibles, langues, etc.), état de santé de la population, etc. ;

---

10. J.M. Fontan et P. Rodriguez (2009), *Étude sur les besoins et les aspirations des résidants de l'îlot Pelletier. Synthèse des recherches effectuées : similitudes et différences des différents acteurs rencontrés*, Montréal, ARUC-ÈS et Service aux collectivités de l'UQAM, 69 p.
11. Henderson et Thomas, *op. cit.*, chap. 3, « Découvrir le quartier ou l'évaluation des besoins et ressources locaux ».

- un portrait de l'**économie locale** et de la situation de l'emploi : principaux secteurs d'activité primaire, secondaire et tertiaire ; entreprises d'économie sociale ; types d'emplois et salaires ; catégories de commerces ; présence et types de restaurants, cafés, bars ; fermetures d'entreprises récentes ou à venir, etc. ;

- un portrait du **pouvoir local** : députés au fédéral et au provincial ; maire et membres du conseil municipal et comités-conseils ; municipalité régionale de comté (MRC) et préfet ; Conférence régionale des élus (CRÉ), etc. ; et, si possible, l'identification des recoupements entre les personnes occupant des postes stratégiques au sein de la communauté afin de mieux comprendre la façon dont s'exercent le pouvoir, le leadership et les jeux d'influence ;

- un portrait de l'**environnement** : limites administratives et naturelles ; densité de population ; localisation des routes, voies d'accès, chemins et passages piétonniers ; volume de circulation et conséquences sur la population ; axes et moyens de transport collectif ; schéma d'aménagement ; parcs, espaces verts, lacs, rivières, etc., de même que leur usage et leur mise en valeur ; le zonage et les usages industriel, commercial et résidentiel – y compris la présence et l'emplacement de sites ou immeubles abandonnés ou mal entretenus ; nature et état des infrastructures publiques. La présence de problèmes et d'enjeux environnementaux au sein de la collectivité pourront compléter cette partie du travail d'enquête. Et lorsque l'analyse porte sur un quartier en milieu urbain, on peut même y ajouter l'étendue et l'importance des tentatives de transformation de l'environnement : graffitis, jardinage clandestin, etc. ;

- la situation de l'**offre alimentaire** : présence, nombre et taille des magasins d'alimentation, type de commerces et leur proximité, accès à des aliments santé, indice de disponibilité des fruits et légumes frais, présence de déserts alimentaires[12], etc. ;

- la situation de l'**habitation** : types d'habitation ; qualité et prix moyen des loyers ; quantité, localisation et catégories de logements sociaux et, le cas échéant, populations auxquelles ces logements sont destinés, etc. ;

- les **services publics** : secteur scolaire, secteur de la santé et des services sociaux, secteur de l'emploi, transport, culture, sports et loisirs, etc. ;

---

12. Le terme *désert alimentaire* (*food desert*) est d'abord apparu au Royaume-Uni pour désigner des espaces de relative exclusion où les gens souffrent de barrières physiques et économiques pour accéder à une nourriture saine. Plus récemment, les études sur la question relèvent trois critères liés à la présence d'épiceries de grande surface ou « épiceries complètes » : la proximité, la diversité et la variété.

+ la **vie communautaire** : l'éventail des organismes communautaires dans les secteurs de la santé et des services sociaux, de la condition féminine, du développement de l'employabilité, de la coopération internationale, de l'éducation populaire, de l'environnement, de la culture, des loisirs, etc. ; les actions et les revendications de ces groupes ; la présence de pôles de vie communautaire stratégiques dans la communauté ; les instances de concertation ; les lieux les plus fréquentés par les populations marginalisées, etc. ;

+ le réseau des **associations sociales** locales : clubs sociaux, clubs de l'âge d'or, associations sportives, etc. ;

+ la **communication** et les **médias** : journaux locaux privés et communautaires ; radio locale privée ou communautaire ; télévision communautaire, etc.

Pour recueillir l'information dont il a besoin, l'intervenant communautaire consultera diverses données et sources d'information. Ces choix se feront en fonction de ce dont on estime avoir besoin ainsi que du temps et de l'énergie dont on dispose. Les sources d'information peuvent se regrouper en deux grandes catégories :

1) **les données quantitatives, objectives, statistiques et factuelles**, par exemple des données sociodémographiques et socioéconomiques que l'on trouve dans les recensements de Statistique Canada, les données recueillies par l'Institut de la statistique du Québec et les études du Conseil national du bien-être social ; des renseignements sur la santé d'une population disponibles dans les agences de la santé et des services sociaux, dans les directions de santé publique et dans les CSSS ; des informations sur le développement socioéconomique que l'on trouve dans les conférences régionales des élus (CRÉ), les centres locaux de développement (CLD), les chambres de commerce, les corporations de développement économique communautaire (CDEC), les coopératives de développement régional ; les informations sur les logements sociaux offertes par les offices municipaux d'habitation ; les informations sur le développement social que l'on retrouve dans les regroupements d'organismes communautaires ; des informations sur l'environnement que l'on peut obtenir des conseils régionaux de l'environnement (CRE), des informations sur l'histoire recueillies par les Sociétés d'histoire, etc. ;

2) **les données qualitatives** couvrant des aspects plus subjectifs et dynamiques de la vie d'une communauté, que l'on peut obtenir notamment par des entrevues ou des entretiens avec des citoyens d'un quartier, des intervenants de divers organismes communautaires, des travailleurs de rue, des

commerçants ou même des leaders religieux ; des questionnaires destinés à un échantillonnage de personnes concernées par une situation ; des échanges informels dans des restaurants de quartier ou à la laverie du coin ; de l'observation directe ou de l'observation participante ; de la lecture de recherches ou d'enquêtes comportant des données qualitatives, etc.

L'analyse et l'interprétation des données seront ensuite déterminantes pour cerner les problèmes et les besoins susceptibles de déboucher sur des projets d'action communautaire.

Mentionnons que la connaissance et l'analyse d'une communauté locale, en tout ou en partie, représentent un travail constant, car les intervenants communautaires doivent rester sensibles aux changements qui, au fil du temps et des événements, se produisent dans la communauté où ils interviennent.

2.2. L'analyse d'une communauté d'intérêts ou d'identité

L'analyse d'une communauté fait référence à deux autres notions du concept de communauté[13] :

Communauté d'intérêts	Population ou segment de population locale dont les membres partagent les mêmes conditions socioéconomiques ou vivent les mêmes situations d'injustice, d'oppression ou d'exclusion. C'est le cas, par exemple, des personnes assistées sociales, des travailleuses et travailleurs non syndiqués, des locataires, des chômeurs, des consommateurs, etc.
Communauté d'identité	Population partageant la même appartenance culturelle et une identité commune dans la société en tant que groupe social, par exemple les femmes, les jeunes, les personnes âgées, la communauté LGBT ou les membres d'une communauté ethnoculturelle.

Qu'elle porte sur l'une ou l'autre de ces communautés, l'analyse cherchera à dégager un profil de ce groupe social, à établir les problèmes et les besoins de cette population ainsi que la volonté de participation au changement manifestée par l'expression de solutions ou de pistes d'action. Encore ici, il faudra avoir recours à des données quantitatives et qualitatives pour effectuer une telle analyse.

---

13. L. Doucet et L. Favreau (1991), « Communautés et champs de pratique : les trois moteurs de l'action collective en organisation communautaire », p. 238-239, dans L. Doucet et L. Favreau (dir.), *Théorie et pratiques en organisation communautaire*, Québec, Presses de l'Université du Québec, 464 p.

2.3. L'analyse d'un problème social

Le concept de problème social pourrait se définir comme suit :

Problème social | Il y a un problème social lorsqu'un grand nombre de personnes sont affectées par une situation donnée, que cette situation est jugée intolérable et que les gens sont conscients de la nécessité d'une action collective[14].

En intervention communautaire, il est nécessaire d'étudier l'évolution des problèmes sociaux au sein des communautés, voire de contribuer à faire émerger en tant que problème social des situations nouvelles ou des situations jusque-là occultées ou masquées au sein de cette même communauté. À cet égard, l'intervenant communautaire doit être particulièrement sensible à ce que Dorvil et Mayer appellent la double définition de la notion de problème social :

> Il existe une double définition de la notion de problème social. Il y a d'une part, les acteurs des organismes institutionnels (gouvernement, établissement, professions, universités) qui construisent le concept de problème social en jetant sur lui un regard institutionnel, administratif et professionnel. Mais d'autre part, il y a la réalité des gens, des acteurs sociaux qui vivent quotidiennement un certain nombre de difficultés, tant d'ordre économique, relationnel, médical, etc., et qui tentent d'y apporter des solutions. Le plus souvent, ces deux réalités ne se rencontrent pas, dans la mesure où les acteurs institutionnels tentent d'imposer leur propre conception et définition des problèmes sociaux aux acteurs sociaux[15].

Ce constat nous force à reconnaître qu'il n'y a pas unanimité dans la population sur la nature et l'importance des problèmes sociaux, et qu'à travers la diversité des prises de position sur les problèmes sociaux se manifestent à la fois des conflits de valeurs et des conflits sociaux. À l'instar de toute forme de recherche-action, on doit donc considérer les savoirs d'experts et les savoirs citoyens, les deux pouvant parfois s'opposer, parfois se compléter. Le défi de l'intervenant consiste donc à concilier diverses sources d'information en vue de favoriser une action sur des problèmes collectifs avec les personnes qui se sentent concernées, et ce, avec le soutien des institutions et organisations communautaires.

---

14. R. Mayer et M. Laforest (1990), « Problème social : le concept et les principales écoles théoriques », *Service social*, vol. 39, n° 2, p. 16.
15. H. Dorvil et R. Mayer (dir.) (2001), *Problèmes sociaux. Tome II. Étude de cas et interventions sociales*, Québec, Presses de l'Université du Québec, p. 2.

Dans un tel contexte de multiplicité des points de vue, il est intéressant de se pencher sur le processus de construction des problèmes sociaux auquel participent les intervenants communautaires. Inspiré du courant interactionniste des problèmes sociaux, le processus de construction d'un problème social peut se résumer ainsi :

> Un problème social provient d'un processus par lequel une situation sociale particulière est sélectionnée et identifiée comme étant problématique ; ainsi, un problème social n'existe pas tant qu'il n'a pas été identifié. Son apparition est tributaire de l'activité de certains groupes qui considèrent des situations comme étant problématiques et décident d'intervenir. Il est donc de première importance de savoir qui définit ces situations, s'ils ont de l'influence et du pouvoir, et de quelle manière ils les définissent[16].

Selon le courant interactionniste, le processus de construction d'un problème social permet de comprendre que la reconnaissance de l'existence d'un problème social est la plupart du temps issue de la confrontation de divers groupes d'intérêts et que, par le fait même, les points de vue de ces groupes d'intérêts ne coïncideront pas nécessairement, tant sur les causes du problème que sur les moyens à prendre pour le régler. Il faut aussi ajouter à la perspective constructiviste des problèmes sociaux les perspectives d'analyse de l'approche féministe et de l'approche du conflit social, qui ont respectivement fait ressortir l'existence de rapports de sexe inégaux et de rapports de classes dans la notion de problème social. Cette radicalisation de l'analyse des problèmes sociaux a mis en lumière l'étude des mouvements sociaux comme étant au cœur de l'analyse des problèmes sociaux et des changements sociaux.

Dans les faits, en matière de recherche sociale, la réalité et la responsabilité de l'intervenant communautaire sont complexes puisque celui-ci devra prendre conscience, à travers son processus de recherche, des dimensions idéologiques, politiques et économiques, le plus souvent masquées, des points de vue qui s'exprimeront. Par exemple, il n'y a rien de « neutre » ou de foncièrement « objectif » dans le choix des personnes et des acteurs à qui l'intervenant-chercheur donnera la parole dans sa recherche, non plus que dans le choix du cadre théorique qui lui servira de balises. La façon d'orienter l'étape de collecte de données, d'analyser et d'« organiser » les informations recueillies pourra ainsi varier énormément d'une recherche à l'autre.

---

16. *Ibid.*, p. 3.

De manière générale, la recherche sur un problème social vise à proposer une ou des définitions du problème, à cerner son ampleur et ses manifestations, à identifier les populations touchées de même que les réalités vécues par ces personnes, à circonscrire les lieux où le problème est présent, à faire ressortir des éléments comparatifs, à établir les facteurs explicatifs et la nature de ces causes (individuelle, institutionnelle, structurelle, contextuelle…), à faire une démonstration des conséquences du problème, ainsi qu'à décrire les ressources offertes en lien avec le problème. Selon la recherche, d'autres éléments pourront s'ajouter, par exemple une perspective historique du problème, l'encadrement législatif du problème, des témoignages ou extraits de récits de vie, les limites de la recherche. L'analyse d'un problème social fera aussi ressortir des recommandations ou des pistes de solutions, solutions qui, dans la mesure où elles traduisent l'aspiration collective des acteurs sociaux concernés, pourront comporter un caractère subversif par rapport aux normes et à l'ordre sociopolitique établi.

2.4. L'analyse d'une situation-problème

La réalisation d'une analyse de situation ne requiert pas toujours des recherches aussi étendues que celles qui viennent d'être décrites. Le quotidien des pratiques d'action communautaire est souvent fait d'analyses d'envergure plus modeste qui visent des objectifs plus précis, essentiellement pour vérifier la connaissance et la compréhension de certaines situations-problèmes afin d'estimer le potentiel d'une action collective et son orientation.

Mentionnons, par exemple, les enquêtes en consommation effectuées régulièrement par les associations coopératives d'économie familiale (ACEF) et les associations vouées à la défense et à la promotion des droits des consommateurs à la suite de plaintes répétitives de consommateurs.

3. LE CHOIX D'UN PROJET D'ACTION

Choix d'un projet d'action | L'analyse de la situation ayant permis de cerner un ou des problèmes et d'identifier un ou des besoins, il s'agit maintenant de déterminer ce qu'il faut faire pour résoudre ces problèmes ou répondre à ces besoins.

L'étape du choix d'un projet d'action se fera en explorant les projets d'action collective possibles et en évaluant leur réalisme et leur faisabilité. En principe, l'étape de l'analyse de la situation qui précède aura dégagé des pistes de solution ou d'action. Il s'agit maintenant de choisir, parmi les pistes relevées, ce qu'il serait prioritaire et possible de réaliser. Selon le contexte, divers facteurs pourront être pris en considération, tels que le potentiel de contrôle de l'action par les membres, la présence d'une conjoncture favorable ou défavorable, l'anticipation d'une stratégie efficace de financement, etc.

L'évaluation de projets déjà réalisés pour résoudre un problème ou répondre à un besoin similaire constitue à cette étape une démarche fort pertinente. Inutile de réinventer la roue ! Il faut savoir profiter de l'expérience des autres. Une revue de littérature et des échanges avec des représentants d'organismes communautaires ou publics ayant déjà entrepris des actions touchant le problème ou le besoin auquel on est confronté permettront de partir du bon pied et de gagner du temps.

Le repérage des personnes et organismes pouvant contribuer au projet à titre de partenaires ou d'alliés est aussi une dimension essentielle à considérer pour connaître le potentiel de solidarité active dans la communauté. Par la même occasion, il est important d'établir quels sont les personnes, organismes communautaires, établissements publics, élus, règlements ou lois susceptibles de s'opposer au projet ou d'en empêcher la réalisation.

Selon la nature du projet, il peut être nécessaire de déterminer les sources de financement potentielles. Cette variable permettra de mieux évaluer le réalisme d'un projet, surtout s'il s'agit de la mise sur pied d'une ressource ou d'un service qui exige une certaine infrastructure et l'embauche de personnel salarié. Le défi que pose l'accès à un financement n'empêchera sans doute pas d'agir, mais il pourra remettre en question le réalisme des objectifs d'action ou obliger le groupe à déployer davantage d'imagination dans la mise en œuvre d'un projet.

Un autre élément important à considérer est l'aspect du problème ou le besoin que les personnes concernées jugent prioritaire. En fait, il s'agit de vérifier les éléments de motivation qui inciteront ces personnes à s'engager dans une action collective. Il faudra donc évaluer la poussée du malaise (la perception du problème ou besoin) et la « tirée de l'espoir » (perception d'une solution au problème).

Le processus de prise de décision qui doit être mis en place à cette étape de l'intervention devrait être démocratique et s'appuyer sur les principaux facteurs suivants :

- les résultats des négociations anticipées entre les parties concernées ou le rapport de forces que le groupe croit possible d'établir en cas de conflit entre les parties ;

- la présence de personnes et d'organismes qui acceptent d'assumer un leadership et une part de responsabilités dans l'organisation et la réalisation du projet ;
- la force des appuis au sein de la communauté, des organismes communautaires, des institutions et des élus du milieu ;
- le rapport entre les ressources matérielles nécessaires et celles qui sont disponibles ;
- le financement requis et les sources de financement accessibles ;
- le temps dont le groupe dispose pour réaliser son projet ;
- la conjoncture sociale, économique et politique et l'évaluation du moment opportun (*timing*).

À cette étape, il est primordial d'associer les acteurs concernés à la démarche si l'on veut que l'action soit mobilisatrice. On pourra ainsi constituer un premier noyau formé de personnes impliquées et de représentants d'organismes, d'établissements publics ou d'élus qui s'entendent sur la définition du problème ou du besoin, ainsi que sur le choix des actions à poser.

4. L'ÉLABORATION D'UN PLAN D'ACTION

L'élaboration d'un plan d'action | L'élaboration du plan d'action est une étape de planification au cours de laquelle seront déterminés ou précisés : les objectifs, la stratégie, les moyens d'action, le partage des responsabilités et le mode de fonctionnement, l'échéancier, les ressources humaines et matérielles requises et, si nécessaire, le choix de la structure organisationnelle sur laquelle s'appuiera l'action.

La planification d'un projet d'action collective constitue une étape critique qui déterminera dans une bonne mesure ses chances de succès[17].

Trop souvent, surtout lorsqu'une situation commande d'agir rapidement, on considère le temps accordé à la planification comme du temps perdu, car on n'en voit pas l'utilité. Bien que tous les intervenants communautaires et les groupes n'élaborent pas un plan d'action aussi détaillé que celui qui est proposé dans ce chapitre, nul ne devrait faire l'économie d'une étape consacrée à la

---

17. F. Marcotte (1986), *L'action communautaire : ses méthodes, ses outils, ses rouages et sa gestion*, Montréal, Saint-Martin, p. 66-67.

planification. Pour se convaincre des effets positifs d'un tel exercice, relevons certains des avantages de cette étape cruciale du processus d'intervention. Le plan d'action :

- aide le groupe à formuler ses objectifs de façon précise, mesurable et réaliste et accroît par le fait même les chances de succès ;
- permet aux personnes impliquées dans l'action de travailler de manière plus efficace, en sachant exactement où s'inscrit leur engagement dans l'ensemble de l'action ;
- donne au groupe un outil de travail lui permettant d'effectuer un meilleur suivi de son projet ;
- évite l'éparpillement dans d'autres actions qui, bien qu'elles semblent intéressantes lorsque l'occasion ou la demande se présente, risquent de nuire à l'atteinte des objectifs prioritaires du groupe ;
- constitue un outil pour évaluer le projet.

Le plan d'action peut s'élaborer avec le noyau de personnes déjà mobilisé à l'étape du choix d'un projet d'action. Selon le contexte, il pourra aussi être dressé lors d'un exercice de planification annuelle ou stratégique. Un plan d'action peut même être monté avec le concours de plusieurs acteurs (citoyens, organismes communautaires, établissements publics, entreprises privées, élus, etc.) réunis en forum ou autrement pour lancer une action sur un territoire.

Dans un cas comme dans l'autre, il ne faut pas sous-estimer le temps et la préparation que requiert un tel exercice de planification et d'organisation de l'action. Diverses méthodes pourront être utilisées par le groupe, allant de la préparation par un comité restreint qui soumettra un projet de plan d'action à un groupe plus élargi jusqu'à un exercice de planification stratégique de type « lac-à-l'épaule » à l'aide d'outils de planification. Si le groupe relance ou poursuit une action déjà amorcée, l'élaboration du plan d'action se fera à l'aide du bilan précédent. Les leçons tirées des actions passées serviront à établir les conditions favorables à l'atteinte de ses objectifs, ce qui évitera de répéter les mêmes erreurs et maximisera les chances de réussite.

4.1. Les objectifs

Les objectifs | Les objectifs sont les résultats ou changements que l'on souhaite atteindre au terme de la réalisation du ou des projets d'action.

La définition d'objectifs clairs et partagés par l'ensemble des personnes engagées dans un projet ou une action collective constitue un élément essentiel d'un processus d'intervention communautaire.

Voyons quelques-uns des éléments et des caractéristiques dont le groupe doit tenir compte dans la formulation de ses objectifs.

- Les objectifs doivent être spécifiques, concrets, réalistes et mesurables.
- Les objectifs touchent une dimension sensible et importante pour les personnes visées et impliquées.
- Les objectifs peuvent être à court, moyen ou long terme, certains projets mettant parfois des mois, voire des années à se concrétiser.
- Les objectifs seront en lien avec la mission du groupe, de l'établissement ou du service au sein de l'établissement, laquelle mission sera bien souvent en lien avec l'objectif général poursuivi par le projet.
- La formulation des objectifs sera positive et contiendra un verbe d'action.
- En intervention communautaire, les dimensions d'*empowerment* et d'éducation populaire sont primordiales. Cet aspect pourra constituer un objectif en soi ou pourra traverser l'ensemble du processus d'intervention.

Malgré cette réflexion sur les résultats que l'on souhaite atteindre à l'étape de la planification de l'action, il n'est pas rare qu'à l'étape de la mise en œuvre du plan d'action on doive revoir certains objectifs. Divers facteurs tels que la dynamique interne et externe du groupe, l'émergence de nouveaux enjeux liés à l'évolution de la conjoncture ou encore des effets non prévus de l'action pourront forcer le groupe à faire des ajustements. C'est pourquoi, durant la phase de réalisation de l'intervention, une étape de vérification et d'ajustements au plan d'action est prévue.

4.2. La stratégie

La stratégie | La stratégie est l'art de coordonner et d'orienter les actions pour atteindre un objectif. L'élaboration d'une stratégie repose sur un ensemble de décisions prises en fonction d'hypothèses de réactions des parties concernées dans une conjoncture déterminée. Ainsi, le choix de la stratégie peut différer selon la mission du groupe, l'objectif à atteindre, les valeurs des personnes et des organisations concernées ainsi qu'en fonction de l'analyse que le groupe fera de la conjoncture et des enjeux en présence.

La stratégie repose donc sur la capacité à anticiper la réponse des personnes, des décideurs, des organisations, des entreprises ou ordres de gouvernement visés par le ou les objectifs que le groupe souhaite atteindre, et à organiser l'action en conséquence. Le choix d'une stratégie s'effectuera généralement selon trois perspectives que l'on qualifie de consensuelle, de négociation ou conflictuelle.

Stratégie de type consensuel | Une stratégie consensuelle suppose l'anticipation d'un accord général entre les parties concernées sur le plan de la légitimité du ou des objectifs visés, des valeurs sous-jacentes ainsi que des moyens à prendre pour atteindre ces objectifs.

Ainsi, un comité de citoyens composé de familles vivant à proximité d'un parc où se trouve une aire de jeux pour les jeunes enfants privilégiera une stratégie de type consensuel dans son rapport avec la municipalité pour faire valoir la désuétude de certaines installations et montrer la nécessité de procéder à des réparations, à de nouveaux aménagements ou à l'achat de nouveaux équipements. Dans un tel cas, les parents misent sur le fait que le personnel à l'emploi de la municipalité et les membres du conseil municipal trouveront légitime l'objectif d'assurer la sécurité et le bien-être des enfants. En outre, les parents font aussi l'hypothèse que la municipalité consentira, à partir de la démonstration du besoin et des démarches administratives et de représentations publiques effectuées dans les normes, à débourser les sommes nécessaires pour réaliser les aménagements requis.

Stratégie de négociation | Une stratégie de négociation suppose l'anticipation d'un accord général entre les parties concernées sur le plan de la légitimité de l'objectif général et des valeurs sous-jacentes, mais un différend important sur les moyens à prendre pour atteindre cet objectif.

La stratégie de négociation peut être illustrée par l'action d'un regroupement d'étudiantes de cégep qui, pour faire valoir le bien-fondé de ses demandes visant à accroître la sécurité des jeunes femmes dans les résidences, sur le campus et aux alentours du collège, opte pour une stratégie de négociation dans son rapport avec les parties concernées. Dans ce cas, les étudiantes font l'hypothèse que les acteurs concernés, soit la direction du collège, la municipalité et les services policiers, reconnaîtront la légitimité d'assurer aux étudiantes un environnement sécuritaire, mais que des résistances surgiront eu égard aux solutions proposées en raison des coûts et des changements organisationnels que leur application entraîne.

Stratégie de type conflictuel | Une stratégie de type conflictuel s'élabore à partir d'un désaccord important entre les parties concernant la reconnaissance et l'importance du problème, ses causes et ses conséquences, de même que sur la nécessité de prendre des moyens pour agir afin de résoudre ce problème. Ce désaccord peut parfois être extrêmement marqué et porter sur des choix de société divergents et des valeurs opposées.

Les exemples illustrant le choix d'une stratégie conflictuelle attribuable à la présence de visions antagonistes sont nombreux. En effet, les luttes qui ont été menées par les divers mouvements sociaux au Québec et dans le monde pour le respect des droits humains, pour l'égalité entre les hommes et les femmes, pour une altermondialisation, pour le respect de l'environnement, contre la pauvreté, pour le droit au logement, etc., ont pour la majorité d'entre elles été marquées par des actions collectives se déployant à l'intérieur d'une stratégie de type conflictuel. Des luttes marquées par un rapport de force s'inscrivant dans une stratégie conflictuelle sont aussi venues ponctuer l'histoire et le développement de plusieurs quartiers, villes et villages du Québec.

Il convient de signaler que le choix d'une stratégie n'est pas exclusif et définitif. Un groupe emprunte l'avenue qui lui semble la plus appropriée à un stade donné de son action. Dans les faits, il peut même arriver que plus d'une stratégie soit utilisée en escalade à un moment ou à un autre du projet d'action. Comme nous le relevions d'entrée de jeu dans ce chapitre, l'action communautaire étant faite d'interactions, d'effets d'action-réaction et de jeux circulaires entre acteurs dans des rapports tantôt consensuels, tantôt conflictuels, le choix d'une stratégie pourra changer au fil du temps et des événements. C'est dans cet esprit d'ailleurs que Dumas et Séguier[18] estiment que toute démarche d'action collective résulte d'une dynamique qui doit tenir compte des dimensions d'enjeux liés à l'analyse d'un contexte en constante évolution qui réunit plusieurs protagonistes concernés par des intérêts à la fois convergents et divergents.

4.3. Les moyens d'action

Les moyens d'action | Les moyens d'action sont les outils, les activités, les actions et les moyens de pression que le groupe choisit pour atteindre ses objectifs.

En action communautaire, le choix des moyens d'action est extrêmement diversifié. Il repose autant sur la connaissance et l'analyse d'expériences d'autres groupes que sur les possibilités conjoncturelles qui s'offrent au groupe dans son milieu, sur la mobilisation et les appuis que le groupe croit être capable d'obtenir, et sur l'imagination et la créativité des personnes concernées. Mais quels que soient les choix qui seront faits, un principe doit être respecté: les moyens d'action devront être en accord avec le type de stratégie privilégié et les valeurs du groupe.

---

18. Dumas et Séguier, *op. cit.*

Par exemple, dans une stratégie que l'on souhaite de type consensuel, on sollicitera un rendez-vous officiel et un échange avec un élu pour défendre un projet et établir un partenariat plutôt que d'organiser une occupation visant à perturber une administration ou à alerter la population sur ses dysfonctionnements ou ses pratiques.

Quelle que soit la stratégie envisagée, les différents moyens d'action parmi lesquels le groupe pourra faire ses choix sont nombreux et variés. Ils puiseront en bonne partie leur inspiration de l'une ou l'autre des actions collectives se rattachant aux quatre principales approches qui ont façonné l'organisation communautaire au Québec : l'approche d'action sociale ou sociopolitique, l'approche de développement local, l'approche socio-institutionnelle et l'approche sociocommunautaire[19]. En voici quelques exemples :

- diffusion publique des résultats d'une enquête ou d'une recherche ;
- organisation d'activités de sensibilisation et de mobilisation : porte-à-porte, kiosque, rencontre de formation, assemblée publique d'information, forum, colloque, théâtre d'intervention, etc. ;
- mise en place d'une stratégie de communication faisant appel à l'utilisation des médias de masse, des médias alternatifs et des réseaux sociaux ;
- rencontres avec des décideurs et des élus ;
- prise de parole dans le cadre de réunions publiques de conseils d'administration ou de conseils municipaux ;
- mémoires présentés lors d'audiences publiques ou de commissions parlementaires ;
- pétitions, lettres d'appui, envoi massif de cartes postales ou de messages textes ;
- utilisation de recours moraux ou judiciaires pour contester un règlement ou une loi ;
- manifestation, marche, vigile ;
- tactiques d'une « politique de l'agir » ;
- actions de désobéissance civile.

Pour en savoir plus sur cet aspect de la planification et de l'organisation de l'action, on pourra se reporter au chapitre 5, « La sensibilisation, la mobilisation et les moyens de pression », et au chapitre 6, « Les communications ».

---

19. D., Bourque, Y. Comeau, L. Favreau et L. Fréchette (dir.) (2007), *L'organisation communautaire. Fondements, approches et champs de pratique*, Québec, Presses de l'Université du Québec, 534 p.

4.4. Le partage des responsabilités et le mode de fonctionnement

Le partage des responsabilités et le mode de fonctionnement

Le partage des responsabilités permet d'établir les principales responsabilités et les tâches qui sont associées aux objectifs du projet. Le mode de fonctionnement est la structuration d'un processus démocratique de prise de décision et de suivi de l'action.

Le partage des responsabilités et des tâches est un aspect crucial de la planification de l'action collective. Idéalement, ce partage se réalisera dans le respect des intérêts, des aptitudes et des disponibilités des personnes impliquées. Dans les faits, il arrive que certaines personnes acceptent d'assumer des responsabilités et des tâches qui leur conviennent plus ou moins afin de favoriser la réalisation du projet et de ses objectifs. Dans ce cas, on veillera à les remplacer dès que possible.

C'est au moment du partage des responsabilités et des tâches que le groupe passera le premier test du réalisme de ses objectifs, car si personne ne se propose pour assumer certaines tâches, il faudra inévitablement s'ajuster. Mentionnons que l'on peut rarement prévoir l'ensemble des tâches au début d'un projet, à moins que celui-ci ne se répète depuis plusieurs années. On doit donc se résoudre à faire au mieux, ce qui sera déjà fort utile.

Concernant le mode de fonctionnement, il s'agit de déterminer de quelle façon et à quel rythme se prendront les décisions, et de quelle façon s'effectuera le suivi de l'action.

On dit souvent que le processus est aussi important que l'objectif. À cet égard, le fonctionnement doit s'harmoniser avec les valeurs auxquelles adhère le groupe. Ainsi, les valeurs de démocratie, de solidarité, d'équité et d'entraide sont autant de valeurs qui devront être nommées et actualisées dans l'action. Le choix de ces valeurs guide le fonctionnement du groupe et les comportements des personnes engagées dans un projet d'action communautaire en orientant leur conduite et leur manière d'interagir. De même, la préoccupation d'*empowerment* devrait guider le travail de l'intervenant communautaire en l'amenant à encourager un partage des responsabilités et des tâches, et à opter pour un mode de fonctionnement favorisant une démarche d'autonomie et de prise en charge par les personnes directement concernées par la situation.

Voici quelques-uns des éléments à considérer dans cet aspect du plan d'action:

- le choix d'un mode de prise de décision;
- les modalités d'organisation des réunions: fréquence, lieu, durée, mode de convocation;

- l'animation des réunions et la prise de notes ;
- l'utilité de créer des comités de travail et de préciser les pouvoirs et responsabilités qui leur sont délégués ;
- la mise en place d'une modalité de coordination ;
- la mise en place de mécanismes de suivi entre les réunions ;
- le partage des responsabilités et des tâches dans le respect des habiletés, des intérêts, des disponibilités et, au besoin, l'organisation d'activités de formation à l'intention des personnes engagées dans l'action.

4.5. L'échéancier

L'échéancier | L'échéancier est un instrument qui balise le plan d'action en fixant les étapes de réalisation d'un projet dans le temps.

L'échéancier permet aux personnes et aux groupes impliqués dans l'action de mieux inscrire leur engagement dans la planification générale des activités. En effet, cet instrument force chacun et chacune à s'acquitter de ses responsabilités dans les délais fixés sous peine de nuire à la poursuite du projet. Certaines règles doivent être respectées lors de son élaboration. Ainsi, l'échéancier doit :

- être le plus précis et le plus réaliste possible ;
- comporter une marge de manœuvre qui permet les inévitables ajustements consécutifs aux dynamiques en jeu dans une démarche d'action collective ;
- tenir compte des rythmes de vie des personnes impliquées, des temps forts et des temps faibles pour se réunir et se mobiliser.

Parfois, l'échéancier se construit sous forme de «compte à rebours», à partir de la date d'un événement fixé des semaines, voire des mois à l'avance, permettant ainsi au groupe d'atteindre son objectif ou ses objectifs en commençant sa préparation suffisamment à l'avance et de s'assurer que rien ne sera oublié.

4.6. Les ressources

Les ressources | Cet élément vise l'évaluation des ressources humaines et matérielles qui seront requises pour la mise en œuvre des moyens d'action.

Sur le plan des ressources humaines, le groupe évaluera s'il peut se limiter à l'engagement des participants qui s'impliquent déjà ou s'il doit faire appel à la collaboration de personnes-ressources ou à celle d'organismes du milieu. Si le nombre et les compétences des participants déjà engagés dans l'action suffiront à la réalisation du projet, on s'en tiendra au partage des responsabilités et des tâches établi précédemment. Mais si la collaboration d'autres ressources est requise, le groupe devra s'interroger sur la nature de ces collaborations. Ces personnes devront-elles posséder des connaissances ou des compétences particulières ? Sera-t-il possible de les impliquer bénévolement ou le groupe devra-t-il envisager de verser des honoraires, voire songer à embaucher du personnel salarié ?

En ce qui concerne les ressources matérielles, les besoins peuvent se situer à des niveaux différents et multiples : local, aménagement, matériel divers, transport, communication, etc. Il est possible que le groupe dispose déjà de certaines de ces ressources. Pour combler les manques, le groupe pourra effectuer une évaluation des besoins et des coûts qui leur sont associés.

Après l'inventaire des ressources humaines et matérielles requises, il s'agira de calculer le total des frais engagés et, au besoin, de procéder à une recherche de financement pour payer les dépenses nécessaires. Une fois cet exercice terminé, le groupe peut être obligé de réévaluer le réalisme de ses moyens d'action s'il ne parvient pas à trouver des sources de financement. Dans certains cas, le groupe peut même s'accorder un délai pour produire une demande de subvention ou organiser une ou des activités d'autofinancement au préalable.

4.7. La structure organisationnelle

La structure organisationnelle | La structure organisationnelle est le cadre ou la structure plus ou moins formel que le groupe met en place pour soutenir l'action.

Bien que plusieurs projets d'action collective soient soutenus par la structure organisationnelle d'un organisme communautaire ou d'un établissement public déjà existant, il arrive que certains projets nécessitent la création d'une nouvelle ressource ou d'un nouveau regroupement pour agir collectivement. Dans ce cas, il s'agira de bien évaluer quelle structure organisationnelle sera la mieux adaptée pour soutenir l'action du groupe. Voici les quatre scénarios les plus courants à envisager lorsque vient le temps de planifier le choix d'une structure organisationnelle :

1) ***La préexistence d'une structure organisationnelle.*** Les actions collectives menées par les membres et les personnes salariées d'organismes communautaires ou d'établissements publics bénéficient de la structure organisationnelle déjà en place et des ressources de cette organisation.

2) *L'organisation de bonne foi.* Dans ce scénario, les personnes impliquées ne sont rattachées à aucune structure organisationnelle permanente et préfèrent s'organiser sans cadre légal. C'est la forme d'organisation que choisissent de nombreux comités dont l'organisation ne dure que le temps nécessaire à l'action, ou encore celle des organismes communautaires à leur début.

3) *La mise sur pied d'une structure organisationnelle légale.* Lorsqu'un projet d'action collective a pour objectif de mettre en place une nouvelle ressource pour la communauté et que cette ressource a besoin d'un statut juridique pour assurer une durabilité et une viabilité de manière autonome, la création d'une organisation formelle est nécessaire. Dans ce cas, il faudra prendre soin de bien planifier cet élément du plan d'action et choisir la forme d'organisation légale qui convient le mieux à la mission, aux objectifs et au fonctionnement que le groupe souhaite se donner. Les deux principales formes d'organisation légale à la disposition des groupes sont l'organisme à but non lucratif (OBNL) constitué en vertu de la partie III de la Loi sur les compagnies[20] et la coopérative constituée en vertu de la Loi sur les coopératives[21]. Le groupe devra aussi voir s'il souhaite s'enregistrer à titre d'organisme de bienfaisance auprès de l'Agence du revenu du Canada afin de pouvoir recevoir des dons déductibles d'impôts, puisque l'obtention d'un tel statut vient baliser la mission et les activités du groupe.

4) *La mise sur pied d'un regroupement d'organismes.* Des organismes pourront décider de se regrouper pour mieux agir, par exemple assurer une meilleure concertation dans un milieu, élaborer un projet commun, alerter l'opinion publique, influencer les décideurs ou exercer des moyens de pression plus efficaces. Différents types de regroupements sont possibles : table de concertation, coalition, front commun, ralliement, regroupement d'associations autonomes, etc.

Selon la structure organisationnelle choisie, le groupe pourra aller chercher soit l'aide des services d'organisation communautaire du CSSS de son milieu, soit celle d'autres organismes communautaires ayant une mission de soutien à

---

20. En vertu de la Loi sur les compagnies, un OBNL est une personne morale sans intention de faire un gain pécuniaire, dans un but national, patriotique, religieux, philanthropique, charitable, scientifique, artistique, social, professionnel, athlétique ou sportif ou autre du même genre.

21. En vertu de la Loi sur les coopératives, une coopérative est une personne morale regroupant des personnes ou des sociétés qui ont des besoins économiques, sociaux ou culturels communs et qui, en vue de les satisfaire, s'associent pour exploiter une entreprise conformément aux règles d'action coopérative.

la création de nouvelles ressources communautaires ou d'entreprises d'économie sociale. En voici des exemples : les Corporations de développement communautaire (CDC), les Corporations de développement économique et communautaire (CDEC), les carrefours jeunesse-emploi (CJE), les Sociétés d'aide au développement des collectivités (SADC), les Coopératives de développement régional (CDR), les Conseils régionaux d'économie sociale (CRES), les Centres locaux de développement (CLD), les Conférences régionales des élus (CRÉ), de même que les Groupes de ressources techniques (GRT).

LA RÉALISATION DE L'INTERVENTION

La phase de réalisation de l'intervention se subdivise en deux étapes : l'étape 5 – La réalisation de l'action – et l'étape 6 – La vérification du plan d'action. Dans les faits, il y a fort à parier que ces deux étapes s'entrecroisent, car, comme le soulignent Dumas et Séguier[22], la dynamique d'une action collective confronte le groupe à une logique inductive d'intervention, c'est-à-dire une logique qui part de la réalité. Cette réalité est généralement complexe et mouvante, car elle est tributaire de divers facteurs de progression du projet, notamment le jeu des actions, offensives/défensives, les rapports entre acteurs, consensuels/conflictuels, de même que les facteurs reliés à l'environnement socioculturel, socioéconomique et sociopolitique. Ainsi, la vérification du plan sera continue et devra permettre d'adapter le plan d'action à l'évolution du contexte.

5. LA RÉALISATION DE L'ACTION

La réalisation de l'action | La réalisation de l'action est l'étape de la mise en œuvre du plan d'action qui a été élaboré. Ce sera, au fil des semaines et des mois, l'expérience du travail de sensibilisation, d'éducation populaire, d'organisation, d'animation, de mobilisation et de communication inhérente à l'atteinte des objectifs que le groupe s'est fixés par son action collective.

---

22. Dumas et Séguier, *op. cit.*

La réalisation de l'action comporte aussi l'apprentissage du travail en équipe et l'exercice de la démocratie pour la prise de décision au sein du groupe. La réalisation de multiples tâches est nécessaire pour mener à bien le soutien à une action collective. En voici des exemples :

- Préparer et animer les réunions.
- Assurer le suivi des décisions prises, des responsabilités et des tâches distribuées lors des réunions.
- Favoriser un partage des responsabilités et des tâches équitable qui respecte les disponibilités et les habiletés de chacun.
- Organiser la démarche de sensibilisation et concevoir les activités et les outils qui y sont rattachés.
- Développer des solidarités par un travail de mobilisation.
- Effectuer les démarches légales se rattachant à la mise en place d'une structure organisationnelle.
- Préparer un budget de fonctionnement et une stratégie de financement, préparer les demandes, en assurer le suivi et organiser des activités d'autofinancement.
- Choisir un modèle de gestion et structurer la gestion des activités et des ressources humaines et financières.
- Mettre en œuvre des moyens d'action et, le cas échéant, des moyens de pression.
- Concevoir et réaliser une stratégie de communication.
- Favoriser un processus d'*empowerment* tout au long de l'action, notamment par l'éducation populaire et le soutien aux personnes qui prennent progressivement le leadership démocratique.
- Résoudre de manière constructive les malaises, les désaccords et les conflits qui surgiront durant l'action.

Parmi les défis à relever à cette étape de l'intervention, le maintien de la cohésion du groupe et de la mobilisation en est un de taille. En effet, si l'on réussit à susciter l'intérêt et la participation des personnes touchées ou concernées par un problème, il peut se révéler plus difficile de maintenir cette cohésion et cette mobilisation tout le temps que durera l'étape de la réalisation de l'action, qui peut parfois s'échelonner sur des semaines, des mois, voire des années. Le groupe doit donc s'attendre à ce que la mobilisation fluctue et être prêt à remettre en question le réalisme de ses objectifs, et à revoir le choix de ses moyens d'action ou encore son mode de fonctionnement si la mobilisation s'essouffle trop rapidement. Plusieurs des aspects fondamentaux de la réalisation de l'action seront approfondis dans les chapitres qui suivent.

6. LA VÉRIFICATION DU PLAN D'ACTION

Vérification du plan d'action

Cette étape constitue une période de réajustement du cheminement d'un plan d'action. Elle confirmera ou non la pertinence de poursuivre l'action de la manière prévue et permettra au groupe de corriger le tir en cas de besoin.

Cette étape constitue en fait une activité continuelle, car les résultats de l'action sont évalués au fur et à mesure, afin de vérifier si le groupe va dans la bonne direction et s'il s'y prend de la bonne façon. Cette étape peut aussi être imposée si un événement inattendu survient ou si la situation évolue de manière imprévue. En fait, la vérification du plan s'intègre normalement dans un processus d'évaluation continue qui est prévu dès le départ de la planification de l'action.

Selon la situation, il s'agira de s'interroger sur l'un ou l'autre des aspects de l'action :

- L'objectif est-il trop ambitieux ?
- La stratégie et les moyens d'action sont-ils bien choisis ?
- L'organisation de la démarche de sensibilisation est-elle en cause ?
- La mobilisation a-t-elle été bien planifiée et a-t-on pris les bons moyens pour la soutenir ?
- Les appuis anticipés ont-ils été surévalués ?
- Les forces d'opposition au projet ont-elles été sous-estimées ?
- La stratégie de communication et d'utilisation des médias et des TIC a-t-elle été bien élaborée et a-t-elle produit l'impact anticipé ?
- Le fonctionnement du groupe est-il à revoir ?

La progression du plan d'action sera évaluée par les personnes qui l'ont conçue et qui en assurent la réalisation. Occasionnellement, des personnes-ressources peuvent être consultées pour aider à rectifier le tir.

Les rencontres d'évaluation peuvent être autant d'occasions de renforcer la cohésion des participants et d'approfondir leur apprentissage et leur engagement dans l'action. Elles sont aussi un moyen de partager une vision d'ensemble des opérations et de favoriser l'exercice de la démocratie.

L'ÉVALUATION DE L'INTERVENTION

7. LE BILAN DE L'INTERVENTION

Bilan de l'intervention

Le bilan, ou l'évaluation de l'intervention, permet d'effectuer un retour critique sur les diverses étapes du projet d'action, de déterminer les points forts et les faiblesses de l'action et de cerner aussi bien les éléments de réussite que ceux qui n'ont pas donné les résultats escomptés.

L'étape du bilan ou de l'évaluation permettra notamment de mesurer le réalisme des objectifs, de juger du bien-fondé de la stratégie adoptée, d'évaluer la pertinence et l'efficacité des moyens d'action mis en œuvre, de vérifier le respect de l'échéancier et la rigueur de l'organisation, et de revoir la justesse des choix du groupe au plan des ressources humaines et matérielles requises. Cette étape offre aussi l'occasion de réfléchir aux divers aspects et difficultés de fonctionnement du groupe au cours de l'action. Le bilan sera donc vécu comme une occasion d'apprendre et de célébrer ou se réconforter.

Le bilan s'effectue généralement au terme de la période prévue pour la mise en œuvre de l'action. L'évaluation pourra aussi s'effectuer à une étape importante et stratégique à l'intérieur du plan d'action. Pour bon nombre d'organismes communautaires, cette période correspond à la préparation de l'assemblée générale annuelle en vue de la réalisation du rapport d'activités. L'évaluation se réalise aussi fréquemment lors de la rédaction d'un rapport accompagnant une reddition de comptes à l'échéance d'un programme de subvention pour un projet précis. Quel que soit le moment choisi, le bilan permettra de tirer des leçons d'une action en tentant d'en dégager les bons coups et les moins bons, de manière à ne pas reproduire les erreurs de parcours et, le cas échéant, à relancer l'action.

En raison de son caractère éducatif et pour favoriser un fonctionnement démocratique et participatif, il est souhaitable que le bilan soit l'occasion d'une activité collective. Cependant, le succès de cette étape repose largement sur la qualité de sa préparation. Voici quelques-unes des questions qu'il convient de se poser au moment de la préparation du bilan :

- Quels aspects de l'action veut-on évaluer : les résultats atteints par rapport aux objectifs visés, le choix de la stratégie, l'efficacité des moyens d'action, les résultats du travail de sensibilisation et de mobilisation, le fonctionnement du groupe, l'impact médiatique des communications ?

- Quelles sont les personnes qui participeront à la réalisation du bilan et de quelles personnes-ressources extérieures a-t-on besoin ?

- Quel fonctionnement serait le plus efficace pour réaliser le bilan : la préparation individuelle à l'aide d'une grille de réflexion soumise aux participants suivie d'une mise en commun des résultats, le retour en groupe sur le plan d'action sous forme de tableau synoptique permettant de compléter les résultats atteints, un document préparé par la permanence et soumis aux membres pour discussion en sous-groupes ou en groupe ?

- Quels types d'outils (indicateurs quantitatifs et qualitatifs, observations, sondage, entrevue, groupes de discussion, etc.) permettraient de recueillir l'information et de faciliter la réflexion ?

- Quel serait le meilleur moment pour procéder ?

- Quel temps souhaite-t-on consacrer à sa réalisation ?

- Quel serait le meilleur endroit pour faire cette réflexion dans les meilleures conditions ?

Lors d'un bilan, il ne faut pas oublier qu'indépendamment des résultats obtenus, les personnes ont fait des apprentissages, acquis des habiletés et des connaissances et développé des réseaux de solidarité. Il s'agit souvent de résultats non prévus qu'il est important de faire ressortir, car, même si l'action n'est pas une réussite totale au regard du projet collectif, elle ne sera jamais un échec complet. Il en va ainsi de l'expérience humaine. Rappelons que l'objectif d'un bilan n'est pas la critique négative sans respect et la distribution mesquine des torts, mais un tremplin pour construire sur les acquis.

Enfin, il est bon de laisser une trace de ce qui a été accompli. Les personnes actives dans les divers mouvements communautaires pourront ainsi bénéficier de l'expérience des autres, y trouver une source d'inspiration qu'ils sauront adapter à la réalité de leur milieu, profiter des réussites et, qui sait, s'abstenir de répéter les mêmes erreurs. Dans certains cas, le bilan pourra être diffusé sous différentes formes : récit, article dans une revue, monographie, document audiovisuel ou autre, et devenir éventuellement un moyen de communication ou une source de financement. À titre d'exemple, le bulletin de liaison *Interaction communautaire* publié par le Regroupement québécois des intervenants et intervenantes en action communautaire en CSSS (RQIIAC) réserve une place d'honneur aux récits de pratique comportant une dimension évaluative. Certaines revues, comme *Nouvelles pratiques sociales*, et quelques maisons d'édition, comme Écosociété et Lux, accordent aussi parmi leurs publications une place à des expériences d'action collective porteuses de changement social.

Rappelons enfin que le bilan peut très bien constituer une occasion de célébrer. On ne soulignera jamais assez l'importance de ces moments conviviaux qui rapprochent les personnes impliquées dans l'action et resserrent les liens sociaux, contribuant ainsi à donner plus de sens au travail effectué.

Pour approfondir cette étape du processus d'intervention communautaire, on pourra se référer au chapitre 10, « L'évaluation ».

8. LA FIN D'UN MANDAT D'INTERVENTION

Fin d'un mandat d'intervention | La fin d'un projet d'action communautaire marque le moment où l'intervenant aura à redéfinir son rôle par rapport au groupe. Selon la situation, cette redéfinition du rôle de l'intervenant pourra signifier soit le départ de l'intervenant, soit le retrait graduel pour assurer une période de transition.

8.1. Le départ de l'intervenant

Le départ d'un intervenant est une étape marquante pour le groupe. Il importe que ce départ soit planifié et qu'il s'effectue dans les meilleures conditions, car un départ mal préparé peut causer un tort significatif au groupe. « Ce départ devra être le résultat d'un travail bien fait qui aura, entre autres, permis la structuration du groupe, le développement de l'autonomie des membres et l'émergence d'un leadership capable d'accomplir les tâches du professionnel de l'intervention[23]. »

---

23. H. Lamoureux, R. Mayer et J. Panet-Raymond (1984), *L'intervention communautaire*, Montréal, Saint-Martin, p. 169.

8.2. Le retrait graduel de l'intervenant

Au terme de la réalisation d'un projet, une période de transition sera parfois nécessaire avant que le groupe puisse se prendre totalement en charge. Dans ce cas, il appartient à l'intervenant communautaire, conjointement avec les membres du groupe, d'évaluer les modalités de ce retrait progressif à l'aide des questions suivantes :

- ◆ Quel sera le statut de l'intervenant dans l'avenir : personne-ressource pour la coordination d'un secteur d'activité ou collaborateur *ad hoc* selon les besoins du groupe ?
- ◆ Une formation sera-t-elle nécessaire à certains membres du groupe afin qu'ils puissent assumer la responsabilité de certains mandats ?
- ◆ Combien de temps ce soutien professionnel se poursuivra-t-il et à quel moment le groupe réévaluera-t-il le mandat de l'intervenant ?

Dans le contexte d'un retrait graduel, la personne active en milieu communautaire à titre professionnel doit éviter de tomber dans le piège de se croire indispensable ou dans celui de réaliser certaines tâches qui devraient être exécutées par les membres actifs du groupe. Une telle attitude ou de tels comportements iraient en effet à l'encontre de la valeur d'autonomie et du processus d'*empowerment* qui doivent guider la pratique de l'action communautaire ainsi que du rôle d'éducateur populaire de l'intervenant communautaire.

CONCLUSION

Le processus d'intervention communautaire décrit dans ce chapitre fournira aux intervenants communautaires des repères méthodologiques sur lesquels appuyer une démarche de changement social planifié. Ce changement social n'aura de sens que s'il repose sur un engagement humain et social qui appelle une cohérence et une congruence dans la recherche du bien commun. Dans les chapitres qui suivent, nous poursuivrons cette systématisation du savoir et du savoir-faire en action communautaire en présentant une vue d'ensemble des techniques et des moyens qui constituent en quelque sorte le « coffre à outils » de l'intervenant communautaire.

BIBLIOGRAPHIE SÉLECTIVE

ALINSKY, S. (1976), *Manuel de l'animateur social*, Paris, Seuil, 249 p.

AMPLEMAN, G., BARNABÉ, J. et Y. COMEAU (1987), *Pratiques de conscientisation 2*, Québec, Collectif québécois d'édition populaire, 366 p.

AMPLEMAN, G., DORÉ, G., GAUDREAU, L. *et al.* (1983), *Pratiques de conscientisation*, Montréal, Nouvelle Optique, 304 p.

BARNSLEY, J. et D. ELLIS (1992), *La recherche en vue de stratégies de changement. Guide de recherche-action pour les groupes communautaires*, Vancouver, Women's Research Centre, traduit et réimprimé en français en 2011 par Relais-Femmes, 101 p.

BLANC, B. (1986), *Action collective et travail social*, tome 1, Paris, ESF, 227 p.

BLANC, B., DORIVAL, M., GÉRARD, M. *et al.* (1989), *Action collective et travail social*, tome 2, Paris, ESF, 225 p.

BOURQUE, D., COMEAU, Y., FAVREAU, L. et L. FRÉCHETTE (dir.) (2007), *L'organisation communautaire. Fondements, approches et champs de pratique*, Québec, Presses de l'Université du Québec, 534 p.

BOURQUE, D. et R. LACHAPELLE (2010), *L'organisation communautaire en CSSS*, Québec, Presses de l'Université du Québec, 176 p.

COMEAU, Y. (2010), *L'intervention collective en environnement*, Québec, Presses de l'Université du Québec, 148 p.

DE ROBERTIS, C. et H. PASCAL (1995), *L'intervention sociale collective en travail social*, Paris, Le Centurion, 304 p.

DESLAURIERS, J.P. et Y. HURTIBISE (dir.) (2007), *Introduction au travail social*, 2ᵉ édition, Québec, Presses de l'Université Laval, 382 p.

DORVIL, H. (dir.) (2007), *Problèmes sociaux. Tome III. Théories et méthodologies de recherche*, Québec, Presses de l'Université du Québec, 526 p.

DORVIL, H. (dir.) (2007), *Problèmes sociaux. Tome IV. Théories et méthodologie de l'intervention sociale*, Québec, Presses de l'Université du Québec, 455 p.

DUMAS, B. et M. SÉGUIER (2004), *Construire des actions collectives. Développer les solidarités*, 3ᵉ édition, Lyon, Chronique sociale, 226 p.

DUPÉRÉ, M. (2004), *L'organisation communautaire. La mobilisation des acteurs collectifs*, Québec, Presses de l'Université Laval, coll. «Travail social», 124 p.

ELLIS, D., REID, G. et J. BRANSLEY (1990), *Maintenir le cap: guide d'évaluation pour les groupes communautaires*, Montréal, Relais-Femmes, 84 p.

FRANK, F. (1999), *Guide de développement des collectivités*, Ottawa, Développement des ressources humaines Canada (DRHC), 81 p.

FRANK, F. et A. SMITH (2000), *Le guide du partenariat*, Ottawa, Développement des ressources humaines Canada, 81 p.

HENDERSON, P. et D.N. THOMAS (1992), *Savoir-faire en développement social local*, Paris, Bayard, coll. « Travail social », 237 p.

LAVOIE, J. et J. PANET-RAYMOND (2000), *L'action communautaire : guide de formation*, Montréal, Centre de formation populaire, 64 p.

MAKHOUL, A. (2007), *Descriptions schématiques d'initiatives Quartiers en essor : pour bâtir un processus de revitalisation de quartier*, Waterloo, Tamarack – An Institute for Community Engagement, 53 p.

ROTHMAN, J., ERLICH, J. et J. TROPMAN (1995), *Strategies of Community Intervention*, 5ᵉ édition, Ithaca, Ill., Peacock.

TROVEP-ESTRIE (1994), *L'atout : manuel de ressources pour l'action communautaire*, Sherbrooke, TROVEP-Estrie.

WEBOGRAPHIE SÉLECTIVE

CENTRE SAINT-PIERRE : <http://www.centrestpierre.org> , des vidéos et des documents sur les pratiques d'action communautaire.

COLLECTIF QUARTIER : <http://www.collectifquartier.org>, des outils d'intervention et des expériences locales montréalaises de développement local.

COMMUNAGIR : <http://www.communagir.org>, des outils de formation pour favoriser et soutenir la mobilisation dans des contextes de développement social local.

OBSERVATOIRE ESTRIEN DU DÉVELOPPEMENT DES COMMUNAUTÉS : <http://www.oedc.qc.ca/tableau-de-bord>, des outils pour mieux comprendre les réalités et les dynamiques des territoires locaux.

PARTIE

III

MOYENS, TECHNIQUES ET OUTILS

CHAPITRE

5

LA RECHERCHE AU SERVICE DE L'ACTION COMMUNAUTAIRE

JEAN-FRANÇOIS RENÉ

JEAN PANET-RAYMOND

JOCELYNE LAVOIE

PLAN DU CHAPITRE 5

INTRODUCTION

La recherche est parfois présentée comme une activité rébarbative, loin de l'action. Trop souvent, malheureusement, on associe la recherche à de vastes et ambitieux projets nécessitant de gros budgets et réservés aux chercheurs professionnels. Cette conception de la recherche a pour effet de l'éloigner du processus d'intervention. À l'opposé de cette vision élitiste de la recherche, nous estimons au contraire qu'elle est pertinente et qu'elle est au cœur du processus d'action communautaire dans deux moments particulièrement importants : pour analyser une situation et pour évaluer une intervention.

Comme nous l'avons vu au chapitre 4, « Les étapes du processus d'intervention communautaire », à l'étape de l'analyse de la situation, la recherche sociale est un préalable essentiel à l'intervention et peut souvent donner naissance à une action et à une mobilisation. Elle aide à documenter et à comprendre les caractéristiques et les dynamiques d'un milieu, d'un quartier, d'une municipalité, d'une région. Elle permet aussi de définir et d'analyser les problèmes et les besoins d'une population en particulier – communauté locale, d'identité ou d'intérêts. Enfin, la recherche permet de mesurer l'ampleur d'un problème social au sein d'une communauté locale ainsi que ses manifestations.

En outre, la recherche sociale constitue un atout majeur lorsque vient le temps de soumettre et de négocier une demande de financement, en contribuant à faire la démonstration d'un problème au sein d'une communauté locale, justifiant ainsi le besoin d'une ressource ou d'un projet pour s'y attaquer. De plus, la recherche peut être névralgique pour évaluer des pratiques et soutenir l'action de façon continue, comme nous le verrons au chapitre 11, « L'évaluation ». Pour ces diverses raisons, elle fait partie de l'intervention et de l'action communautaire, en assurant un regard analytique et critique sur le terrain de l'intervention et sur les processus et résultats de cette intervention. Barnsley et Ellis rappellent qu'en intervention sociale, il ne s'agit pas de faire de la recherche pour la recherche elle-même, mais d'explorer « l'expérience concrète pour mettre en lumière les stratégies et les programmes d'action qui aboutiront à des changements[1] ». Cette prémisse est d'ailleurs ce qui distingue fondamentalement la recherche traditionnelle de la recherche-action participative, la première ne visant

---

1. J. Barnsley et D. Ellis (1992), *La recherche en vue de stratégies de changement. Guide de recherche-action pour les groupes communautaires*, Vancouver, The Women's Research Centre, traduit et réimprimé en 2011 par Relais-Femmes, p. 10.

que la collecte et l'analyse systématique de données sur un sujet précis, tandis que la recherche-action participative vise la collecte et l'analyse de données sur un sujet précis dans le but d'entreprendre des actions communautaires ou de soutenir des actions déjà amorcées, tout en mobilisant les personnes ciblées par cette recherche.

Dans ce chapitre, nous tenterons de situer certains défis posés à la recherche et sa pertinence pour l'action communautaire ; nous établirons les différents rôles qui peuvent être du ressort des intervenants communautaires ; nous décrirons brièvement les conditions favorables à l'utilisation d'une recherche basée sur une approche de « recherche-action participative » ; enfin, nous présenterons de façon sommaire les principales étapes de la recherche ainsi que certaines techniques de collecte de données.

1. LE DÉFI ET LA PERTINENCE DE LA RECHERCHE

Durant la prochaine décennie, tout indique que la recherche sociale continuera d'occuper une place prépondérante dans la définition des politiques et des pratiques sociales. C'est du moins ce qui pointe à l'horizon, si l'on se fie à ce qui s'est passé sur ce plan depuis le début des années 1990 au Québec comme ailleurs en Occident. En effet, les services publics et certaines grandes fondations invoquent souvent la recherche de « données probantes » et de « pratiques exemplaires » fondées sur des savoirs scientifiques[2] pour justifier et appuyer des programmes de soutien financier et d'intervention communautaire. Il n'est pas certain cependant que les intérêts du citoyen « ordinaire » soient toujours considérés par les méthodes et le contenu des recherches. En ce sens, on peut se demander quelle place les « savoirs citoyens » occupent dans la recherche.

---

2. D. Lyonnais (2007), « Comment voir l'approche des données probantes face à la participation citoyenne ? », allocution prononcée lors de la rencontre de formation du RQIIAC-Montérégie, tenue à Sorel le 3 avril ; J. Tremblay (2011), « Prise de décision basée sur des facteurs de preuves : la question des "données probantes" », texte de cours sur le développement des communautés, Université de Montréal, Institut national de santé publique du Québec.

1.1. Un défi : composer avec les savoirs experts/scientifiques et les savoirs expérientiels/citoyens

Au cours des dernières décennies, la recherche sociale, et tout particulièrement la recherche sur les pratiques, a été dominée par ce que l'on appelle les « données probantes[3] ». Ce type de données vise, pour l'essentiel, à objectiver la vie sociale. On parle ici de données de nature statistique et épidémiologique, qui tentent de rendre compte de problématiques sociales en en dressant un portrait chiffré. Pour ce faire, on recourt à des questionnaires ou à des instruments de mesure validés permettant de colliger ces données, ces instruments étant eux-mêmes issus de données statistiques antérieures recueillies dans des contextes très précis. On tente de reproduire ensuite ces données dites « probantes » et des pratiques dans des contextes différents. C'est ce type de données qui est surtout recherché par les décideurs, ainsi que dans les ministères et les agences de santé, et que privilégient des acteurs comme les directions régionales de la santé publique, et même des fondations privées qui financent plusieurs projets pilotés par les organismes communautaires, notamment en prévention et en promotion de la santé.

Doit-on s'inquiéter de la place occupée par ce type de données quand on intervient dans le champ de l'action communautaire ? À certains égards, oui. Paradoxalement, alors même qu'il y a un intérêt certain en sciences sociales depuis une trentaine d'années pour d'autres types de savoirs, le savoir expert, dominé par les chiffres et les résultats, continue de s'imposer auprès de nombreux intervenants. Les chiffres confèrent aux résultats de recherche une « aura » de scientificité, ce qui, aux yeux de nombreux acteurs, leur donne plus de poids que les mots et les descriptions qualitatives des processus. Pourtant, comme le rappelle Daniel Weinstock, les données probantes en sciences sociales ont leurs limites, entre autres sur le plan éthique, et elles ne sont pas exemptes des valeurs du milieu concerné[4].

Une première limite concerne le peu de place accordée aux contextes, aux différences culturelles et aux modes de vie dans ce type de recherche. Au cours des dernières décennies, les données probantes en sciences sociales ont essentiellement servi à documenter les comportements individuels et à prédire les

---

3. C'est ce que l'on nomme aussi les « *evidence-based practices* ». Voir Y. Couturier, D. Gagnon et S. Carrier (2009), « Management des conduites professionnelles par les résultats probants de la recherche. Une analyse critique », *Criminologie*, vol. 42, n° 1, p. 185-199.
4. D. Weinstock (2010), « Qu'est-ce qu'une donnée probante ? Une perspective philosophique », Résumé d'une présentation donnée dans le cadre de l'Atelier d'été 2007 des Centres de collaboration nationale en santé publique (CCNSP), janvier, p. 3.

risques afin de mieux les prévenir. Toutefois, on dispose de beaucoup moins d'études qui s'intéressent aux conditions de vie, tout particulièrement dans ces champs fortement investis par l'État que sont les politiques et programmes touchant la famille et la jeunesse. En fait, c'est toute la question des inégalités sociales en santé qui doit attirer notre attention et nous amener à mieux relier et à collectiviser les risques pris individuellement[5].

La seconde limite tient au fait que ces données probantes ont un impact majeur sur les pratiques actuelles et, par conséquent, sur le travail en intervention communautaire. En effet, c'est sur la base de ces données que l'on formalise aujourd'hui bon nombre d'interventions sociales[6]. En fait, les données probantes orientent les politiques publiques dans une perspective centrée sur les risques, en visant à prévenir, voire à prédire des problèmes plus graves qui pourraient apparaître dans l'avenir.

Ce faisant, elles produisent trois effets : 1) elles ciblent des personnes et des communautés sur la présomption qu'un problème pourrait survenir dans l'avenir, ce qui peut avoir un effet stigmatisant ; 2) elles centrent prioritairement l'intervention sur les déficits individuels et la responsabilité personnelle ; 3) elles soutiennent également une logique très hiérarchique (*top-down*) dans la dispensation des services. Par conséquent, on a tendance à accorder peu d'importance aux particularités culturelles et aux valeurs locales[7] ainsi qu'aux initiatives locales favorisant la participation citoyenne et l'*empowerment* des communautés (logique *bottom-up*).

Le défi de la recherche en action communautaire consiste donc à favoriser des démarches qui ajoutent aux savoirs scientifiques fondés sur la recherche de données probantes. Cette recherche doit aussi s'atteler à produire des études décrivant ou illustrant des problématiques vécues et des pratiques qui ont rejoint les populations visées dans des contextes précis. Si ces recherches peuvent inspirer d'autres pratiques pertinentes, elles deviendront un acquis important et pourront servir dans d'autres milieux. Il faudra cependant prendre garde à ne pas appliquer ces pratiques sans les adapter aux particularités des territoires et aux communautés visées. Les savoirs citoyens ou expérientiels deviennent donc

---

5. Sur ce plan, nous faisons ici référence au diaporama d'animation pédagogique *Agir sur les inégalités sociales*, mis en ligne en 2008 par le Réseau francophone international pour la promotion de la santé (RÉFIPS) (<http://www.refips.org>).

6. Couturier *et al.*, *op. cit.*

7. R. Massé (2003), *Éthique et santé publique. Enjeux, valeurs et normativités*, Québec, Presses de l'Université Laval.

une partie importante de la connaissance d'une situation ou d'un milieu. Mais l'absence de reconnaissance des savoirs d'expérience amène à faire un autre constat : il y a un déficit d'accès des citoyens et des personnes plus marginalisées dans la définition et l'implantation des politiques et programmes qui les affectent directement. Sur des enjeux touchant la santé publique, des problèmes sociaux particuliers ou des questions environnementales, la participation de nombreux citoyens fait défaut. Pourtant, le point de vue des principaux intéressés est essentiel pour trouver et apporter des solutions pertinentes, mais d'abord pour mieux comprendre le problème, en plus de favoriser la mobilisation de la population et des acteurs professionnels concernés.

1.2. La pertinence de la recherche

Dans le cadre de son travail, un intervenant communautaire se doit de tenir compte de la complexité des situations que vivent les personnes et les communautés à l'égard desquelles il s'est engagé. Il doit s'assurer que leurs besoins et leurs intérêts sont défendus et trouvent des réponses auprès des acteurs et des autorités en place. Même dans une démarche pour réduire les écarts de richesse ou de pouvoir, un processus d'action communautaire va nécessiter une analyse de la situation, des besoins et des problèmes sociaux, ainsi que du milieu donné dans son ensemble, tant sur le plan objectif (données quantitatives) que sur le plan subjectif (données qualitatives, observations, perceptions, dynamique entre les acteurs, etc.). Cette évaluation de la situation initiale est indispensable à la formulation même des objectifs de l'action. Des connaissances sont toujours nécessaires lorsque vient le temps de fonder une solide analyse de la situation.

Au sein d'une société complexe où persistent les iniquités, tous les savoirs nous apparaissent essentiels à la compréhension et à la quête de solutions collectives. Il n'est donc plus possible de ne confier qu'aux seuls savoirs experts le devenir de notre société. Cela dit, le fait d'ouvrir la porte à d'autres connaissances peut non seulement soutenir l'action visant certaines situations problèmes, mais également favoriser la reconnaissance du travail réalisé par le secteur communautaire avec ces groupes ou communautés. Un tel travail en vue de permettre l'émergence de nouveaux savoirs ou, mieux, de savoirs distincts, peut faire contrepoids aux approches et modèles promus par les autorités publiques dans différents champs du social. En menant des recherches centrées sur le savoir des citoyens et des usagers, on se trouve à accroître la capacité des groupes à défendre leur utilité et leur pertinence sociales.

Donc, la recherche est fondamentale pour le soutien de l'action, et les intervenants communautaires peuvent être amenés à jouer divers rôles pour relever quelques-uns des défis que posent la reconnaissance et les savoirs différenciés, souvent en tension.

2. LES RÔLES DES INTERVENANTS COMMUNAUTAIRES EN RECHERCHE

L'intervenant peut jouer différents rôles dans un contexte de recherche. Nous présentons ici les trois principaux rôles de l'intervenant appelé à s'associer à une recherche : l'utilisateur-mandant, l'accompagnateur et l'artisan. Chacun de ses rôles peut favoriser une meilleure appropriation par les autres acteurs importants de l'action communautaire. Ce qui varie, c'est la posture de l'intervenant et l'intensité de sa présence dans le processus même de recherche.

L'utilisateur-mandant

L'utilisateur-mandant utilise la recherche pour mieux connaître son milieu, les problématiques et les « pratiques exemplaires » (*best practices*), ou pour évaluer certaines actions communautaires. L'intention ici est d'aller chercher les outils, voire les ressources humaines qui vont permettre de mieux soutenir l'action. Par exemple, devant l'ampleur de la tâche, les intervenants vont souvent lire et utiliser les recherches réalisées ailleurs afin de s'alimenter à même des expériences pertinentes et des façons de faire innovantes. Les sources ici sont multiples : bilan et évaluation de pratiques, guides de pratique, études statistiques et populationnelles, enquêtes sur le territoire, etc. L'intervenant fait donc office d'utilisateur qui alimente ses partenaires concernant des questions importantes, en consultant et en vulgarisant des travaux jugés pertinents.

Cet intervenant peut aussi devenir celui qui, avec un groupe, va mandater une personne-ressource, un chercheur ou un étudiant pour réaliser une étude sur un milieu ou sur une situation particulière. L'intervenant devient alors, au nom du groupe, un utilisateur-mandant. Il définit la finalité de la recherche et parfois les modalités, avant de « passer une commande ». Cette « commande » produira un rapport et des rencontres de formation afin d'en tirer des leçons utiles. La suite relève des acteurs et prendra la forme d'objectifs d'intervention.

Dans cette perspective, il serait possible, par exemple, de mandater des chercheurs et des étudiants formés en santé publique, ou en aménagement urbain, afin de documenter les effets sur la santé et la sécurité d'un aménagement des abords d'une autoroute au cœur d'un milieu résidentiel et scolaire. Dans le même esprit, on pourrait documenter statistiquement le nombre de voitures circulant dans un voisinage, les accidents, les infractions au code de la route, les sources de pollution, en vue de créer des corridors scolaires et de sécuriser les abords d'une école. Parallèlement, on fera des recherches sur les mesures d'apaisement de la circulation afin de soutenir le plan d'action futur. Dans tous les cas, le défi est le même : l'appropriation de cette recherche par les acteurs concernés afin qu'elle soit vraiment un soutien pour l'action. Et c'est là que l'intervenant peut jouer un autre rôle, plus actif, plus intensif, soit celui de l'accompagnateur.

L'accompagnateur

La posture d'accompagnateur est nettement plus proactive que la précédente. Ce rôle vise à soutenir son groupe ou sa communauté en regard de différentes questions concernant la recherche dans le milieu. En tant qu'accompagnateur, l'intervenant peut agir comme traducteur et vulgarisateur de questions et de résultats de recherche pour les autres acteurs, ou comme promoteur d'une implication plus constante des populations qui sont les sujets de recherches menées soit par des intervenants communautaires ou des personnes-ressources, soit par des instances institutionnelles ou universitaires. Le rôle d'accompagnateur se précise d'ailleurs dans des situations où les intervenants communautaires sont sollicités pour participer à des recherches menées par des instances publiques ou universitaires, afin d'évaluer des milieux, des problématiques ou des programmes d'intervention. Dans ce contexte, ils sont d'abord perçus comme des personnes-ressources qui les aideront à établir des liens entre les chercheurs, des observateurs clés, des gens vivant une situation particulière (pauvreté, itinérance, immigration récente, etc.), ou un comité de citoyens que l'on souhaite évaluer.

Par la suite, le rôle d'accompagnateur peut se poursuivre tout au long du processus de recherche. L'intervenant communautaire maintient les liens entre les différentes parties, traduit ou vulgarise des questions, anime des rencontres ou des entrevues collectives, et favorise la diffusion des résultats. En tant qu'accompagnateur, l'intervenant peut même participer à la formation qui pourrait s'ensuivre pour les participants ou pour d'autres acteurs du milieu touchés par les mêmes préoccupations. Parfois, le rôle d'accompagnateur de l'intervenant communautaire glisse vers celui de médiateur. Ni chercheur ni participant, il fait office de tierce partie, d'interface entre les acteurs, la population impliquée et visée, d'une part, et les chercheurs, professionnels ou personnes-ressources, d'autre part. Et c'est souvent la reconnaissance des savoirs construits dans l'expérience, entre les savoirs d'experts, les savoirs des praticiens et les savoirs citoyens, qui devient l'enjeu de la médiation. L'accompagnateur est nettement plus présent dans une démarche de recherche qui sera développée dans le milieu. Il s'agit ici pour lui de soutenir son groupe ou sa communauté à certaines étapes d'un processus de recherche.

L'artisan

L'artisan représente le rôle le plus actif et intensif qu'un intervenant communautaire peut jouer dans une recherche. C'est en quelque sorte la posture qui se rapproche le plus de celle de praticien-chercheur. De Lavergne[8] souligne que le praticien-chercheur «veut apporter en interaction avec les acteurs une dimension politique (au sens large du terme) [...], qui consiste à proposer aux acteurs des occasions nouvelles de réfléchir ensemble». Ici, l'accès aux savoirs locaux devient une visée centrale, un enjeu majeur, qui légitime le choix d'une telle posture plus proactive.

Dans ce rôle, l'intervenant se trouve à mettre en œuvre différentes phases ou à y participer activement, de la conception au transfert des résultats, en passant par la planification et la réalisation de la recherche. L'intervenant entre parfaitement dans une logique de recherche-action participative visant à soutenir l'action par un travail en profondeur de quêtes d'informations, puis de formation et de mobilisation. Une telle étude peut avoir pour but de faire connaître une situation ou un milieu en début de processus. C'est une étape fondamentale de l'intervention, et de nombreux outils sont disponibles pour mieux connaître son milieu[9].

Dans ce rôle, les intervenants sont aussi tenus d'évaluer leur action sur le plan des résultats et des processus. Cela s'impose à l'étape du bilan et de l'évaluation, dont nous traiterons plus en profondeur dans le chapitre 11, «L'évaluation». Cette évaluation permettra d'ajuster les objectifs, les stratégies ou les moyens d'action en cours de processus ou à la fin d'une action ou d'une étape importante de l'action. Nous verrons dans la section suivante une perspective

---

8. C. De Lavergne (2007), «La posture du praticien-chercheur: un analyseur de l'évolution de la recherche qualitative», *Recherche qualitative*, Hors série n° 3, p. 28-43, p. 31.

9. Voir les sites de l'Observatoire estrien du développement des communautés (OEDC) (<http://www.oedc.qc.ca/>) et du Réseau québécois des villes et villages en santé (RQVVS) (<http://www.rqvvs.qc.ca/>).

de recherche qui nous semble cohérente avec la posture du chercheur artisan. Sans être l'unique option, elle nous semble présenter des principes d'action qui rejoignent ceux de l'action communautaire.

3. LA RECHERCHE-ACTION PARTICIPATIVE : ÉVOLUTION, FINALITÉS ET CONDITIONS DE RÉALISATION

3.1. L'évolution et les finalités de la recherche-action participative

Au Québec, c'est à partir des années 1970 que l'on commence à parler de la recherche-action. Cette première vague de recherche, qui veut s'approcher des gens et des pratiques sociales, va de pair avec la radicalisation politique de la période. Mayer et ses collègues qualifieront ces recherches de militantes. Les travaux de l'époque accompagnent donc les pratiques du mouvement syndical, des groupes populaires et du mouvement des femmes[10].

Au cours des décennies 1980 et 1990, les enjeux vont s'élargir, et de nouvelles questions sociales surgiront. Ces nouveaux enjeux vont bien sûr interpeller les chercheurs et orienter le choix des sujets de recherche. On pense entre autres aux luttes environnementales et au sida. Au Canada, dans le domaine de la santé, on commence à s'interroger sur la manière de faire de la recherche et sur la place des citoyens dans un cadre plus participatif[11]. Au Québec, la question du partenariat en recherche apparaît petit à petit, entre autres dans la Politique de la santé et du bien-être de 1992, alors qu'au Canada, il est de plus en plus question de l'importance de la participation des citoyens à la recherche. La recherche sociale est de moins en moins envisagée en vase clos et se lie de plus en plus avec les

---

10. R. Mayer *et al.* (2000), *Méthodes de recherche en intervention sociale*, Boucherville, Gaëtan Morin, 537 p.

11. Pensons ici à ce document majeur des années 1990 : L.W. Green, M.A. George, M. Daniel, C.J. Frankish, C.P. Herbert, W.R. Bowie et M. O'Neill (1994), *Recherche participative et promotion de la santé : Bilan et recommandations pour le développement de la recherche participative en promotion de la santé au Canada*, Vancouver, Institute of Health Promotion Research, Université de la Colombie-Britannique et British Columbia Consortium for Health Promotion Research, 102 p.

milieux de pratiques. Parallèlement, de nombreux travaux sont réalisés par différents réseaux affiliés ou non à des universités. Pensons, entre autres, aux Services aux collectivités de l'Université du Québec à Montréal[12].

Depuis le début des années 2000, la terminologie concernant la recherche avec les personnes explose littéralement : recherche-action, recherche collaborative, recherche en partenariat, recherche participative, recherche-action participative (*Participatory Action Research* ou PAR) et avec des communautés (*Community-Based Practice Research* ou CBPR), etc.[13]. Il n'est pas toujours aisé de bien comprendre ce que désignent ces différents termes. De telles recherches « peuvent passer d'une orientation critique qui promeut un changement radical à une orientation plus technique qui cherche un changement mieux adapté[14] ».

Au regard des fondements de l'action communautaire, nous nous intéressons plus particulièrement ici au courant de la « recherche-action émancipatrice », souvent assimilée à la recherche-action participative (RAP)[15]. Ce type de recherche participative fonde son approche sur un certain nombre de postulats, à savoir la démocratie participative, l'inclusion, l'authenticité et l'équité, en portant une attention spéciale aux relations de pouvoir, aux biais éthiques et aux enjeux politiques qui caractérisent ce type de démarche. Examinons maintenant les finalités de la recherche-action participative.

Faire connaître les savoirs occultés

La recherche-action participative vise d'abord à révéler des savoirs occultés ainsi que des savoirs issus de la pratique et de l'expérience des acteurs concernés par l'objet de l'étude, permettant ainsi de documenter et de prendre en compte l'existence d'autres savoirs[16].

---

12. En témoignent les nombreux ouvrages qui sont répertoriés par le Centre de documentation sur l'éducation des adultes et la condition féminine (CDEACF) dans sa bibliothèque virtuelle (<http://bv.cdeacf.ca/>).

13. Sur ce plan, voir l'ouvrage de Marta Anadon (dir.) (2007), *La recherche participative,* Québec, Presses de l'Université du Québec, p. 11-30.

14. M. Anadon et C. Couture (2007), « La recherche participative, une préoccupation toujours vivace », dans M. Anadon (dir.), *La recherche participative,* Québec, Presses de l'Université du Québec, p. 4.

15. O. Fals Borda (2001). « Participatory (action) research in social theory : Origins and challenges », dans P. Reason et H. Bradbury (dir.), *Handbook of Action Research : Participative Inquiry and Practice,* Londres, Sage, 512 p.

16. J. Gaventa et A. Cornwall (2007), « Power and Knowledge », dans P. Reason et H. Bradbury (dir.), *Handbook of Action Research : Participative Inquiry and Practice,* 2e édition, Londres, Sage, p. 72-81.

Développer un savoir lié à l'action

Deuxièmement, ce type de recherche est en mesure de développer un savoir lié à l'action, un savoir permettant de renouveler l'action. Ce qui importe ici, c'est de comprendre «qu'un savoir généré dans l'action possède une crédibilité pour les acteurs, car ils sont auteurs des connaissances produites qu'ils ont pu objectiver entre eux[17]». Ce savoir sera issu de ce que les gens et les communautés vivent et expérimentent, et il sera fondé sur leurs intérêts, leurs priorités et leurs aspirations, car ce sont eux qui vivent avec un déficit de droits et de ressources, ce qui nuit à leur participation citoyenne.

Transformation de la situation problème

Troisièmement, ce type de recherche s'intéresse à «la transformation de la situation problème». Par conséquent, les sujets de recherche devraient prendre en compte les inégalités structurelles, en cherchant à établir les rapports sociaux d'exclusion et de domination qui en sont la cause. À cette fin, il est impérieux d'ancrer la recherche dans son contexte, afin d'être en mesure de bien comprendre la situation et les problèmes à l'étude.

Construire des rapports différents

Quatrièmement, étant donné que le travail d'action communautaire s'intéresse aux rapports existants afin de les déconstruire, il convient que les groupes et personnes exclus soient invités à «participer de plein droit à la définition de ce qui les lie collectivement aux autres». On cherche ici à donner une voix aux individus, aux groupes et aux communautés en déficit de pouvoir; on veut mettre l'accent sur l'émancipation. On cherche à construire des rapports différents entre les citoyens et leurs institutions.

3.2. Les conditions de réalisation

Au moment où s'échafaude un projet de recherche dans une perspective participative, nous retrouvons un certain nombre de conditions de réalisation, lesquelles sont guidées par un principe: la réciprocité. Dans quelle mesure ces

---

17. M. Anadon et L. Savoie-Zajc (2007), «La recherche-action dans certains pays anglo-saxons et latino-américains: une forme de recherche participative», dans M. Anadon (dir.), *La recherche participative*, Québec, Presses de l'Université du Québec, p. 14.

recherches reposent-elles sur des rapports de respect et de réciprocité entre les acteurs ? Le projet ici est de « chercher ensemble », de partager des connaissances, des compétences et des expériences. En fait, le savoir qui émerge de telles études serait issu de la rencontre entre chercheurs, intervenants et citoyens. Par conséquent, il faut s'assurer qu'il y a une entente explicite sur les diverses phases de la démarche, ainsi que sur ses dimensions : relations de travail ; interprétation des résultats ; propriété intellectuelle ; liste des auteurs et diffusion des résultats ; imputabilité financière. Cette quête de réciprocité balise la réalisation du projet ainsi que l'ensemble des dimensions et des étapes qui la constituent, jusqu'à la transmission des résultats. Examinons ces conditions.

3.2.1. *Faciliter la mobilisation à la phase initiale*

La première condition, c'est de faciliter dès le départ la mobilisation des citoyens afin qu'ils soient en mesure de participer aux phases initiales du projet. Les premières étapes d'une recherche sont cruciales. Les personnes concernées par l'étude doivent pouvoir y trouver leur place, autant dans la définition de la situation problème que dans la méthodologie envisagée pour acquérir de nouveaux savoirs. Qui plus est, elles se doivent d'accompagner le projet tout au long de la démarche. Il faut toujours se poser les questions suivantes : « Est-ce que les citoyens concernés participent réellement à cette démarche » « Est-ce que les membres des groupes ou de la communauté visés sont véritablement parties prenantes du processus et à quel titre le sont-ils ? »

3.2.2. *Mettre en place un mécanisme de maintien de la réciprocité*

La deuxième condition concerne les ressources d'action dont on dispose pour faciliter cette participation. Il arrive souvent, en action communautaire, que les ressources financières et professionnelles soient limitées, alors qu'elles sont nécessaires pour faire participer les citoyens à la démarche. Ici se profile un enjeu majeur, qui concerne la stabilité et la continuité dans le temps de la présence citoyenne. C'est donc la question de base qu'il faut se poser : de quels moyens financiers et logistiques dispose-t-on afin de soutenir la participation citoyenne à la recherche, et que peut-on faire pour remédier à cette situation ? Mettons-nous vraiment en place un dispositif qui permet l'émergence et le maintien de la réciprocité ?

3.2.3. *Valoriser les connaissances et les expériences*

La troisième condition consiste à accompagner les citoyens et les membres de la communauté dans cette démarche. Le travail d'un intervenant communautaire est centré non seulement sur le soutien technique, mais aussi sur un travail de réflexion avec les gens. Ici, l'une des principales tâches consiste à convaincre les citoyens qu'ils détiennent des connaissances, qu'ils ont développé des expertises, eu égard à une situation problème. Pour un intervenant communautaire, avec les chercheurs partenaires, une des premières étapes consiste à amener les personnes et les communautés à se faire confiance et à exprimer un contenu sur leurs connaissances de pratiques et d'expériences. On parle ici d'un travail d'accompagnement dans l'action, afin de permettre aux gens d'organiser leur savoir et de défendre leur point de vue. Marta Anadon plaide pour « la valorisation des expériences et des potentialités des sujets et le renforcement, chez les personnes impliquées, d'une prise de conscience de leurs propres capacités[18] ». À cette fin, on peut se demander si on a mis en place les dispositifs nécessaires pour favoriser cette appropriation, qui permet d'apprendre ensemble à produire des résultats de recherche autrement.

3.2.4. *Tenir compte des rapports de pouvoir*

Quatrième condition : il faut tenir compte des rapports de pouvoir existants entre les partenaires. Malgré la bonne volonté de tous, une recherche participative ne pourra faire abstraction des intérêts divergents, ni des savoirs variés susceptibles d'influencer la démarche. Chercher ensemble ne se fait jamais sans heurt, sans difficulté. Le processus de recherche, comme toute démarche collective, peut comporter son lot d'insatisfactions, de frustrations, qui traduisent des problèmes de communication et un manque d'équité sur le terrain. Travailler à créer un climat de confiance et de partage est essentiel à la réussite d'une recherche avec des partenaires. Au besoin, certains parlent d'un éventuel travail de médiation entre les parties, entre les différentes expertises en présence, et parfois même d'un travail de négociation[19]. Durant la présente démarche, il faut se demander, d'une part, de quelle manière on voit le rapport de pouvoir initial et, d'autre part, de quelle manière on pourra, si nécessaire, le transformer.

---

18. Anadon et Savoie-Zajc, *op. cit.*, p. 13.
19. J.-F. René et I. Laurin (2009), « Transmettre la parole de parents en milieu de pauvreté. Quand le chercheur devient médiateur », *Nouvelles pratiques sociales*, vol. 21, n° 2, p. 60-76.

3.2.5. *Faire ressortir les résultats intermédiaires*

La cinquième condition réside dans la place occupée par le processus même de recherche. Ici, le processus occupe une place prépondérante, aussi grande, sinon plus, que les résultats obtenus à la fin de l'étude. Ce type de recherche plus participative se distingue des méthodes plus classiques par le fait que la séquence et la temporalité ne sont pas toujours linéaires, entre autres au regard de la production de connaissances. C'est d'abord le fait de travailler ensemble qui engendre ces nouvelles connaissances, mais aussi la démarche. Il s'agit ici d'une démarche en boucle, qui produit des résultats intermédiaires qui ont souvent une grande importance[20]. Le processus de recherche peut donc en lui-même susciter un sentiment de fierté, d'utilité sociale, de pertinence, ainsi que le renforcement du pouvoir d'agir des personnes et communautés concernées. Il peut dès lors favoriser le développement d'une démocratie plus participative[21]. Comment peut-on rendre compte de cette condition dans l'élaboration de l'échéancier de recherche?

3.2.6. *Interroger les retombées de la recherche ou se questionner sur le transfert de connaissances*

Enfin, la sixième condition consiste à s'interroger sur la nature du transfert des connaissances vers les acteurs et à se demander à qui s'adressent ces transferts. Il faut interroger les retombées de l'étude, et ce, tout au long de la démarche, en se demandant comment rejoindre les personnes concernées. De quelle manière et dans quelle mesure les résultats, intermédiaires et finaux, sont-ils partagés avec les acteurs, retournent-ils à la communauté? Quelle est la nature des transferts et quelles connaissances la communauté pourra-t-elle s'approprier? Il convient également de s'interroger sur la propriété intellectuelle pour clarifier à qui appartient le savoir produit, afin qu'il puisse vraiment profiter aux communautés et organismes participants. Ce type de recherche maximalise la possibilité d'avoir un impact réel sur les personnes et les collectivités concernées, pourvu que l'on dispose des bons moyens et des bons dispositifs pour ce faire.

Toutes ces conditions favorables pour utiliser une «recherche-action participative» devraient s'appliquer au moment de définir et de mettre en œuvre les différentes étapes d'un processus de recherche ainsi que dans les diverses techniques de collecte de données. C'est ce sur quoi nous allons nous attarder dans les pages qui suivent.

---

20. Anadon et Savoie-Zajc, *op. cit.*, p. 23.
21. B. Plottu et É. Plottu (2009), «Contraintes et vertus de l'évaluation participative», *Revue française de gestion*, n° 192, p. 33.

4. LES ÉTAPES DU PROCESSUS DE RECHERCHE

Que le processus de recherche sociale soit complexe ou non, plus ou moins participatif, sa structure est toujours sensiblement la même : la formulation du problème, la collecte de données, l'analyse et l'interprétation des données, la présentation des résultats, l'évaluation et le retour à l'action.

4.1. La formulation du problème

Toute recherche sociale doit, dans la mesure du possible, s'appuyer sur une demande concrète formulée à partir de problèmes réels. Cette étape est aussi l'occasion de clarifier les enjeux de la recherche, les attentes de chacun des partenaires et les résultats attendus. Plus concrètement, comme nous l'avons relevé dans la section 2 de ce chapitre, l'élaboration d'un projet de recherche sociale dépend dans une large mesure du degré d'implication de la communauté et de l'intervenant communautaire dans l'étude. Le rôle de l'intervenant varie donc en fonction des attentes des chercheurs et de leurs liens avec le milieu. Dans le cas d'une recherche-action participative, nous avons vu le rôle clé des acteurs de la communauté dans la définition du problème. Après l'étape de l'analyse du problème vient celle de l'élaboration d'une problématique, qui permettra de faire émerger les principales questions de recherche pertinentes pour les partenaires concernés par l'étude.

4.2. La collecte des données

L'étape de la collecte de données varie en fonction de la question sous étude ou, en fait, de ce que l'on veut étudier et mieux comprendre. Il faut donc s'efforcer de bien préciser la nature des données à recueillir : « Il n'y a pas lieu de se précipiter dans une quête fiévreuse de faits, de chiffres, d'opinions. Mais trois questions doivent être posées : en ai-je besoin ? Pourquoi ? À quel moment ? Il faut éviter de collecter des données au point d'en être débordé. La meilleure façon est de se fixer un but immédiat et de ne pas emmagasiner à la manière d'un écureuil, pour le jour hypothétique où elles pourraient servir[22] ! »

---

22. P. Henderson et D.C. Thomas (1992), *Savoir-faire en développement social local*, traduit et adapté par le Groupe européen de travail sur le développement social local, Paris, Bayard, p. 49. Traduction de *Skills in Neighbourhood Work*, 1987, Londres, Allen and Unwin.

SOURCES ET OUTILS PERMETTANT LA COLLECTE DE DONNÉES

Données quantitatives-objectives	Données qualitatives-subjectives
• Informations historiques : paroisses, hôtel de ville, sociétés historiques. • Informations sociodémographiques et socioéconomiques : Statistique Canada, centre Emploi Québec, agence de la santé et des services sociaux, etc. • Informations sur l'économie locale : Corporations de développement économique communautaire (CDEC), chambre de commerce, municipalité régionale de comté (MRC), etc. • Informations sur la santé : CSSS, DSP, agence de santé et de services sociaux, etc. • Informations sur l'environnement : ministère de l'Environnement, direction de la santé publique, groupes écologiques. • Informations géographiques : MRC, Accès-Montréal, bureau de tourisme, etc. • Informations politiques : bureau des élus à l'échelon fédéral, national, municipal. • Informations sur les organismes communautaires : annuaires de Centraide, annuaire communautaire de ressources, CSSS, fédérations et associations nationales. • Informations sur l'habitation : hôtel de ville, Société canadienne d'hypothèques et de logement, Société d'habitation du Québec, groupes de ressources techniques, Office municipal d'habitation, Front d'action populaire en réaménagement urbain (FRAPRU). • Informations sur l'ampleur d'un problème social ou d'une situation : questionnaire, sondage, fiche technique, entrevue structurée.	• Prise de contact direct avec les lieux : situation géographique, voies d'accès, habitat, industries, espaces verts, infrastructures. • Rencontre avec des informateurs clés. • Lecture des journaux locaux. • Tournée des groupes communautaires. • Observation participante, insertion dans des lieux informels de communication du milieu. • Entrevues individuelles ou de groupe avec des personnes touchées par le problème ou la situation. • Entrevues avec des journalistes locaux et des militants de partis politiques. • Insertion dans des lieux informels de communication du milieu. • Observation de réunions du conseil d'administration d'établissements publics (CSSS) et d'organismes publics (agence de santé et de services sociaux, Société de transport de Montréal/STM). • Observation de réunions du conseil municipal. • Revue de littérature sur des données sur le problème ou la situation à l'étude : articles, actes de colloque, recherches, etc.

L'étape de la collecte de données vise donc, selon Barnsley et Ellis[23], à choisir les méthodes et techniques appropriées. Ce sont ces techniques qui donneront à la collecte de données son caractère systématique, car seule la collecte systématique de données permet de dégager un matériel analysable. Autrement, les informations risquent d'être trop diffuses et impossibles à traiter convenablement. En recherche sociale, la collecte de données utiles pour l'analyse d'une communauté repose aussi bien sur des méthodes quantitatives que qualitatives.

S'il est nécessaire de recueillir des données directement auprès de citoyens ou d'autres acteurs du milieu, il faut déterminer quelles sont les personnes susceptibles de nous apporter des réponses à ce que l'on cherche. La sélection des

---

23. Barnsley et Ellis, *op. cit.*, p. 38.

personnes dépend de deux facteurs : le temps et les ressources dont le groupe dispose et l'information dont il a besoin[24]. Par la suite, il faudra établir quels types d'outils seront les plus appropriés pour cette collecte : questionnaires auto-administrés, entrevues individuelles ou de groupe, récits de pratiques, etc. Une fois que les techniques de collecte de données sont choisies et que la sélection des répondants est terminée, il s'agit de procéder à la collecte proprement dite. À ce stade, il est impératif d'expliquer aux répondants les buts de la recherche et, au besoin, les mesures prévues pour préserver leur anonymat et assurer la confidentialité des informations recueillies.

4.3. L'analyse et l'interprétation des données

L'analyse et l'interprétation des données sont des tâches souvent réservées aux chercheurs, du moins dans un modèle plus traditionnel de recherche sociale. Dans le contexte d'une recherche-action participative, les données ne sont pas interprétées par le seul chercheur, mais par l'ensemble du collectif de recherche. L'analyse par le groupe fait ressortir les liens entre les données et leur explication et permet de dégager des pistes d'action. D'une manière générale, l'analyse consiste à mettre les données en ordre, à relever les tendances, à organiser tout le contenu en catégories et en thèmes descriptifs. L'interprétation consiste, quant à elle, à trouver des significations aux tendances, à expliquer les thèmes descriptifs et à établir des liens ou des relations entre eux[25]. Le défi de l'analyse consiste à rassembler tous les éléments d'information, à les examiner, à en discuter, à y réfléchir et à les organiser en un tout[26].

4.4. La présentation des résultats

Les trois préoccupations d'information, de formation et de mobilisation demeurent présentes tout au long de la recherche, mais plus particulièrement au moment de la présentation des résultats. Il faut donc prévoir des étapes inter-médiaires de rétroaction et de discussion des résultats. S'il est toujours pertinent de rédiger un rapport final, il faut s'assurer d'en faire partager le contenu à la majorité des acteurs. De même, le rapport doit permettre de faire des recommandations aux acteurs engagés dans le processus de la recherche-action et ces

---

24. *Ibid.*, p. 41.
25. Sur l'analyse qualitative par thèmes, voir l'ouvrage de P. Paillé et A. Mucchielli (2008), *L'analyse qualitative en sciences humaines et sociales*, Paris, Armand Colin, p. 161-231.
26. Barnsley et Ellis, *op. cit.*, p. 57.

recommandations doivent être source d'apprentissage pour ces derniers. C'est dans ce sens que la recherche-action participative peut devenir un outil de mobilisation. Sur le plan du contenu, on doit pouvoir retrouver dans le rapport tous les éléments habituels du processus de la recherche. Pour faciliter l'accès de chacun aux résultats de la recherche, le niveau de langage employé doit être à la portée de tous.

4.5. Le retour à l'action

Le retour à l'action est ce qui distingue la recherche-action participative des autres modèles de recherche plus traditionnels, car la recherche-action, ou toute autre perspective de recherche poursuivant les mêmes objectifs et suivant une méthode semblable, doit être réalisée en vue de l'action. Le fait de vérifier sur le terrain aide à confirmer ou à infirmer l'utilité du schéma conceptuel que l'on s'est donné. Cette vérification permet d'apporter des modifications ou de faire des ajustements qui orienteront le processus d'intervention. À cet effet, il est nécessaire de bien décrire les résultats de l'analyse, lesquels sont souvent diffusés et discutés au fur et à mesure qu'ils sont produits. Les intervenants et le groupe qui ont demandé la recherche au départ devraient « tirer les leçons » de la recherche pour réorienter ou modifier leur action.

Les résultats ne doivent pas seulement être diffusés dans un rapport écrit ; ils doivent également faire l'objet de rencontres de formation et de planification de l'action à poursuivre. Par exemple, les travaux devraient être discutés, diffusés et utilisés par les groupes demandeurs avant même la publication du rapport final. Plusieurs rencontres d'information et de formation permettent l'appropriation des conclusions, c'est-à-dire des leçons tirées des pratiques analysées pour réorienter les pratiques de groupe. Évidemment, la diffusion très large et vulgarisée des résultats peut servir à plusieurs organismes qui n'étaient pas les demandeurs originaux. Cela peut favoriser des rapprochements et même des réseaux de collaboration.

5. QUELQUES TECHNIQUES DE COLLECTE DES DONNÉES

Si plusieurs sources de données sont essentiellement documentaires, il est souvent nécessaire d'aller observer ou de saisir les pratiques et les perceptions et opinions des acteurs. Le choix d'un instrument d'enquête demande réflexion.

Gravel[27] a ainsi souligné qu'il fallait tenir compte des objectifs de la recherche, du choix et du nombre des variables, des recherches antérieures effectuées dans le domaine, des avis ou des autorisations de personnes concernées par l'enquête projetée et, enfin, des contraintes de temps, de budget et de personnel. C'est à ce moment que l'observation, le questionnaire, l'entrevue individuelle et le groupe de discussion focalisée (*focus group*) deviennent des moyens utiles d'enrichir les données documentaires et d'obtenir le point de vue des personnes visées ou déjà impliquées dans l'action ou l'intervention. Ces moyens sont les plus employés, mais on peut aussi avoir recours à des récits de vie ou de pratiques, qui permettent de mieux comprendre les parcours qui ont amené certaines personnes à s'impliquer dans une action communautaire. Ces méthodes demeurent complémentaires et leur choix dépend surtout des conditions et des circonstances (coût, temps, disponibilité, etc.) dans lesquelles est menée la recherche.

L'observation

L'analyse d'un milieu exige souvent d'accéder à des données non écrites, proches de la vie courante. C'est dans ce contexte que l'observation devient un outil de collecte de données fort pertinent. Au lieu de procéder par des moyens dits objectifs, comme le questionnaire, le chercheur se mêle plutôt à la vie d'un groupe, participe à ses diverses activités et s'efforce de comprendre de l'intérieur les attitudes et les comportements qu'il juge significatifs. L'observation constitue souvent le seul moyen de pénétrer dans un milieu culturel donné[28].

De Robertis et Pascal suggèrent aux intervenants communautaires quatre techniques principales fondées sur l'observation : l'*observation directe libre*, l'*observation directe méthodique*, l'*observation clinique* et l'*observation participante*[29]. L'observation directe libre est utile pour explorer et découvrir un nouveau terrain d'intervention. Dans cette perspective, le chercheur pose un regard naïf, non précodé, sur le terrain. L'observation directe méthodique, comme son nom l'indique, suppose le recours à une grille d'observation formalisée. Quant à l'observation clinique, elle est fort utile pour les intervenants sociaux, puisqu'elle peut aussi bien s'appliquer à l'analyse d'un individu qu'à celle d'une institution.

27. R.-J. Gravel (1978), *Guide méthodologique de la recherche*, Montréal, Les Presses de l'Université de Montréal, p. 278.

28. J.-P. Deslauriers et R. Mayer (2000). « L'observation directe », dans Mayer, Saint-Jacques *et al.*, *op. cit.*, p. 401-437.

29. C. De Robertis et H. Pascal (1995), *L'intervention sociale collective en travail social*, Paris, Le Centurion.

Enfin, l'observation participante permet de passer d'une vision extérieure à une analyse de l'intérieur du vécu des participants. Cette technique, qui peut être utile dans diverses situations, oblige l'observateur-acteur à recourir à diverses stratégies d'insertion.

Bien que l'intervenant communautaire ait généralement une certaine connaissance de son milieu, il peut arriver que certains secteurs ou groupes lui soient moins connus et qu'il soit perçu comme un étranger par certains groupes de citoyens. Pour l'intervenant communautaire et les chercheurs qui lui sont associés, une phase d'apprivoisement réciproque est encouragée pour favoriser l'établissement d'une confiance mutuelle et assurer la faisabilité de l'étude auprès de ces populations. Fortin[30] souligne que le chercheur doit d'abord construire sa crédibilité sur le terrain. Cette première tâche est d'autant plus importante et difficile qu'il arrive, à l'occasion, que le terrain ait été «brûlé» par d'autres chercheurs ou intervenants.

Par ailleurs, comme l'ont souligné plusieurs auteurs, la recherche basée sur l'observation exige souvent une présence prolongée sur le terrain afin de recueillir des données suffisantes et de pouvoir ainsi élaborer des interprétations valides. De plus, la plupart des auteurs s'entendent pour dire qu'il ne saurait y avoir de recettes magiques pour bien réussir une observation, qu'elle soit de nature participative ou non.

La réussite de l'observation participante commande le respect de règles élémentaires et comporte un certain nombre de limites dont les principales sont les suivantes: l'observateur doit se faire admettre par le groupe ou le milieu étudié, ce qui limite l'utilisation d'une telle méthode, car certains groupes s'y refusent obstinément; l'observateur doit éviter, dans la mesure du possible, de modifier la vie du groupe ou du milieu; l'observation participante s'applique surtout à des petits groupes ou à des communautés de petite taille et produit des informations d'ordre qualitatif; comme pour d'autres techniques, l'observation participante doit être complétée par des moyens additionnels – analyse historique, documentaire ou de contenu, interview, etc. En pratique, l'intervenant a souvent recours à une méthodologie diversifiée: entrevues, questionnaires, etc. Cependant, toutes les méthodes, aussi intéressantes soient-elles, n'apportent rien de significatif si elles ne sont pas fondées sur une observation globale, c'est-à-dire qui n'isole pas l'observation de son contexte, lequel lui donne un sens.

---

30. A. Fortin (1982), «Au sujet de la méthode», dans J.-P. Dupuis *et al.* (dir.), *Les pratiques émancipatoires en milieu populaire*, Québec, Institut québécois de recherche sur la culture, p. 79-222.

L'entrevue individuelle

L'entrevue est sûrement la méthode de collecte de données la plus complète. Elle permet d'approfondir les réponses afin de les rendre les plus exhaustives possibles. Une entrevue dure généralement entre une et trois heures. Certains chercheurs conseillent de ne pas recourir au magnétophone, mais plutôt de bien écouter la personne et de prendre des notes. La retranscription exigera à peu près autant de temps que l'entrevue.

Selon Barnsley et Ellis[31], l'entrevue individuelle est indiquée lorsqu'on souhaite connaître une situation vécue par les gens. L'entrevue est l'occasion d'un contact approfondi. Selon Henderson et Thomas[32], l'entrevue dirigée permet à l'intervenant communautaire de bien comprendre comment les citoyens perçoivent et décrivent leur quartier ou une situation particulière. L'entrevue, qui constitue le principal outil d'acquisition d'informations détaillées sur les institutions et les organisations à l'œuvre dans le quartier, peut fournir davantage de renseignements sur des aspects particulièrement complexes de la vie collective (le pouvoir, le leadership et les influences locales). De plus, elle permet d'interroger les citoyens sur des problèmes sociaux et sur leur expérience personnelle de ces problèmes.

Il existe plusieurs types d'entrevues individuelles, classés selon le degré de liberté laissé à l'interlocuteur et la profondeur de l'échange. On distingue les entrevues centrées ou à thèmes, à questions ouvertes, à questions fermées[33]. Le chercheur a le choix de mener une entrevue dirigée ou non dirigée. Dans ce dernier cas, à partir d'une question, le participant s'exprime librement de façon personnelle. Dans cette entrevue non directive, c'est l'interviewé qui possède le rôle d'explorateur, car il cherche et pense avant d'exprimer son opinion. Quant à l'entrevue directive, elle permet entre autres d'orienter le sujet et de lui demander des précisions[34].

Plusieurs précautions doivent être prises pour mener une entrevue. Le chercheur doit pouvoir « 1) inspirer confiance à l'informateur ; 2) susciter et maintenir son intérêt ; 3) écouter et n'intervenir qu'aux moments propices ; 4) réduire les distances que peuvent créer les différences de statut social ou de culture

---

31. Barnsley et Ellis, *op. cit.*
32. Henderson et Thomas, *op. cit.*
33. Mayer *et al.* (2000), *op. cit.*, p. 117.
34. G. Boutin (2000), *L'entretien de recherche qualificatif*, Québec, Presses de l'Université du Québec, p. 32.

d'origine entre lui et son interlocuteur ; 5) réduire les barrières psychologiques en reconnaissant et en contournant les mécanismes psychologiques utilisés (fuites, rationalisation, refoulement) ; 6) apprécier le champ de connaissances de l'informateur et exploiter les domaines où ce dernier possède des connaissances particulières[35] ». Malgré ces précautions, plusieurs biais peuvent se glisser dans les réponses données durant les entrevues. Le premier contact permet de susciter l'intérêt du participant et d'établir la première relation. Il faut l'éclairer sur le sujet et la raison de la recherche, sans toutefois donner trop de détails. Il faut aussi faire preuve de patience devant les refus éventuels et expliquer davantage l'étude à la personne que l'on veut interviewer pour la rassurer et l'amener à participer.

Il importe donc d'accorder une importance particulière au lieu et au moment de l'entrevue, à sa tenue vestimentaire et à la façon dont on va gagner et conserver la confiance du sujet, et de conclure l'entrevue de façon respectueuse et harmonieuse. Outre les remerciements, le chercheur fait un résumé de l'entrevue et s'assure que tout est bien clair.

L'entrevue de groupe et le focus group

Une autre façon de procéder est de recourir à l'entrevue de groupe ou le *focus group*[36] (groupe de discussion). L'entrevue de groupe permet de recueillir le point de vue de plusieurs personnes en même temps. Les participants peuvent ainsi comparer leur expérience respective et penser à des aspects qui, autrement, ne leur seraient pas venus à l'esprit. Dans la perspective d'une démarche plus participative, l'entrevue de groupe, sur une ou plusieurs rencontres, peut se révéler un moment fort non seulement en ce qui a trait à la collecte de données, mais également sur le plan de l'appropriation de la recherche par les personnes participantes. Travailler avec des groupes de répondants requiert cependant que les personnes en présence n'aient pas de mal à discuter ensemble. En règle générale, la taille optimale d'un tel groupe ne dépassera pas 15 personnes. L'animation d'une entrevue de groupe pose un défi de taille, soit celui de faire progresser le groupe vers les objectifs que l'on s'est fixés.

Le *focus group* porte sur des sujets assez précis sur lesquels on veut des précisions et des perceptions de la part des sujets. Cette méthode permet de recueillir des points de vue sur des services existants ; d'identifier des besoins ;

---

35. Mayer *et al.*, *op. cit.*, p. 116.
36. *Ibid.*, p. 122 ; G. Simard (1989), *La méthode du* focus group, Laval, Mondia, 102 p.

de sonder les solutions envisagées afin de résoudre certaines situations problématiques dans le milieu. En somme, elle permet donc d'aller chercher des informations plus « subjectives », de vérifier ce que pensent ou perçoivent des citoyens et des personnes visées ou déjà impliquées dans une action communautaire. Certains travaux récents font état d'une utilisation des *focus groups* dans un contexte de coconstruction des savoirs qui émergent du terrain de recherche[37].

Le questionnaire

On dit souvent du questionnaire que les organismes communautaires l'utilisent peu. Il constitue pourtant une source rapide d'informations qui maximise la participation des gens à une recherche. L'usage du questionnaire est indiqué lorsqu'on veut recueillir des faits, des jugements subjectifs, que ce soient des attitudes, des opinions ou des motivations et des connaissances. Il est surtout approprié pour l'étude de grands groupes de personnes ; pour les petits groupes, l'entrevue se révèle plus efficace.

On utilise le questionnaire quand on a déjà bien cerné un problème ou une situation et qu'on veut voir comment les gens font face à ce problème ou à cette situation sous tel ou tel angle précis. Le questionnaire peut comporter des questions fermées, des questions ouvertes ou encore une combinaison des deux[38]. Il existe différentes manières d'administrer le questionnaire : on peut l'envoyer par la poste, le faire passer par téléphone, demander aux personnes de le remplir chez elles et aller le reprendre un peu plus tard, ou encore le faire passer en tête à tête. Henderson et Thomas soulignent que chaque manière de faire comporte des avantages et des inconvénients, mais que la méthode individuelle directe (en face à face) semble mieux convenir à l'intervenant communautaire, parce qu'elle le met en relation avec des gens qui pourront éventuellement former un groupe.

Plusieurs étapes sont nécessaires à l'élaboration d'un questionnaire. Premièrement, il faut déterminer l'information à rechercher. Cela signifie qu'il faut avoir une idée très précise du problème à résoudre. Deuxièmement, on décide du type de questions à employer. Les questions peuvent être directes, allant droit au but, ou indirectes pour ne pas embarrasser le sujet (revenu, dossier judiciaire, etc.). Une bonne question doit être claire, contenir une seule idée, être neutre

---

37. C. Makosky Daley *et al.* (2010), « Using focus groups in community-based participatory research : Challenges and resolutions », *Qualitative Health Research*, vol. 20, n° 5, p. 697-706.
38. Mayer *et al.*, *op. cit.*, p. 115.

sans exprimer un biais et être formulée en des termes que les personnes interrogées pourront comprendre facilement. Troisièmement, on rédigera une première ébauche du questionnaire pour déterminer les thèmes que l'on se propose d'aborder dans l'étude et la séquence de traitement. Quatrièmement, il s'agit de réexaminer et de réviser les questions. Cinquièmement, on doit tester le questionnaire une première fois en le soumettant à un échantillon réduit possédant les mêmes caractéristiques que l'échantillon visé. Finalement, la sixième étape consiste à faire la mise au point finale du questionnaire et à définir son mode d'emploi.

Pour appliquer un questionnaire, on commence par nommer l'organisme qui mène ou soutient la recherche et par en préciser les raisons et les buts. Enfin, on doit rassurer les participants sur le caractère confidentiel des informations qu'ils donneront.

CONCLUSION

À l'heure où l'on valorise les outils et les grilles quantitatives ainsi que les « données probantes », est-ce qu'il y a place pour l'innovation et le respect des différences ? Il n'est pas facile de respecter le défi d'établir des rapports égalitaires entre professionnels et citoyens, tant dans l'intervention que dans la recherche. Mais la recherche conserve encore aujourd'hui cette « aura » de scientificité inaccessible, qui perpétue l'idée de dépendance à l'égard des experts. Il n'est pas obligatoire de dépendre de ces ressources extérieures aux personnes mobilisées. En effet, il est possible pour le groupe de garder un certain pouvoir sur la démarche et la finalité de la recherche et de respecter la complémentarité des savoirs entre citoyens et ressources professionnelles de recherche.

Cela soulève l'enjeu des visées de la recherche : produire des savoirs et soutenir l'action en coconstruction tout en renforçant la citoyenneté avec des outils que légitiment et s'approprient les populations concernées. C'est en amont et en aval de la recherche que tout se passe. La recherche est toujours un simple outil qui doit rester au service de l'action de transformation. Si sa pertinence pour soutenir l'action communautaire ne fait pas de doute, il reste à bâtir ces rapports de coconstruction où savoirs d'experts et savoirs citoyens seront également présents.

BIBLIOGRAPHIE SÉLECTIVE

ANADON, M. (dir.) (2007), *La recherche participative*, Québec, Presses de l'Université du Québec, 240 p.

BOISVERT, F. *et al.* (2009), *Portrait d'initiatives québécoises de recherches ayant utilisé une méthode dite d'enquête citoyenne*, Cahiers ARUC-économie sociale. Voir le site de l'ARUC, ci-dessous.

BOISVERT, R. (2009), *Fiche d'appréciation du potentiel d'une communauté*, Institut national de santé publique du Québec. Voir le site de l'OEDC, ci-dessous.

COYNE, K. et P. COX (2008), *L'effet de ricochet : partir des résultats pour planifier et gérer les activités communautaires*, 4e édition, Ottawa, Patrimoine canadien, 36 p.

DE LAVERGNE, C. (2007), « La posture du praticien-chercheur : un analyseur de l'évolution de la recherche qualitative », *Recherche qualitative, Hors série n° 3*, p. 28-43.

FOREST, D. et L. SAINT-GERMAIN (2010), *La participation citoyenne : le point de vue des citoyennes et des citoyens du nord de Lanaudière sur la participation dans les démarches d'animation territoriale en développement durable*, Rapport de recherche, Centre de recherche sociale appliquée, CSSS du Nord-de-Lanaudière.

KLEIN, J.-L. (2007), « La recherche-action en développement local : possibilités et contraintes », dans *La recherche participative : multiples regards*, Québec, Presses de l'Université du Québec, p. 31-45.

MORIN, A. (2009), *Cheminer ensemble dans la réalité complexe. La recherche-action intégrale et systémique* (RAIS), Paris, L'Harmattan, 314 p.

PAILLÉ, P. et A. MUCCHIELLI (2008), *L'analyse qualitative en sciences humaines et sociales*, Paris, Armand Colin, 320 p.

RENÉ, J.F. *et al.* (2009), « Faire émerger le savoir d'expérience de parents pauvres : forces et limites d'une recherche participative », *Recherches qualitatives*, vol. 28, n° 9, p. 40-63.

SIMARD, P. (2005), *Perspective pour une évaluation participative des villes et villages en santé*, Institut national de santé publique du Québec. Voir le site du RQVVS, ci-dessous.

SIMARD, P. (2009), *La trousse d'outils : connaître et accompagner les communautés*. Voir le site du RQVVS.

WEBOGRAPHIE SÉLECTIVE

ALLIANCE DE RECHERCHE UNIVERSITÉ-COMMUNAUTÉ/INNOVATION SOCIALE ET DÉVELOPPEMENT DES COMMUNAUTÉS (ARUC-ISDC): <http://www4.uqo.ca/aruc/>.

CENTRE SAINT-PIERRE, *Agir dans son milieu*: <http://www.centrestpierre.org/accueil/projets.html>.

OBSERVATOIRE ESTRIEN DU DÉVELOPPEMENT DES COMMUNAUTÉS: <http://www.oedc.qc.ca/>.

RÉSEAU QUÉBÉCOIS DE VILLES ET VILLAGES EN SANTÉ (RQVVS): <http://www.rqvvs.qc.ca/>.

6

LA SENSIBILISATION, LA MOBILISATION ET LES MOYENS DE PRESSION

JOCELYNE LAVOIE

JEAN PANET-RAYMOND

AVEC LA COLLABORATION D'ANNA KRUZYNSKI

PLAN DU CHAPITRE 6

INTRODUCTION

La sensibilisation, la mobilisation et les moyens de pression sont au cœur des pratiques d'action communautaire.

Dans un premier temps, la sensibilisation vise à favoriser la réflexion et à susciter une prise de conscience par rapport à une situation problématique ou à un besoin commun, et à proposer des solutions et des idées nouvelles afin de transformer cette situation ou répondre à ce besoin. La sensibilisation permet d'attirer l'attention des personnes et des collectivités sur un problème et favorise une identification critique des enjeux et des solutions possibles par un travail d'éducation populaire[1].

Quant à la mobilisation, elle témoigne de la nécessité de développer des solidarités entre les personnes et les organisations appartenant à une communauté affectée par la pauvreté, les inégalités, l'exclusion, la dévitalisation, l'injustice, le manque de ressources ou la détérioration de son environnement, afin qu'elle puisse prendre en main sa destinée dans une perspective de changement social. Ainsi, la mobilisation a pour but de susciter l'engagement et de regrouper des personnes touchées par un problème social ou partageant un même besoin pour la poursuite d'une action collective visant à résoudre ce problème ou à répondre à ce besoin.

Dans ce chapitre, nous introduirons aussi le concept de moyen de pression, que l'on retrouve le plus souvent au cœur des stratégies d'actions conflictuelles des groupes et des mouvements sociaux dans leur lutte pour des changements sociaux. En effet, les moyens de pression s'imposent lorsqu'il s'agit d'établir un rapport de forces en faveur de celles et ceux qui aspirent à une société plus juste, plus égalitaire et plus démocratique, et à une société plus consciente des enjeux écologiques qui menacent la biodiversité et, par conséquent, l'avenir de l'humanité. Dans ce contexte, l'action communautaire se situe fréquemment sur le terrain de la défense collective des droits, de la revendication envers l'État et du partage du pouvoir au sein des communautés. Les moyens de pression sont en outre souvent inévitables pour contrer les pratiques de développement économique de grandes entreprises ou d'organisations internationales. L'action communautaire ne peut donc pas, par définition, faire l'économie du conflit.

---

1. R. Lachapelle (2003), *L'organisation communautaire en CLSC. Cadre de référence et pratiques*, Québec, Presses de l'Université Laval, 293 p.

En complément de la section sur les moyens de pression, nous aborderons la notion de politique de l'agir, celle que Day a baptisé *politics of act*[2]. Cette notion fait référence à une philosophie d'action collective qui s'inscrit dans la mouvance anarchiste[3] et qui vise à agir directement pour obtenir ce que l'on veut sans passer par un intermédiaire. Les aspects théoriques portant sur la politique de l'agir seront complétées par une section sur les tactiques d'une politique de l'agir, illustrée à partir de l'expérience militante du collectif La Pointe Libertaire dans un quartier populaire du sud-ouest de Montréal.

L'articulation entre sensibilisation, mobilisation et moyens de pression constituera donc le principal propos de ce chapitre, les liens unissant ces trois types d'intervention étant très étroits. Dans les trois premières sections de ce chapitre, le sens des notions théoriques se rattachant à chacun de ces types d'intervention sera défini et mis en contexte. La quatrième section de ce chapitre sera quant à elle consacrée à un volet plus pratique et visera à illustrer le « coffre à outils » dont les intervenants disposent lorsque vient le temps de choisir les moyens pour articuler une démarche de sensibilisation, un travail de mobilisation ou la mise en œuvre de moyens de pression.

1. LA SENSIBILISATION

La sensibilisation occupe une très grande place au sein des pratiques d'action communautaire. Le fondement de toute action collective ne repose-t-il pas sur le fait qu'une situation problème affectant un grand nombre de personnes doit être reconnue et jugée comme telle par les personnes concernées pour être considérée comme un problème social ?

Une démarche de sensibilisation sera donc souvent essentielle pour permettre l'identification d'un problème et favoriser une prise de conscience de son caractère collectif. La sensibilisation contribuera ainsi à faire naître l'espoir qu'en agissant collectivement, on pourra atténuer ou résoudre le problème au bénéfice des personnes qu'il affecte, dans une visée du bien commun. La sensibilisation permet non seulement de susciter la réflexion, mais de passer à l'action.

---

2. R.J.F. Day (2005), *Gramsci Is Dead : Anarchist Currents in the Newest Social Movements*, Toronto, Between the Lines, 254 p.

3. Le terme *anarchiste* fait référence à la culture politique libertaire, anarchiste et anti-autoritaire.

La sensibilisation

La sensibilisation est un terme très large utilisé en action communautaire pour désigner un ou plusieurs moyens qui seront mis à contribution afin d'atteindre les buts suivants :

- favoriser la réflexion et susciter une prise de conscience par rapport à un problème social ou à un besoin commun,
- promouvoir des solutions ou des idées nouvelles afin de transformer une situation jugée problématique ou de répondre à un besoin commun.

À la lumière de cette définition, on saisit bien en quoi la sensibilisation se distingue de l'information qui, bien qu'elle puisse favoriser la réflexion et susciter une prise de conscience, laisse très souvent les personnes devant un sentiment d'impuissance en ne suggérant pas nécessairement de solutions pour transformer la situation dénoncée. À ce titre, on peut donc avancer que la sensibilisation poursuit invariablement un objectif de changement social.

La conscientisation

Lorsqu'on parle de sensibilisation, il convient de faire la distinction entre sensibilisation et conscientisation, car, bien que ces termes soient étroitement liés et souvent utilisés indifféremment, la conscientisation renvoie plutôt à un modèle d'intervention largement inspiré de la méthode d'alphabétisation conscientisante développée par Paulo Freire dans les régions pauvres du Brésil au début des années 1960. La méthode pédagogique et politique de Paulo Freire opposait à l'« éducation-domination » une « éducation-libération » comme instrument du processus d'éducation et de transformation sociale. En partant de la « conscience dominée » des hommes et des femmes analphabètes des milieux ruraux brésiliens, Paulo Freire voulait aider son peuple à atteindre une « conscience libérée ». Par conséquent, le but de l'éducateur n'était pas seulement d'apprendre à lire et à écrire aux paysans analphabètes, mais aussi de chercher avec eux les moyens de transformer le monde dans lequel ils vivaient à partir de mots qui étaient issus de l'univers-vocabulaire des travailleurs auxquels s'adressaient les éducateurs. Cette pédagogie des opprimés repose sur quatre niveaux de conscience qui viennent marquer les étapes de la démarche : 1) la conscience soumise ou magique ; 2) la conscience révoltée, marquée par l'activisme ; 3) la conscience réformiste, qui cherche à améliorer le système existant ; 4) la conscience libératrice, qui est un engagement permanent contre toute forme d'exploitation, de domination ou d'aliénation[4].

---

4. P. Freire (1974), *Pédagogie des opprimés*, Paris, Maspero, 202 p.

Ainsi, la conscientisation comporte des dimensions à la fois pédagogiques et politiques qui visent à ce que les classes opprimées prennent conscience de leur oppression, rejettent la définition qu'en donne leur oppresseur et apprennent celle qui correspond à leurs conditions réelles d'existence afin de trouver ensuite des moyens de s'en libérer. Donc, sans chercher à opposer sensibilisation et conscientisation, il importe de relever l'engagement politique et l'alliance avec les classes opprimées qui viennent teinter les pratiques de conscientisation. Au Québec, le modèle d'éducation populaire autonome qui s'est développé dans les années 1970 ainsi que l'approche féministe conscientisante ont été influencés par Paulo Freire. Afin de marquer les particularités de l'approche de conscientisation et d'éviter toute confusion possible avec la sensibilisation, nous avons résolu de n'utiliser ici que le terme *sensibilisation*.

1.1. Les objectifs d'une démarche de sensibilisation

Bien que le but d'une démarche de sensibilisation soit de favoriser la réflexion et de promouvoir des solutions pour transformer une situation, les objectifs de la sensibilisation pourront varier selon la nature du problème et celle du changement souhaité ainsi que selon les personnes et les groupes visés pour y contribuer.

Compte tenu de ces différentes variables, une démarche de sensibilisation poursuivra l'une ou l'autre des quatre catégories d'objectifs suivants.

Changements individuels	Introduire des changements sur le plan individuel en incitant des personnes à modifier leurs comportements, leurs attitudes, leurs préjugés ou leurs habitudes de vie lorsque celles-ci ont des conséquences préjudiciables sur elles-mêmes, sur un groupe social ou sur une communauté. Entre aussi dans cette catégorie d'objectifs le fait d'amener les personnes à prendre conscience qu'elles sont victimes d'une injustice et qu'il existe des recours leur permettant de défendre leurs droits.
Changements collectifs	Introduire des changements sur le plan collectif en suscitant une prise de conscience de l'existence d'un problème social commun affectant une communauté donnée, et en proposant aux personnes concernées des alternatives et des pistes de solution pour agir collectivement sur la situation.
Influence sur les décideurs	Influencer les décideurs afin de les rendre plus sensibles aux difficultés ou aux besoins d'une population et les inciter à agir dans l'intérêt du bien commun.

Appui de l'opinion publique	Obtenir la sympathie et l'appui de l'opinion publique par des actions visant à convaincre la population de la légitimité d'une cause, ce qui aura comme effet d'influencer les décideurs à agir dans le sens des revendications demandées.

1.2. L'ampleur d'une démarche de sensibilisation

En partant de l'objectif visé par sa démarche de sensibilisation et en évaluant le temps et les ressources dont il dispose, le groupe déterminera ensuite l'ampleur qu'il souhaite donner à sa démarche. Les trois exemples qui suivent illustrent les variantes qui peuvent exister à cet égard.

Activité de sensibilisation	Un groupe pourra opter pour une seule activité de sensibilisation comportant divers moyens s'il estime que cette activité est suffisante pour amorcer une démarche de réflexion en vue de changer des perceptions, des comportements ou des attitudes. Par exemple, organiser un café-rencontre dans un centre de femmes sur le thème des violences faites aux femmes durant la période des Journées d'action contre la violence faite aux femmes pour favoriser un partage du vécu et inciter les participantes à agir collectivement.
Programme d'activités	Un groupe pourra choisir de consacrer plus d'énergie, de moyens et de temps à une démarche de sensibilisation en mettant sur pied un programme d'activités. Par exemple, une maison de jeunes choisira d'organiser une semaine de sensibilisation contre l'intimidation. À cette fin, les animateurs et les jeunes organiseront une semaine thématique comportant diverses activités en lien avec ce thème, par exemple une soirée d'improvisation, un atelier d'art créatif, une activité d'animation sur la communication non violente, la réalisation d'une *flash mob* et un souper communautaire.
Campagne de sensibilisation	Un groupe ou même une coalition de groupes évalueront la pertinence d'organiser une campagne de sensibilisation qui fera appel à une diversité d'activités et d'outils et qui pourra s'étendre sur plusieurs semaines. Dans le cas d'une campagne de sensibilisation, on associera généralement les médias de masse et les médias sociaux à la démarche. Cela renforcera le message que le groupe veut transmettre tout en rejoignant un plus grand nombre de personnes.

2. LA MOBILISATION

2.1. L'importance de la mobilisation

La mobilisation

La mobilisation a pour but de regrouper des personnes touchées par un problème social, ou partageant un même besoin, et de susciter leur engagement pour la mise en œuvre d'une action visant à résoudre ce problème ou pour la réalisation d'un projet destiné à satisfaire ce besoin. La mobilisation, c'est donc l'action par laquelle des personnes et des organismes expriment leur solidarité pour mettre en œuvre des projets et des actions collectives leur permettant de transformer les conditions sociales, économiques, politiques, environnementales et culturelles dans lesquelles elles vivent.

Cette définition illustre comment la mobilisation donne tout son sens aux pratiques d'action communautaire, puisqu'elle propose aux personnes d'être les principaux acteurs des choix et des changements sociaux, économiques, politiques, environnementaux et culturels les concernant. Les actions posées par les personnes directement touchées par un problème peuvent prendre plusieurs formes et exiger divers degrés d'engagement. La mobilisation donne aussi l'occasion aux personnes qui ne sont pas directement touchées par un problème d'exprimer leur appui à l'égard de celles et ceux qu'elles estiment être victimes d'injustice, d'oppression ou d'exclusion.

La mobilisation peut enfin s'exprimer lorsque vient le temps pour les membres d'un organisme de participer à la vie associative d'un organisme communautaire. Elle offre ainsi la possibilité d'élargir le sens donné généralement à la vie démocratique en développant les solidarités et en affirmant l'expression d'une citoyenneté active et responsable.

2.2. La place de la mobilisation dans le processus d'intervention

Dès la phase de préparation de l'intervention, lors de l'analyse de la situation, les personnes concernées seront impliquées dans la définition de la nature du problème ou du besoin. Ce sont aussi elles qui participeront à l'élaboration du plan d'action, même s'il s'agit parfois seulement d'un noyau de personnes désireuses de s'impliquer à cette étape.

Mais c'est à la phase de la réalisation d'une action collective que s'intensifieront les efforts du groupe, soit pour élargir la mobilisation initiale, soit pour regrouper les personnes qui vivent encore leurs difficultés de façon isolée. Cet effort de mobilisation est encore plus apparent lorsqu'un groupe opte pour une stratégie conflictuelle, où la création d'un rapport de force est nécessaire pour obtenir des gains contre des gouvernements, des institutions ou des entreprises. Rappelons que la mobilisation se poursuit jusqu'à l'étape du bilan, où les personnes ayant participé à l'action seront mises à contribution pour réaliser un retour critique sur les diverses étapes du projet en lien avec les objectifs visés.

2.3. L'ampleur d'un travail de mobilisation

Tout comme la démarche de sensibilisation, le travail de mobilisation comporte différents aspects et son intensité peut varier selon qu'il s'agit de recruter un petit groupe de personnes pour le démarrage d'une activité ou de susciter la participation de centaines, voire de milliers d'individus pour établir un rapport de force. Selon l'objectif poursuivi pour agir collectivement sur une situation, on fera appel à divers moyens, plus ou moins nombreux, complexes et originaux. Le recrutement de cinq personnes pour mettre sur pied une activité de cuisine collective n'exige pas le même déploiement d'efforts et de moyens que la mobilisation de centaines de citoyens pour participer à une manifestation contre un projet de développement économique ayant des impacts négatifs sur une communauté locale.

L'objectif poursuivi, le type de projet ou d'action choisi, la stratégie privilégiée, le temps et les ressources dont le groupe dispose sont donc autant de facteurs influant sur la diversité et l'ampleur des moyens à déployer pour mobiliser.

2.4. La force de la mobilisation sur l'imaginaire collectif

Le Québec a été le théâtre de plusieurs mobilisations populaires et citoyennes qui ont frappé l'imaginaire collectif et démontré la soif de justice sociale et l'expression de la solidarité de divers mouvements sociaux.

Depuis la longue marche des femmes pour l'obtention du droit de vote au Québec en 1940, le Québec a connu son lot de mobilisations. Les années 1960 sont probablement la décennie qui aura le plus marqué l'imaginaire collectif au regard des mobilisations collectives. Cette décennie est associée à l'émergence de plusieurs mouvements sociaux en Amérique du Nord, notamment le mouvement hippie, le mouvement des droits civiques pour l'égalité des Noirs américains, le mouvement d'opposition à la guerre au Vietnam, le mouvement pour l'égalité entre les hommes et les femmes, le mouvement pour la libération homosexuelle à l'origine du mouvement LGBT, le mouvement pour la défense des droits civiques des autochtones, etc. Le Québec n'a pas échappé à cette vague de contestation et d'affirmation. En effet, la culture politique québécoise se transforme profondément durant la Révolution tranquille, alors que l'on assiste à l'émergence d'une nouvelle identité nationale québécoise qui s'écarte du nationalisme canadien-français traditionnel. L'un des faits marquants de cette transformation fut la lutte du peuple québécois autour de l'enjeu linguistique. Bref retour dans l'histoire : au début des années 1960, l'anglais est encore la langue de promotion économique pour de nombreux francophones et, à ce titre, l'enjeu linguistique devient un « élément central de la définition de l'État-nation puisqu'elle traduit le bien commun d'une communauté cherchant à se perpétuer mais aussi à réduire ses inégalités socioéconomiques[5] ». C'est donc autour de cet enjeu que plus de 50 000 personnes se sont rassemblées sur la colline parlementaire à Québec le 31 octobre 1969 pour dénoncer la politique linguistique du gouvernement de l'Union nationale et réclamer que le français devienne la langue de l'État et de la législation au Québec. Cette manifestation, suivie de plusieurs autres, a mené à l'adoption, en 1977, de la Charte de la langue française, communément appelée la « loi 101 », définissant les droits linguistiques de tous les citoyens du Québec et faisant du français la langue officielle de l'État québécois.

Depuis ces premières batailles décisives pour le Québec moderne, plusieurs autres grandes mobilisations populaires se sont succédé au rythme de diverses causes sociales, culturelles et politiques. Pensons aux nombreuses mobilisations pour revendiquer l'égalité entre les femmes et les hommes[6], aux luttes contre la pauvreté et pour le droit au logement, à celles des citoyens pour contrôler l'aménagement du territoire, aux nombreuses batailles livrées par le mouvement

---

5. M. Martel et M. Pâquet, « Quand la langue mobilisait. Les manifestations d'octobre 1969 contre le bill 63 », *Le Devoir*, 24 octobre 2009.

6. Le mouvement des femmes a été le théâtre de dizaines de manifestations et de marches. Parmi celles qui ont marqué l'histoire du mouvement des femmes, mentionnons la Marche des femmes contre la pauvreté *Du pain et des roses* en 1995 et la Marche mondiale des femmes en 2000, 2005 et 2010.

écologiste, aux manifestations populaires contre la guerre en Irak[7], de même qu'aux nombreuses actions de contestation pour s'opposer à la mondialisation et à la globalisation néolibérale[8].

Enfin, ce qui a plus récemment frappé l'imaginaire collectif québécois fut sans contredit les centaines de manifestations suscitées par le mouvement de grève des étudiants du printemps 2012. Cette lutte contre la hausse des frais de scolarité a vu déferler des marées d'étudiantes et d'étudiants dans les rues de Montréal. Peu à peu, cette lutte est devenue celle de milliers d'autres citoyennes et citoyens venus défier l'autorité illégitime du gouvernement Charest après l'adoption du projet de loi 78. Ainsi, au mouvement étudiant ont succédé les manifestations nocturnes et le mouvement de désobéissance civile des casseroles, véritable mouvement citoyen pour la défense des droits fondamentaux.

Toutes ces mobilisations sont venues proposer une autre vision du Québec, une vision porteuse de justice sociale, de solidarité, soucieuse du bien commun et des droits collectifs. Autant de mobilisations qui ont permis d'inscrire des victoires décisives dans l'imaginaire collectif québécois et d'entretenir l'espoir qu'un monde meilleur et plus juste est possible.

2.5. Les conditions favorisant le maintien de la mobilisation

En action communautaire, il n'est pas rare que la mise en œuvre de projets ou de luttes collectives s'échelonne sur plusieurs semaines, des mois et parfois même des années. Dans un tel contexte, l'expérience montre qu'il ne suffit pas de susciter la mobilisation ; encore faut-il soutenir l'élan de départ.

---

7. L'année 2003 fut le théâtre de certaines des plus grandes mobilisations au Québec. Entre les mois de février et mars, plusieurs manifestations ont mobilisé de 150 000 à 250 000 manifestantes et manifestants.
8. Par exemple, en avril 2001, la Marche des peuples au Sommet des Amériques à Québec a rassemblé 50 000 personnes venues manifester leur opposition au projet de la Zone de libre-échange des Amériques (ZLÉA).

Ce constat pose la question des conditions favorisant non seulement l'engagement initial des personnes, mais aussi le maintien de leur intérêt et de leur participation tout au long de l'action. Pour favoriser le maintien de la mobilisation, voici certaines conditions que l'on devrait s'assurer de réunir :

- Avoir le souci constant de valoriser et de reconnaître le travail accompli par les personnes participantes ; le besoin de reconnaissance étant un besoin fondamental chez l'être humain.

- Se fixer des objectifs réalistes et à court terme qui permettent des gains et des victoires tangibles et concrètes, malgré l'existence d'objectifs à plus long terme. Rien n'est plus démobilisant que d'éprouver le sentiment de travailler fort et longtemps sans avoir la satisfaction d'obtenir des résultats concrets.

- Mettre en place un mode de fonctionnement qui favorise un engagement à la mesure des intérêts, des compétences, des volontés d'apprendre et des disponibilités des personnes. Plusieurs groupes ont compris cette nécessité et ont formé des comités de travail sur divers aspects liés à la réalisation d'un projet collectif. Un tel fonctionnement permet au plus grand nombre possible de personnes de s'engager selon leurs goûts et de se développer selon leurs champs d'intérêts, tout en respectant le temps qu'elles peuvent consacrer au projet.

- Accorder une attention particulière à la qualité de la communication au sein du groupe, en étant très sensible aux difficultés et aux conflits qui peuvent surgir et en faisant des efforts constants pour les régler au fur et à mesure.

- Favoriser des moments d'apprentissage et de formation individuels et collectifs. Cela peut se faire par du soutien entre membres, par des échanges avec des personnes d'autres organisations ou par des sessions de formation et d'éducation populaire plus structurées. De tels moments sont autant d'occasions de prendre du recul, de s'outiller et d'élargir sa vision et son analyse sur un sujet ou un enjeu donné.

- Ne pas oublier d'accorder une place au plaisir en organisant des activités festives ou de détente qui favorisent la cohésion et contribuent à accroître le sentiment d'appartenance au groupe. Organiser un repas communautaire pour souligner un événement important, préparer une fête pour se réjouir des gains obtenus ou réaliser une activité de plein air à l'occasion d'un bilan annuel, voilà autant de moyens de « ventiler », de se découvrir sous un jour nouveau et de resserrer les liens.

3. LES MOYENS DE PRESSION

Moyens de pression | Le terme *moyens de pression* (ou *tactiques*) renvoie aux moyens d'action utilisés à l'intérieur d'une stratégie d'action collective basée sur la résolution de conflits sociaux. Selon Touraine, le conflit fait partie intégrante de la dynamique sociale étant donné l'existence de rapports et d'intérêts divergents entre les classes sociales[9]. Les moyens de pression sont donc utilisés par les personnes, les groupes, les communautés et, de manière plus large, par les mouvements sociaux qui, à travers leur action collective et concertée en faveur d'un changement social, doivent établir un rapport de force vis-à-vis de ceux qui détiennent le pouvoir politique, économique, social ou culturel.

L'action communautaire étant une pratique de changement social s'adressant prioritairement aux communautés affectées par les inégalités, la dépendance, la marginalité, l'exclusion et l'appauvrissement, dans une perspective de justice sociale[10], cela va de soi que le recours aux moyens de pression fait partie des stratégies et des actions qui devront être mises en œuvre pour obtenir les changements souhaités.

Les moyens de pression font appel à des actions visant à agir directement ou indirectement, voire symboliquement, pour obtenir les transformations sociales souhaitées. Le choix, l'élaboration et la mise en œuvre de moyens de pression s'appuient sur la recherche du bien commun et font appel à des actions qui sont à la fois diversifiées, créatives et, quelquefois, spectaculaires, voire radicales. En tout temps, le choix des moyens de pression repose sur une bonne analyse de la conjoncture dans laquelle l'action s'inscrit.

Par exemple, les moyens de pression employés par le mouvement altermondialiste pour faire échec aux négociations de l'Organisation mondiale du commerce (OMC) à Seattle en 1999[11], qui s'étaient révélés très efficaces à ce

---

9. H. Dorvil et R. Mayer (dir.) (2001). *Problèmes sociaux. Théories et méthodologies*, Tome I, Québec, Presses de l'Université du Québec, p. 21.

10. Lachapelle, *op. cit.*

11. Le Sommet de Seattle fait référence au troisième sommet de l'Organisation mondiale du commerce (OMC) qui a réuni 135 pays membres dans la ville de Seattle aux États-Unis, en 1999. Ce sommet avait comme objectif la mise en place d'un nouvel ordre économique mondial caractérisé par l'établissement de règles supranationales limitant la capacité légale et pratique de chaque nation à subordonner ses activités à d'autres principes que des principes strictement commerciaux. Le nouveau cycle de négociation prévu à Seattle prévoyait un élargissement des compétences du comité d'arbitrage de l'OMC dans des domaines touchant la santé,

moment-là, ont cessé de l'être une décennie plus tard[12]. En effet, à Seattle, les manifestants ont su surprendre les forces de l'ordre avec des tactiques de confrontation créatives et spectaculaires, qui se menaient de tout bord tout côté, sans coordination centralisée. Après ces événements, les autorités se sont rapidement ajustées, en mettant en place d'imposants dispositifs répressifs[13] ou en choisissant des lieux difficiles d'accès. Et, comme nous l'avons vu lors du G8/G20 tenu à Toronto en juin 2010, les autorités n'ont pas hésité à utiliser les machines médiatiques et juridiques pour démoniser les militants radicaux, allant jusqu'à les traiter comme de véritables terroristes. Mais l'État n'est pas le seul à changer ses façons de faire. Les organisations militantes et communautaires évoluent aussi et se transforment au gré de la conjoncture ainsi qu'en fonction des valeurs et des normes sociales. Ainsi, des moyens de pression jugés légitimes et efficaces à une certaine époque pourraient ne plus l'être à une autre époque. Le choix des moyens de pression prend donc son sens dans le contexte historique et symbolique qui l'a vu naître.

3.1. Les moyens de pression et les approches stratégiques d'intervention

L'organisation communautaire, on le sait, représente une pratique d'intervention qui s'est progressivement professionnalisée au Québec à partir des années 1960, décennie où « elle n'était pratiquée que par une poignée d'intervenantes et d'intervenants issus des sciences humaines et sociales travaillant à la mise sur pied de comités de citoyens et de groupes populaires ici et là, dans les quartiers les plus démunis des grands centres urbains ou des régions rurales éloignées[14] ». Cette pratique sociale a évolué et s'est diversifiée au point qu'à partir d'un certain nombre de critères ou caractéristiques de base, il est devenu possible de camper quatre principales « approches stratégiques » ou « modèles » propres au mode

---

l'environnement, l'éducation, l'exploitation des forêts, les normes sociales, etc. La mobilisation citoyenne qui s'est organisée pour réclamer la prise en compte des valeurs non marchandes dans la sphère économique (droits de l'Homme, valeurs éthiques en matière de biodiversité, etc.) a largement contribué à l'échec des négociations prévues.

12. E. Fougier (2004), *Altermondialisme, le nouveau mouvement d'émancipation ?*, Paris, Lignes de Repères, p. 29.

13. C. Caron, « Seattle, dix ans après », *Relations*, n° 736, novembre 2009, p. 10-11.

14. D. Bourque *et al.* (2007), « L'organisation communautaire au Québec. Mise en perspective des principales approches stratégiques d'intervention », dans D. Bourque *et al.* (dir.), *L'organisation communautaire. Fondements, approches et champs de pratique*, Québec, Presses de l'Université du Québec, p. 12.

d'intervention communautaire : 1) l'intervention sociopolitique (action sociale) ; 2) l'intervention socioéconomique (développement local) ; 3) l'intervention socio-institutionnelle (planning social) ; 4) l'intervention sociocommunautaire[15].

La compréhension et l'analyse des diverses caractéristiques de cette typologie révèlent que la place accordée aux moyens de pression varie de manière significative d'une approche à l'autre. Ainsi, l'approche sociopolitique, dont la finalité est la résolution des problèmes sociaux par les groupes sociaux les plus démunis au moyen d'un travail de défense et de promotion de leurs droits, ne peut faire l'économie du conflit social et du recours aux moyens de pression. Cette caractéristique se traduit, du côté des formes d'organisation privilégiées, par la mise sur pied d'organisations de lutte, de revendication et de pression permettant le développement d'un rapport de force pouvant leur être favorable. Un tel rapport de force est le plus souvent obtenu par la pression, la défense des droits et l'éducation populaire pour la négociation de solutions avec les autorités en place, voire la défaite ou la déroute de la partie adverse. Les différents modèles d'intervention sociopolitique accordent donc une place prépondérante au conflit, à la dimension politique et aux moyens de pression dans leur stratégie globale d'action, de façon à permettre aux communautés d'exprimer leurs frustrations et leurs aspirations et à les traduire en droits, en politiques, en normes, etc. L'approche sociopolitique se démarque ainsi des trois autres approches par la place prépondérante qu'elle accorde aux luttes, à la contestation, à la pression et, de manière plus marginale, à la voie révolutionnaire.

L'approche du développement local emprunte aussi parfois le chemin de la lutte pour mener à terme des projets de développement social ou de développement économique local. En effet, s'il y a une chose que les communautés savent, de par leur volonté d'autodéveloppement économique et social, c'est que la résistance et la pression sont souvent nécessaires lorsqu'il s'agit de négocier le financement de projets, de ressources ou de services pour des populations touchées par la pauvreté, l'exclusion et la marginalisation. Pensons seulement au syndrome du « pas dans ma cour », qui exige des organismes non seulement de mieux préparer le terrain auprès des résidents voisins, mais parfois aussi de recourir à des actions musclées pour dénoncer les interventions de certaines institutions et commerces s'opposant à des projets de logements sociaux ou à l'implantation de ressources pour les populations marginalisées.

---

15. Bourque *et al.*, *op. cit.*

Quant à l'approche socio-institutionnelle et à l'approche sociocommunautaire, même s'il est plus rare qu'elles sortent du registre consensuel ou de négociation, elles peuvent également emprunter la voie du conflit social.

3.2. La politique de l'agir et l'action directe

Un moyen de pression, comme nous le relevions dans l'introduction, implique l'existence d'un intermédiaire sur lequel la pression est mise – le gouvernement, le conseil d'arrondissement, une entreprise, etc. Il s'agit donc de ce que Richard Day[16] appelle « *politics of demand* », c'est-à-dire une stratégie d'action qui repose sur l'analyse qu'il est possible et souhaitable de convaincre ou de contraindre l'intermédiaire à répondre positivement à une revendication. Nous introduisons aussi, dans ce chapitre, un autre type de stratégie, celle que Day dénomme « *politics of act* » ou politique de l'agir.

Les partisans de la politique de l'agir n'entretiennent pas ou plus l'espoir que l'émancipation est possible à l'intérieur d'un système géré par un État et les institutions qui y sont associées. Par conséquent, au lieu d'exercer des pressions sur les autorités en revendiquant des « droits » ou des « libertés », les militantes et militants appartenant à des réseaux pour la plupart libertaires et anarchistes misent plutôt sur la force de leur agir pour interférer avec le pouvoir de l'État et des entreprises capitalistes, tout en tentant de préfigurer ou de créer des alternatives porteuses d'émancipation individuelle et collective.

« La politique de l'agir s'accompagne, sur le plan opérationnel, d'une philosophie organisationnelle non hiérarchique, décentralisée et autonome[17]. » Des personnes s'associent en groupes d'affinités et collectifs, autour d'enjeux multiples de mobilisation (politique, environnement, brutalité policière, genre, etc.). Plusieurs groupes se font et se défont au gré de la conjoncture, alors que d'autres établissent des convergences. Ces réseaux privilégient un mode de fonctionnement par démocratie directe et intègrent une multitude de mécanismes pour déconstruire les rapports de domination au sein des organisations : c'est la préfiguration, dans l'ici et le maintenant, de la société rêvée de demain.

---

16. Day, *op. cit.*
17. Pour mieux comprendre cette philosophie en contexte québécois, voir G. Lambert-Pilotte, M.-H. Drapeau et A. Kruzynski (2007), « La révolution est possible : portrait de groupes auto-gérés libertaires au Québec », *Possibles (Les jeunes réinventent le Québec)*, vol. 31, n°s 1-2, p. 138-159 (<http://www.possibles.cam.org/index.html>).

La philosophie de la politique de l'agir présente des similitudes avec l'action directe, qui se définit comme une philosophie d'action signifiant que l'on est prêt à se battre pour prendre le contrôle de sa vie et essayer d'agir directement sur le monde dans lequel on vit. Selon Besnard, l'action directe est « une action individuelle ou collective exercée contre l'adversaire social par les seuls moyens de l'individu et du groupement[18] ». Bien que l'action directe soit au cœur d'une politique de l'agir, cette dernière va plus loin dans son intention, c'est-à-dire que celles et ceux qui militent selon la logique d'une politique de l'agir tiennent mordicus aux fondements non hégémoniques et non hiérarchiques de leurs luttes, de leurs formes d'organisation et de leurs visions de la société. De ce point de vue, l'action directe, en tant que théorie politique, est plus circonscrite dans son intention et ne rompt pas nécessairement avec la politique de revendication. En d'autres mots, le processus révolutionnaire est au cœur d'une politique de l'agir, ce qui n'est pas nécessairement le cas de l'action directe.

Pour en revenir à l'action directe, Besnard l'oppose à l'action parlementaire ou indirecte, qui se déroule exclusivement dans un cadre légal par l'intermédiaire des groupes politiques et de leurs élus. À cet égard, l'action directe se passe avant tout sur le terrain ; elle peut être légale ou illégale. Par ailleurs, les militants de l'action directe sont très majoritairement partisans d'actions pacifistes non violentes, même si le recours à la violence n'est pas exclu. Pour ce qui est de son fonctionnement, l'action directe privilégie, à l'instar des tenants de la politique de l'agir, l'organisation et l'action par groupes d'affinités où les individus coopèrent librement dans une dynamique d'autogestion.

Dans les pays occidentaux, la plupart des tenants de l'action directe utilisent des formes d'actions qui s'apparentent à la désobéissance civile non violente. Mais il arrive que certains, en fonction de leur position sociale, de la conjoncture et de leur analyse des rapports de force, estiment qu'il est légitime de pousser la logique jusqu'à la destruction de la propriété. Francis Dupuis-Déri[19] propose une analyse du message symbolique sous-jacent aux cibles privilégiés par les manifestants et émeutiers à partir des événements survenus lors du sommet du G-20 à Toronto en juin 2010 :

---

18. P. Besnard, *Les syndicats ouvriers et la révolution sociale* (<http://www.fondation-besnard.org/article.php3?id_article=96>).

19. F. Dupuis-Déri est professeur de science politique à l'Université du Québec à Montréal. Il est aussi sympathisant de la Convergence des luttes anticapitalistes (CLAC) et auteur du livre *Les Black Blocs* (Lux, 2007).

> Ce recours à la force par la foule est presque toujours motivé par une intelligence politique et morale face à des injustices flagrantes, soit des libertés brimées ou des inégalités scandaleuses […] On comprendra alors qu'une juste colère populaire trouvait à s'exprimer par le fait de cibler les symboles d'un système injuste et inégalitaire (banques, firmes et chaînes internationales) et, bien sûr, contre la police si brutale […] Dans 99 % des cas, il s'agissait de cibles qui avaient une signification politique claire : banques, McDonald's, Starbucks, Nike, American Apparel (malgré son hypocrite discours sympathique), des panneaux publicitaires, un bar de danseuses nues, quelques véhicules de médias d'État ou privés et des voitures de police. […] En fait l'acte lui-même de s'en prendre à des symboles du capitalisme est un message politique clair, pour qui veut bien voir et entendre ; il faut vraiment avoir vécu dans un isolement social complet ces dernières années pour ne pas comprendre que des gens sont animés d'une rage contre le capitalisme en général et les banques en particulier[20].

Cette analyse propose un recadrage des limites du débat entre les tactiques « bonnes » (non violentes) et « mauvaises » (violentes) en dénonçant la violence institutionnelle et systémique, à la fois brutale et subtile, inhérente au système capitaliste. Par le choix de ces cibles, les manifestations plus radicales souhaitent exposer les racines violentes du système et non simplement agir comme des « casseurs ».

En somme, la politique de l'agir et l'action directe constituent plus qu'une des nombreuses tactiques auxquelles peut recourir le militant, selon leurs partisans, qui les assimilent plutôt à une théorie politique, voire à une philosophie d'action qui signifie que l'on est prêt à se battre pour prendre le contrôle de sa vie et essayer d'agir directement sur le monde.

4. RÉPERTOIRE DES MOYENS DE SENSIBILISATION, DE MOBILISATION ET DE PRESSION

Avant de nous pencher sur une description pratique des moyens de sensibilisation, de mobilisation et de pression, nous croyons nécessaire de rappeler que les moyens présentés dans ce chapitre seront vidés de leurs fondements éthiques s'ils ne sont pas mis au service de pratiques d'action collective guidées par des valeurs de justice sociale, de solidarité, de démocratie et d'autonomie.

---

20. F. Dupuis-Déri, « G-20 : n'attendez plus les barbares, ils sont là ! », *Le Devoir*, 29 juin 2010.

L'histoire contemporaine nous apprend en effet que la sensibilisation, la mobilisation et le recours à des moyens de pression peuvent être utilisés autant par une droite conservatrice que par les mouvements sociaux à gauche du spectre politique, et ce, au nom de points de vue fort différents sur la justice, l'égalité et la liberté[21]. Pensons seulement aux nombreuses manifestations organisées en 2009 par la droite républicaine aux États-Unis pour afficher sa farouche opposition à la réforme de la santé proposée par le président Obama, et ce, dans un pays qui comptait alors 48 millions de personnes sans protection en matière de soins de santé. Dans le but de contrer cette réforme, des milliers de personnes ont envahi les rues de plusieurs villes américaines en agitant l'épouvantail du socialisme. Lors de ces événements qui ont marqué un tournant dans l'histoire d'une société alors profondément divisée, la manifestation comme moyen de pression n'est pas une parole citoyenne mise au service des valeurs portées par l'action communautaire. Elle illustre plutôt la profonde dérive éthique des principes qui ont historiquement poussé les citoyens à s'approprier la rue pour influencer le processus de prise de décision politique dans le but de réduire les inégalités socioéconomiques. C'est donc dans une conception commune de la justice sociale largement répandue – fruit de l'héritage des luttes politiques et sociales ayant conduit, entre autres, à la Déclaration universelle des droits de l'Homme –, et non à travers une idéologie conservatrice réactionnaire, que s'inscrit l'esprit de ce chapitre.

Ce positionnement éthique étant fait, nous verrons que des liens étroits existent entre les moyens de sensibilisation, de mobilisation et de pression. En effet, une même action pourra à la fois servir de moyen de sensibilisation et de moyen de pression. C'est le cas d'une pétition qui, lors du recueil des signatures, servira de moyen de sensibilisation en informant les gens sur la cause défendue et les revendications qui y sont rattachées, et ensuite de moyen de pression lorsqu'elle sera déposée au conseil municipal ou à l'Assemblée nationale pour démontrer l'ampleur du soutien populaire aux revendications énoncées.

Dans la section 4.1, nous décrirons plusieurs moyens de sensibilisation, de mobilisation ainsi que des moyens de pression. Mais au-delà de la description et de la mise en contexte que nous ferons de ces moyens, nous insisterons pour dire qu'il n'existe pas de recette garantissant le succès de tel ou tel moyen. Aucun moyen n'est infaillible, quel que soit le soin qu'on apporte à son élaboration. Une sensibilisation ou une mobilisation réussie, de même que le choix judicieux de

---

21. C. Caron, « Le pouvoir de la désobéissance civile », *Relations*, n° 745, septembre 2010, p. 11.

moyens de pression, relèvent plutôt d'un savant dosage entre divers facteurs, notamment une bonne analyse des enjeux et de la conjoncture, des «conditions favorables» et une capacité à s'adapter à la population visée par le groupe.

Par ailleurs, comme nous le relevions précédemment, un groupe pourra utiliser un seul moyen s'il le juge suffisant pour sensibiliser ou mobiliser les personnes qu'il cherche à rejoindre. Mais si son objectif est plus ambitieux et que le groupe doit mettre au jour une situation que la majorité des membres de sa communauté ignore, plusieurs moyens devront alors probablement être mis à contribution. Il faudra d'abord sensibiliser la population, pour espérer ensuite la mobiliser autour d'un projet ou d'une revendication. Il en va de même pour les moyens de pression, car si certaines revendications portées par des groupes ont pu obtenir gain de cause en ayant recours à un seul moyen de pression, d'autres luttes collectives vont nécessiter une stratégie basée sur un nombre répété, gradué et diversifié de moyens de pression.

Signalons en outre que la liste de moyens qui suit est loin d'être exhaustive. Elle constitue plutôt un guide de moyens susceptibles d'être adaptés selon les besoins du groupe et le contexte dans lequel l'action s'inscrit.

4.1. Les activités et autres moyens d'action

4.1.1. *La rencontre de sensibilisation*

Une rencontre de sensibilisation est une activité d'éducation populaire qui s'adresse à un petit groupe. Elle vise la sensibilisation dans une perspective de changement individuel et collectif, ou la mobilisation autour d'un projet ou d'une action. Une telle activité peut prendre diverses formes : café-rencontre, café citoyen, café urbain, déjeuner-causerie, conférence, etc. Il appartient au groupe de déterminer quelle formule sera la plus appropriée.

Les centres de femmes, par exemple, utilisent fréquemment le café-rencontre en raison de sa souplesse et parce que ce type de rencontre constitue pour plusieurs femmes une porte d'entrée vers les autres activités éducatives et actions collectives des centres de femmes. Les cafés-rencontres permettent de sensibiliser les femmes à des éléments de leur vécu et d'en faire ressortir les causes sociales et le caractère collectif. Ils sont ainsi parfois le point de départ d'actions de transformation dans le milieu. L'engagement des centres de femmes dans des dossiers tels que la lutte contre la pauvreté et la violence sont des exemples intéressants d'actions collectives issues en partie de telles rencontres.

Pour stimuler les échanges de vues et la participation, les centres de femmes ont créé et adapté une multitude d'outils d'animation associés à plusieurs des thèmes abordés lors de cafés-rencontres : exercices, jeux et vidéos viennent tour à tour faciliter la prise de parole et l'expression du vécu individuel et collectif des participantes[22].

Certains organismes communautaires ont aussi développé une pratique d'action communautaire qui fait une place importante à la rencontre d'information de type conférence comme moyen de sensibilisation. L'organisme communautaire Équiterre, par exemple, propose aux organisations des conférences variées afin de vulgariser les enjeux sociaux et environnementaux actuels, ainsi que de proposer des pistes d'action en développement durable[23]. Une équipe de conférenciers engagés et expérimentés sillonnent le Québec pour promouvoir des choix écologiques et socialement équitables. Ces conférences peuvent stimuler non seulement l'adoption de comportements plus responsables sur le plan individuel, mais aussi le développement de projets à caractère plus collectif, comme le compostage dans les organisations ou chez soi, le jardinage écologique, l'alimentation saine au sein des établissements publics et parapublics, etc.

Les groupes qui organisent une campagne de sensibilisation ou qui font des efforts particuliers pour mobiliser des populations autour d'actions ou de projets collectifs ont souvent recours à la rencontre d'information auprès de leurs propres membres ou d'un public plus large. Dans de telles occasions, il n'est pas rare qu'un groupe décide d'entreprendre une série de rencontres d'information au sein de sa communauté, au cours d'une période donnée, afin de rejoindre le plus grand nombre possible de personnes touchées par un problème ou par une situation particulière.

4.1.2. *La session ou l'atelier de formation*

La session ou l'atelier de formation comporte généralement des objectifs d'éducation populaire et d'apprentissage plus spécifiques que la rencontre d'information. Bien que la session de formation soit souvent utilisée comme une occasion d'apprentissage individuel, elle est aussi un moyen de sensibilisation et de mobilisation dans une perspective de changement collectif. Pensons seulement aux nombreuses sessions de formation organisées dans diverses régions du Québec

---

22. On retrouve plusieurs de ces outils d'éducation populaire et d'information sur le site Web de L'R des centres de femmes du Québec (<http://www.rcentres.qc.ca/public/outils.html>).
23. Équiterre ; conférences sur mesure (<http://www.equiterre.org/solution/conferences-sur-mesure>).

par le Collectif pour un Québec sans pauvreté, qui ont mené à l'adoption de la Loi visant à lutter contre la pauvreté et l'exclusion sociale en 2002. La seconde étape de cette démarche citoyenne, réalisée entre novembre 2005 et juin 2007, a mis l'accent sur le développement d'un savoir citoyen permettant d'enclencher un mouvement vers la couverture des besoins essentiels et la sortie de la pauvreté dans les protections sociales au Québec. Grâce à une trousse d'animation que l'on a pu télécharger en format PDF sur le site du Collectif pour un Québec sans pauvreté, les Collectifs régionaux ont pu réaliser une vaste consultation publique à travers tout le Québec[24]. Près de 4 000 personnes ont ainsi participé à des animations pour réfléchir, sur la base des droits humains, aux moyens de couvrir les besoins et d'assurer les conditions qui permettent aux personnes de se réaliser et de contribuer à la société[25]. D'autres sessions de formation sont régulièrement actualisées en fonction des plus récents enjeux de lutte contre la pauvreté.

La session ou l'atelier de formation peut aussi être offert à des personnes désireuses d'améliorer leurs conditions de vie par l'exploration d'alternatives visant une auto-organisation, telle que la cuisine collective pour assurer une plus grande sécurité alimentaire. Ainsi, les sessions de formation qui ont été organisées par le Regroupement des cuisines collectives ont stimulé la mise sur pied de centaines de cuisines collectives au Québec.

4.1.3. *L'assemblée publique*

L'assemblée publique est une rencontre ouverte à l'ensemble des citoyennes et des citoyens d'une communauté locale désireuse de mieux connaître une situation problématique ou de comprendre un enjeu local qui affecte la qualité de vie du milieu et de débattre des solutions pour résoudre cette situation.

La tenue d'une assemblée publique est généralement un événement publicisé par le porte-à-porte, l'envoi massif de courriels, les contacts personnalisés, l'affichage et les médias locaux. Elle peut accueillir des experts et des élus pour susciter davantage d'intérêt, mais aussi faire appel à des témoignages de citoyens pour illustrer une situation problématique dans un milieu.

Mentionnons que les assemblées publiques sont souvent très suivies dans les communautés locales et donnent lieu à des débats parfois très animés. Elles offrent par ailleurs l'occasion d'évaluer la pertinence d'un projet et l'appui de la

---

24. Collectif pour un Québec sans pauvreté: <http://pauvrete.qc.ca/IMG/pdf/Guide_besoin_CQSP_petit_-4.pdf>.
25. Collectif pour un Québec sans pauvreté: <http://www.pauvrete.qc.ca/article.php3?id_article=511>.

population, tout en permettant d'établir d'importants consensus sur plusieurs aspects du développement social ou économique local. Par exemple, pour mieux comprendre les enjeux économiques et environnementaux des projets d'exploitation pétrolière au Québec, divers groupes et comités d'études ont organisé des assemblées publiques dans les municipalités concernées. Pour ce faire, les organisateurs ont invité juristes, biologistes, environnementalistes et citoyens-résidents pour discuter des conditions d'une telle exploitation et répondre aux questions de la population. En somme, l'organisation d'une assemblée publique permet de sensibiliser une communauté locale tout en lui donnant l'occasion de débattre et de s'organiser pour agir.

4.1.4. *La journée thématique*

L'organisation d'une journée thématique peut être un bon moyen de regrouper des élus locaux, organismes communautaires, comités de citoyens et commerçants du voisinage autour d'un thème à caractère éducatif. Ces journées permettent à une communauté de se familiariser avec des pratiques alternatives, de rencontrer les associations locales et comités de citoyens, de s'informer, voire de prendre conscience de l'existence de certains organismes qui mènent des actions pour le mieux-être de leur communauté.

Ainsi, l'organisation d'une Journée verte ou d'une Journée de l'environnement est devenue, dans certaines municipalités, l'occasion de sensibiliser les citoyens à tous les gestes qui entourent la protection de l'environnement, soit la récupération, le recyclage, le compostage, l'alimentation biologique et l'achat local. Dans certaines municipalités ou MRC, les Journées de la culture sont aussi l'occasion d'organiser des journées thématiques qui mettront en valeur des éléments essentiels du patrimoine local. Selon le thème culturel choisi, la population sera invitée à contribuer à l'organisation et à la présentation d'activités, de manière à faire connaître et valoriser la culture locale et à créer des conditions pour rassembler la population.

4.1.5. *Le colloque, le forum et le sommet citoyen*

Le colloque

Bien que le colloque constitue un mode de rassemblement et de réflexion lié davantage à la culture des intervenants professionnels et des intellectuels, ce type d'activité connaît de beaux succès comme moyen de sensibiliser et de mobiliser une communauté. Le succès dépendra évidemment beaucoup du caractère «brûlant» du thème et du travail de préparation pour rejoindre la population visée.

Pour organiser un colloque, il convient d'abord de bien cerner une ou des préoccupations qui touchent une population ou qui affectent le développement social ou économique d'une communauté. À partir de ces préoccupations, il faut déterminer le thème général du colloque, ce qui orientera par la suite le choix des conférenciers, des thèmes d'ateliers et des personnes-ressources.

Lors d'un colloque, les ateliers constituent un lieu privilégié de discussions qui pourront déboucher sur des pistes d'action.

Le forum et le sommet citoyen

Le forum et le sommet citoyen sont généralement des modes de rassemblement et de réflexion qui privilégient la prise de parole des personnes directement touchées par les préoccupations abordées, plutôt que l'expression de l'opinion d'intervenants professionnels ou d'experts. Un forum ou un sommet citoyen, contrairement au colloque, est habituellement axé sur l'élaboration de pistes d'action concrètes. Mais on peut aussi y observer une mixité de citoyens et d'«experts» qui s'exprimeront sur des enjeux et témoigneront de leurs expériences concernant le sujet proposé.

Le rôle des forums sociaux est d'offrir un espace public critique, participatif et inclusif où tous les citoyens, mouvements sociaux et organisations peuvent prendre la parole, débattre, s'exprimer et échanger sur les enjeux sociaux qui les préoccupent.

> Sur cette base, les forums sociaux entendent favoriser l'émergence d'une nouvelle culture politique d'engagement citoyen qui suscite la participation de toutes et tous à la vie publique. Dans cette perspective, les forums sociaux ne sont pas simplement des lieux de prise de parole et d'échange, ils se veulent aussi des lieux d'éducation populaire qui permettent de sensibiliser les populations aux multiples enjeux auxquels ils doivent faire face dans le contexte néolibéral actuel[26].

À l'échelle internationale, les forums sont l'occasion pour la société civile de s'approprier des enjeux mondiaux et de proposer des visions alternatives du développement. Ainsi, le Forum social mondial (FSM) de Porto Alegre, organisé

---

26. R. Canet, «Les forums sociaux : berceau de l'autre monde possible», *Le Devoir*, 19 juillet 2007.

en 2000 au Brésil et qui a rassemblé près de 20 000 personnes, reste probablement l'exemple le plus emblématique de cette nouvelle forme de participation et d'engagement citoyen. L'organisation de cet événement a permis de passer de l'anti-mondialisation contestataire à l'altermondialisation créative. Depuis 2001, le FSM s'est diffusé à travers le monde (Inde, Mali, Venezuela, Pakistan, Kenya, etc.) permettant chaque année à la mouvance altermondialiste de se renforcer.

Dans le but de permettre au plus grand nombre d'expérimenter cette nouvelle culture politique d'engagement, les forums sociaux se sont propagés à différentes échelles, du local au mondial, en passant par le régional et le national. Incidemment, le premier Forum social québécois, qui a eu lieu en 2007, s'est donné pour mission de rechercher, promouvoir et diffuser les résistances, initiatives et projets alternatifs aux politiques et à la mondialisation néolibérales[27].

Des forums sociaux de quartier sont aussi organisés, notamment le Forum social de Montréal-Nord – Hoodstock – qui se tient chaque année depuis que Fredy Villanueva, un jeune âgé alors de 18 ans, a été abattu en 2008 par un policier du Service de police de la Ville de Montréal (SPVM). En 2010, l'objectif de ce forum s'exprimait comme suit : «Canaliser dans un mouvement démocratique le sentiment d'injustice qui persiste à Montréal-Nord, deux ans après la mort de Fredy Villanueva et les émeutes qui exprimèrent le ras-le-bol de la population[28]. »

Le sommet citoyen poursuit sensiblement les mêmes objectifs qu'un forum. À titre d'exemple, le Sommet citoyen de Montréal de 2009 a rassemblé plus de 500 personnes de différents horizons et secteurs d'activités. Élus, professionnels, militants et citoyens ont ainsi discuté du droit à la ville en prenant part aux débats pour promouvoir une ville démocratique, juste et écologique vis-à-vis du déficit de la scène municipale montréalaise. On doit notamment à l'un de ces sommets citoyens la Charte montréalaise des droits et responsabilités de la Ville de Montréal ainsi que la mise en œuvre d'un budget participatif dans l'arrondissement du Plateau Mont-Royal.

De plus, pour imaginer l'aménagement et le développement local dans une logique différente, l'Opération populaire d'aménagement (OPA) a vu le jour dans le quartier Pointe-Saint-Charles en 2004. Depuis, l'OPA est l'occasion, pour plusieurs centaines de résidents du quartier, de participer à un rassemblement visant à s'approprier de manière collective et citoyenne les enjeux d'aménagement dans leur quartier. Pour amorcer ce processus, des équipes de résidents avaient

---

27. Forum social québecois : <http://forumsocialquebecois.org/fr>.
28. Hoodstock '10 : <http://www.hoodstock.ca/>.

sillonné les rues du quartier, accompagnés de personnes-ressources, et avaient identifié les endroits qui posaient problème, ainsi que des solutions possibles. Ces équipes ont ensuite travaillé à mettre leurs idées sur papier, sous la forme de dessins urbanistiques et de propositions concrètes d'améliorations qui ont été présentés lors de la plénière du forum. Un rapport issu de cette réflexion citoyenne sert maintenant de cahier de revendications dans les représentations politiques auprès des autorités municipales. Une version journal de ce document a été distribuée à toutes les portes du quartier dans l'optique d'informer la population du processus et de les sensibiliser aux enjeux. Une initiative semblable a été organisée pour monter un plan d'ensemble pour l'aménagement des anciens terrains de la voie ferroviaire du Canadien National et une autre encore pour les parcs et espaces verts.

En bref, la tenue d'un forum ou d'un sommet citoyen suppose une mobilisation qui vise à regrouper en priorité les personnes de la société civile touchées au premier chef par des enjeux communs. L'organisation d'un forum ou d'un sommet citoyen exige la mise en place d'activités diversifiées (conférences, ateliers, tables rondes, groupes d'échange, performances artistiques, kiosques) et une animation qui favorise la prise de parole. Pour ce faire, on aura donc recours à des présentations brèves, stimulantes, visuelles et accessibles, en laissant le plus de place possible aux échanges de vues et aux discussions entre les participants et en effectuant des retours d'ateliers brefs, visuels et accessibles.

Bien que les résultats en vaillent souvent la peine, il faut mentionner que l'organisation d'un colloque, d'un forum ou d'un sommet citoyen requiert une somme d'énergie considérable. Organiser l'un ou l'autre de ces événements signifie aussi prévoir des services comme l'hébergement, les repas, le transport, ainsi que des activités parallèles favorisant la détente et les rencontres informelles. Enfin, on doit choisir avec soin la date et le lieu de l'événement et acheminer assez longtemps à l'avance la documentation aux personnes inscrites.

4.1.6. *Le théâtre d'intervention, le spectacle populaire et la fête de quartier*

Le théâtre d'intervention

Le théâtre d'intervention a la capacité de dire les choses autrement que par la parole. En mettant en scène les émotions et l'imagination, ce théâtre cherche à susciter l'empathie chez le public envers des situations singulières ou injustes. Plus les participants et les spectateurs se sentiront interpellés, plus ils se souviendront de leur expérience et se questionneront sur ce qu'ils ont vu et sur ce qu'ils peuvent faire pour modifier les choses individuellement et collectivement. Ainsi, le théâtre d'intervention peut faire jaillir un élan de solidarité et constituer un catalyseur de changement social.

Le théâtre d'intervention crée des pièces ou des *sketches* qui mettent en scène des problématiques sociales contemporaines, interrogent une façon d'y faire face et donne une voix aux personnes vivant des injustices et de l'exclusion. Ce théâtre incite à la réflexion critique et encourage les gens à devenir des citoyens actifs au moyen d'une expérience qui fait appel à leur capacité d'analyser la réalité sociale et les mécanismes qui régissent nos sociétés. Intimement associé aux mouvements sociaux, le théâtre d'intervention a fait son apparition au Québec dans les années 1960 et a été notamment inspiré par les techniques de théâtre forum d'Augusto Boal[29], qui lui-même se situe dans la perspective conscientisante de Paulo Freire. Boal cherche à utiliser le théâtre comme moyen de libération ; il fait du spectateur l'acteur principal qui s'entraîne pour l'action et le changement en faisant l'essai de ses propres solutions.

Bien que le théâtre d'intervention recouvre une diversité de formes et de manières de faire, les compagnies théâtrales qui se réclament de la démarche du théâtre d'intervention se donnent toutes comme mission d'être engagées socialement et politiquement. Le théâtre d'intervention a comme autre caractéristique de ne pas se produire dans les salles de théâtre conventionnelles ; il privilégie la rue, les espaces publics, les salles de réunion et les écoles comme lieu d'action.

Chaque troupe ou collectif de théâtre d'intervention développe sa sphère d'intérêt et son champ d'intervention. Au Québec, quelques troupes existent depuis plus de trente ans, alors que d'autres viennent de naître : La Comédia de La RIA (Alma), Mise au jeu (Montréal), le Théâtre Aphasique (Montréal), le Théâtre des Cuisines (Rimouski), le Théâtre des Petites Lanternes (Sherbrooke), le Théâtre Parminou (Victoriaville), et l'Unité Théâtrale d'Intervention Loufoque (Montréal) en sont quelques-unes[30].

Pour compléter sur ce sujet, nous présentons maintenant une brève description de différentes formes théâtrales.

---

29. A. Boal (1977), *Théâtre de l'opprimé*, Paris, Maspero, 209 p.
30. S. Lamarre, « Le théâtre d'intervention : l'art au service de l'engagement citoyen », Éducation et formation des adultes (EFA), 22 juin 2007 (<http://www.cdeacf.ca/actualite/2007/06/22/theatre-dintervention-lart-service-lengagement-citoyen>).

L'intervention théâtrale

Généralement de courte durée, soit de 15 à 45 minutes, l'intervention théâtrale est structurée sur mesure pour un organisme ou un regroupement d'organismes.

Elle est principalement utilisée au début d'une activité, par exemple pour l'ouverture d'un forum, afin de mettre les participants « dans le bain » et de provoquer des discussions.

Ce type d'intervention est généralement réalisé par une troupe professionnelle qui construit le spectacle « sur mesure » en collaboration avec le ou les organismes qui en font la demande.

Le spectacle à caractère social

Il s'agit d'un spectacle théâtral qui traite d'une problématique sociale particulière, comme le décrochage scolaire, ou qui aborde divers aspects du vécu d'une population.

Cette forme d'activité théâtrale peut être montée par une troupe professionnelle ou par les membres d'un groupe avec la collaboration d'une personne-ressource. Dans ce cas, le processus même de la démarche sera une source d'apprentissage pour les membres du groupe.

Le théâtre forum

Le théâtre forum est d'abord une pièce de théâtre qui met en scène des réalités connues du public illustrant des impasses. C'est ensuite un forum où, dans un contexte convivial, les spectateurs sont invités à intervenir à certains moments de la pièce pour proposer des solutions[31].

Pour les spectateurs-participants, le théâtre forum permet de tenter de changer les situations qui leur semblent injustes en intervenant directement dans la pièce et en improvisant leurs solutions. Par le fait même, le public s'engage, non pas seulement en parole mais en action, dans le processus de changement des habitudes et des attitudes. Par conséquent, si elle le veut, chaque personne peut décider de participer au changement.

---

31. Mise au jeu : <http://miseaujeu.org>, consulté le 21 janvier 2014. La compagnie théâtrale *Mise au jeu* n'est malheureusement plus en activité depuis 2017.

Le théâtre invisible

Le théâtre invisible constitue une formule originale pour traiter d'événements sociaux et politiques. Le théâtre invisible, comme l'indique la compagnie théâtrale Mise au jeu, se définit comme suit :

> un type de théâtre qui peut être joué n'importe où, sauf dans les théâtres, car les spectateurs ne sont pas conviés à une représentation et ne savent pas non plus qu'ils assistent à un spectacle [...] L'action commence sans que personne s'en rende vraiment compte [...] Au moment où le protagoniste et l'antagoniste entrent en conflit assez fort pour attirer l'attention sur eux, d'autres comédiens, qui partagent des points de vue contradictoires par rapport à la situation, intègrent le jeu. Les échauffeurs ou provocateurs sont ceux qui tentent d'attirer l'attention du public sur ce qui se passe, qui questionnent les gens et qui alimentent le débat. Une fois la discussion bien entamée avec le public, les protagonistes et antagonistes se retirent et laissent les échauffeurs poursuivre la discussion. Le but du théâtre invisible n'est pas de trouver la solution à la situation montrée, mais de voir dans quelle mesure d'autres personnes peuvent vivre ou connaître des situations analogues[32].

Il existe encore d'autres formes théâtrales. Par exemple, un groupe pourra simplement construire un canevas de base à partir duquel on demandera aux membres d'improviser autour de ce qu'ils ont vécu dans une situation donnée.

Bref, les formules sont nombreuses, variées et de plus en plus utilisées par les groupes soucieux d'intégrer la créativité à leurs activités de sensibilisation et de mobilisation.

Le déambulatoire

La formule du déambulatoire, ou parcours théâtral audioguidé, permet au visiteur de déambuler dans un site particulier à son rythme et de manière autonome ; le visiteur porte un casque d'écoute qui lui permet d'entrer dans une espèce de bulle qui le concentre sur ses découvertes. Qu'il soit un habitué ou non de ce territoire extérieur ou intérieur, le parcours audioguidé l'incite à percevoir le lieu sous un angle nouveau et d'une manière conviviale, tout en respectant l'environnement. La compagnie théâtrale Mise au jeu a développé divers parcours déambulatoires sur des thèmes personnels et sociaux tels que l'univers du travail du sexe et la cohabitation sociale (*Je ne sais pas si vous êtes comme moi*), l'itinérance au centre-ville de Montréal (*La ville vue par celui qui erre* ; *Entre la chute et l'envol*) ; l'évolution du quartier des spectacles à Montréal et de l'ancien *Red Light* (*Au parterre*).

---

32. *Ibid.*

Le die-in

Le *die-in* est un événement à caractère théâtral. Il a été mis de l'avant pour la première fois à Montréal en 1976 par le collectif Le Monde à Bicyclette. À cette époque, une centaine de militants anti-autos et adeptes de l'écomobilité se sont rassemblés pour protester contre l'omniprésence de l'automobile dans nos sociétés. En signe de leur opposition, ils se sont étendus dans la rue, à la croisée de deux artères achalandées du centre-ville de Montréal, symbolisant ainsi la plus fâcheuse conséquence de la coexistence des voitures et des humains : la mort[33]. Trente ans plus tard, l'événement a été repris par le Collectif Montréal à Vélo, à l'occasion de la journée *En ville sans ma voiture*. En plus de dénoncer encore une fois la violence engendrée par la culture de l'automobile, cette journée vise à encourager la population à adopter des moyens de transport alternatifs, sains et écologiques[34].

Le spectacle populaire et la fête de quartier

Un spectacle populaire est un spectacle qui vise à faire connaître une organisation ou un enjeu local ou encore à célébrer un événement. Le spectacle populaire vise généralement à favoriser un rapprochement entre les populations dans une perspective de « cohésion sociale ». Dans le même esprit, une « fête des voisins » célèbre le sentiment d'appartenance à une communauté dans un quartier, un village ou une municipalité. À la fête s'ajoutent parfois divers kiosques qui offrent aux citoyens l'occasion de découvrir les groupes, organismes, producteurs et artistes qui composent son tissu social.

La fête de quartier favorise les rapprochements entre voisins, notamment là où il y a des origines culturelles différentes, voire des tensions sociales. Le spectacle devient alors l'occasion de participer et de valoriser les talents locaux ; ainsi, on privilégiera des chanteurs ou danseurs qui représentent les différents groupes que l'on veut rapprocher : jeunes et moins jeunes, groupes culturels différents, etc. Le spectacle peut faire appel à des professionnels, à la population locale ou aux deux. Souvent, les professionnels du coin qui possèdent de l'expérience dans leur métier seront fiers de contribuer gratuitement à la fête de leur communauté. La musique, le spectacle et même la dégustation de plats traditionnels permettront de découvrir les autres et de se découvrir des intérêts communs dans un climat de convivialité.

---

33. Le Monde à Bicyclette : <http://www.lemab.ca/>.
34. Montréal à Vélo : <http://montrealavelo.wordpress.com/action-symbolique/>.

Ainsi, dans le quartier de Pointe-Saint-Charles à Montréal, le Centre social autogéré organisait, en mai 2008, une fin de semaine de festivités sous le slogan *Réclame ta Pointe !*. L'événement fut lancé par un spectacle d'humoristes engagés et la projection extérieure d'un film relatant l'histoire d'un groupe de jeunes du quartier. Une journée fut consacrée à des ateliers touchant divers sujets, dont l'histoire du militantisme dans le quartier. Des centaines de personnes ont ensuite participé à une marche, suivie d'un grand spectacle d'artistes locaux. Des plats confectionnés avec des aliments récupérés ou donnés étaient disponibles en tout temps, de même qu'un espace de jeux pour les enfants. Pour la population du quartier, ce fut un grand moment pour s'amuser entre voisins ainsi que pour s'informer et échanger sur le projet du Centre social autogéré, qui était encore à l'étape de projet à cette époque. Le projet a vu le jour quelques années plus tard !

Dans certains quartiers, le spectacle populaire pourra même être une première étape avant de faire du porte-à-porte sur les enjeux locaux. Le spectacle devient alors un élément de référence pour s'identifier lorsqu'on frappe aux portes ; à l'inverse, on peut aussi profiter du porte-à-porte pour inviter les citoyens à assister au spectacle. En somme, le spectacle populaire est une façon de mobiliser les personnes afin de développer un sentiment d'appartenance à une communauté locale et de stimuler l'engagement citoyen.

4.1.7. *Les installations et les manifestations d'art engagé*

L'art contestataire a toujours fait partie du paysage des luttes sociales et politiques au Québec et ailleurs dans le monde, qu'il s'agisse des arts de la parole, comme la chanson, la littérature, le théâtre, des arts visuels, comme la sculpture, le graphisme et l'affiche politique, ou des installations visant à se (ré)approprier les espaces publics. Ève Lamoureux explique :

> Les artistes veulent contribuer à la contestation sociopolitique, mais à partir des outils propres à l'art […] De façon non conventionnelle, l'art permet une sortie de la norme, de l'habituel, autant dans les façons d'envisager le monde, dans les modes d'action privilégiés que dans la réaction provoquée […] Par son mode d'action, l'art mobilise les sens, les émotions et l'intellect. Il bouleverse et interpelle de multiples façons et les réactions qu'il engendre, les réflexions ou les sensibilités qu'il provoque jaillissent de la personne elle-même[35].

---

35. E. Lamoureux (2009), *Art et politique. Nouvelles formes d'engagement artistique au Québec*, Montréal, Écosociété, p. 233.

Ainsi, l'art peut être utilisé afin de provoquer une prise de conscience, le sentiment de faire partie du problème ou de la solution, et, dans l'idéal, suggérer une action concrète et favoriser une mobilisation collective.

Quelques exemples permettront de mieux comprendre les interventions par l'art. Le premier est celui des expériences «artisticopolitiques» de l'Action terroriste socialement acceptable (ATSA). Depuis des années, l'ATSA transforme la place Émilie-Gamelin, au cœur du centre-ville de Montréal, en camp de sans-abris et en «manifestival». Pendant quatre jours, et ce, jour et nuit, cet événement baptisé *État d'urgence* construit une sorte de village éphémère qui permet à des artistes de réfléchir esthétiquement et humainement à la condition de l'errance. Pour les sans-abris de Montréal, c'est l'occasion de se faire offrir un Tout-s inclus[36] qui comprend trois repas par jour, un service de collation, des dons de vêtements et une tente-dortoir. En plus de cette offre de services concrets, l'espace grouille de personnes affairées à réaliser une panoplie d'œuvres d'art ou à y participer : installations, photos, performances, contes, musique, art du cirque, films. Élargissant la thématique de l'itinérance à l'exil forcé de millions de personnes sur la planète, *État d'urgence* a été conçu pour illustrer un camp de réfugiés. Par son architecture, cet événement ramène à l'essentiel, soit le droit d'être en sécurité, de subvenir à ses besoins primaires et de prendre la parole[37]. Au fil des ans, l'événement s'est transformé pour devenir *Fin novembre*.

Les Artistes pour la paix (APLP) constituent un autre exemple d'art engagé. Ce regroupement s'inscrit dans le courant d'un mouvement pacifiste mondial où les artistes ont créé des organismes pour promouvoir la paix et la compréhension entre les peuples. Les Artistes pour la paix prennent position dans plusieurs dossiers et organisent des événements artistiques qui sont autant d'occasions de rencontres, d'échanges, d'expression et de prise de parole[38].

Du côté des arts visuels, mentionnons une initiative du Carrefour d'éducation populaire de Pointe-Saint-Charles, qui a travaillé plus de trois ans à la réalisation du *Labyrinthe de la solidarité*, une œuvre d'art publique constituée de tuiles de céramique pour embellir le quartier. Près de 500 habitants du quartier ont peint sur chacune des tuiles leur vision d'un quartier solidaire enraciné dans son histoire et ses luttes populaires[39].

---

36. Thème choisi par l'ATSA pour l'édition 2010 de l'*État d'urgence*.
37. Action terroriste socialement acceptable (ATSA) (2008), *ATSA, Quand l'art passe à l'action*, Montréal, ATSA, 144 p.
38. Les Artistes pour la paix : <http://artistespourlapaix.org/>.
39. A. Desrochers, «Le Labyrinthe de la solidarité», *La Voix Pop*, 27 janvier 2009.

4.1.8. *La pétition*

À la fois moyen de sensibilisation et moyen de pression, la pétition consiste à recueillir le plus grand nombre possible de signatures au bas d'un texte dénonçant une injustice ou décrivant un état de situation, et qui soumet une ou des revendications aux autorités compétentes afin qu'elles prennent les décisions qui s'imposent pour respecter certains droits ou corriger la situation.

Une pétition est d'abord un moyen de sensibiliser le public, puis de l'inciter à poser un geste pour agir sur la situation. Le recueil de signatures peut s'effectuer en divers lieux ou événements, offrant ainsi au groupe l'occasion de sensibiliser les personnes. Cependant, la pétition électronique est maintenant devenue monnaie courante, et il est de plus en plus fréquent que la sensibilisation se fasse par Internet. Elle se transmet soit par des listes de courriel aux membres et sympathisants d'un organisme, soit par des réseaux militants ou des réseaux sociaux. Comme toutes les pétitions, celles qui sont diffusées par Internet doivent suivre certaines règles, ce qu'omettent de faire les pétitions en chaîne qui sont en fait inefficaces, voire nuisibles, car les mêmes signatures apparaissent plusieurs fois dans des dizaines de messages tandis que d'autres se perdent.

C'est lors de son dépôt que la pétition deviendra un moyen de pression. Le facteur déterminant de l'impact de la pétition sera généralement le nombre de signatures recueillies, proportionnellement au nombre de personnes touchées par la situation. Un autre facteur qui donnera sa force à la pétition est le temps qu'il faudra pour recueillir ces signataires. Plus court sera ce délai pour recueillir un nombre significatif de signataires, plus grand sera l'impact de la pétition.

Afin de sensibiliser encore plus l'opinion publique, le dépôt d'une pétition pourra être jumelé à un événement médiatique qui mobilisera le groupe ayant lancé la pétition, les personnes concernées par la situation et les sympathisants. Le lieu où se déroulera cet événement permettra généralement d'identifier l'autorité concernée par les revendications et l'organisation de l'événement offrira un visuel et des discours représentatifs de la cause défendue. Enfin, un tel événement aura tout avantage à être filmé et mis en ligne sur le site de l'organisme porteur de l'action, ainsi que sur des sites permettant d'héberger gratuitement des vidéos, de manière à les diffuser encore plus largement aux internautes. En somme, le dépôt d'une pétition peut aussi se transformer en une manifestation de solidarité encore plus visible et être l'occasion de communiquer l'événement à la population. Mentionnons, à titre d'exemple, le dépôt de la pétition de 18 727 signataires par le Collectif pour un Québec sans pauvreté le 14 mai 2009. Pour l'occasion, 1 300 personnes s'étaient donné rendez-vous devant l'Assemblée nationale à Québec pour déposer les milliers de boîtes de pétition de la campagne Mission collective pour bâtir un Québec sans pauvreté, amassées lors des dizaines de sessions de formation coordonnées par le Collectif dans les mois précédant le dépôt.

Un exemple de l'impact de la force du nombre dans un délai relativement court est la pétition SOS Parc Orford, qui a dépassé le cap des 80 000 signatures en quelques semaines en 2007, en appui à sa demande de faire respecter la Loi sur les parcs et d'exiger que le gouvernement du Québec renonce à son projet de vente de terrain et de loi spéciale, dans le but d'assurer l'intégrité écologique et territoriale du mont Orford. Cette pétition, de même que les autres actions citoyennes, ont ainsi contribué à faire reculer le gouvernement Charest dans ce dossier et à obtenir l'engagement de sa part que la montagne resterait entièrement dans le domaine public.

Enfin, pour démontrer que chaque geste compte, il est encourageant de constater qu'une pétition peut être lancée simplement par un ou deux individus ayant la volonté d'agir sur les causes d'un problème social. Par exemple, en 2009, la ministre de la Culture, des Communications et de la Condition féminine dévoilait la Charte québécoise pour une image corporelle saine et diversifiée, visant à contrer les images d'extrême maigreur dans l'industrie de la mode et des médias. L'idée de cette charte est née d'une pétition lancée par deux jeunes étudiantes au secondaire, elles-mêmes victimes de troubles alimentaires à l'adolescence[40]. La pétition demandait au gouvernement du Québec d'intervenir devant les images de minceur et autres images irréalistes de femmes projetées dans l'industrie de la mode, de la publicité et des médias. À partir de leur école, ces deux jeunes filles ont réussi à amasser une pétition de 2 000 signatures qui fut déposée à l'Assemblée nationale. Six mois plus tard, la Charte québécoise pour une image corporelle saine et diversifiée était adoptée. Cette charte n'a pas force de loi et ne prévoit aucune sanction en cas de non-respect, mais elle a par contre été suivie d'une campagne de sensibilisation visant à faire adhérer la population, et plus particulièrement les jeunes de 14 à 25 ans, à la lutte pour une saine évolution des mentalités en matière de diversité corporelle[41].

---

40. Ces étudiants sont Jacinthe Veillette et Léo Clermont-Dion.
41. La démarche repose en partie sur le microsite interactif JeSigneEnLigne.com. Elle est complétée par des placements publicitaires à la télévision, à la radio et sur le Web. Les médias sociaux et de l'affichage viendront appuyer la campagne dans les collèges et les universités du Québec.

4.1.9. *L'envoi massif de cartes postales, de lettres et de messages textes*

L'envoi massif de cartes postales et de lettres constitue un autre moyen de sensibiliser des citoyens à un problème social, politique ou environnemental et de leur donner l'occasion de signifier leur appui à une ou des revendications portées par un groupe. À l'instar de la pétition, la force du nombre en fera un moyen de pression non négligeable. Plus coûteuse que la pétition, la carte comporte la plupart du temps une image ou une photo qui illustre la cause défendue. Les cartes, généralement adressées à un ministre ou au premier ministre du Québec ou du Canada, ont l'avantage de se poster sans timbre, ce qui facilite leur envoi. Sur le plan symbolique, la carte représente un outil de pression plus concret et plus tangible que la pétition. Pour les groupes et les coalitions, c'est donc une question de choix et de ressources financières.

Pour l'envoi massif de lettres, les groupes proposent généralement un modèle pouvant être adapté ou personnalisé par la personne ou le groupe qui l'expédie. Encore là, c'est la force du nombre en un court laps de temps qui pourra faire la différence. Ce dernier moyen est le plus souvent proposé au moyen d'Internet, ce qui permet d'utiliser intégralement le contenu ou de le personnaliser, les TIC offrant désormais plusieurs possibilités, y compris celle de l'expédition automatique à son député de circonscription par l'entrée du code postal de l'expéditeur.

Plus récemment, grâce aux multiples fonctions des cellulaires, on voit apparaître l'envoi massif de messages textes comme l'Opération Textos lancé par Greenpeace pour demander que le gouvernement du Québec modifie la « loi 57 » sur l'aménagement durable du territoire forestier afin d'y inclure une stratégie de sauvegarde des forêts intactes. Par un envoi massif de courriels à ses membres, Greenpeace suggérait cinq modèles de textos à envoyer au sous-ministre en donnant son numéro de cellulaire.

4.1.10. *Le canular engagé*

À mi-chemin entre l'art et l'activisme, le canular engagé est une fausse nouvelle propagée sous les traits d'un fait véridique. Véritable arme de dérision massive, le canular engagé utilise le plus souvent l'Internet comme moyen de réactiver la critique sociale et rouvrir le champ de l'utopie politique. Les pratiques activisites utilisant le canular s'attaquent aux structures économiques ou politiques, ou dénoncent publiquement des actions menées par certaines multinationales.

Les Yes Men sont probablement l'exemple le plus éloquent d'un tel engagement. Ces derniers ont en effet créé de nombreux faux sites d'entreprises et même de ministères et usurpé l'identité de leurs représentants. Au Canada, le canular le plus célèbre des Yes Men est celui d'un faux communiqué de presse affichant l'en-tête officiel d'Environnement Canada et les signatures habituelles de porte-parole. Le communiqué, relayé sur Twitter, annonçait que le ministère de l'Environnement et le gouvernement canadien avaient décidé, devant la pression des pays pauvres, de porter les réductions d'émissions de gaz à effet de serre à 40 % sous le niveau de 2009. Pendant quelques heures, la supercherie fut totale. Évidemment, la nouvelle était fausse, mais ce fut une façon subversive d'attirer l'attention du monde entier sur la piètre performance du Canada qui se retrouvait alors au 56e rang sur 57 pour sa performance en matière de lutte contre les changements climatiques. Les auteurs de ce geste ont même continué à exploiter la veine du communiqué en diffusant un communiqué de félicitations pour le Canada au nom de l'Ouganda en pastichant une page Internet du *Wall Street Journal* qui donnait l'impression de reprendre la nouvelle. En dématérialisant le militantisme, les Yes Men ont montré avec brio que l'on peut tirer profit de l'information qui circule de plus en plus vite sur le Web, la vitesse étant justement propice à la création de tels incidents. Faire croire, déstabiliser en copiant des canaux de diffusions sérieux vient démontrer l'efficacité du militantisme du Web 2.0 dans le champ de la revendication et confirmer le début d'une «redéfinition des contours du militantisme et de la revendication sociale dans les nouveaux espaces de communication[42] ».

4.1.11. *Le kiosque*

Le kiosque est utilisé par les groupes communautaires ou les organismes publics pour informer et sensibiliser une population. Le kiosque peut même être un moyen de recruter de nouveaux membres, de faire signer une pétition ou de diffuser un tract annonçant un événement ou une manifestation, devenant ainsi un outil de mobilisation. La conception et l'animation d'un kiosque sont par ailleurs des activités qui favorisent la mise en valeur des talents des membres d'une organisation. L'animation d'un kiosque peut aussi être une excellente façon d'impliquer des nouveaux membres en les jumelant avec d'autres membres qui ont une plus longue expérience de militantisme au sein du groupe. Cela peut être, pour eux, l'occasion de s'approprier la mission de l'organisme, ses activités, ses réalisations et ses luttes.

---

42. F. Deglise, « Le militantisme à l'ère du Web 2.0 », *Le Devoir*, 16 décembre 2009.

Le kiosque peut être installé dans un endroit public, comme un centre commercial ou une école, ou à l'occasion d'un événement public, par exemple lors d'une fête populaire. Son utilisation peut être maximisée si on l'emploie dans le cadre d'une semaine ou d'une journée thématique (Journée internationale des femmes, Semaine de l'environnement, etc.) où d'autres kiosques et activités s'ajouteront, optimisant le contact avec la population et les liens entre les groupes. Souvent, la tenue d'un kiosque se prête à une activité d'autofinancement par la vente de menus objets, par exemple un macaron qui sera porté en appui aux revendications du groupe.

En revanche, rien n'est gagné d'avance quant à l'intérêt des passants lorsqu'on tient un kiosque. Il faut savoir choisir un lieu stratégique, attirer l'attention par des éléments visuels, s'avancer, engager la conversation avec courtoisie et chaleur, offrir du matériel que les personnes peuvent consulter sur place ou à la maison, voire proposer des activités qui mettront à contribution les connaissances et susciteront la participation des gens.

4.1.12. *Le porte-à-porte*

Le porte-à-porte demeure un moyen efficace de sensibiliser et de mobiliser les personnes qui habitent un espace géographiquement délimité. C'est un moyen que privilégient notamment les groupes œuvrant dans le secteur de l'environnement, du logement et des opérations de revitalisation urbaine intégrée (RUI) favorisant une participation citoyenne. On frappera à la porte des personnes habitant un secteur voué à la démolition, on sillonnera un quartier où des cas de discrimination dans le logement ont été signalés, ou encore une localité où l'on cherche à obtenir l'appui des citoyens à une revendication touchant la qualité de vie de leur milieu.

Faire du porte-à-porte n'est pas une tâche facile et cela exige beaucoup d'énergie et une bonne préparation. Il faut bien cibler la population que l'on souhaite rejoindre et préciser le message qu'on veut lui transmettre, car on dispose de peu de temps pour dire des choses qui doivent être claires et accrocheuses. Il faut par ailleurs rapidement rassurer les gens que l'on ne constitue pas une menace pour leur sécurité. Pour ce faire, il est souhaitable d'effectuer ce travail à deux et d'accorder un soin particulier à la prise de contact en ayant recours à des moyens pour s'identifier : chandail, macaron, carte d'identification. Il est préférable qu'une des deux personnes habite le milieu et soit elle-même directement touchée par ce qui fait l'objet de la démarche. Il faut enfin tenir compte de certains facteurs importants comme le moment choisi durant la journée ou la semaine pour faire ce porte-à-porte, et la crainte que peuvent éprouver certaines personnes à ouvrir à des inconnus. Dans certains cas, le fait d'annoncer l'événement quelques jours à l'avance dans les médias ou au moyen d'un tract peut contribuer à atténuer cette méfiance.

4.1.13. *Les représentations auprès de divers paliers de gouvernement*

Souvent, les démarches de mobilisation visent des changements qui relèvent de décisions politiques. Dans ce cas, il est indispensable de faire des représentations auprès des élus et des institutions. Au-delà des campagnes de sensibilisation auprès du grand public, il est utile d'avoir des contacts directs avec les personnes qui doivent prendre des décisions sur des dossiers ou proposer des politiques. Ce contact peut se faire de diverses façons, que ce soit de manière officielle ou non officielle.

Le lobbying communautaire est une communication orale ou écrite avec un titulaire d'une charge publique dans le but d'influencer ou tenter d'influencer la prise de certaines décisions. Il consiste à approcher certains élus ou fonctionnaires pour leur expliquer des préoccupations et promouvoir des causes d'intérêt commun susceptibles de profiter à la collectivité. Cela se fait en petite délégation et de façon relativement privée. En respectant les « règles de l'art » du lobbying communautaire, on sollicite un rendez-vous, on envoie un court document sur la situation qui nous préoccupe, les solutions visées et les attentes précises à l'égard de la personne rencontrée. Lors de la rencontre, on prépare bien les interventions pour appuyer les documents soumis et on prépare les questions qui risquent d'être posées par la ou les personnes rencontrées. Ensuite, on envoie une communication écrite ou électronique pour rappeler les principaux éléments de la rencontre ainsi que les attentes et pour remercier la personne de s'y être prêtée. Tout cela se fait dans le respect des convenances. Mais on sait qu'il faut souvent maintenir un contact et parfois même exercer des pressions pour assurer un suivi. C'est là que les démarches doivent parfois devenir plus publiques et plus « pressantes ».

On peut aussi choisir de faire des représentations plus formelles et publiques par le dépôt de mémoires en commission parlementaire ou par des questions posées lors des assemblées du conseil municipal ou du conseil d'arrondissement. Dans ces cas-là, la préparation est très importante, tant pour les personnes à qui le fonctionnement des institutions politiques n'est pas familier que pour celles qui n'ont pas l'habitude de parler en public. La prise de parole lors d'une représentation publique permettra également de mobiliser des membres qui appuient les porte-parole, ce qui leur donnera la possibilité d'apprendre de cette expérience.

Ce genre de représentations plus formelles peut être complété par des démarches informelles, par exemple des rencontres dans le cadre d'événements publics où les élus font des annonces de politiques ou participent à d'autres activités : événement-bénéfice, portes ouvertes d'organisme, soirée d'information, forum, fête populaire, etc.

Enfin, les représentations publiques peuvent être l'occasion de provoquer un « événement » plus médiatique : on plante un « arbre de revendications » devant l'immeuble où a lieu la séance, on fait un tintamarre au moment de la fin de la réponse des élus en conseil municipal ou en conseil d'arrondissement, on dépose, dans la salle ou à l'extérieur, des objets qui symbolisent l'enjeu, etc.

4.1.14. *La manifestation, la marche et la vigile*

La manifestation

De tout temps, les citoyens et les citoyennes se sont rassemblés pour manifester et exprimer leur voix dans la rue. Que ce soit au regard d'un enjeu local, national ou international, la manifestation est une occasion de rassemblement qui a le pouvoir d'indiquer aux divers paliers de gouvernement la force de l'adhésion à un mouvement citoyen de protestation. Une manifestation, c'est aussi des slogans, des pancartes, des banderoles, du rythme avec musique et percussion, un trajet qui offre de la visibilité et, au terme du trajet, des discours rassembleurs ou une action médiatique. La manifestation peut être une occasion d'amener les membres ou des sympathisants du groupe à participer à toutes les étapes de préparation et de réalisation de l'événement. Mentionnons qu'il est essentiel de prévoir un service de sécurité lors des manifs ainsi qu'un véhicule pour les personnes à mobilité réduite.

Alors que dans certains pays, les manifestations sont quasi impossibles ou très violemment réprimées, dans la plupart des pays démocratiques, elles sont permises en vertu de la liberté de se regrouper. À cet égard, la manifestation est donc un droit et un contre-pouvoir. Cela ne veut pas dire pour autant que ce droit fondamental n'a pas fait l'objet de répression ou de provocation dans certains conflits qui ont jalonné l'histoire des mouvements sociaux au Québec. Lors de la grève étudiante du printemps 2012 par exemple, le droit de manifester a été réprimé par l'adoption du projet de loi 78 et, quelques semaines plus tard, par l'adoption du règlement P-6 à Montréal.

Outre ces bavures et ces dérives de la démocratie, la manifestation se révèle être une réelle opportunité pour les citoyens de se mobiliser et d'agir solidairement et publiquement pour influencer le processus de décision politique.

La marche

La marche est souvent utilisée comme un rassemblement et s'apparente de bien des façons à la manifestation. Mais ce qui l'en distingue, c'est qu'elle pourra parfois être véritablement une longue marche. Vue sous cet angle, la marche consiste à parcourir à pied de longues distances d'une ville ou d'un village à l'autre pour sensibiliser les populations des régions traversées, pour agir sur l'opinion et interpeller les pouvoirs publics. Dans cette optique, on prendra contact, dans chacune de ces villes ou villages, avec les mouvements et les personnalités susceptibles de prendre position en faveur des marcheuses ou des marcheurs et on s'assurera de former un comité de soutien pour préparer leur passage.

La longueur et la durée d'une marche sont des facteurs essentiels de son efficacité ; ces facteurs sont même parfois plus importants que le nombre de marcheuses et de marcheurs. Les différentes étapes du parcours permettent en effet au temps de travailler en faveur des marcheuses et marcheurs en favorisant une lente mais sûre progression de la sensibilisation de l'opinion publique. Tout au long de la marche, des pancartes et des banderoles renseigneront les populations locales sur les revendications du groupe qui organise la marche. C'est justement cette lente mais sûre progression qui a fait de la Marche contre la pauvreté, baptisée aussi Marche du pain et des roses, organisée par la FFQ en 1995, une réussite exemplaire. Cette activité a en effet mobilisé trois contigents de femmes qui ont marché durant neuf jours, de Montréal, Longueuil et Rivière-du-Loup vers Québec. Chaque jour qui passait, l'appui de l'opinion publique aux revendications du mouvement des femmes grandissait, si bien qu'à l'arrivée des marcheuses à l'Assemblée nationale, environ 15 000 manifestantes les attendaient, une rose à la main !

La vigile

Le mot *vigile* vient du latin *vigil*, qui signifie « éveillé ». Bien qu'encore souvent apparentée à la manifestation, la vigile vise généralement à rassembler des personnes autour d'une cause à la tombée du jour, d'où le lien avec l'origine étymologique de ce terme. Loin de l'atmosphère souvent bruyante qui entoure les manifestations, la vigile sera marquée par des temps de silence, des bougies allumées, des chants, des poèmes ou la lecture d'une déclaration.

La symbolique d'une vigile sera moins une occasion de revendiquer qu'une occasion de se recueillir, de rendre hommage et de sensibiliser une population autour d'un message de paix et de non-violence, ce qui n'empêche pas, bien sûr, de réclamer que certaines actions soient prises. Quelques exemples : d'abord celui des vigiles organisées à tous les 4 octobre depuis 2006 par le groupe Sœurs par l'esprit, fondé par l'Association des femmes autochtones du Canada à la mémoire des femmes autochtones disparues ou assassinées. Ces vigiles réclament que des mesures soient prises pour mettre fin à l'indifférence qui entoure la situation des femmes autochtones et revendiquent que des foyers d'hébergement d'urgence ou provisoire pour les femmes autochtones soient installés plus près des réserves[43]. Autre exemple : les vigiles pour la paix organisées à l'occasion de la Journée internationale pour la paix à tous les 21 septembre, dans différentes villes du monde, afin de commémorer et de renforcer les idéaux de paix de toutes les nations et de tous les peuples, et de lancer un appel mondial pour un cessez-le-feu et pour la non-violence dans les pays en guerre. Enfin, les vigiles de solidarité organisées dans le cadre de la Nuit des sans-abris permettent de rassembler chaque année, le troisième vendredi d'octobre, les personnes de la rue et la population autour d'un moment privilégié visant à briser l'indifférence et à réduire les préjugés à l'égard des personnes sans abri et à leur témoigner une réelle solidarité.

4.1.15. *La* flash mob

La *flash mob* est tantôt perçue comme une nouvelle forme de convivialité urbaine, de contestation et de réappropriation de l'espace public, tantôt comme un nouvel avatar de l'intervention artistique.

Issue de la philosophie d'action directe, la *flash mob*, terme anglais que l'on pourrait traduire par « foule éclair » ou « mobilisation éclair », est un rassemblement d'un groupe de personnes dans un lieu public pour y effectuer une action organisée à l'avance, puis se disperser rapidement. La mobilisation éclair vise à surprendre les gens dans la rue ou dans un espace public de façon spontanée et rapide. La *flash mob* est généralement organisée par le truchement des médias

---

43. Association des femmes autochtones du Canada : <http://www.nwac.ca.fr>.

sociaux, l'envoi de textos ou de listes de diffusion par courriel. Les organisateurs désignent un lieu préliminaire de rassemblement pour donner des instructions plus précises sur le lieu final au dernier moment.

La rapidité et le côté un peu subversif de ce moyen de sensibiliser, de mobiliser et de faire pression permettent de déjouer l'intervention des forces de l'ordre et, éventuellement, d'une répression ou d'une infiltration policière. Un exemple parmi tant d'autres : l'invitation à une *flash mob* pour le lancement de la semaine Quartiers sans voitures[44]. Le temps d'une chanson, durant la période de pointe matinale, au milieu d'une des intersections les plus passantes de Montréal, les manifestants se sont regroupés pour donner leur appui à cette cause et filmer l'événement afin de diffuser le tout sur les médias sociaux.

On distingue la *flash mob* engagée d'autres formes de *flash mob*, par exemple les rassemblements organisés par des sociétés de relations publiques ou comme véhicule publicitaire qui, elles, n'ont rien de subversif ou de contestataire.

Dans un avenir rapproché, on peut s'attendre à voir se multiplier les *flash mobs* et autres événements du genre, particulièrement chez les jeunes militantes et militants qui sont plus partisans d'une manière directe d'agir et qui sont aussi beaucoup plus conscients du pouvoir de mobilisation qu'ont pris les divers réseaux sociaux dans notre façon quasi instantanée de communiquer de l'information.

4.1.16. *Les actions de non-coopération*

Selon l'Institut de recherche sur la résolution non violente des conflits (IRNC)[45], l'un des principes essentiels de la stratégie de l'action non violente est celui de la non-coopération. Ce principe repose sur l'analyse suivante : dans une société, ce qui fait la force des injustices, c'est la complicité, c'est-à-dire la coopération volontaire ou passive de la majorité silencieuse des citoyens. La résistance non violente vise à rompre cette complicité par l'organisation d'actions collectives de non-coopération avec les structures sociales, économiques ou politiques qui engendrent et maintiennent ces injustices. Voyons quelques-unes des actions de non-coopération.

---

44. La semaine *Quartiers sans voitures* se déroule à la fin de septembre. Elle est une initiative du Centre d'écologie urbaine de Montréal. On peut retrouver certains de ces événements sur YouTube (<http://www.youtube.com/watch?v=ZMcUdOR9rFw>).
45. J.M. Muller, Institut de recherche sur la résolution non violente des conflits (<http://www. irnc. org/NonViolence/Lexique/4.Strategie/Items/20.htm>).

La grève

Bien qu'utilisée principalement dans le cas de conflits de travail, la grève est l'une des actions de non-coopération visant à la fois à sensibiliser l'opinion publique et à forcer une entreprise ou un gouvernement à agir. Une entreprise, une administration, un système d'éducation ne peuvent fonctionner que grâce à la coopération des ouvriers, des employés et des étudiants. Dès lors, si ceux-ci décident de cesser de travailler ou de suivre leurs cours afin de faire valoir telle ou telle revendication, ils exercent une réelle force de contrainte économique et sociale sur leurs dirigeants. Ceux-ci ne pourront ignorer longtemps les requêtes qui leur sont adressées.

Lors d'une grève, la « bataille de l'opinion publique » est souvent décisive. Le rapport de force entre les deux camps s'établit généralement en faveur de celui qui bénéficie de l'appui de l'opinion publique. C'est pourquoi les grévistes doivent entreprendre des campagnes d'information et d'explication auprès du public, afin qu'il comprenne bien les enjeux du conflit en cours. C'est seulement si la justesse de la cause des grévistes est clairement perçue que la population pourra se solidariser avec elle.

La grève de la faim

La grève de la faim est une méthode de sensibilisation de l'opinion et des pouvoirs publics qui vise à dénoncer ouvertement une situation d'injustice. Comme le souligne Muller, en s'abstenant d'ingérer toute nourriture pendant plusieurs jours (entre 3 et 30 jours), les grévistes signifient l'urgence qu'il y a à se mobiliser pour corriger une injustice[46].

Une grève de la faim, surtout si elle est illimitée, est généralement une action fortement personnalisée. Le nom des grévistes, leur visage et leur personnalité sont des éléments essentiels du processus d'interpellation et de conscientisation de l'opinion publique. Les grévistes se font les porte-parole à la fois de ceux qui subissent l'injustice et de ceux qui luttent contre elle. Il importe donc qu'ils soient reconnus par les uns et par les autres. Si ce n'était pas le cas, l'action risquerait d'être vouée à l'échec. Plus encore que dans toute autre action non violente, c'est la réaction de l'opinion publique qui conditionne la réussite ou l'échec de la grève de la faim. L'épreuve de force ne se joue pas tant entre les grévistes et les tenants du pouvoir adverse qu'entre ceux-ci et l'opinion publique

---

46. *Ibid.*

mobilisée par la grève de la faim. L'intervention publique de personnalités et d'organisations affirmant leur solidarité avec les grévistes sera également un élément important pour donner à la grève l'audience indispensable.

Le boycott

Le boycott consiste à appliquer au domaine de la consommation le principe stratégique de non-coopération. Les propriétaires d'une entreprise commerciale ne peuvent réaliser des bénéfices que grâce à la coopération que leurs clients leur apportent en achetant leurs produits ou en recourant à leurs services. En leur retirant cette coopération, on exerce sur eux une pression qui, si elle se prolonge, les oblige à satisfaire aux exigences des organisateurs du boycott.

Selon Muller[47], différents objectifs peuvent être assignés à un boycott :

- ◆ obtenir l'amélioration de la qualité ou le retrait de la vente soit d'un produit industriel qui présente de graves malfaçons, soit d'un produit alimentaire qui s'est révélé nuisible à la santé ;
- ◆ contraindre les dirigeants d'une entreprise à reconnaître les droits des travailleurs qu'ils emploient ou à modifier certaines pratiques ;
- ◆ obtenir des responsables d'une usine qu'ils prennent les mesures nécessaires pour faire cesser l'émission de polluants ayant de graves conséquences écologiques.

Pour être efficace, un boycott doit être précédé ou accompagné d'une activité de sensibilisation informant la population ciblée par le boycott des enjeux entourant la situation, des injustices qui en découlent ainsi que, le cas échéant, des démarches déjà entreprises pour résoudre le problème. Dans certaines circonstances et pour être pleinement efficace, un appel au boycott devra aussi offrir des solutions de rechange aux personnes afin qu'elles puissent agir autrement, solidairement et de manière plus éthique sur la situation dénoncée.

Pour être efficace, le boycott devra aussi faire baisser les ventes de manière à créer pour l'entreprise un manque à gagner suffisamment important pour obliger ses dirigeants à céder devant la pression économique qui s'exerce sur eux. Le pouvoir d'achat des consommateurs devient ainsi un véritable pouvoir qui s'oppose à celui des producteurs, qui ne sauraient l'ignorer sans nuire à leurs propres intérêts. De plus, un boycott représente pour l'entreprise visée une campagne de contre-publicité susceptible de nuire sérieusement à son image de

---

47. *Ibid.*

marque. Signalons qu'il n'est pas nécessaire que le boycott soit total pour qu'il devienne efficace. Au-delà d'un certain pourcentage de la baisse des ventes, l'entreprise perd de l'argent et cesse d'être bénéficiaire. Encore faut-il que ce pourcentage soit atteint, ce qui implique une forte adhésion au boycott. Pour obtenir un tel appui, il ne suffit pas de lancer le mot d'ordre du boycott par un communiqué de presse et quelques affiches; il faut également distribuer des tracts et mettre en place des «piquets de boycott» à proximité des principaux points de vente d'une entreprise afin d'informer les consommateurs et de les inciter à ne pas acheter tel ou tel produit. Là encore, il est essentiel que l'action puisse s'inscrire dans la durée. Cela devrait être possible lorsque l'objectif est suffisamment clair parce que, généralement, la participation à un boycott n'entraîne pas de graves inconvénients pour les consommateurs. Ceux-ci ont moins à redouter que le boycott se prolonge que les producteurs eux-mêmes, ce qui devrait inciter ces derniers à donner aux organisateurs du boycott ce qu'ils réclament.

4.1.17. *Les actions de désobéissance civile*

La désobéissance civile fait partie de la grande famille des actions dites non violentes, au même titre que les actions de non-coopération décrites dans la section précédente. Cependant, nous estimons opportun d'en discuter séparément, car la désobéissance civile jouit d'une tradition qui lui est propre.

Selon l'IRNC, toute vie en société implique l'existence de lois. Celles-ci remplissent une fonction sociale indéniable, soit celle d'obliger les citoyens à adopter un comportement raisonnable, afin que ni l'arbitraire ni la violence ne puissent avoir libre cours. Les lois justes sont ainsi le fondement même de l'État de droit. Et, dans la mesure où la loi remplit sa fonction d'être au service de la justice, elle mérite le respect et l'obéissance des citoyens. Par contre, lorsque la loi cautionne ou engendre elle-même l'injustice, elle mérite leur mépris et leur désobéissance, la «légalité» des dispositions de la loi ne suffisant pas à fonder leur «légitimité».

Dans ce contexte, lorsque les moyens prévus ou permis par la loi se révèlent inopérants, il peut devenir nécessaire de passer outre aux obligations ou aux interdits de la loi, car l'obéissance à la loi ne dégage pas le citoyen de sa responsabilité. Selon les partisans de la désobéissance civile, celui qui se soumet à une loi injuste porte une part de la responsabilité de cette injustice, car ce qui fait l'injustice, ce n'est pas tant la loi injuste que l'obéissance à la loi injuste. Dès lors, pour lutter contre l'injustice, il peut être nécessaire de désobéir à la loi, car ce qui doit parfois dicter le comportement du citoyen, ce n'est pas ce qui est légal mais ce qui est légitime.

Selon Muller, « l'histoire nous apprend en effet que la démocratie est beaucoup plus souvent menacée par l'obéissance aveugle des citoyens que par leur désobéissance. En réalité, l'obéissance passive des citoyens fait la force des régimes totalitaires et leur désobéissance peut devenir le fondement de la résistance à ces mêmes régimes[48] ». Et « la démocratie exige des citoyens responsables et non pas des citoyens disciplinés[49] ». En ce sens, la désobéissance civile apparaît comme l'une des garanties de la démocratie, même si celle-ci, forcément, ne peut pas l'inclure, dans sa propre loi. Mais, soutient l'IRNC, pour que sa légitimité démocratique puisse être reconnue par l'opinion publique, il est essentiel que la désobéissance reste civile, c'est-à-dire qu'elle respecte les règles de la « civilité » et soit donc non violente.

Au Québec, les actions de désobéissance civile ont particulièrement marqué l'histoire des luttes altermondialistes, anticapitalistes et étudiantes. De l'Opération SalAMI, contestant l'Accord multilatéral sur les investissements (AMI) à Montréal en 1998, aux manifestations étudiantes et des casseroles de l'après-« loi 78 » en 2012, en passant par la tactique du Black Bloc pour faire tomber le mur de sécurité lors du Sommet des Amériques à Québec d'avril 2001, les exemples de telles manifestations de résistance se multiplient.

Selon Philippe Duhamel, l'un des organisateurs de l'Opération SalAMI, la désobéissance civile est une action : 1) citoyenne, « qui interpelle la collectivité, la société en son entier » ; 2) politique, « mue par une motivation responsable en faveur de l'intérêt collectif […] l'élément "désobéissance" traduit d'abord la notion de transgression, d'infraction, le fait de commettre délibérément une action interdite par la législation ou la réglementation en vigueur » ; 3) non violente, car « seule la désobéissance "démilitarisée", donc sans arme et sans violence, peut être civile » ; 4) « une action caractérisée par la "civilité". Elle s'appuie sur la profonde vertu de la citoyenneté, une certaine bienveillance empreinte des valeurs que sont le respect et la démocratie ». À cette définition s'ajoute « un élément de défi public assumé[50] ».

---

48. *Ibid.*
49. *Ibid.*
50. R. Jasmin (2010), « Les fruits de SalAMI », *Relations. Le pouvoir de la désobéissance civile*, n° 743, p. 13-15.

La désobéissance civile fait partie de l'arsenal tactique d'autres organisations au Québec, sans être nécessairement au cœur de leurs pratiques. Par exemple, le Front populaire en réaménagement urbain (FRAPRU) a déjà utilisé cette tactique dans ses campagnes pour l'accès au logement. En octobre 2010 :

> Plus de 450 mal-logés et sans-abri ont exprimé leur colère contre les choix budgétaires du gouvernement conservateur de Stephen Harper, en bloquant des bureaux de la Force aérienne du Canada, au 400 rue Cumberland, à Ottawa. Le Front d'action populaire en réaménagement urbain, un regroupement québécois pour le droit au logement, voulait ainsi protester contre la décision de réduire d'un milliard de dollars par an, à compter du 1er avril 2011, les fonds consacrés à la construction et à la rénovation de logements sociaux au Canada. Le FRAPRU ne digère pas que ces réductions surviennent au moment où le gouvernement vient d'accorder, sans appel d'offres, neuf milliards de dollars à la compagnie américaine Lockheed Martin pour l'achat de 65 avions chasseurs F-35, de même que des sommes pouvant s'élever jusqu'à sept milliards de dollars pour leur entretien[51].

Jugeant qu'il était injuste et illégitime que le gouvernement fédéral investisse autant dans la guerre, quand il y a autant de personnes sans abri ou mal logées, les manifestants n'ont pas hésité à contrevenir à la loi pour faire passer leur message.

Dans la même lignée, le Regroupement des Centres de femmes du Québec (L'R) a organisé une série d'actions dites «dérangeantes», telle l'occupation de bureaux du ministère de la Santé et des Services sociaux, afin de mettre fin à une mesure jugée injuste, soit celle de la taxe santé. En fait, dans un contexte de crise économique et d'attaques frontales par les forces néolibérales, de plus en plus d'organisations décident d'enfreindre la loi dans l'optique de lancer un défi public aux autorités et de démontrer par leurs actes qu'elles n'accepteront pas que le bien commun soit privatisé[52].

4.1.18. *Les tactiques d'une politique de l'agir*

Les tactiques d'une politique de l'agir qui cherchent à agir sans l'intermédiaire des pouvoirs institués et dans une perspective de résistance recouvrent une grande diversité des formes d'action et d'expression. Pour mieux comprendre

---

51. FRAPRU (2010), <https://www.newswire.ca/news-releases/le-frapru-bloque-un-edifice-des-forces-aeriennes-du-canada-a-ottawa--dulogement-social-au-lieu-des-f-35-545939162.html>, consulté le 13 octobre 2020.
52. Voir, par exemple, le site de la Coalition opposée à la tarification et à la privatisation des services publics : <http://www.nonauxhausses.org/>.

leurs multiples représentations et saisir leur diversité, nous nous reportons à la typologie élaborée par Richard Day (2005), qui les regroupe en quatre types selon leur forme[53].

En premier lieu, l'action directe, qui cherche à **subvertir par la parodie**, implique de tourner en dérision, de dénoncer ou de transformer le sens des produits ou phénomènes découlant d'une relation de pouvoir illégitime afin d'en bouleverser la mainmise. Il s'agit en fait de détourner le sens d'une chose pour créer une « situation » autre qui va au-delà de la simple critique. Le deuxième type, consistant à **perturber les institutions existantes**, vise à entraver ou à déstabiliser le flux du pouvoir de l'État et des entreprises capitalistes, notamment en détruisant de la propriété ou en organisant un blocus ou une occupation. La logique derrière cette tactique est de rendre plus difficile le fonctionnement normal du système dominant pour une minute, une heure ou, dans l'idéal, pour toujours. Selon Richard Day, une des limites importantes des actions visant à interférer avec le flux du pouvoir de l'État et des entreprises capitalistes, c'est que leurs gains ne sont que des victoires à court terme, car, rapidement, le flux momentanément bloqué passe par un autre chemin. C'est pour cela que deux autres tactiques s'ajoutent à la brochette des tactiques d'une politique de l'agir. Il s'agit de **préfigurer** ou de **créer**, ici et maintenant, des **alternatives aux institutions et formes existantes**. Cela correspond à toutes formes d'alternatives concrètes mises sur pied afin de réduire le pouvoir du projet hégémonique capitaliste et des normes sociales, mais aussi pour redonner du pouvoir au peuple. C'est cette combinaison de tactiques qui caractérise la politique de l'agir telle qu'elle est mise en pratique au Québec par un nombre grandissant de groupes et de réseaux libertaires, anarchistes et anti-autoritaires.

Pour illustrer cette logique d'action et les tactiques qui y sont associées, nous utiliserons l'exemple de l'intervention des libertaires dans le quartier de Pointe-Saint-Charles à Montréal[54]. La présence libertaire se fait sentir dans ce quartier ouvrier depuis 2005, date de mise sur pied du collectif anarchiste La Pointe libertaire[55]. Ce collectif travaille principalement à des enjeux d'aménagement urbain et de gentrification dans une perspective de réappropriation des espaces et institutions politiques, économiques, sociales et culturelles par les

---

53. Day, *op. cit.*
54. Pour plus d'information, voir A. Kruzynski et M. Silvestro (2013), « Proximité physique, vie de quartier et luttes anarchistes », dans R. Bellemare-Caron, E. Breton, M.-A. Cyr, F. Dupuis-Déri et A. Kruzynski (dir.), *Nous sommes ingouvernables. Les anarchistes au Québec aujourd'hui*, Montréal, Lux.
55. La Pointe libertaire : <http://www.lapointelibertaire.org>.

résidents du quartier. En 2007 est né un autre groupe de tendance libertaire, le Centre social autogéré (CSA) de Pointe-Saint-Charles[56]. L'objectif de ce dernier est de se (ré)approprier un bâtiment vacant du quartier pour y installer des projets autogérés, notamment des salles de spectacle et de cinéma, un café bar militant, un atelier de réparation de vélos, des serres et une auberge de passage.

Les deux groupes partagent l'analyse qui sous-tend une politique de l'agir. Suivant cette dernière, La Pointe libertaire, explicitement anarchiste, expose ainsi sa vision :

> Nous rejetons les structures hiérarchiques et centralisées de l'État et de ses institutions (éducation, santé, justice, etc.). Dans cette même foulée, nous remettons en question cette aspiration des partis politiques de gauche (le plus souvent littéralement calqués sur les structures étatiques) d'accéder au pouvoir et de gérer l'État au nom des citoyens et des citoyennes, en croyant possible de démocratiser, par la représentation politique, un système basé sur la domination et le pouvoir d'une minorité.

Rejetant toutes les formes de domination et d'exploitation, le CSA, quant à lui, se réclame d'une «attitude de confrontation envers les organisations capitalistes et impérialistes locales, nationales et mondiales qui appelle tant à l'action directe, la désobéissance civile ou toutes autres formes de résistances». Une analyse d'une sélection d'actions entreprises par ces deux groupes nous permettra de mieux comprendre comment s'articule une politique de l'agir dans le concret.

Sécuriser et embellir un passage au cœur du quartier

Au cœur du quartier de Pointe-Saint-Charles se trouvent un viaduc et un immense mur aveugle sur lequel passent les trains du Canadian National (CN). Pendant plusieurs années, les groupes communautaires n'ont cessé de demander à l'arrondissement de sécuriser le bout d'une piste cyclable qui passe en dessous de ce viaduc, jugeant que l'aménagement est très dangereux pour les cyclistes. Ces mêmes groupes ont demandé à plusieurs reprises au CN de leur donner la permission de réaliser une murale sur le mur en béton qui représente une plaie visuelle pour le quartier. Ces deux demandes sont restées sans suite pendant des années. En 2006, La Pointe libertaire s'est jointe à l'Opération populaire d'aménagement[57] pour lancer un ultimatum à l'arrondissement : «Si d'ici deux

---

56. Le Centre social autogéré : <http://www.centresocialautogere.org>.
57. Cette initiative populaire a vu le jour en 2004 et consiste en une appropriation collective et citoyenne des enjeux d'aménagement dans le quartier Pointe-Saint-Charles (<http://ccpsc.qc.ca/opa>).

semaines, la piste n'est pas sécurisée, nous allons le faire nous-même. » La Pointe libertaire était prête à effectuer les travaux : installer un miroir, des panneaux de signalisation et un muret en béton qui protégerait la piste des voitures. À l'intérieur de deux semaines, l'arrondissement avait effectué les travaux : la rue a été transformée en artère à sens unique ; des poteaux ont été installés autour de la piste et des panneaux de signalisation ont été ajoutés. Ici, la menace d'une action directe a contribué à déstabiliser (**perturber**) l'état normal des choses à l'intérieur des murs de l'arrondissement et à forcer les élus et les fonctionnaires à agir dans un délai raisonnable.

À la même occasion, La Pointe libertaire a réalisé un dessin en trompe-l'œil sur le mur aveugle. Ce trompe-l'œil a pour origine une vieille revendication du quartier, soit de percer le mur de béton qui divise le quartier en deux pour que les vélos et les piétons puissent traverser en toute sécurité. Ce dessin vient détourner le sens d'un mur gris et décrépit en créant une « situation » autre – un premier tableau d'une éventuelle murale. Quelques mois plus tard, des membres de La Pointe libertaire furent arrêtés et accusés de méfait pour avoir réalisé un deuxième tableau sur le même mur, cette fois-ci représentant l'évolution de l'humanité vers la « vélorution », autre **acte de subversion**. Après deux ans de négociations avec le plaignant – le CN –, une entente[58] fut signée permettant la réalisation d'une murale sur toute la surface du mur sur le thème « quartiers autogérés, quartiers libérés ». Ce thème n'est pas anodin ; il a été choisi en fonction de la tactique de **construction d'alternatives** aux institutions hégémoniques existantes. Voici un extrait de l'appel pour la réalisation de cette murale :

> Nous sommes convaincus que la construction d'un monde meilleur, basé sur la justice sociale, l'entraide, la coopération, le respect et la liberté, passe par l'implication directe des gens dans la gestion de leurs communautés, de leurs institutions sociales, économiques et politiques. C'est pour ça que nous invitons toutes celles et ceux qui sont inspirés par ce thème et qui veulent embellir leur quartier à participer à la réalisation de cette murale[59].

Et c'est pour **préfigurer** le mode de fonctionnement d'une société autogérée que le collectif a choisi de mener ce projet en utilisant des formes organisationnelles et des modes de fonctionnement qui s'inspirent de la démocratie directe. Les personnes directement concernées sont invitées à participer à la conception et à la réalisation du projet du début à la fin. Concernant le fonctionnement, pour

---

58. Partout au Canada, le CN a des murs aveugles qui traversent des quartiers populaires. Le CN a toujours refusé les demandes des résidents et des groupes qui voulaient réaliser des murales pour embellir leur milieu de vie. L'entente à Pointe-Saint-Charles est un projet pilote pour le CN.
59. La Pointe libertaire : <http://www.lapointelibertaire.org/node/1423>.

s'assurer que tout le monde comprend bien les enjeux et demeure sur la même longueur d'onde, les décisions sont prises par consensus ; par ailleurs, pour éviter la spécialisation et la concentration du pouvoir, la rotation des tâches et l'auto-formation seront de mise et, finalement, des mécanismes d'animation et de communication seront mis en place pour faciliter la construction de rapports sociaux plus égalitaires.

Ces deux exemples démontrent qu'en refusant d'attendre après les autorités et en agissant directement sur le problème, il est possible d'obtenir rapidement des résultats tangibles. Si les autorités n'avaient pas agi, dans l'un et l'autre cas, La Pointe libertaire était prête à effectuer les travaux de sécurisation et d'embellissement elle-même, sans en demander la permission. Le collectif tente aussi, par ses choix organisationnels, de créer les conditions pour que les gens du quartier intéressés par ces projets puissent se familiariser avec la notion de démocratie directe et expérimenter avec des formes d'organisation autonomes et autogérées. Ce sont ces éléments qui font la différence avec une politique de revendication.

Se (ré)approprier des espaces urbains

Les stratégies du Centre social autogéré se situent aussi dans la logique d'une politique de l'agir, comme l'illustre cet extrait d'une brochure du groupe : « Une leçon qu'on tire de l'histoire des luttes à La Pointe, c'est que si on veut quelque chose, faut pas attendre après les autorités […] faut le faire nous-mêmes ! C'est pour ça qu'on propose d'installer un Centre social autogéré (CSA) dans un des bâtiments des terrains du CN[60]. »

Après deux ans d'organisation, de concertation avec les acteurs communautaires du quartier et de mobilisation, le CSA décide d'occuper une usine de chandelles abandonnée, aux abords du canal Lachine. Le propriétaire de ce bâtiment industriel, situé sur le seul terrain riverain où il n'y avait pas de copropriétés (condos), avait annoncé son intention de le démolir et de construire un complexe de copropriétés de six étages. Suivant la logique d'une politique de l'agir, le CSA a occupé les lieux afin d'interférer avec la poursuite de ce projet jugé néfaste pour la communauté par un grand nombre d'acteurs locaux, incluant la Table de concertation des groupes communautaires Action-Gardien. Utilisant aussi la tactique de **construction d'alternatives** autonomes et autogérées, le CSA a monté en moins de 24 heures, à partir de matériaux récupérés et en ne comptant

---

60. Extrait de la brochure *Vers un centre social autogéré sur les terrains du CN* (2007).

que sur les bras des centaines de militants impliqués, une salle de spectacle, un dortoir, une cuisine et des toilettes. En effet, la tactique de la **préfiguration et de la construction** dans l'«ici et maintenant» d'un autre vivre-ensemble est au cœur de ce projet depuis ses débuts.

Les membres du CSA souhaitent que cet espace autogéré devienne un lieu d'échanges, de rencontres, de débats, de détente et d'actions, qui permettrait de créer des liens sociaux différents de ceux qu'impose la vie urbaine contemporaine. Ils rêvent d'un lieu d'initiatives populaires, ouvert à tout projet conforme à la charte qu'ils ont collectivement adoptée. Bref, un centre d'élaboration de solutions créatives, un espace de convergence et de résistance. En rendant un peu de la ville à ses habitants, le projet du CSA espère encourager la réflexion sur les modes de vie actuels. Pour ceux-ci, l'incitation à construire de nouvelles alternatives dans tous les domaines s'inscrit dans un projet dont le monde a désespérément besoin. Comme c'est le cas pour La Pointe libertaire, le CSA fonctionne par démocratie directe et a développé un mode de fonctionnement cohérent avec les valeurs qui l'animent.

Le CSA emploie aussi la tactique de la **subversion par la parodie**, en cachant l'identité des porte-parole médiatiques derrière des masques de carnaval décorés aux couleurs du groupe et des pseudonymes issus de jeux de mots. Ce sont «les Grand'Maison, famille établie dans et amoureuse du Sud-Ouest de Montréal» qui ont été à l'avant-scène médiatique, notamment «Squat Grand'Maison», «Yvan D. Grand'Maison», «Sema Grand'Maison» et «Aquila Grand'Maison». Les porte-parole ayant systématiquement refusé de se démasquer, les médias de masse ont été forcés d'accepter cette action de dénonciation par la dérision de leurs propres méthodes axées sur le vedettariat et le spectacle. Utilisant toujours la tactique de la **construction d'alternatives**, le CSA est aussi son propre média. Refusant de compter sur les médias de masse (un intermédiaire) pour faire passer son message, il crée ses propres informations qu'il diffuse sur son site Internet et réalise des capsules vidéo sur différents enjeux reliés au projet[61].

Les actions du CSA, combinées à celles des autres acteurs communautaires, ont forcé l'arrondissement à tenir une consultation publique sur le projet et à négocier avec le propriétaire une modification du projet. Depuis, le CSA s'est joint à un comité de groupes communautaires du quartier pour obtenir la cession gratuite par le promoteur immobilier d'un bâtiment de 100 000 pieds carrés sur

---

61. Voir <http://www.centresocialautogere.org/fr/category/sections/grands-dossiers/occupationde-2009>.

les terrains du CN. Ces tactiques d'une politique de l'agir, combinées aux actions des autres acteurs du quartier auprès de la mairie de l'arrondissement, ont finalement abouti à des gains concrets. En 2011, le bâtiment convoité, sa décontamination ainsi que 800 000 $ ont été concédés, inscrivant une grande victoire dans « la construction de collectivités locales fortes, libertaires et motivées par leur prise en main autonome[62] ».

4.2. Les outils

4.2.1. *Le tract et le dépliant*

Le tract

Le tract est un feuillet ou une petite brochure distribué de main à main à des fins de propagande ou pour faire passer une information à un maximum de gens, soit lors de rassemblements militants, pour annoncer une rencontre ou une activité, soit dans le contexte d'une action directe. Le tract sera « artisanal » ou imprimé de manière professionnelle. Sur le plan technique, le tract doit être conçu simplement. Le texte sera court, précis et rédigé dans une langue correcte. Il contiendra une information factuelle vérifiable, par exemple « 300 000 femmes sont victimes de violence chaque année ». Les titres et sous-titres seront dénonciateurs, revendicateurs ou mobilisateurs. Le nom du groupe, un numéro de téléphone ou l'adresse d'un site Internet permettront aux personnes d'obtenir des renseignements supplémentaires.

Certains organismes communautaires ont fait preuve d'imagination dans l'utilisation de ce moyen comme outil de sensibilisation et de mobilisation. On a vu apparaître entre autres le tract sous forme de carton à accrocher, du style de ceux que l'on trouve dans les chambres d'hôtel, pour sensibiliser les ménages locataires des quartiers lors de campagnes d'information sur les droits et responsabilités des locataires ou sur des problèmes plus spécifiques, comme la discrimination exercée par certains propriétaires dans les quartiers populaires.

Le dépliant

Le dépliant, bien qu'il soit généralement utilisé comme outil de communication pour faire connaître un organisme, s'emploie également comme outil de sensibilisation et de mobilisation, notamment lorsqu'un formulaire d'inscription pour

---

62. Kruzynski et Silvestro, *op. cit.*, p. 151.

devenir membre de l'organisme est inclus dans le dépliant. Lorsqu'il est bien conçu et attrayant et qu'il utilise judicieusement l'écrit, la couleur et l'image, le dépliant devient presque un incontournable dans toute activité ou campagne de sensibilisation. Laissé à des endroits stratégiques ou distribué à un kiosque lors d'un événement public, le dépliant permet aux personnes qui le reçoivent d'en faire une lecture plus approfondie au moment où cela leur conviendra et ainsi de mieux connaître les enjeux d'un projet ou d'une lutte et la nature de l'organisme ou de la coalition qui en est l'instigateur.

Par exemple, dans la région des Laurentides, le Comité régional pour la protection des falaises (CRPF) de Piedmont, Prévost et Saint-Hippolyte a conçu un dépliant fort attrayant qui explique à la population les caractéristiques écologiques du territoire à protéger, les revendications du groupe et la mission du CRPF. Quelques photos du site à protéger, une carte délimitant les contours du projet du territoire à préserver et un formulaire d'inscription pour devenir membre du comité complètent ce dépliant qui vise à sensibiliser et à mobiliser les citoyennes et les citoyens des trois municipalités concernées.

4.2.2. *L'affiche*

On peut lire l'histoire des mouvements sociaux au Québec à travers ses affiches. Que ce soit pour exprimer leurs revendications, appeler à la mobilisation ou servir d'outil de sensibilisation, les affiches ont été et sont encore le reflet des luttes sociales au Québec. Ces affiches que l'on épingle dans les locaux des organismes ou sur les murs, que l'on colle la nuit tombée sur les murs, les poteaux et les panneaux des édifices en construction, ou encore que l'on fixe au bout d'un bâton pour en faire des pancartes, sont autant d'images qui reflètent les aspirations collectives et invitent à agir[63].

---

63. Pour se convaincre de la force d'évocation d'une affiche et de son importance comme outil de sensibilisation, de mobilisation ou de pression, J.P. Boyer, J. Desjardins et D. Widgington ont réuni dans l'ouvrage *Affiches des mouvements sociaux au Québec (1966-2007)*, chez Lux Éditeur, 659 affiches retraçant l'histoire des mouvements sociaux du Québec. S'y retrouve une sélection d'affiches du mouvement syndical, des organisations politiques de gauche, des groupes populaires engagés dans la défense des droits sociaux, des groupes de femmes, des groupes de pression, des groupes de solidarité internationale, des organisations culturelles ainsi que du mouvement altermondialiste.

En dépit de son caractère éphémère, la création d'une affiche mérite qu'on y consacre réflexion et talent. Et pourquoi pas en sauvegarder une ou deux copies pour les donner au Centre de recherche en imagerie populaire (CRIP) pour le bénéfice de notre histoire collective ?

Enfin, détail intéressant que permettent maintenant les TIC, de plus en plus de groupes expédient leur affiche en format PDF aux personnes et aux organismes sympathisants. Grâce à la qualité d'impression de la plupart des imprimantes couleur, on peut ainsi reproduire facilement ces affiches en autant de copies que nécessaire.

4.2.3. *La photo, la vidéo et le documentaire engagé*

La photo et la vidéo sont des moyens de sensibilisation et de mobilisation couramment utilisés par les groupes dans leurs pratiques d'action collective. Grâce à l'émotion véhiculée par l'image, il est en effet beaucoup plus facile de faire la démonstration d'une situation comportant une charge dénonciatrice ou mobilisatrice. Depuis quelques années, les technologies numériques de photo et de prises de vues, de traitement de l'image et de montage vidéo en facilitent l'utilisation. Sur le plan de la production culturelle, le film documentaire engagé accompagne aussi de plus en plus de nouvelles formes d'engagement collectif, tantôt en illustrant la réalité des vies humaines affectées par les injustices, tantôt en contribuant à éveiller les consciences à des réalités sociales, politiques, économiques et environnementales.

La photo

La photo, que ce soit dans le cadre d'une exposition photographique, d'une projection, ou encore comme outil complémentaire lors d'une conférence ou d'un atelier de formation, peut être un moyen de sensibilisation très efficace. Par exemple, l'organisme Équiterre, qui a comme mission de contribuer à bâtir un mouvement citoyen en prônant des choix individuels et collectifs à la fois écologiques et socialement équitables, utilise l'exposition photodocumentaire pour sensibiliser la population à diverses réalités sociales et aux alternatives qui existent pour agir positivement sur ces réalités.

La vidéo

La vidéo permet de passer un message de façon stimulante et d'aller chercher les dynamiques d'un quartier ou d'un projet ainsi que des témoignages de personnes vivant la situation ou le problème social sur lequel on souhaite agir. La vidéo est aussi un moyen d'impliquer des personnes dans la production, et ce, avec un minimum de formation. On peut en effet apprendre assez facilement à manipuler la caméra pour filmer des images intéressantes et signifiantes. Par contre, l'étape du montage requiert des compétences techniques, du temps et un équipement adéquat. Un soutien technique peut parfois être offert à un coût minime par certaines coopératives de production et certains établissements d'enseignement.

Sur le plan de l'utilisation, le visionnement d'une vidéo est généralement précédé d'une courte présentation et suivi d'une période de discussion. Cette période d'échange de vues sert à établir des liens avec le vécu et la perception des participants, à définir des moyens concrets de passer à l'action et à vérifier le degré d'intérêt ou d'engagement possible. Le rôle de l'animateur est donc très important, à la fois pour susciter la participation et pour mettre en évidence la nécessité et l'efficacité d'une action collective.

Si l'on prévoit que la vidéo sera utilisée par différents groupes et animateurs, il sera utile de réaliser un guide d'animation qui fournira à l'animateur des thèmes de discussion, des questions s'y rattachant et de l'information complémentaire à donner aux participants.

Le documentaire engagé

De nombreux documentaires témoignent, hier comme aujourd'hui, de l'engagement social et politique de leurs auteurs. Des cinéastes documentaires comme Manon Barbeau (*L'armée de l'ombre*), Magnus Isacsson (*Ma vie réelle*; *L'art en action*), Richard Desjardins (*L'erreur boréale*; *Le peuple invisible*; *Trou Story*) et Hugo Latulippe (*Bacon, le film*; *Manifestes en série*) ont toutes et tous, à leur façon, suscité des polémiques au Québec. Ces documentaires ont contribué à faire évoluer mythes et préjugés à l'égard des populations marginalisées, à éveiller les consciences, voire à provoquer une vague de contestation populaire ayant forcé les gouvernements à modifier des lois et réglementations jugées injustes.

4.2.4. *Quelques autres outils*

Au cours des dernières années, les organismes communautaires ont conçu et diffusé une quantité impressionnante d'outils, dont certains ont le mérite de sortir des «sentiers battus». Ces outils prennent divers formats qui vont du guide d'animation proposant une démarche de conscientisation au jeu format géant sur des thématiques sociales, en passant par le conte pour enfants et la bande dessinée. Souvent inspirés des pratiques d'éducation populaire, ces outils ont su s'adapter à la culture du milieu populaire en favorisant l'expression du vécu et le cheminement critique.

La réalisation et l'utilisation de tels outils s'étendent à plusieurs champs de pratique en action communautaire. On retrouve des exemples de leur utilisation dans des contextes aussi variés que la lutte contre la pauvreté, la défense des droits, la promotion de la paix et le développement local.

Parfois, ces outils sont créés dans le contexte d'un événement plus large, comme ce fut le cas lors de la création et de la distribution de « faux » formulaires de contravention remis à des véhicules en « délit écologique » par l'Action terroriste socialement acceptable (ATSA), lors de l'événement *Attentat # 10*. Lors de cet événement, près de 350 citoyens sont devenus « brigadiers » volontaires pour émettre 10 000 contraventions vertes. Ces brigadiers eu la tâche de cibler les véhicules surdimensionnés à consommation excessive, les véhicules en marche au ralenti, les véhicules utilisant un démarreur à distance et les « minounes » polluantes. Par cet attentat à la voiture toxique, l'ATSA a créé à la fois un objet d'art, un outil de sensibilisation et un moyen de pression politique[64], puisque des copies de toutes ces contraventions ont été remises à la Ville de Montréal.

4.3. Les communications

Les communications recouvrent un large éventail de moyens de communication : médias de masse, médias communautaires et alternatifs, médias sociaux, etc. Comprendre le rôle des communications et savoir choisir et utiliser efficacement les divers moyens de communication dans le contexte d'une stratégie d'action collective sont des atouts indispensables en action communautaire.

Le chapitre qui suit permettra d'approfondir le rôle et les techniques d'utilisation des médias et de saisir leur potentiel d'utilisation en action communautaire. Ce chapitre analysera aussi le renouvellement des formes d'action communautaire à l'ère du numérique et la manière dont les TIC sont en train de s'imposer dans l'univers du militantisme.

---

64. Action terroriste socialement acceptable (2008), *ATSA : quand l'art passe à l'action*, Montréal, Édition Publishing.

BIBLIOGRAPHIE SÉLECTIVE

ALINSKY, S. (1976), *Manuel de l'animateur social*, Paris, Seuil, 248 p.

AMPLEMAN, G., BARNABÉ, J., COMEAU, Y. *et al.* (1987), *Pratiques de conscientisation 2*, Québec, Collectif québécois d'édition populaire, 366 p.

AMPLEMAN, G., DORÉ, G., GAUDREAU, L. *et al.* (1983), *Pratiques de conscientisation: expériences d'éducation populaire au Québec*, Montréal, Nouvelle Optique, 304 p.

BOAL, A. (1977), *Théâtre de l'opprimé*, Paris, Maspero, 209 p.

BOURQUE, D. *et al.* (dir.) (2007), *L'organisation communautaire. Fondements, approches et champs de pratique*, Québec, Presses de l'Université du Québec, 534 p.

BOYER, J.P., DESJARDINS, J. et D. WIDGINGTON (2008), *Affiches des mouvements sociaux au Québec. 1966-2007*, Montréal, Lux, 360 p.

CARON, C., «Seattle, dix ans après», *Relations*, n° 736, novembre 2009.

CARON, C., «Le pouvoir de la désobéissance civile», *Relations*, n° 745, septembre 2010.

CARON-BELLEMARE, R., BRETON, É., CYR, M.A., DUPUIS-DERI, F. et A. KRUZYNSKI (2013). *Nous sommes ingouvernables: les anarchistes au Québec aujourd'hui*, Montréal, Lux, 353 p.

DAY, R.J.F. (2005), *Gramsci Is Dead: Anarchist Currents in the Newest Social Movements*, Toronto, Between the Lines, 254 p.

FOUGIER, E. (2004), *Altermondialiste, le nouveau mouvement d'émancipation?*, Paris, Lignes de repères, 174 p.

FREIRE, P. (1974), *Pédagogie des opprimés*, Paris, Maspero, 202 p.

KLEIN, N. (2008), *La stratégie du choc: la montée d'un capitalisme du désastre*, Montréal, Leméac/Actes Sud.

KRUZYNSKI, A. et R. SARRAZIN (2010), «Ni Dieu ni Maître: les anarchistes contemporains», *À bâbord*, 34.

LAMBERT-PILOTTE, G., DRAPEAU, M.-H. et A. KRUZYNSKI (2007), «La révolution est possible: portrait de groupes autogérés libertaires au Québec», *Possibles (Les jeunes réinventent le Québec)*, vol. 31, n°s 1-2, p. 138-159.

LAMOUREUX, E. (2009), *Art et politique. Nouvelles formes d'engagement artistique au Québec*, Montréal, Écosociété, 272 p.

RAVET, J.C., «Le devoir politique de désobéir. Entrevue avec Jean-Marie Muller», *Relations*, n° 743, septembre 2010, p. 17-19.

TOURAINE, A. (1973), *La production de la société*, Paris, Seuil, 542 p.

WEBOGRAPHIE SÉLECTIVE

INSTITUT DE RECHERCHE SUR LA RÉSOLUTION NON VIOLENTE DES CONFLITS: <http://www.irnc.org/NonViolence/Lexique/4.Strategie/Items/20.htm>.

LES COMMUNICATIONS

JOCELYNE LAVOIE
JEAN PANET-RAYMOND

AVEC LA COLLABORATION DE SYLVIE JOCHEMS

PLAN DU CHAPITRE 7

INTRODUCTION

Le monde des communications a beaucoup évolué depuis le début des années 2000. Cette évolution, marquée par la montée du numérique et une fragmentation des médias et de l'auditoire, a eu diverses conséquences. Parmi celles-ci, des changements profonds dans la manière dont les groupes communautaires et les militants transmettent leurs messages, de même que dans la façon dont les différents acteurs sociaux établissent et entretiennent des réseaux de communication et de relations entre eux.

Dans un tel contexte, les groupes communautaires ont dû adapter leurs pratiques en tenant compte des possibilités qu'offre l'utilisation des technologies de l'information et des communications (TIC)[1]. Cette évolution se caractérise par la multiplication des outils de communication, d'une part, et par le changement de statut des citoyens qui cessent d'être de simples récepteurs de l'information pour devenir aussi producteurs et diffuseurs d'information, d'autre part. C'est ce qui a fait dire à certains spécialistes des sciences de l'information et des communications que l'on assiste à une « explosion de la communication à l'aube du XXIe siècle[2] ».

Pour illustrer l'omniprésence des TIC dans le quotidien, relatons qu'au Québec l'utilisation d'Internet est en constante progression depuis les années 2000, atteignant 78,1 % des foyers québécois branchés à Internet à leur domicile en 2013[3]. Quant aux médias sociaux, leur utilisation a connu une évolution fulgurante. En 2013, 82,2 % des internautes québécois utilisent les médias sociaux, ce qui correspond à 62,7 % des adultes québécois[4]. Et parions qu'avec la popularité sans cesse croissante des téléphones intelligents, combinée à celle

---

1. Lorsqu'on parle des TIC, on peut distinguer, d'une part, les technologies en elles-mêmes, qui sont des instruments pour traiter les informations ou les données, et, d'autre part, les informations, les données, les textes, les images, les sons et les documents multimédias qui sont traités et transmis au moyen de ces technologies.
2. P. Breton et S. Proulx (2006), *L'explosion de la communication à l'aube du XXIe siècle*, Montréal, Boréal compact, 390 p.
3. Centre francophone d'informatisation des organisations (CEFRIO) (2013), *Équipement et branchement Internet des foyers québécois*, juillet (<http://www.cefrio.qc.ca/netendances/equipement-branchement-2013/>).
4. Centre francophone d'informatisation des organisations (CEFRIO) (2013), *Les adultes québécois toujours très actifs sur les médias sociaux*, 20 juin (<http://www.cefrio.qc.ca/netendances/medias-sociaux-2013/>).

des tablettes numériques offrant un accès plus facile à Internet grâce à la technologie sans fil, cette montée de l'utilisation des TIC dans le paysage des communications n'a pas fini de nous ébahir.

Un autre changement majeur dans le monde des communications des dernières années est le passage de l'information en direct à l'information instantanée. À cet égard, Twitter a maintenant atteint un statut d'outil d'information, se voyant cité par la presse traditionnelle pour relayer les moindres soubresauts de l'actualité politique et sociale. Dans un même registre, la rapidité avec laquelle le téléphone intelligent peut relayer de l'information et des images, grâce à des sites de partage de photos et de vidéos, contribue aussi à changer radicalement la façon d'interagir avec l'information.

Enfin, comme nous l'avons abordé dans le chapitre 6, «La sensibilisation, la mobilisation et les moyens de pression», la montée des TIC à l'ère du Web 2.0 a favorisé l'émergence d'une nouvelle forme de militantisme : un militantisme distancié[5] qui délocalise l'action communautaire et facilite l'appui à plusieurs organisations et mouvements sociaux dans un même temps[6]. Ce militantisme dématérialisé réussit à se soustraire au contrôle de l'information exercé par les médias traditionnels, voire à déstabiliser les grandes entreprises et les gouvernements. Dorénavant, même si des coups d'éclat médiatiques tels que l'installation de banderoles géantes sur des édifices par des groupes d'activistes comme Greenpeace restent une dramatisation efficace lorsqu'il s'agit de faire pression sur des entreprises ou des gouvernements, il faudra désormais s'attendre de plus en plus à des coups d'éclat réalisés par le truchement d'Internet et des médias sociaux par ceux que l'on surnomme les «activistes du Web».

Dans ce chapitre, nous allons analyser et décrire les diverses formes et outils de communication dans les groupes communautaires en tenant compte de ces nouveaux enjeux liés à l'utilisation des TIC en action communautaire.

La première partie de ce chapitre invite le lectorat à réfléchir sur la pertinence et l'élaboration d'une stratégie de communication dans les groupes et regroupements communautaires. Cette réflexion vise à accroître l'efficacité des moyens de communication choisis en fonction du message que le groupe souhaite faire passer et des personnes qu'il désire rejoindre.

---

5. J. Ion (1997), *La fin des militants ?*, Paris, Les Éditions de l'Atelier, 124 p.
6. F. Granjon (2001), *L'Internet militant. Mouvement social et usage des réseaux télématiques*, Rennes, Apogée, 189 p.

La deuxième partie du chapitre décrit les moyens de communication dont les groupes disposent pour diffuser leur message. Ces moyens sont regroupés en quatre catégories: 1) les moyens autonomes, 2) les médias de masse, 3) les médias communautaires et alternatifs, 4) les «pra-TIC» communautaires et citoyennes.

Le chapitre se termine par une troisième partie portant sur les principales techniques à maîtriser pour utiliser efficacement les médias de masse traditionnels.

1. LA STRATÉGIE DE COMMUNICATION

1.1. La pertinence de la communication au sein d'un groupe

Nous préférons, pour deux motifs, utiliser l'expression *stratégie de communication* plutôt que *stratégie d'information*. D'abord, la stratégie de communication touche à la fois la communication interne, entre les membres d'un groupe, et la communication externe, dirigée vers la communauté. De plus, la stratégie de communication n'est pas à sens unique et ne se limite pas uniquement à informer une communauté. Elle cherche aussi à stimuler la participation et le désir d'agir des personnes qui appartiennent à cette communauté.

Stratégie de communication | Une stratégie de communication repose sur la planification et la coordination de moyens de communication pour soutenir l'action.

Les groupes disposent de diverses catégories de moyens de communication pour mettre en œuvre leur stratégie de communication: les moyens autonomes, les médias de masse traditionnels, les médias communautaires et alternatifs, et les TIC.

Le choix des moyens de communication s'effectue en fonction de la stratégie d'action, du message que le groupe désire passer, de la population à qui ce message s'adresse et des ressources humaines et matérielles dont le groupe dispose.

Par la mise en œuvre d'une stratégie de communication, les groupes visent généralement l'un ou l'autre des quatre objectifs suivants.

Se donner de la visibilité et informer	Le groupe cherche à faire connaître sa mission, ses services, ses activités, ses prises de position et ses réalisations marquantes, voire l'importance de son rôle au sein d'une communauté.
Sensibiliser	Le groupe cherche à favoriser une prise de conscience par rapport à un problème social ou à un besoin commun et à promouvoir des solutions de rechange ou des idées nouvelles pour transformer cette réalité.
Donner plus de poids aux revendications	Le groupe cherche à exercer des moyens de pression pour faire valoir la légitimité de ses revendications et interpeller l'opinion publique. Dans un tel contexte, l'utilisation des médias de masse traditionnels ainsi que des TIC occupe une place stratégique.
Mobiliser	Le groupe cherche à susciter l'engagement des personnes et des organismes touchés par une revendication ou un projet d'action élaboré en vue de résoudre un problème social ou de répondre à un besoin commun. Par le choix de son message, le groupe pourra aussi chercher simplement un appui ponctuel à un moyen d'action, par exemple lors d'une manifestation ou d'un envoi massif de lettres d'appui.

1.2. La planification d'une stratégie de communication

L'élaboration d'une stratégie de communication suppose un travail de planification et de coordination. Selon la mission du groupe et le mode de fonctionnement qu'il privilégie, le volet planification pourra s'effectuer de différentes façons.

Planification annuelle	Certains groupes optent pour une planification annuelle. Dans ce cas, le groupe prendra soin d'inscrire sur un calendrier l'ensemble des activités et des événements prévus durant l'année, en mettant l'accent sur les occasions de contact à l'interne avec les membres et à l'externe avec une population plus large.

La plupart des comités logement et associations de locataires dont la mission vise l'éducation et la défense des droits des locataires choisissent un tel mode de fonctionnement. En se basant sur les différents cycles de la vie d'un bail et sur les problèmes les plus fréquents que rencontrent les locataires – augmentation de loyer, reprise de possession, réparations, chauffage, etc. –, ces groupes sont en mesure d'élaborer leur stratégie de communication sur une base annuelle.

*Planification
saisonnière* | D'autres groupes préfèrent planifier leur stratégie de communication sur une plus courte période, souvent à partir d'un programme d'activités qui obéit à un cycle saisonnier.

Plusieurs centres de femmes dont le mandat est d'offrir des services ou des activités éducatives et de mener des actions collectives optent pour ce type de planification. C'est surtout le volet des activités éducatives qui fait l'objet d'une telle planification. Pour ces activités, les centres de femmes élaborent un programme d'activités saisonnier qui est transmis aux participantes et aux femmes du territoire desservi.

*Planification
par objectifs* | Certains groupes se tournent plutôt vers une planification à partir d'objectifs d'action précis. Ces objectifs sont le plus souvent rattachés à des revendications d'ordre social, politique ou économique.

Certaines associations coopératives d'économie familiale (ACEF), dont la mission est la protection des consommateurs, privilégient ce mode de fonctionnement. Les actions de défense et de représentation des ACEF étant généralement issues de recherches ou d'enquêtes sur le terrain réalisées à la suite de plaintes de consommateurs, il est plus opportun pour ces groupes de planifier leur stratégie de communication en fonction des constats et des revendications rattachés aux résultats de chacune des enquêtes effectuées. Cette façon de faire accroît la marge de manœuvre pour répondre plus efficacement aux plaintes des consommateurs.

Cela dit, quelle que soit la méthode choisie pour planifier sa stratégie de communication, le groupe a avantage à y réfléchir à l'aide de trois questions préalables:

1. Quel message veut-on transmettre?

Selon sa mission et les objectifs qu'il vise, un groupe doit tenter de dégager les aspects essentiels et les aspects secondaires de son message. Un tel exercice l'aidera par la suite à faire passer son message simplement, clairement et avec concision.

2. À qui s'adresse ce message?

Avant de procéder au choix des moyens de communication et afin d'ajuster son message, le groupe devra cibler et connaître le mieux possible la population à qui son message s'adresse.

Pour mieux connaître les personnes que le groupe cherche à rejoindre, on pourra tenter de répondre aux questions suivantes : Veut-on rejoindre la communauté en général ou une population en particulier ? S'adresse-t-on aux citoyens d'un quartier, d'un village, d'une municipalité, d'une région ? Cherche-t-on à interpeller les politiciens ou autres décideurs ?

Une fois que le groupe aura ciblé les personnes qu'il veut rejoindre, un autre niveau de questionnement lui permettra de mieux connaître qui sont ces gens en approfondissant certaines des caractéristiques suivantes : culture, niveau de scolarité, niveau de vie, habitudes sur le plan de la communication, etc. Se poser aussi la question sur ce que cette population cible connaît déjà du groupe (perception, image, activités connues, prise de position, etc.) permettra de mieux positionner le message.

Mentionnons qu'une stratégie de communication peut cibler plus d'une population à la fois. Par exemple, un regroupement national d'organismes communautaires pourra choisir de réaliser une campagne de visibilité pour mieux faire connaître sa mission, ses services et ses activités auprès de la population en général, tout en interpellant les décideurs pour faire valoir une revendication.

3. Quels sont les moyens de communication les plus appropriés ?

Pour informer et agir, les groupes peuvent recourir à divers moyens de communication, que l'on peut regrouper en quatre catégories :

- les moyens autonomes, c'est-à-dire ceux qui sont conçus et diffusés par le groupe ;
- les médias de masse ;
- les médias communautaires et alternatifs ;
- les technologies de l'information et des communications (TIC).

Les groupes ne doivent pas hésiter à combiner ces moyens, car c'est souvent la répétition d'un même message formulé avec des moyens différents qui permet d'atteindre efficacement la population visée.

Selon le ou les moyens choisis, le groupe pourra trouver au sein de son équipe, ou parmi ses membres, les ressources qui en assureront la réalisation. Mais si le groupe ne trouve personne qui possède l'expertise nécessaire, il pourra se tourner du côté de la formation ou confier un mandat à une ressource extérieure spécialisée en communication (p. ex. un graphiste). Dans la mesure du possible, cette collaboration se fera sur une base éducative, en faisant du contrat d'engagement une occasion d'apprentissage pour l'équipe autant que pour les membres.

2. LES MOYENS DE COMMUNICATION

2.1. Les moyens autonomes

Les moyens autonomes | Les moyens autonomes de communication sont des moyens conçus et diffusés par les groupes. Ces moyens peuvent être utilisés à l'interne, pour rejoindre les membres et les sympathisants (p. ex. un bulletin de liaison), ou à l'externe, pour rejoindre une communauté ou une population donnée (p. ex. un dépliant ou une affiche).

Pour cette catégorie de moyens de communication, nous nous en tiendrons aux moyens de communication autonomes que l'on pourrait qualifier d'usage courant, réservant une analyse plus approfondie de l'utilisation des TIC à une section subséquente. Cela dit, on ne peut ignorer les changements que la montée grandissante de l'utilisation d'Internet a provoqués, même du côté des moyens de communication les plus courants. Désormais, la liste de diffusion et l'usage des médias sociaux ont rendu quasi obsolète l'utilisation de la chaîne téléphonique. Il en va de même pour le bulletin de liaison en version électronique, qui a presque complètement remplacé le bulletin de liaison format papier. Enfin, le site Web est maintenant devenu la plateforme intégratrice des outils de communication «traditionnels», tels que le dépliant et les diverses publications écrites, pour faire connaître un groupe, en plus de contribuer au partage des savoirs en rendant accessibles en format PDF ces mêmes informations. Mais encore là, tout dépendra de la population visée puisqu'il existe une réelle disparité dans l'usage et l'accès aux technologies informatiques, ce qui fait dire à certains observateurs sociaux qu'Internet est devenu un autre facteur d'inégalités.

Quel que soit le moyen utilisé, il restera toujours un certain éventail de moyens de communication que l'on pourrait qualifier de «moyens de communication d'usage courant» sans lesquels il serait difficile pour un groupe de fonctionner. Ce sont ceux-ci que nous décrirons dans les pages qui suivent.

2.1.1. *Le logo*

Avec les années, le logo de certains organismes communautaires ou regroupements d'organismes communautaires a, avouons-le, parfois mal vieilli. L'esthétique du graphisme ayant beaucoup évolué, il est souvent nécessaire pour certains groupes de faire subir une cure de rajeunissement à leur logo. Le soin apporté à la conception du logo sera d'autant plus important que celui-ci sera utilisé comme mode d'identification visuelle et reproduit à plusieurs endroits : site Web, papeterie, dépliant, enseigne extérieure, affiche, communiqué de presse, etc. Le logo peut aussi être reproduit sur divers objets et contribuer à l'autofinancement du groupe. Par conséquent, les deux qualités importantes du logo sont d'être 1) facilement repérable et 2) facilement reproductible.

Le rajeunissement du logo ou, pour certains organismes nouvellement créés, le choix d'un logo pourra être l'occasion d'impliquer les membres de l'organisme au moyen d'un sondage ou d'un concours dont les résultats seront dévoilés lors d'une assemblée générale.

2.1.2. *L'enseigne*

Combien de fois doit-on chercher le local d'un groupe, quelque part dans une rue ou à l'intérieur d'un immeuble ? Certains groupes communautaires semblent éprouver une pudeur à s'afficher, car rien ou presque ne permet de savoir qu'à cet endroit loge un organisme communautaire. Alors, à moins de vouloir garder une adresse confidentielle pour des raisons de sécurité (p. ex. pour les maisons d'aide et d'hébergement pour femmes victimes de violence conjugale) ou pour protéger l'anonymat de personnes fortement marginalisées, une affiche extérieure bien visible est un atout sur le plan de la communication. Cette enseigne « travaille » en quelque sorte jour et nuit pour le groupe ; on y retrouve bien en évidence le nom du groupe et son logo. Techniquement, l'enseigne doit être suffisamment grande et visible pour être repérée à une certaine distance, tant par les automobilistes que par les passants.

2.1.3. *L'affiche*

Comme nous le relevions au chapitre 6, « La sensibilisation, la mobilisation et les moyens de pression », on peut lire l'histoire des mouvements sociaux au Québec à travers ses affiches. Que ce soit pour faire connaître leurs revendications, appeler à la mobilisation ou agir comme agent de conscientisation, les affiches ont été et sont encore le reflet des luttes sociales au Québec. À cette fonction militante et subversive de l'affiche s'ajoute une fonction qui relève de l'information sur l'identification d'un organisme. L'affiche comme moyen d'identification d'un organisme communautaire, ou de tout autre type d'association, gagne à être très stylisée et très épurée en ne faisant valoir que l'essentiel de la mission du groupe au sein de la communauté visée.

Pour le format, les imprimeries offrent divers choix, allant de l'affichette 12 po × 18 po à l'affiche grand format 24 po × 36 po. Afin d'attirer l'attention du passant, l'affiche doit être bien illustrée, avec des couleurs qui accrochent le regard. Sur le plan de la conception, il est préférable de ne détailler qu'un seul message par affiche. Les couleurs, dessins ou photos doivent soutenir le message et non le masquer ; il faut donc éviter de surcharger l'affiche. Tout comme pour le dépliant, les coûts d'une affiche varient selon qu'elle est conçue ou non par un graphiste et imprimée par une entreprise spécialisée.

2.1.4. *Le dépliant*

En dépit du fait qu'à l'ère du numérique, le site Web est le moyen privilégié par de plus en plus de groupes populaires et communautaires pour se faire connaître d'un large public, le dépliant demeure un outil de communication efficace et relativement facile à concevoir. Le dépliant sera particulièrement utile lors d'événements ou d'activités, par exemple lorsqu'un groupe occupe un kiosque lors d'une journée thématique dans un lieu public.

Dans son format de base, le dépliant permet de faire connaître l'organisme, sa mission, la population qu'il vise, le territoire qu'il dessert, ses services et ses activités, ses heures d'ouverture ainsi que ses coordonnées. Dans certains cas, on y ajoute un formulaire d'adhésion pour devenir membre ou œuvrer comme bénévole, et on y énumère parfois quelques-unes des réalisations marquantes du groupe.

Le respect de quelques règles simples permet de produire un dépliant tout à fait correct avec un minimum de moyens :

- Le dépliant ne doit pas être surchargé de texte, et il est nécessaire de l'imprimer en caractères assez gros pour en faciliter la lecture. Idéalement, la présentation sera allégée par des espaces, des dessins, des photos ou des éléments graphiques.

◆ Chaque rabat doit contenir un message complet. Il ne faut jamais faire suivre une phrase sur un autre rabat. Les hauts de page surmontés d'un grand titre sont préférables. Généralement, le rabat intérieur sert à présenter les services et les activités du groupe, alors que le rabat extérieur est utilisé pour faire connaître les coordonnées de l'organisme, les heures d'ouverture, la population visée, le territoire desservi et le formulaire pour devenir membre.

◆ Le texte doit être rédigé dans un langage clair, sans fautes. Les phrases sont courtes, précises et bien formulées.

Soulignons qu'il existe divers logiciels de conception graphique qui facilitent la tâche et permettent de produire des dépliants de très bonne qualité. Si le budget du groupe l'autorise, les services professionnels d'un infographiste pour la conception et ceux d'un imprimeur pour l'impression pourront se révéler utiles. Les coûts de tels services sont très variables selon l'utilisation ou non de la couleur, le nombre de couleurs employées et la qualité du papier.

Les moyens de distribution du dépliant seront variés et déterminés en fonction des personnes que l'on désire rejoindre. Le dépliant pourra être placé dans des lieux publics ou dans les locaux d'autres groupes ou institutions qui accueillent une population similaire. Dans de tels cas, il faudra prendre soin de renouveler les dépliants mis à la disposition du public.

2.1.5. *Le bulletin de liaison ou l'infolettre*

Le bulletin de liaison ou l'infolettre est un petit journal ou une simple page qu'un groupe ou une association publie quelques fois par année, à intervalles réguliers. Il s'agit d'une publication généralement destinée aux membres et aux autres personnes et groupes d'un réseau de solidarité. Le bulletin de liaison vise à transmettre de l'information sur la vie d'un groupe particulier, ses activités et ses prises de position et à faire de courtes analyses sur un problème ou un sujet précis.

La production du bulletin constitue une occasion d'impliquer les membres. Ceux-ci peuvent agir à titre de concepteur graphique ou de rédacteur. La conception d'un bulletin de liaison est donc une excellente façon de promouvoir l'éducation populaire.

2.1.6. *La liste de diffusion ou de discussion*

La liste de diffusion

La liste de diffusion permet de transmettre rapidement de l'information par courriel, que ce soit un bulletin de liaison, des offres d'emploi, l'annonce d'une activité de mobilisation, etc. La liste de diffusion est encore la forme de liste la plus courante. On doit s'y inscrire comme membre pour recevoir les informations. De nombreuses compagnies telles que Google ou Yahoo offrent la possibilité d'outils de gestion des listes de discussion.

La liste de discussion

Les listes de diffusion et de discussion sont techniquement identiques. Ce sont les usages qu'on en fait qui diffèrent. En effet, les personnes inscrites sur une liste de discussion sont beaucoup plus actives que sur une liste de diffusion. Elles échangent des idées et des opinions, ce qui permet d'avoir des discussions ou des débats entre les membres. Les listes de discussion nécessitent une animation qui s'assurera de l'application d'une politique d'usages de la liste de façon éthique. L'animation de la liste de discussion devrait aussi permettre d'amorcer des débats en formulant des questions susceptibles d'intéresser les membres, voire de relancer une discussion.

2.1.7. *Les publications diverses*

Certains groupes communautaires prennent l'heureuse initiative de faire connaître leurs réalisations, leurs outils ou leurs instruments de travail par la publication de documents. Dans le cas des réalisations, les documents prennent la forme de bilan ou d'évaluation, de reportage ou de récit. Lorsqu'il s'agit de faire connaître les outils du groupe, les publications prennent l'allure de répertoire, de catalogue ou de manuel.

Quelle que soit la forme qu'on leur donne, ces publications constituent de précieux outils de communication, d'abord parce qu'ils permettent aux groupes d'accroître leur visibilité et leur contribution pour un monde plus juste, et ensuite parce que de tels outils favorisent une transmission de leur savoir et de leur savoir-faire. Pourquoi faudrait-il constamment tout réinventer quand d'autres avant soi ont mené des actions ou des luttes qui ont porté leurs fruits, ou encore ont créé et expérimenté des outils qui ont facilité l'atteinte de leurs objectifs d'action?

La publication et la diffusion de tels documents sont des occasions de renforcer, d'élargir et de consolider la solidarité entre les groupes. Cela permet aussi au grand public et aux décideurs de saisir l'importance du travail des groupes communautaires. Malheureusement, un grand nombre de ces publications sont encore méconnues faute de moyens de distribution. Heureusement, de plus en plus de groupes choisissent de rendre leurs publications accessibles gratuitement en format PDF sur leur site Web.

2.1.8. *La vidéo*

L'usage de la vidéo comme moyen de communication a littéralement explosé au cours de la dernière décennie. Déjà couramment utilisée par les groupes pour informer, sensibiliser et mobiliser, voilà que la vidéo se démocratise comme jamais auparavant. On doit cela à une combinaison de facteurs tels que : 1) l'apparition des réseaux sociaux de partage et de visionnement de vidéos comme YouTube et Vimeo ; 2) la facilité de filmer diverses situations en tout lieu et de manière discrète avec l'usage du téléphone intelligent ; 3) la possibilité de télécharger gratuitement des logiciels de montage.

La vidéo constitue par ailleurs un excellent outil de promotion pour un organisme qui souhaite faire connaître sa mission, ses services et ses activités. Elle permet de faire témoigner des intervenants et des membres sur des aspects significatifs de la mission du groupe et de ses réalisations en filmant le tout dans des lieux évocateurs. Dans cette forme, la vidéo pourra constituer un bon outil de promotion pour accompagner une demande de subvention auprès des bailleurs de fonds, en illustrant l'utilité du groupe pour la communauté et pour la cause qu'il défend.

La vidéo peut aussi être utilisée comme mémoire collective d'un groupe en fixant sur images des moments importants de la vie du groupe, tels que la participation à une manifestation ou à une occupation, l'organisation d'une fête de quartier ou une intervention théâtrale. Ces images pourront par la suite servir à faire connaître le groupe tout en facilitant l'accueil et l'intégration de nouveaux membres et la formation de militants et de bénévoles.

Quelle que soit la forme choisie – scénarisation originale et recours à des comédiens professionnels ou montage d'épisodes marquants de la vie du groupe –, la vidéo constitue un formidable outil d'éducation populaire lors de rencontres de sensibilisation et à l'occasion de sessions de formation. On oublie souvent de mentionner à quel point la vidéo est aussi un outil pédagogique vivant et fort apprécié des étudiants dans le cadre de leur formation en organisation communautaire, au cégep comme à l'université, en permettant de mieux faire connaître le rôle des organismes communautaires et, plus largement, des mouvements sociaux comme levier de changement social.

Pour sa réalisation, bien que la technologie de la réalisation et du montage vidéo soit relativement accessible, le groupe qui souhaite obtenir un document vidéo de facture plus professionnelle pourra faire appel à des groupes communautaires qui offrent divers services allant de la location d'équipements et de stations multimédias jusqu'à la production audiovisuelle et multimédia offrant un service complet : conception, enregistrement et montage[7].

2.1.9. *Le site Web et la fonction d'édimestre*

Le site Web

Le site Web est devenu, avec la croissance de l'utilisation d'Internet, un moyen de communication dont les groupes ne peuvent pratiquement plus se passer, tant pour informer la population visée par sa mission que pour rejoindre un public plus large.

Bien que les principales rubriques d'un site Web soient différentes d'un groupe ou d'un regroupement à l'autre, on retrouve généralement des informations sur la mission, l'histoire et les objectifs de l'organisme ; les noms, coordonnées et fonctions des membres de l'équipe de travail ; les services, les activités et les luttes ; la composition des comités de travail où s'impliquent les membres ; l'offre de possibilités d'implication bénévole ; les nouvelles ; les publications que l'on peut télécharger en format PDF, de même que des informations sur le financement et la possibilité de faire des dons en ligne au moyen d'un mode de paiement sécurisé. La plupart des groupes ajoutent des éléments visuels à leur site Web, notamment des photos et, lorsque c'est indiqué, des séquences vidéo[8].

La conception, la réalisation et la mise à jour d'un site Web sont des tâches qui requièrent des habiletés et des compétences particulières. Pour les groupes qui ne possèdent pas de telles compétences au sein de leur organisation, il est intéressant de savoir que des organismes[9] sont apparus dans le paysage québécois en ayant justement pour mission l'appropriation des TIC par les acteurs communautaires. Le rôle de ces organismes est d'accompagner les intervenants communautaires sur le plan du soutien technique, de l'offre de services (hébergement

---

7. À ce sujet, mentionnons notamment le service de production audiovisuelle et multimédia du Centre Saint-Pierre à Montréal, qui possède 35 ans d'expérience en vidéo communautaire, le Groupe Intervention Vidéo (GIV) à Montréal et Vidéo Femmes à Québec.
8. Mais attention ! L'optimisation d'un site Web, c'est aussi veiller à ce que les liens ne soient pas trop lourds à télécharger.
9. En voici quelques-uns : Centre de documentation sur l'éducation des adultes et la condition féminine (CDEACF), Communautique, Île-sans-fil, Koumbit, La Puce communautaire.

de sites) et de la formation technique. Certains de ces organismes offrent également des espaces de réflexion et d'action collective sur des enjeux de fond tels qu'«Internet citoyen», ou encore le choix des logiciels libres comme alternative aux logiciels commerciaux dits «propriétaires».

La fonction d'édimestre

Pour se faire aider dans la conception de son site Web, le groupe aura tout avantage à faire appel à un édimestre[10]. Le rôle de l'édimestre est de coordonner, en tout ou en partie, les étapes de conception du site en fonction de l'utilisation que le groupe souhaite en faire, ainsi que d'assurer sa mise en place technique. Dans un second temps, l'édimestre pourra demeurer la personne-ressource de manière plus ponctuelle ou permanente pour gérer les aspects techniques et mettre à jour le contenu, ce qui est fondamental pour assurer la fréquentation régulière du site. L'organisme pourra aussi choisir de mettre en réseau son site Web, comme le fait notamment Cybersolidaires.org. Une autre fonction importante de l'édimestre est de développer et de mettre en œuvre une stratégie pour une meilleure visibilité, notamment en améliorant le référencement[11] du site Web du groupe, afin que le site figure en haut de la liste des propositions qui apparaissent à la suite d'une recherche.

Au-delà des tâches purement techniques, il pourra être souhaitable que l'édimestre se voie attribuer la fonction d'animation du site. Idéalement, l'édimestre connaîtra aussi les valeurs et la culture du mouvement communautaire, ne serait-ce que parce qu'animer un site Web, c'est favoriser l'exercice de pratiques démocratiques participatives. À cet égard, il pourra profiter de la phase de conception du site pour animer une discussion sur les éléments qui structureront le site et mettront en scène l'organisme sur la toile. L'édimestre peut aussi animer une discussion conduisant à la formulation de la politique d'édition du site Web. Par exemple : Qui peut écrire sur le site Web ? Qui peut animer et réguler le blogue ? Quels sont les critères de pertinence des nouvelles et des noms à afficher sur la page d'accueil ? Ainsi, l'édimestre devrait être en mesure de soulever les enjeux éthiques et sociaux de la politique d'édition. En somme, la fonction d'édimestre s'impose de plus en plus comme une nécessité, tout en respectant les principes qui guident l'action communautaire.

---

10. *Édimestre* est l'équivalent français du mot anglais *webmaster*.
11. La pratique du référencement s'articule autour des moteurs ou annuaires de recherche en tentant d'améliorer le positionnement des sites et donc leur visibilité dans leurs pages de résultats. Une règle d'or : informez vos propres réseaux et demandez-leur d'inclure un lien vers votre site Web sur leur propre site Web. La «réputation» s'acquiert sur le Web !

2.1.10. *Les moyens complémentaires*

La liste des moyens autonomes de communication que nous venons de décrire n'est certes pas exhaustive et les groupes pourront la compléter à leur guise, en tenant compte de leurs objectifs et de leurs ressources et, bien sûr, en faisant appel à leur imagination et à leur créativité.

Parmi les moyens complémentaires que certains groupes peuvent utiliser pour compléter leur stratégie de communication, mentionnons les journées portes ouvertes, où la population est conviée à visiter les locaux de l'organisme, à rencontrer sa permanence et ses membres et à avoir ainsi un aperçu des activités et services offerts par le groupe. Les fêtes populaires sont aussi utilisées par les groupes pour se faire connaître à l'extérieur grâce à des activités d'animation ou des spectacles. S'ajoutent aussi les conférences, exposés et causeries organisés dans les établissements d'enseignement et chez diverses autres associations.

En somme, le défi pour le groupe est de faire un ou des choix lui permettant de diversifier sa stratégie de communication afin d'obtenir le maximum d'efficacité selon le message et la population à qui il s'adresse.

2.2. Les médias de masse

Les médias de masse | Les médias de masse sont les médias capables d'atteindre et d'influencer une large audience. Les principaux médias de masse sont la télévision, la radio et la presse écrite.

Depuis l'arrivée d'Internet, on établit dorénavant une distinction entre les médias de masse et les médias de masse « traditionnels ». Cette distinction s'appuie sur le fait que les médias de masse traditionnels n'englobent pas Internet, étant donné que les médias de masse ont pour principales caractéristiques :

- la communication de un vers plusieurs ;
- l'unilatéralité du message (c'est-à-dire que le public n'interagit pas avec le véhicule du message).

L'arrivée d'Internet est venue bouleverser la conception que l'on se faisait des médias de masse, car, en plus d'être un moyen d'information qui s'adresse à un large public, Internet permet à ce public de participer à la réalisation de son contenu. À ce titre, on peut dire que l'avènement d'Internet a révolutionné le monde des communications en permettant :

- la communication de plusieurs vers plusieurs ;
- la production du contenu du message par les utilisateurs ;
- l'interaction entre les utilisateurs (Web 2.0).

Cela dit, les médias de masse traditionnels utilisent de plus en plus couramment le support Internet pour diffuser leur contenu. Pensons seulement à TOU.TV, qui permet d'avoir accès partout dans le monde aux émissions de télévision produites au Canada, et aux quotidiens qui, pour répondre aux contingences du numérique, intègrent désormais les modes de production papier et Web.

2.2.1. *Le rôle des médias de masse*

Depuis l'apparition des médias de masse dans les sociétés modernes, tous s'entendent pour dire qu'ils jouent un rôle central dans la vie quotidienne des gens. Plusieurs ouvrages, recherches et essais ont tenté d'en mesurer les multiples zones d'influence : socialisation des individus, formation de l'opinion publique, participation à la consommation capitaliste, façonnement des normes, reproduction de l'idéologie dominante, etc.

Jean-Claude Ravet commente quelques-unes de ces zones d'influence :

Les médias occupent une place centrale dans notre société. L'opinion publique en est évidemment tributaire. Elle se forme en grande partie par le truchement des médias (presse, télévision, radio et, de plus en plus, Internet), notamment à travers la parole de ceux et celles qui animent la scène médiatique : journalistes, animateurs, humoristes… Les mots, les images et les personnages qui en émanent colonisent notre vie quotidienne, alimentent notre pensée, orientent nos manières de faire, contribuent à tisser les liens sociaux, à les distendre et, parfois même, à les rompre. Les acteurs sociaux et politiques s'empressent d'apparaître dans l'espace médiatique et d'y faire entendre leurs voix. C'est là un passage obligé pour agir avec force dans la société – passage cependant piégé, dans la mesure où la mise en forme des nouvelles sur le mode clip ou le souci du sensationnel tend à travestir leurs propos. […]

À ce portrait rapidement esquissé de la société médiatique qui est la nôtre, faut-il ajouter cette évidence déterminante : les grands médias participent de la production et de la consommation capitalistes, et du processus de dépolitisation et de marchandisation que celles-ci activent[12].

Selon Ravet, le Québec bat au rythme des médias, dont il cite l'influence dans l'émergence de débats sociaux.

---

12. J.-C. Ravet, « Médias sous observation », *Relations,* n° 728, novembre 2008, p. 10.

Dans un ouvrage consacré à l'influence des médias sur le façonnement des normes en matière de santé, Lise Renaud[13] résume à son tour l'effet des médias :

> Les médias sont des sources importantes d'influence sociale et de socialisation pour les personnes et les familles. […]
>
> Les médias peuvent avoir un effet sur le processus de changement individuel et collectif, et de mobilisation. Celui-ci se manifesterait de trois façons : 1) en influençant directement les croyances et les attitudes individuelles, 2) en recadrant le débat d'une perspective individuelle à une perspective sociopolitique, cela par le concours des leaders d'opinion et autres dirigeants sociaux clés (*advocacy*), 3) en modelant les normes sociales[14].

Sur un ton plus critique et pragmatique, le Front d'action en réaménagement urbain (FRAPRU)[15] souligne qu'avec des entreprises de presse majoritairement privées et de plus en plus concentrées entre les mains de quelques grandes corporations, l'information est généralement orientée. Notant le petit nombre de cas de censure directe, le FRAPRU n'en relève pas moins l'influence de la politique éditoriale dans le cas des médias écrits, de même que l'influence des opinions de la direction de l'information dans le choix des nouvelles à diffuser. Par ailleurs, le fait que l'information doit être « rentable » pour les conglomérats dominants au Québec incite les médias à chercher l'information qui se vendra le plus facilement, donc à privilégier un aspect de nouveauté ou spectaculaire. Dans ce contexte, il y a peu de place pour l'analyse et l'approfondissement, ce qui donne à l'information un caractère éphémère. Enfin, ce que le FRAPRU qualifie d'« information spectacle » conduirait à une banalisation des événements, y compris les pires tragédies humaines et sociales[16].

---

13. L. Renaud, Ph. D., est professeure au Département de communication sociale et publique de l'Université du Québec à Montréal (UQAM), où elle dirige le Groupe de recherche Médias et santé.
14. L. Renaud (2007), *Les médias et le façonnement des normes en matière de santé*, Québec, Presses de l'Université du Québec, p. 3-4.
15. Le FRAPRU est un regroupement national de lutte pour le droit au logement. Comptant plus de 130 groupes membres dans les différentes régions du Québec, le FRAPRU possède une longue et riche expérience de la logique médiatique dans sa lutte pour le développement de nouveaux logements sociaux ainsi que pour la reconnaissance des droits sociaux et une plus meilleure redistribution de la richesse.
16. Ces informations sont tirées de FRAPRU (2010), *Session de formation. Travail auprès des médias*, Montréal, FRAPRU, mai.

Un autre point de vue dans le contexte où l'on cherche à comprendre le rôle des médias dans une démocratie est celui de Normand Baillargeon[17]. Selon Baillargeon, les médias sont, avec l'éducation, l'un des deux piliers sur lesquels repose l'espoir d'une opinion publique éclairée, constituée de sujets éduqués permettant de nous approcher de l'idéal d'une démocratie participative[18]. Dans une démocratie, les médias devraient «contribuer à la circulation d'informations nécessaires à l'exercice de la citoyenneté et permettre l'expression d'un large éventail de points de vue qui pourront alimenter et enrichir la libre discussion[19]». Et c'est pourquoi, lors de l'apparition des démocraties modernes, on n'envisageait pas la presse autrement que libre. Or, dans le contexte de concentration et de convergence des médias, l'accès à ce large éventail de points de vue est en péril. La critique de Baillargeon se fait incisive lorsqu'il dénonce la montée de l'insignifiance dans les médias, la tribune donnée à des charlatans et la soumission des médias à l'audimat, qui les entraîne de plus en plus bas sur la pente de la démagogie et du sensationnalisme. Baillargeon déplore que bien peu de médias contribuent à informer les citoyens et à les rendre capables de juger et de prendre part à des discussions sur le monde dans lequel ils vivent. Cette faille est due au fait que dans une très large mesure, les médias remplissent une fonction propagandiste en mobilisant des appuis en faveur des intérêts qui dominent les activités de l'État et du secteur privé. À ce titre, Baillargeon démontre, exemples et chiffres à l'appui, les choix de sujets privilégiés par les médias, de même que les omissions qui occultent certains faits gênants.

L'espoir, dans l'analyse de Baillargeon, réside dans le fait qu'il n'y a guère de limites à ce que peut obtenir une action citoyenne informée et décidée. La question que l'on peut se poser, par contre, après les grands bouleversements sociaux et politiques qui se sont produits dans les pays du monde arabe au début des années 2010 et au Québec lors du printemps érable de 2012, est de savoir si le pouvoir de susciter des actions citoyennes ne sera pas désormais largement tributaire de l'utilisation des médias sociaux.

---

17. Normand Baillargeon est professeur en sciences de l'éducation à l'Université du Québec à Montréal (UQAM). Il est aussi essayiste, militant libertaire et collaborateur pour des revues et journaux alternatifs (*À Babord, Médiane, Le Couac*). Il a en outre été chroniqueur au journal *Le Devoir*. Il a écrit un livre sur l'éducation et la pensée critique: *Petit cours d'autodéfense intellectuelle* (2005). Il intervient dans le documentaire *Chomsky et Cie* (2008) et dans *L'encerclement*, de Richard Brouillette (2009).
18. N. Baillargeon (2001), *La lueur d'une bougie. Citoyenneté et pensée critique*, Montréal, Fides, 57 p.
19. *Ibid.*, p. 20.

2.2.2. *L'utilisation des médias de masse*

Lorsque vient le temps d'élaborer leur stratégie de communication, plusieurs groupes et militants hésitent à se plier à la logique des médias de masse, préférant s'en tenir aux moyens de communication sur lesquels ils peuvent exercer un contrôle, tant sur la diffusion de l'information que sur la manière dont elle sera rapportée.

D'autres groupes, par contre, estiment que le jeu en vaut la chandelle. Avec les années, ces groupes ont su utiliser efficacement et stratégiquement les médias de masse. Cela est particulièrement vrai en région, où les groupes réussissent à développer des relations de confiance avec les médias locaux et régionaux qui couvrent leur territoire, de même qu'à développer des contacts personnalisés avec certains journalistes et directeurs de l'information. À cette expérience de connaissance du fonctionnement des médias de masse en région s'ajoute généralement l'acquisition de certaines compétences de base en matière d'utilisation des techniques de communication. Au nombre de celles-ci, mentionnons la technique de rédaction d'un communiqué de presse. En région, comme les équipes de journalistes dans les hebdos sont plutôt réduites, il s'agit d'un atout important, car un communiqué de presse bien rédigé et bien présenté rend sa publication plus attrayante.

En revanche, du côté des organismes communautaires ou des regroupements nationaux dont la mission et les actions touchent des enjeux en milieu urbain ou des enjeux nationaux, la situation est plus complexe. Ces groupes sont alors confrontés à la logique des grands médias, dont il est évidemment plus difficile d'attirer l'attention. Qu'il s'agisse des quotidiens ou des médias électroniques, il importe de connaître les règles du jeu médiatique. Selon le FRAPRU, «on ne peut utiliser adéquatement les médias, sans en connaître les caractéristiques et les rouages. On ne peut non plus parvenir à des bons résultats sans, d'une certaine façon, accepter de jouer le jeu médiatique et respecter ses exigences. Pour cette raison, l'utilisation des médias ne peut être laissée à l'improvisation. Elle doit faire l'objet d'une stratégie[20] ».

Voici les éléments clés d'une stratégie d'utilisation des médias selon le FRAPRU :

a) Se questionner préalablement sur la pertinence d'intervenir dans les médias. À ce sujet, deux questions peuvent se poser : 1) Avons-nous ou non une nouvelle à diffuser ? 2) Cette nouvelle a-t-elle un caractère public ?

---

20. FRAPRU, *op. cit.*, p. 5.

b) Avoir un message clair. Quel que soit le moyen utilisé, il est important d'avoir un seul message ; celui-ci doit être clair, documenté et facilement compréhensible.

c) Utiliser le bon moyen, c'est-à-dire choisir le bon canal. Les diverses possibilités sont : la conférence de presse, le communiqué de presse, l'événement média, l'entrevue, la publication d'un dossier de fond, la tribune des lecteurs et les lignes ouvertes à la radio.

d) Ne pas se décourager. Le succès n'est pas assuré du premier coup. Il faut prendre le temps de se faire connaître des médias, de manière à y être reconnu comme un acteur social crédible et important. En cas d'échec, s'interroger aussi sur les moyens utilisés, l'existence d'une véritable nouvelle, le moment choisi et la concurrence possible avec un autre événement.

e) Assurer un suivi. Relancer régulièrement les médias ou le journaliste sur l'évolution du dossier, sans nécessairement avoir d'objectif de diffusion.

À ces éléments clés d'une stratégie d'utilisation des médias, le FRAPRU ajoute deux recommandations :

◆ Être disponible. Une fois que le groupe est connu des médias, il faut s'attendre à ce que les journalistes fassent appel à lui pour des réactions, des témoignages, etc. Il faut se montrer disponible, parfois dans un délai très court, sans pour autant négliger ses autres priorités. Certains journalistes vont aussi utiliser les ressources de certains groupes pour nourrir leur dossier sans donner de visibilité au groupe. Il faut savoir utiliser les « retours d'ascenseur » : les médias ont besoin des groupes comme les groupes ont besoin des médias.

◆ Reconnaître les pièges à éviter. Par exemple : entretenir de bonnes relations avec les médias, car les groupes ont généralement plus besoin d'eux que l'inverse ; ne pas boycotter un média (à moins d'un conflit de travail) ; éviter de dénoncer un journaliste si le groupe n'est pas satisfait de la couverture médiatique ; et, enfin, ne pas déplorer l'absence de certains médias en conférence de presse[21].

Et nous ajoutons une troisième recommandation :

◆ Se réseauter auprès de journalistes. L'établissement de rapports de confiance et de respect mutuel avec les journalistes et les recherchistes comme facteur de réussite est en effet non négligeable, à court et à moyen terme.

---

21. *Ibid.*, p. 5-8.

2.2.3. *Quelques mots sur la presse indépendante*

En économie, une entreprise est indépendante si aucune autre entreprise ne la contrôle financièrement. Au Québec, le phénomène de concentration des médias de masse dans le secteur privé de la presse écrite laisse bien peu de place aux journaux indépendants. À eux seuls, les grands conglomérats de presse possèdent plus de 90 % de la presse écrite au Québec. Reste un maigre pourcentage de journaux indépendants qui n'appartiennent pas à un conglomérat privé. Le journal indépendant occupe alors ce très petit espace médiatique entre les quotidiens et les hebdos privés appartenant à un grand groupe de presse, et les médias communautaires et alternatifs dont nous ferons état dans la section suivante.

Ce qui distingue le journal indépendant – toutes idéologies confondues –, c'est le peu, sinon l'absence de souci de faire des profits. Les journaux indépendants, ce sont aussi des « journaux de niche » qui visent un public particulier, un public intéressé à la vie citoyenne et à une information de qualité.

Au Québec, un seul quotidien, *Le Devoir,* a réussi à résister à la lente érosion du lectorat et aux bouleversements que connaissent plusieurs quotidiens dans le monde depuis l'apparition du phénomène de fragmentation des médias et du lectorat amorcé depuis la révolution Internet. En région, on retrouve aussi quelques rares journaux indépendants qui résistent au contrôle de l'information qu'exercent les élus et notables en place.

2.3. Les médias communautaires et alternatifs

L'appropriation des moyens de communication a toujours accompagné l'histoire des luttes démocratiques, la communication étant considérée comme un des droits fondamentaux que l'on doit sans cesse revendiquer[22]. À ce propos, le Québec possède une histoire riche d'alternatives médiatiques nées du désir de démocratiser et de démystifier l'information. Plusieurs secteurs médiatiques y sont représentés : l'écrit (journaux et revues) ; la radio ; la télé/vidéo et les cyber-médias. Tous ces médias ont été créés dans une visée de changement social qui s'effectue, entre autres, par la diversification des modes de fonctionnement et de la production de contenu. Leur existence démontre, tant par leur structure que par leur composition plurielle, une implication active dans les luttes pour une

---

22. Propos tenus par Michel Sénécal, professeur en communications à la Télé-Université (UQAM), dans une entrevue accordée à la revue *Relations* dans le cadre d'un numéro (728) consacré aux médias, novembre 2008, p. 14.

société juste, solidaire, égalitaire, participative et diversifiée[23]. L'accès aux médias pour se faire entendre dans l'espace public est ainsi devenu le lieu de militance de plusieurs, dans ce qui constitue en quelque sorte la troisième voie du système médiatique, auprès des sociétés d'État et des sociétés commerciales.

Ayant émergé et pris leur envol dans les années 1970, les médias communautaires et alternatifs occupent une place de plus en plus significative dans le présent contexte de concentration et de convergence des médias de masse. Ces médias témoignent du désir de réagir à cette façon boulimique d'ingérer des tonnes d'informations de manière superficielle, faisant de l'information un bien de consommation comme un autre.

Médias communautaires et médias alternatifs | Globalement, on peut distinguer les médias communautaires des médias alternatifs en spécifiant que les médias communautaires sont davantage centrés sur les préoccupations de leur milieu, alors que les médias alternatifs mettent davantage l'accent sur les questions sociopolitiques à l'échelle nationale et internationale.

Avec les années, les médias communautaires ont réussi à faire reconnaître leur contribution à la lutte contre le déficit démocratique dans l'espace public médiatique, de même que leur rôle dans le développement d'une éducation à la citoyenneté. Au fil des ans, les médias communautaires ont également réussi à faire reconnaître leur rôle dans le secteur des communications ; ils bénéficient dorénavant d'une aide gouvernementale pour leur fonctionnement, dans le cadre du programme Aide au fonctionnement pour les médias communautaires. Pour avoir accès au financement offert par ce programme, les médias communautaires doivent détenir une charte autonome, produire et diffuser de l'information locale et régionale reflétant la vie politique, sociale, culturelle et économique de leur collectivité et répondre aux critères permettant d'identifier les organismes d'action communautaire[24]. L'évolution des médias communautaires montre également qu'ils tendent de plus en plus à prendre le virage de l'économie sociale en créant plus de 6 000 emplois et en mobilisant la contribution citoyenne à près de 4 000 bénévoles[25].

---

23. Centre des médias alternatifs du Québec : <http://archives-2001-2012.cmaq.net/>.
24. Aide au fonctionnement pour les médias communautaires, Culture et communications Québec (<http://www.mcc.gouv.qc.ca/index.php?id=1997#c31343>).
25. Ces données proviennent d'une étude réalisée dans le cadre des travaux du Comité directeur sur les médias communautaires en 2005, *Les médias communautaires au Québec. État de la problématique* (<http://media.mcgill.ca/files/medias_communautaires.pdf>).

Quant aux médias alternatifs, le Web est devenu une option intéressante pour les pratiques qui ont davantage de difficultés financières ou réglementaires[26]. Les médias alternatifs sont aussi nombreux à prendre la forme de revues engagées qui tirent une grande part de leur financement des ventes par abonnements et des numéros individuels en kiosque[27]. Selon Isabelle Gusse, professeure en science politique à l'UQAM, les médias alternatifs «favorisent la formation du jugement politique chez les citoyens[28]». Les médias alternatifs, souligne-t-elle, s'inscrivent en faux contre une information qui cherchent à proposer des solutions faciles. Selon Gusse, l'information que l'on retrouve dans les médias alternatifs cherche à éviter la propagande et la démagogie en montrant plutôt la complexité des choses et la difficulté du vivre-ensemble. Il s'agit là d'un piège dans lequel tombent souvent les grands médias, selon elle, en donnant souvent la parole à des gens aux idées opposées, conduisant à des antagonismes simplistes qui caricaturent des enjeux complexes.

Nager à contre-courant des idées reçues, poser un regard critique et moqueur sur «ce qui est», débusquer les idéologies et les enjeux maintenus dans l'ombre par les médias de masse traditionnels sous couvert d'objectivité, brosser à rebrousse-poil l'actualité pour y faire apparaître les luttes et les acteurs «oubliés», voilà comment Jean-Claude Ravet résume le rôle des médias alternatifs, indispensables à la démocratie[29].

2.4. Les «pra-TIC» communautaires et citoyennes

Un peu comme l'ont fait les médias communautaires dans les années 1970 en constituant une sorte de troisième voie du système médiatique auprès des sociétés d'État et des sociétés commerciales, Internet permet aujourd'hui aux

---

26. C'est le cas, par exemple, pour le média en ligne *Presse-toi à gauche!* qui se définit comme une tribune pour la gauche québécoise en marche et qui lui donne la parole. Des dizaines de militants, intellectuels, organismes à but non lucratif et caricaturistes participent à la production de ce journal virtuel. Le Centre de médias alternatifs du Québec (CMAQ) est un autre point de rencontre et une plateforme virtuelle d'information indépendante et alternative. Par sa mission, le CMAQ se veut un lieu de convergence des médias alternatifs et des journalistes indépendants; un lieu démocratique d'échange et de réflexion pour la communauté militante ainsi qu'une tribune pour les citoyens; un carrefour d'échange de services; un pôle d'éducation populaire et de diffusion des savoirs ainsi qu'un moteur de mobilisation, grâce à sa section «Événements», qui fournit aux militants un outil pour la promotion et la diffusion d'événements locaux, régionaux et nationaux.

27. Par exemple, les revues *Relations*, *À babord* et *Possibles*.

28. *Relations*, n° 728, novembre 2008, p. 15.

29. Ravet, *op. cit.*, p. 11.

différents acteurs sociaux de diffuser leur propre message et de communiquer autrement leur regard sur le monde. Certains avancent même qu'Internet a provoqué une réelle révolution dans nos sociétés contemporaines. Mais de quelle révolution parle-t-on au juste ? S'agit-il d'un changement majeur ? Tentons ici de voir de quoi il s'agit.

En tant que réseau des réseaux, Internet combine plusieurs technologies : son, image, texte, vidéo, calcul, etc. Mais est-ce uniquement la technologie qui nous autorise à parler de révolution ? La sociologie des usages a contribué à soulever un doute intéressant à ce sujet en posant notamment la question suivante : est-ce l'innovation technologique qui provoque le changement ? La réponse de ces théoriciens est que le changement qu'apporte Internet serait bien plus ancré dans les rapports sociaux que dans la technologie. Autrement dit : « Internet ne favorise pas la naissance d'une nouvelle sociabilité, mais la reconfiguration de rapports préexistants d'amitié, de parenté, de dépendance sociale[30]. » C'est donc le concept d'usages qui permet le mieux de décrire le changement au regard de la « révolution » Internet, soit à la fois le statut d'usager et le type d'usage des technologies. Il s'agit là d'une réflexion qui interroge tant les utilisateurs des technologies que les raisons pour lesquelles ils y recourent. La sociologie des usages ira même jusqu'à remettre en question, en amont, la fabrication sociale et politique des technologies.

Dans ce chapitre, nous nous proposons d'étudier non pas l'« impact » des technologies d'Internet sur l'action communautaire, mais plutôt la façon dont les acteurs communautaires en font usage.

2.4.1. *Les principes d'usage des TIC en action communautaire*

Les usages des TIC ont un sens

Il n'est pas rare d'entendre des gens dire ne pas comprendre pourquoi certains internautes sont aussi présents sur Facebook ou Twitter, pour ne nommer que ces services Internet. Or, des recherches ont démontré que les internautes donnent différentes justifications à leurs usages. Ils ne sont pas uniquement devant un écran, en contact avec une « machine ». Ils sont en lien avec d'autres internautes, et plus particulièrement avec des réseaux sociaux. Facebook, Twitter, blogues, MySpace, etc., sont désormais les modes de communication de cette nouvelle

---

30. Antonio A. Casilli (2010), *Les liaisons numériques*, Paris, Seuil (<http://www.liaisonsnumeriques. fr/>).

génération de citoyens-internautes. C'est la simplicité de leurs modes de communication qui fait leur force. Internet, en l'espace de quelques années, est devenu un moyen efficace et intelligent de créer des groupes d'amis et d'affinités, de partager des avis et d'appeler à des initiatives communes qui sont à leur tour traduites sur le terrain de la réalité. En bref, le premier principe à retenir est que les usagers des TIC donnent un sens à leurs usages.

Les usagers des TIC sont des acteurs

Le deuxième principe d'usage insiste sur les rapports entre les humains et la technologie. Ici, il faut considérer que les utilisateurs des TIC sont des acteurs communautaires, des citoyens-internautes qui s'engagent pour une cause sociale sur une base territoriale, d'intérêts ou identitaire. Leurs usages des TIC ne sont rien d'autre qu'une action collective dite « médiée[31] » par les TIC s'inscrivant dans un contexte d'engagement social. Ces usages ont du sens puisqu'ils sont articulés aux actions des utilisateurs, donc à leur statut d'acteurs sociaux. Par exemple, dans certains pays arabes, l'apparition d'Internet a permis à des peuples, longtemps sous le joug des dictatures, de prendre conscience qu'avec Facebook, YouTube et les blogues, on peut communiquer et transmettre ses idées et informer avec une liberté de ton inégalée. En Tunisie comme en Égypte, la mobilisation et les appels aux manifestations ont originé des réseaux sociaux. Ce qui fut surnommé la « révolution du jasmin » a été conduit par Internet. Il ne s'est en effet pas passé un jour sans que des groupes se retrouvent sur la Toile pour communiquer, rassembler et appeler à des manifestations, et ce, grâce à une organisation minutieusement étudiée (plan d'action, lieu de manifestation, itinéraire, etc.).

Les usagers des TIC sont à la fois lecteurs, auteurs, émetteurs et destinataires

Le troisième principe d'usage met l'accent sur les rôles des acteurs sociaux. N'étant pas de simples utilisateurs passifs des TIC, les acteurs sociaux ont la possibilité de jouer divers rôles : lecteur, auteur, émetteur et destinataire. C'est là un changement majeur dans le rapport entre humains et TIC puisque les usagers des TIC ne sont plus aussi passifs qu'ils l'étaient envers la télévision, la radio ou

---

31. Une action médiée par les TIC est une action qui utilise un objet technique d'information ou de communication tels Internet, le cellulaire ou le téléphone intelligent, par exemple. Ainsi, les actions collectives médiées par les TIC sont des actions concertées en faveur d'une cause commune qui font usage des technologies de l'information et de la communication.

encore dans leurs rapports avec les experts et les professionnels. De fait, le Web 2.0 actualise cette promesse d'explosion de la communication par une interactivité tous azimuts[32]. Par exemple, les blogues offrent un support technique inédit où un simple citoyen peut s'improviser journaliste-environnementaliste partageant ses lectures marquantes sur divers dossiers, émettant son opinion et offrant ses propres analyses sur les enjeux en matière d'environnement, l'agrémentant de caricatures et de vidéos, tout en discutant avec de purs inconnus qui, à leur tour, fournissent d'autres informations, ressources ou analyses.

2.4.2. *Les usages des TIC en action communautaire*

Tentons maintenant de nous approcher encore plus concrètement des usages des TIC que l'on peut faire en action communautaire.

Gérer l'information par les TIC

Plusieurs groupes vivent un problème de « surabondance » de l'information dans leur travail communautaire[33]. Ce problème s'expliquerait par l'absence de pré-traitement de l'information et de la documentation acheminées aux groupes, le morcellement de l'information, la longueur excessive des messages électroniques, la multiplication des lieux de diffusion et la réception d'information et de documentation non sollicitées. On ne sera pas non plus étonné d'apprendre que ces acteurs sociaux disent manquer de temps, notamment pour la gestion quotidienne de l'information et de la documentation.

Pour surmonter ces difficultés, il est intéressant de savoir que la gestion de l'information et de la documentation peut être soutenue par un plan de communication qui mettrait à profit des outils Web. Des ressources communautaires – telles que Communautique, Koumbit, Facil, La Puce communautaire, le Centre de documentation sur l'éducation des adultes et la condition féminine (CDEACF), etc. – peuvent aider les groupes à faire le tri des informations suivant leur mission et leurs priorités. En outre, ces ressources communautaires donnent des formations et offrent également des services d'hébergement de sites Web.

---

32. Breton et Proulx, *op. cit.*
33. S. Jochems, J. Macnaughton-Osler et M.-C. Laberge (2007), *Surfer sur la mer de l'information ou comment garder le cap sans se noyer*, rapport de recherche-action, Montréal, CDEACF (<http://bv.cdeacf.ca/CF_PDF/101975.pdf>).

Parmi les outils de gestion de l'information qu'on peut retrouver sur le Net, certains logiciels, pour peu qu'on apprenne à les «apprivoiser», peuvent être d'une grande utilité. Par exemple, pour des groupes qui utilisent plusieurs ordinateurs, Google Documents[34] offre une suite d'outils bureautiques gratuite qui permet entre autres le partage de documents, le travail collaboratif et le stockage en ligne de n'importe quel type de fichier. Doodle[35] est lui aussi un outil convivial permettant de planifier un événement de groupe en coordonnant les disponibilités de chacun.

Tisser des liens par le Web social

Le Web social «désigne, d'une part, l'émergence de nouveaux dispositifs numériques indissociables de l'évolution d'Internet (regroupés sous le vocable *Web 2.0*) et, d'autre part, le développement d'usages originaux médiatisés par ces dispositifs et centrés sur la participation active des usagers dans la production et la diffusion des contenus circulant sur la Toile[36]». Le Web social date de 2004, année à partir de laquelle une panoplie de nouvelles fonctionnalités permettent aux internautes «de créer et de partager des contenus par l'intermédiaire d'outils tels que blogues, wikis, sites de réseaux sociaux (comme Facebook, Twitter ou LinkedIn), […] métaverses [où l'on incarne un avatar] (comme Second Life), ou encore des fonctions de syndication de contenu (fil RSS) ou d'étiquetage (comme del.icio.us)[37]». Le Web social n'est pas un dispositif miracle, mais il est certainement un élément non négligeable à considérer pour toute action communautaire visant à encourager l'exercice de la démocratie. Si la démocratie a pour exigence l'expression citoyenne en mettant en présence différents points de vue, les outils du Web social peuvent y contribuer parce qu'ils s'inscrivent justement dans une culture participative.

---

34. Google Documents est disponible en anglais et en français en ligne à <https://docs.google.com/>. Il suffit d'avoir un compte Google (ou gmail).
35. Doodle est disponible en français en ligne à : <http://www.doodle.com/>. Vous n'avez pas besoin d'ouvrir un compte Doodle pour marquer au calendrier un événement (*schedule an event*) ou pour connaître les préférences des personnes consultées (*make a choice*).
36. F. Millerand, S. Proulx et J. Rueff (2010), *Web social. Mutation de la communication*, Québec, Presses de l'Université du Québec, p. 2.
37. *Ibid.*

Collaborer et contribuer par les pra-TIC collaboratives[38]

La collaboration est une merveilleuse synergie entre différentes personnes qui contribuent à un même projet. Des pratiques collaboratives médiées par les TIC ouvrent la voie à l'élaboration de projets collectifs. Par exemple, les veilles informationnelles, soit l'effort de collecter et de diffuser toutes les informations pertinentes sur un thème, sont facilitées lorsqu'il s'agit d'une collaboration collective, alors qu'auparavant une ou deux personnes en assumaient leur diffusion.

Les pratiques collaboratives médiées par les TIC sont inspirées de cet esprit d'Internet[39] qu'on qualifie de libertaire[40], qui conçoit que l'information est un bien commun. Dans cet esprit, il est possible de développer et d'opérationnaliser des dispositifs sociotechniques permettant de s'entraider, de collaborer et de contribuer en valorisant l'intelligence collective et le savoir de chacun des contributeurs. Plus concrètement, le mouvement du « libre[41] » s'active autour des logiciels libres et du code source :

> Un logiciel libre est un logiciel dont le *code source* peut être librement lisible, modifiable et réutilisable par tous et toutes. Le code source informatique est quant à lui un ensemble de documents textuels qui contiennent les instructions spécifiant formellement le fonctionnement d'un logiciel ou d'un système informatique […] C'est Richard Stallman qui proposa le premier le terme de « logiciel libre » en le définissant par quatre libertés : 1) la liberté d'exécuter le logiciel, pour tous les usages ; 2) la liberté d'étudier le fonctionnement du programme, et de l'adapter à ses besoins ; 3) la liberté de redistribuer des copies ; 4) la liberté d'améliorer le programme et de publier ses améliorations[42].

L'action communautaire québécoise peut contribuer à réduire la marchandisation d'Internet en adoptant les logiciels libres comme l'ont déjà fait d'autres régions du monde, telle la Bretagne en France. Au lieu d'acheter des

---

38. Au début de juillet aux deux ans, le Forum sur les usages collaboratifs rassemble à Télécom-Bretagne (Brest, France) une multitude d'acteurs, surtout associatifs européens, et auxquels les organismes communautaires québécois devraient se joindre. Consultez les nombreux exemples et initiatives en ligne à : <http://forum-usages-cooperatifs.net/index.php/Accueil>.

39. Cardon, *op. cit.*, chap. 1, p. 13-33.

40. Ici, le qualificatif *libertaire* est relatif à la conception anarchiste de l'engagement social.

41. Pour en savoir davantage sur le mouvement du « libre », consulter S. Couture *et al.* (2010), *Un portrait de l'engagement pour les logiciels libres au Québec*, Centre interuniversitaire de recherche sur la science et la technologie (CIRST), <http://bv.cdeacf.ca/EA_PDF/147623.pdf>, consulté le 13 octobre 2020.

42. *Ibid.*, p. 5.

logiciels « propriétaires » payants, comme ceux de Microsoft, il suffit de télécharger et d'utiliser des logiciels libres, gratuits, tels qu'Open Office[43], l'équivalent de Word pour le traitement de texte. C'est d'ailleurs là le sens de l'action communautaire d'organismes tels que Koumbit, Facil ou les groupes d'utilisateurs Linux[44].

Les wikis[45] sont un autre très bon exemple d'outil de collaboration utilisé sur le Web. Cette plateforme de collaboration à l'écriture d'un texte par différentes personnes, simultanément ou en temps différé, comporte l'avantage de permettre à tous les contributeurs d'avoir accès à la dernière version du texte et même à l'historique des modifications. Avec le wiki, fini les problèmes de versions des textes ! Wikipédia et WikiLeaks en sont évidemment des emblèmes phares. Les blogues sont aussi un outil du Web 2.0 puisqu'ils permettent à une personne ou à un groupe d'alimenter une sorte de journal de bord à propos duquel les lecteurs peuvent ajouter des billets, appelés aussi « notes ». Une conversation est alors possible.

Redistribuer les ressources informationnelles

L'accès à l'information est devenu un enjeu fort important dans l'actuel contexte de la mondialisation néolibérale. Plus que jamais, l'expression *Le savoir, c'est le pouvoir* fait écho à notre quotidien. Accéder à l'information, c'est avoir accès à des données, des connaissances, des analyses et des points de vue différents. La mondialisation néolibérale adopte cette idée de mettre en place une société du savoir, alors qu'elle place l'information et le savoir scientifique au cœur même de son développement. Plusieurs politiques sociales et économiques[46] se fondent d'ailleurs sur cette idée d'innovation selon laquelle l'information et le savoir scientifique doivent être valorisés et transférés auprès de la population (entreprises, institutions et organismes communautaires) puisqu'ils constituent l'élément clé de la compétitivité sur le marché international. Des acteurs de mouvements

---

43. Open Office est disponible en français. Si vous utilisez déjà Word de Microsoft, vous vous adapterez facilement à ce logiciel libre de traitement de texte. Téléchargeable en ligne à : <http://fr.openoffice.org/>.

44. Pour en savoir plus sur Koumbit et Facil, consultez la bibliographie sélective à la fin de ce chapitre. Montreal Linux Users Group : <http://mlug.ca/cms/>.

45. *Wiki* est un mot hawaïen qui signifie « rapide ». Il a été choisi par Ward Cunningham lorsqu'il créa le premier wiki, qu'il appela « WikiWikiWeb ».

46. Notez que la recherche scientifique est maintenant, au Québec, sous la responsabilité du ministère du Développement économique, de l'Innovation et de l'Exportation (MDEIE). Consultez notamment les programmes de recherche et d'innovation, « Valorisation et transfert des connaissances » (<http://www.mdeie.gouv.qc.ca/index.php?id=8298>).

sociaux y voient là les symptômes d'une nouvelle grande transformation : un nouveau capitalisme est né. Certains l'appellent le capitalisme postindustriel[47], d'autres le capitalisme informationnel[48] ou encore le capitalisme cognitif[49]. On ne s'étonnera pas d'ailleurs que WikiLeaks corresponde à cette action « contre-hégémonique » en rendant visible la fuite de l'information contrôlée, voire cachée, par les autorités politiques ou économiques.

Les usages des TIC en action communautaire se justifient par cette critique qualifiée de « sociale », qui soutient que le capitalisme est source de misère et d'inégalités pour les travailleurs et les classes populaires, la critique sociale soulignant que le capitalisme est source d'opportunisme et d'égoïsme[50]. Le problème de la « fracture numérique[51] » en est un bon exemple puisque la critique sociale le définit comme un problème d'exclusion de citoyens – ces « infopauvres » qui n'ont pas accès à l'ordinateur et au branchement Internet ou se sont encore peu ou mal approprié leurs usages. Pour atténuer cette fracture numérique, les acteurs communautaires s'organisent de plus en plus pour redistribuer les ressources informationnelles, dont Internet, et pour former les citoyens. Par conséquent, ces acteurs remettent en question les politiques et la législation qui maintiennent ces inégalités en revendiquant, par exemple, que l'accès à Internet devienne un droit fondamental et universel.

Créer des espaces de formation et de discussion sur l'usage des TIC

Il existe encore peu de formations et d'espaces de discussion sur les usages des TIC dans le cadre de l'action communautaire. Ceux-ci permettent pourtant de se pencher sur les avantages et les inconvénients de ces usages, contribuant ainsi à construire une analyse par et pour les acteurs communautaires. Les acteurs communautaires devraient favoriser l'animation de tels espaces de discussion où seraient exprimés divers points de vue sur les rapports aux TIC, tant chez les « pro-TIC » que chez les « résistants ». Ces discussions ont l'avantage d'ouvrir sur des questions portant sur la finalité et les conditions des usages au regard de la mission de l'organisation : qui utilise et pour qui utilise-t-on les TIC dans notre

47. D. Bell (1974), *The Coming of Post-Industrial Society : A Venture in Social Forecasting*, Londres, Heinemann.

48. M. Castells (1998), *La société en réseaux*, Tome I, Paris, Fayard.

49. Y. Moulier Boutang (2007), *Le capitalisme cognitif. La nouvelle grande transformation*, Paris, Multitudes/Idées, Amsterdam, 316 p.

50. L. Boltanski et E. Chiapello (1999), *Le nouvel esprit du capitalisme*, Paris, Gallimard, p. 84.

51. A. Rallet (2004), « La fracture numérique », *Réseaux*, vol. 5-6, n°s 127-128 (<http://www.cairn.info/revue-reseaux-2004-5.htm>).

action communautaire ? Pour répondre à quels besoins ou servir quels groupes sociaux ? Comment peut-on s'approprier les TIC ? Quels sont les principes éthiques qui guident les usages des TIC en action communautaire ? De telles discussions construisent peu à peu du sens par les citoyens, les militants et travailleurs communautaires eux-mêmes, tout en reconnaissant que l'usage des TIC en action communautaire peut se réaliser sur le principe du «oui, peut-être, mais pas n'importe comment[52] ! ».

Ouvrir des espaces de débat sur de nouvelles façons de se représenter la vie en société

La critique sociale ne cesse de dénoncer la domination culturelle que les médias de masse reproduisent et perpétuent. Les médias sont en effet devenus un outil très puissant pour faire valoir certaines conceptions idéologiques de la société plus que d'autres. L'engagement militant, qui dénonce cette aliénation, cherche à utiliser Internet pour expérimenter et partager de nouvelles façons de se représenter la vie et la société. Ici, prendre la parole sur Internet, c'est faire abstraction de cet intermédiaire que sont les médias traditionnels sur la base suivante :

> Les nouvelles formes d'expression d'Internet ne cherchent pas uniquement à ouvrir l'espace public «oligarchique» à une périphérie de nouveaux locuteurs. Elles pluralisent et distribuent autrement les formes de la parole publique, en empruntant des langages et en habitant des espaces que la politique conventionnelle, bien souvent, ne sait pas reconnaître[53].

Internet favorise ainsi l'expression citoyenne directe, sans filtre, et en son propre nom (ou pseudonyme). En ce sens, l'action communautaire peut avoir pour objectif principal d'ouvrir des espaces de débat et de conversation sans anticiper, voire viser *a priori* l'issue de ces échanges. Autrement dit, il n'y a pas d'utopie ou de finalité préétablie vers laquelle l'animateur dirige la conversation. L'action, c'est la discussion. Au contraire de ce principe de l'action communautaire selon lequel nous discutons d'abord et nous passons à l'action ensuite, ici, parler, c'est agir ! Pour ce faire, investir la nouvelle et la commenter, c'est aussi débattre et tenter d'influencer l'opinion publique, au-delà du seul cercle des membres d'organisations communautaires. Bien sûr, tous et toutes n'ont pas les mêmes aptitudes pour l'expression écrite. C'est là que les

---

52. Cette expression s'inspire du titre d'un rapport de recherche sur les groupes de femmes réalisé par Colette Lelièvre en 1998 pour le Studio XX (<http://www.studioxx. org/T@T/html/ rapport.htm>).
53. Cardon, *op. cit.*, p. 70.

intervenants peuvent jouer un rôle en encourageant la parole de citoyens qui sont moins à l'aise avec l'écrit et en les encourageant à s'exprimer par les arts et le multimédia : vidéo, photographie, caricatures, chansons engagées, etc.

Investir l'espace public

Les médias traditionnels avaient habitué les acteurs communautaires à se soumettre à plusieurs intermédiaires avant de voir leurs messages diffusés dans l'espace public. Ceux qu'on appelle les *gatekeepers* sont justement ces étapes de validation et d'approbation en fonction de la ligne éditoriale, de la priorité de la journée ou d'autres prérogatives journalistiques. L'espace public n'était donc atteignable qu'après avoir traversé ces intermédiaires qui devaient faire respecter, notamment, certaines normes déontologiques. Or, sur Internet, il est possible d'inverser le processus : « publier d'abord, filtrer ensuite[54] ». Bien entendu, toutes sortes d'informations peuvent être diffusées sur la Toile. Toutefois, ce sont les internautes eux-mêmes et non ces *gatekeepers* qui appliqueront une certaine régulation en exerçant leur jugement et en rendant plus ou moins visibles les informations dignes de l'être. Pour certains sites, les édimestres appliqueront *a posteriori* une politique de modération au regard des publications produites par les internautes. Concrètement, plus une page Web est lue et reprise par d'autres pages Web, plus elle sera visible et bien référencée par les moteurs de recherche. Elle sera alors davantage considérée dans l'espace public et susceptible d'influencer l'opinion publique. C'est pourquoi il est si important que les membres et sympathisants des groupes communautaires et de femmes consultent et reprennent certaines informations liées à l'action communautaire sur leur propre site Web, leur page Facebook, leur compte Twitter, etc. : pour les rendre visibles dans l'espace public.

Esthétiser la révolte par des actions symboliques

Le « médiactivisme » n'est pas nouveau en soi. Il s'inscrit dans une longue tradition appelée « critique contre-hégémonique », c'est-à-dire une « vision alternative aux programmes politiques, aux priorités et aux perspectives hégémoniques[55] ».

---

54. D. Cardon (2010). « L'élargissement de l'espace public », dans *La démocratie Internet. Promesses et limites*, Paris, Seuil, coll. « La république des idées », p. 35-52.
55. Downing (2001), cité dans D. Cardon et F. Granjon (2010), *Médiactivistes*, Paris, Presses de Sciences Po, coll. « Contester », n° 812, p. 14.

Mais contrairement à cette critique sociale dont ont pu user les premiers « médiactivistes », certains privilégient maintenant davantage la voie de la critique artistique. Ces acteurs se reconnaissent par une action symbolique qui diffuse des idées alternatives : « Un autre monde est possible ! » Cette action symbolique met en scène l'indignation et le désenchantement des acteurs sociaux à l'égard des valeurs et des principes de base du capitalisme. C'est un art engagé qui esthétise la révolte[56], notamment par les arts médiatiques et la culture numérique, comme le proposent Les HTMlles[57], par exemple. Nous avons aussi été témoins de *hackers* qui piratent de grandes multinationales, symboles capitalistes, ou adoptent des stratégies d'imposture tout à fait ingénieuses comme les Yes Men[58].

2.4.3. *L'engagement social à l'ère du Web 2.0*

Les TIC ont permis de développer et d'expérimenter de nouvelles façons de s'engager en action communautaire, et ce, en assumant de multiples allégeances et en se distanciant de cette exigence de fidélité, voire d'exclusivité à une seule cause.

En effet, la plupart des organismes communautaires sont encore plus ou moins hiérarchisés. De plus, l'adhésion des membres à ces organismes est encore un principe cher à cette culture militante : avoir sa carte de membre d'une organisation, assister à ses assemblées générales annuelles, etc. Or, plusieurs analystes des mouvements sociaux[59] remarquent que des militants adhèrent maintenant simultanément à différentes organisations sans s'imposer une forte loyauté, une présence soutenue dans les locaux de leurs organisations, etc. Nous assistons ainsi au développement d'une forme d'engagement social dite « en nébuleuse »

---

56. Pour aller plus loin sur la question des actions symboliques des mouvements sociaux, consultez ces deux ouvrages : 1) Sioui Durand, 2008. Article sur l'esthétisation de l'action collective tiré du livre de l'Action terroriste socialement acceptable (ATSA) ; 2) Cefaï, 2007, où la sociologie d'Erwin Goffman est mise à profit pour saisir l'importance de la dimension culturelle dans les actions collectives.
57. Lancé par le Studio XX en 1997 et évoluant aussi rapidement que les nouvelles technologies elles-mêmes, le festival Les HTMlles est une plateforme internationale vouée à la présentation d'œuvres d'arts médiatiques indépendantes créées par des femmes et dévoilant la création technologique contemporaine sous toutes ses facettes, incluant, sans s'y limiter : l'œuvre numérique à trame narrative, l'art Web, l'art vidéo ainsi que les courts métrages, l'art audio et électronique, le jeu vidéo, l'installation, les médias localisés, l'animation 3D, la réalité virtuelle, les publications électroniques, le design, la performance et les pratiques interdisciplinaires. Pour en savoir plus, consultez le site <http://www.htmlles.net/2010/>.
58. Site Web des Yes Men : <http://theyesmen.org/>.
59. L. Boltanski et E. Chiapello (1999), *Le nouvel esprit du capitalisme*, Paris, Gallimard, 843 p. ; Granjon, *op. cit.* ; J. Ion (1997), « L'engagement distancié », dans *La fin des militants ?*, Paris, Les Éditions de l'Atelier, p. 79-97.

de citoyens qui, à distance des organisations communautaires instituées, peuvent lire, recevoir, produire et diffuser de l'information sans l'intermédiaire d'une instance décisionnelle qui filtre, contrôle ou cautionne leurs actions. Cette forme de réseau se distingue de celle dite « des galaxies », où l'on retrouve toujours un noyau central auquel sont liés ses membres d'une façon ou d'une autre. Dans la forme d'engagement social en « nébuleuse » de citoyens[60], chaque individu peut dorénavant communiquer instantanément une intention de manifester et de collaborer à une action sociale par les réseaux sociaux, et l'usage des TIC facilite cette mobilité. Désormais, la planification des actions collectives n'exige plus de les organiser uniquement dans un même lieu au même moment.

Le téléphone intelligent : nouvel outil de militantisme

Nous terminerons cette section sur les pra-TIC communautaires et citoyennes par une réflexion sur la montée grandissante de l'usage du téléphone intelligent comme outil de militantisme. Il n'y a pas si longtemps, le seul usage de la téléphonie portable était la communication vocale. Depuis l'arrivée des téléphones intelligents ou multifonctionnels, la téléphonie mobile a évolué de manière exponentielle du côté de ses usages, se révélant un véritable outil de militantisme.

Le téléphone mobile est en effet devenu, depuis quelques années, un véritable couteau suisse numérique[61]. Comme ce dernier, le téléphone mobile tient dans la poche, est relativement simple à utiliser et recouvre une multitude de fonctions liées au nomadisme. De simple appareil de communication vocale à l'origine, le téléphone portable permet désormais d'envoyer des messages textes avec image fixe, image mobile ou son, des courriels par Internet, de surfer sur le Web. Il sert aussi de montre, de GPS, d'agenda, de dictaphone, de console de jeu, d'appareil photo et de caméscope. Le téléphone portable est aussi l'outil de communication permettant de « peaufiner » les derniers détails de l'organisation des *flash mobs,* une fois les manifestants arrivés au point de rendez-vous où leur seront communiqués le lieu et les dernières consignes de la mobilisation éclair. Le téléphone intelligent est ainsi devenu, à lui seul, la convergence des technologies et des concepts vers un seul appareil multimédia[62], faisant désormais de cet appareil l'outil quasi indispensable du militantisme du début du XXIe siècle !

---

60. Pour en savoir plus, consultez les travaux de Howard Rheingold, notamment son livre publié en 2002 : *Smart Mobs : The Next Social Revolution*, Cambridge, Basic Books, 288 p.

61. Wikipédia (<http://fr.wikipedia.org/wiki/Téléphonie_mobile>).

62. *Ibid.*

Alors, n'en déplaise aux adeptes de la simplicité volontaire, le téléphone intelligent dépasse désormais le statut de simple objet de consommation pour devenir un outil de résistance, de sensibilisation et de mobilisation citoyenne.

3. LES PRINCIPALES TECHNIQUES D'UTILISATION DES MÉDIAS DE MASSE

Comme nous l'avons souligné précédemment, il est nécessaire de développer un esprit critique à l'égard du rôle des médias de masse puisque la prétention de neutralité partisane et idéologique de quelque média que ce soit est discutable. Malgré cet état de fait, plusieurs groupes choisiront de les utiliser stratégiquement pour faire passer leur message. Dans une telle optique, et pour développer une stratégie efficace d'utilisation des médias de masse, il faudra en connaître les caractéristiques, les rouages et les principales techniques d'utilisation.

Tout d'abord, il s'agit de déterminer quels sont les médias susceptibles de s'intéresser au message que le groupe souhaite transmettre. En effet, une stratégie d'utilisation des médias de masse sera très différente selon que le message et le territoire d'action du groupe touchent une municipalité en région, la région dans son ensemble, la métropole, une province ou un pays. En région, par exemple, il est souvent plus facile d'amener les médias locaux et régionaux à diffuser un communiqué de presse ou à couvrir une conférence de presse, alors que dans la métropole montréalaise, il faudra parfois savoir créer un événement médiatique pour susciter la même attention.

Mais quel que soit le territoire couvert, la première chose à faire sera de répertorier les médias écrits et électroniques qui couvrent le territoire d'action visé. Pour ce faire, un outil pratique est le *Répertoire des médias* par région que l'on peut trouver en ligne sur le Portail du gouvernement du Québec. On trouvera sur ce site les renseignements de base qui permettront au groupe de dresser l'inventaire des médias de leur territoire et d'obtenir leurs coordonnées. Avec le temps et l'expérience, le groupe complétera ce portrait de manière plus personnalisée en établissant des liens avec les personnes occupant diverses fonctions au sein de ces divers médias : journaliste, directeur de l'information, directeur de la programmation, recherchiste, réalisateur, chroniqueur, chef de pupitre, chef de section, pigiste, animateur, etc. De telles relations permettront au groupe de mieux comprendre ce qui oriente le choix des contenus et des sujets traités et ainsi d'exercer une certaine influence sur la prise de décisions dans les réseaux médiatiques. Grâce à ces relations de confiance et d'intérêts réciproques, une utilisation plus efficace et stratégique des médias pourra s'établir dans les limites, bien sûr, de la logique médiatique et des préoccupations différentes selon le type de média.

Une fois ces paramètres établis, l'élément clé d'une stratégie efficace d'utilisation des médias de masse consistera à acquérir une maîtrise «suffisante» des principales techniques d'utilisation des médias de masse. Dans cette section, nous nous pencherons donc plus particulièrement sur : 1) le communiqué de presse ; 2) la lettre ouverte, le texte d'opinion et le commentaire ; 3) la publication payée d'un appel ou d'une déclaration ; 4) la conférence de presse ; 5) l'événement médiatique ; 6) l'entrevue ; 7) le témoignage. Bien entendu, aucun groupe n'osera croire qu'il suffira de maîtriser ces techniques d'utilisation des médias pour que son message passe, qu'il soit traité sous l'angle souhaité et que le choix de l'emplacement dans les journaux ou dans les bulletins de nouvelles soit satisfaisant. Mais si un directeur de l'information doit faire le choix d'un communiqué de presse parmi des dizaines de communiqués de valeur égale sur le plan de la nouvelle d'intérêt public, il y a fort à parier que le communiqué qui l'emportera sera celui qui aura le mieux respecté les règles de rédaction et de présentation d'un communiqué de presse.

Avant d'expliquer les éléments clés de ces techniques, il convient de souligner que certaines techniques sont plus accessibles que d'autres. Par exemple, la rédaction d'un communiqué de presse ne requiert pas autant d'habiletés que l'organisation d'une conférence de presse ou d'un événement médiatique. Par ailleurs, certaines personnes se sentiront très à l'aise avec la communication orale alors que d'autres vont préférer s'en tenir à la communication écrite. En somme, il faut savoir développer des compétences en communication, tout en reconnaissant les forces des membres du groupe et en osant repousser ses limites. Après tout, rares sont les intervenants communautaires qui sont tout à la fois des professionnels de l'organisation communautaire et des experts en communication. Et pour les groupes qui souhaiteraient aller au-delà des notions présentées dans cet ouvrage, il est bon de savoir que des sessions de formation et des certificats universitaires existent et sont relativement accessibles[63]. Enfin, il ne faut pas

---

63. Certains organismes communautaires, comme le Centre de formation populaire (CFP) et le FRAPRU, offrent, sur demande, des sessions de formation sur le travail auprès des médias. Dans le cadre d'un programme d'études de premier cycle en service social, l'Université de Montréal offre un cours sur les médias de masse en action communautaire. Plusieurs livres et guides sont aussi offerts en librairie sur le sujet.

hésiter à faire appel à la compétence de personnes-ressources formées en communication. Parmi les nombreuses personnes sympathiques à l'action menée par des groupes communautaires, il serait très étonnant qu'il ne s'en trouve pas une qui soit disposée à donner un coup de main.

3.1. Le communiqué de presse

Le communiqué de presse | Le communiqué de presse est un texte écrit au moyen duquel on communique une nouvelle d'intérêt public aux médias d'information[65].

Le communiqué de presse peut être envoyé directement, sans l'organisation d'une conférence de presse ou d'un événement média, ce qui rend ce moyen plus souple et plus rapide[65]. Selon l'analyse qui sera faite par le média de l'intérêt public du communiqué, ce dernier sera soit publié intégralement ou coupé pour en faire une nouvelle plus brève, soit non retenu. Dans certains cas, l'intérêt de la nouvelle pourra donner lieu à une entrevue, surtout de la part des journaux et de la radio. Autre détail que plusieurs ignorent : la publication d'un communiqué de presse est gratuite.

Plusieurs types de nouvelles peuvent justifier l'envoi d'un communiqué de presse. Par exemple, on acheminera un tel communiqué pour :

- ◆ Annoncer la tenue d'un événement (manifestation, fête de quartier, assemblée publique d'information, etc.) et inciter la population visée à y participer.
- ◆ Faire connaître ses «bons coups», par exemple la réalisation d'un projet novateur, ou faire connaître les projets qui découlent d'un forum populaire ou autre.
- ◆ Sensibiliser l'opinion publique sur des faits ou une prise de position.
- ◆ Exercer des pressions sur les décideurs dans un dossier.
- ◆ Répondre immédiatement à une déclaration d'un politicien ou réagir à un événement d'actualité.

Pour accroître ses chances que le communiqué soit publié ou fasse l'objet d'une nouvelle, il faut respecter un minimum de règles concernant la rédaction. Les règles de l'écriture journalistique sont en effet très différentes des règles

---

64. M. Viau, en collaboration avec Bernard Vallée (1993), *Les médias et nos organisations. Guide d'utilisation pour les groupes populaires*, 3e édition revue et augmenté par Pierre Valois, Montréal, Centre de formation populaire, p. 32.

65. FRAPRU, *op. cit.*, p. 6.

habituelles de rédaction d'un travail de recherche comportant une introduction, un développement et une conclusion. En journalisme, la conclusion se place au début du texte, dans ce qu'on appelle le paragraphe d'introduction (ou le *lead*), car on veut d'entrée de jeu informer le lecteur et éveiller son intérêt. En nous inspirant du guide d'utilisation des médias réalisé par le Centre de formation populaire[66], nous résumerons les principales règles de rédaction et de présentation d'un communiqué de presse. En respectant ces règles, le groupe aura de meilleures chances de voir son communiqué publié, car, comme l'observe Bernard Dagenais, « dans le choix d'un communiqué, les journalistes et les chefs de pupitre appliquent deux critères : l'intérêt de la nouvelle pour le public et la qualité de la rédaction. Il n'est pas question de réécrire des communiqués mal rédigés, car il y en a toujours un à côté qui correspond aux normes recherchées[67] ». Voici donc les règles de rédaction et de présentation d'un communiqué de presse.

Les règles de rédaction

Un titre évocateur et accrocheur

Le titre est très important. D'une part, il résume la nouvelle en quelques mots seulement ; d'autre part, c'est l'un des éléments qui permettra d'attirer l'attention du responsable de l'information ou du journaliste. Le titre est aussi ce qui va capter l'attention du lecteur. Pour ce faire, il doit être accrocheur, c'est-à-dire piquer la curiosité du lecteur et retenir son attention. De plus, il doit être évocateur en résumant efficacement l'idée globale véhiculée dans le texte. Pour préciser l'information du titre, on a parfois recours au surtitre ou au sous-titre.

Un préambule qui va à l'essentiel

Le préambule, ou le *lead*, est le premier paragraphe du communiqué et le plus important. Ce paragraphe contient les éléments essentiels du message. C'est la partie vitale du communiqué. Après le titre, c'est lui qui intéressera le chef de pupitre et captera l'attention du public. Par conséquent, si le lecteur ne se donne

---

66. Viau, *op. cit.*, p. 32-35.
67. B. Dagenais (1997), *Le communiqué ou l'art de faire parler de soi,* Québec, Presses de l'Université Laval, p. 32.

pas la peine de lire l'article en entier, il aura tout de même reçu l'information essentielle. Le préambule ne doit pas comporter plus de cinq à six lignes de texte. Quant à la forme, le *lead* sera préférablement composé en caractères gras.

Un texte rédigé sous forme de pyramide renversée

Les paragraphes suivants développent les informations du premier paragraphe par ordre décroissant d'importance. On veille à ce que chaque paragraphe développe une seule idée. De cette manière, on facilite la tâche du journaliste s'il doit couper une partie du texte par manque d'espace. Pour se guider dans la rédaction, on peut se reporter aux six questions du journalisme : Qui ? Quoi ? Où ? Quand ? Pourquoi ? Comment ?

> Le *qui* nomme la personne ou le groupe qui fait l'objet du communiqué et peut même présenter très brièvement la mission ou les principaux objectifs du groupe.
>
> Le *quoi* décrit la nature de l'événement. Qu'a fait le groupe ou que prévoit-il faire ?
>
> Le *où* indique l'endroit où se déroule l'action ou l'événement.
>
> Le *quand* renseigne sur le moment même de l'action et, si c'est pertinent, sur les circonstances qui entourent cette action. S'il s'agit d'un projet, d'une activité ou d'une manifestation, il faut préciser la date et l'heure ainsi que le lieu où il se réalisera. S'il y a un contexte particulier (p. ex. dans le cadre d'un forum populaire), le spécifier.
>
> Le *pourquoi* présente les raisons de l'événement, de l'action, de la prise de position, etc.
>
> Le *comment* permet de comprendre les moyens mis en œuvre pour réaliser le projet, les collaborations qui ont été nécessaires, les investissements en argent… et autres détails intéressants.

Les paragraphes seront courts, vivants et, si possible, agrémentés de citations. Ils se succèdent par ordre d'importance, idéalement à raison d'une idée par paragraphe. Les paragraphes peuvent être précédés d'intertitres (un titre secondaire que l'on met dans le cœur du texte), ce qui aère le texte et en facilite la lecture. Les intertitres sont composés en caractères gras.

Dans la conclusion, qui sera brève, on rappelle en d'autres mots l'élément du message sur lequel le groupe souhaite insister. On peut aussi émettre une idée neuve, une perspective, un slogan ou une déclaration-choc du porte-parole.

La concision

Plus le texte est court, plus il a de chances d'être publié tel quel : une page ou deux suffisent (environ 400 à 500 mots).

Un ton objectif

Le ton doit être le plus objectif et le plus factuel possible. Éviter le ton trop émotif, la dramatisation. Écrire comme si on était soi-même le journaliste, se détacher de l'organisation. On évite les *nous*, les *je*, *mes*, *notre*. Par exemple, il est préférable d'écrire « Le Réseau des femmes des Laurentides est heureux d'annoncer le lancement de son programme de formation destiné aux femmes intéressées à s'impliquer en politique municipale » plutôt que « Nous sommes heureuses de vous annoncer le lancement de… » ou, pire, « Je suis heureuse de… ».

Un langage clair et accessible

La rédaction d'un communiqué repose sur le choix de mots précis et sur la construction de phrases courtes (sujet, verbe, complément). On évite d'employer des termes du jargon interne, des expressions hermétiques, des sigles et des acronymes. Dans certains communiqués, des citations du porte-parole (ou autre) pourront contribuer à mieux faire passer le message et à donner du rythme au texte.

Les règles de présentation

L'en-tête d'identification

En haut de la page, à gauche, on retrouve le logo et le nom du groupe.

Le mot communiqué et l'avis de publication

Le mot COMMUNIQUÉ est écrit à la suite, de préférence en caractères gras ou en lettres capitales, au centre ou à droite de la page. Sur la ligne suivante, on indique l'avis de publication, qui indique à quel moment on souhaite que l'information soit publiée. En règle générale, on inscrit : « Pour publication immé-diate ». Le groupe peut aussi inscrire « Embargo jusqu'au... » pour que la diffusion du communiqué soit retardée jusqu'à la date indiquée.

Le titre

Écrire le titre en capitales dans une taille de caractère plus grande que celle choi-sie pour le texte. Le titre pourra être accompagné d'un surtitre ou d'un sous-titre.

Le lieu et la date d'envoi

Au début du communiqué, on inscrit en caractères gras le nom de la ville d'où est émis le communiqué et la date d'envoi, suivi d'un tiret. Exemple : **Saint-Jérôme, le 22 février 2020 –**

Le texte

Le texte doit être aéré : grand titre, marges généreuses, avec un choix de police sobre (p. ex. le Times), de taille 12, de préférence en justifiant son texte.

Le - 30 -

En tout temps, le communiqué se termine par le nombre - 30 -. Cette convention journalistique[68] signifie la fin du communiqué. Tout ce qui est écrit après ce nombre ne doit pas être publié, mais sert d'information complémentaire au journaliste.

La source

Après la mention - 30 -, on indique la source, c'est-à-dire le nom et le numéro de téléphone de la personne qui peut être contactée par le journaliste ou le recher-chiste s'ils souhaitent obtenir des renseignements supplémentaires. On peut aussi ajouter un ou des liens Internet utiles au journaliste pour approfondir son article.

---

68. Dans son ouvrage consacré au communiqué de presse, Dagenais (1997) souligne que diverses explications précisent l'origine du - 30 -. Parmi les sept théories énoncées, l'explication la plus plausible est celle qui fait remonter l'utilisation du - 30 - à la Première Guerre mondiale, alors que ce chiffre était, dit-on, un élément de code que les officiers de l'armée anglaise inscrivaient dans leurs messages pour en indiquer la fin.

Une photo ?

La plupart du temps, il sera utile de joindre une photo au communiqué. La photo apporte quelque chose de plus à l'information et elle incitera le journaliste à la publier en même temps que le communiqué. La photo sera accompagnée d'une légende qui résume la nouvelle et donne un sens à la photo. Lorsque la photo représente des individus, on inscrit leur nom, de gauche à droite, ainsi que leur fonction. Une photo numérique, dans une résolution qui permet une reproduction de qualité, jointe au communiqué est la manière la plus courante de procéder. Dans certains cas, le journaliste préférera faire sa propre recherche de photos et publier celle de son choix.

L'expédition

Le communiqué et la photo seront le plus souvent expédiés par courriel aux médias qui couvrent le territoire où habitent les gens que l'on veut rejoindre par notre nouvelle. Il est important de tenir compte du jour et de l'heure de tombée des journaux afin de s'assurer que le communiqué sera publié à la date voulue. Certains organismes choisiront de faire appel à un service de fil de presse (p. ex. CNWTelbec) pour acheminer leur communiqué directement dans les systèmes d'édition des salles de rédaction.

Le suivi

Une fois le communiqué de presse expédié, il est important de faire un suivi afin d'en analyser les retombées. Les journaux visés ont-ils publié le communiqué ? Au début ou à la fin du journal ? Sur la page de droite ou de gauche ? Le communiqué a-t-il été coupé, publié intégralement ou modifié ? Quelle est l'ampleur de la couverture de presse s'il a été envoyé à plusieurs médias ? Si les délais le permettent et que le communiqué n'a pas été publié, est-il encore possible de faire une relance pour une publication dans le prochain numéro ? Il est recommandé au groupe de conserver les différents articles qui ont été publiés à la suite de la publication d'un communiqué ou de la tenue d'une conférence de presse ou d'un événement média. Un tel dossier s'appelle une « revue de presse ». On ne fait pas que découper l'article, on note aussi le nom du journal et la date de publication. Si le groupe a un site Web, il pourra archiver ses communiqués sur son site.

Enfin, si l'article est particulièrement bien fait et que la couverture est inté-ressante, on peut se permettre de remercier le journaliste au moyen d'un courriel ou d'un bref appel téléphonique. On en profitera pour offrir au journaliste la possibilité de le tenir informé de l'évolution du dossier. C'est aussi au moyen de tels contacts que le groupe développe progressivement des liens de confiance et de collaboration mutuels avec un ou des journalistes.

3.2. La lettre ouverte, le texte d'opinion et le commentaire

La lettre ouverte et le texte d'opinion

Les quotidiens et certains journaux locaux et régionaux réservent un espace pour la publication de lettres et de textes d'opinion de leurs lecteurs. La lettre d'un lecteur est généralement un texte beaucoup plus court que le texte d'opinion qui, lui, prend plutôt la forme d'un argumentaire sur un sujet d'actualité. La direction du journal se réserve le droit de publier on non les textes et de les raccourcir. Certains groupes utiliseront la tribune des lecteurs en envoyant plusieurs lettres d'auteurs différents, mais toutes sur le même point de vue, afin de donner plus de visibilité à une même opinion. Le texte d'opinion est aussi stratégiquement très important pour faire circuler des analyses et des points de vue différents de l'idéologie dominante, même si ces derniers peuvent s'exprimer plus librement sur les blogues ou autres plateformes. À ce titre, la page « Idées » du *Devoir* est une référence.

Le commentaire

Les articles de journaux diffusés en ligne et les blogues de journalistes permettent aux internautes d'émettre des commentaires. Les articles deviennent alors un contenu de départ auquel les lecteurs peuvent réagir ou apporter des informa-tions complémentaires, voire contradictoires à celles qui y sont relevées. Une interaction se crée ainsi non seulement entre le ou la journaliste et son lectorat, mais aussi entre les lecteurs.

3.3. La publication payée d'un appel ou d'une déclaration

Une autre façon d'influencer l'opinion publique et de faire valoir un point de vue qui risque de « passer » difficilement dans la presse écrite, en raison de son contenu engagé socialement ou politiquement, est de faire l'achat d'une page ou d'une demi-page dans un quotidien. Pour cela, on sollicitera généralement la contribution d'un réseau de personnes ayant une certaine notoriété qui acceptent d'appuyer le contenu du texte et qui sont prêtes à débourser pour assumer le coût de la publication. Les noms de ces personnes seront publiés au bas du texte, ce qui contribuera à lui donner plus d'impact.

3.4. La conférence de presse

Une conférence de presse est un événement organisé pour attirer l'attention des médias et susciter une rencontre directe avec eux. Elle doit être utilisée pour diffuser une nouvelle importante d'intérêt général. La conférence de presse permet de faire connaître le point de vue de porte-parole, d'organismes ou de coalitions, de spécialistes ou de leaders d'opinion et parfois même de brefs témoignages de personnes concernées par la nouvelle. La façon de présenter la nouvelle a aussi son importance. Ainsi, le sujet aura avantage à être présenté de façon dynamique, valorisée ou inédite[69]. Enfin, la conférence de presse pourra susciter des demandes d'entrevues individuelles après l'événement.

La conférence de presse est une technique qui suit des règles précises et un certain protocole qui en assure l'efficacité. L'une des particularités de cette technique, c'est qu'une conférence de presse a habituellement plus de chances d'avoir une couverture médiatique qu'un simple communiqué. L'envers de la médaille est que lors d'une conférence de presse, c'est le journaliste qui a le contrôle sur la manière et l'angle sous lesquels la nouvelle sera traitée (certains groupes ont eu de mauvaises surprises). En revanche, il est possible qu'aucun média ne se déplace pour couvrir la conférence de presse, ce qui obligera le groupe à envoyer malgré tout son communiqué de presse dans l'espoir qu'il sera publié.

Pour tirer parti de cette technique, il faut donc l'utiliser de façon adéquate et user de stratégie, notamment en s'assurant d'avoir une nouvelle et une façon de la présenter qui mérite un contact direct avec les médias, bien connaître les contraintes des médias et savoir s'adapter au mode de travail des journalistes.

---

69. B. Dagenais (1996), *La conférence de presse, ou l'art de faire parler les autres*, Québec, Presses de l'Université Laval, p. 14.

La conférence de presse s'organise en trois temps : avant, pendant et après[70]. Voici une synthèse des tâches et des décisions à prendre pour l'organisation d'une conférence de presse à chacune de ces étapes.

Avant l'événement (planification)

Le succès d'une conférence de presse dépend en grande partie du soin apporté à sa planification. Voici les principales dispositions à prendre avant l'événement.

Le choix de la date et du lieu

La date qui sera choisie par le groupe pour convoquer une conférence de presse repose sur divers impératifs. Naturellement, on doit tenir compte du moment où l'on est prêt à communiquer la nouvelle. D'autres facteurs peuvent entrer en ligne de compte, comme le choix d'une date symbolique par rapport au sujet traité ou d'une conjoncture favorable. Le choix du moment reposera aussi sur une connaissance de la réalité des médias locaux et régionaux et de leur jour de tombée. Dans la mesure où le groupe en est informé, on évitera de déclencher une conférence de presse au milieu d'autres événements d'actualité importants. Enfin, on évitera de convoquer une conférence de presse le samedi ou en soirée, et on choisira une heure où les journalistes sont plus disponibles, en évitant les fins de journée, par exemple. Et s'il s'agit de couvrir un événement qui a lieu en soirée, mieux vaut tenir un point de presse au début de la soirée afin de libérer les journalistes le plus rapidement possible.

Le lieu est aussi un élément important. On choisira autant que possible un endroit central et facile d'accès. On pourrait ajouter que ce lieu devra être doté des équipements techniques requis pour l'événement et même, dans certains cas, permettre d'offrir un service de pause-café ou un léger goûter. Le lieu pourra aussi être choisi pour sa valeur symbolique, tout en respectant les autres conditions requises pour l'événement.

La planification de l'aménagement de la salle

On planifie l'aménagement et la décoration de la salle. Le « fond de scène » et la table des orateurs feront l'objet d'une attention particulière, car les photographes prennent généralement en photo les orateurs durant la période où ils prennent

---

70. *Ibid.*, p. 51.

la parole. On s'assure que l'on aura tout ce qu'il nous faut la journée de l'événement (p. ex. un lutrin à côté de la table des orateurs pourra être utile à la personne chargée d'agir comme maître de cérémonie de la conférence de presse). Les personnes invitées à prendre la parole pourront aussi se succéder à cet endroit et déposer leur texte plutôt que de devoir le tenir dans leurs mains (qui tremblent parfois lorsqu'on n'est pas habitué à prendre la parole en public). Parmi les autres éléments à planifier : une table d'accueil à l'entrée pour prendre les présences des journalistes ; des chaises et des tables en nombre suffisant pour les journalistes afin qu'ils puissent écrire confortablement ; une table pour le coin café et boissons ; des pichets d'eau et des verres sur les tables des personnes qui s'adressent aux journalistes.

La préparation du contenu

L'essentiel d'une conférence de presse repose sur le contenu à diffuser. Ce contenu prendra la forme d'exposés oraux durant la période de présentation. Chaque exposé devra avoir été soigneusement préparé et pourra être lu ou non aux journalistes. S'il y a plus d'un exposé, chacun d'entre eux doit être minuté afin que la période de présentation et la période de questions n'excèdent pas 30 minutes. S'il y a plus d'un orateur, il est d'usage qu'une personne agisse comme maître de cérémonie. Au besoin, une répétition pourra être effectuée avant l'événement.

Le dossier de presse

Dans la plupart des conférences de presse, un dossier de presse est remis aux journalistes. Ce dossier contient divers textes et documents présentés dans une chemise ou une pochette. Le dossier de presse pourra se résumer à une feuille où figurent le déroulement de la conférence de presse et le communiqué de presse. Si on le juge pertinent, on pourra y ajouter d'autres documents informatifs permettant aux journalistes de compléter leur documentation personnelle et de se faire une opinion sur le sujet.

Au besoin, déterminer le choix des observateurs

Une conférence de presse s'adresse avant tout aux journalistes, mais le groupe qui convoque la conférence de presse pourra inviter quelques personnes et membres des organisations qui soutiennent le groupe en présence. Cela crée une ambiance et donne une impression de mouvement, surtout quand les journalistes se font rares. Dans le choix des invitations, il y a deux règles à suivre : les observateurs doivent donner un appui sans faille au message transmis et s'abstenir d'intervenir durant la présentation.

La convocation des médias ou l'invitation de presse

Il est important de bien identifier les médias qui sont sur le territoire de la nouvelle que l'on veut transmettre (voir le *Répertoire des médias*[71]) et d'envoyer une convocation de presse quelques jours avant la date prévue. La convocation de presse se fait généralement par courriel (voir la sous-section 3.6 ci-desous). Un rappel pourra être envoyé 24 heures avant la conférence de presse. Une telle invitation peut déjà susciter des appels de journalistes intéressés.

Pendant l'événement (déroulement)

Une conférence de presse doit être brève et suivre un rituel qui en assure l'efficacité. Tout d'abord, la conférence de presse doit débuter à l'heure. On aura auparavant désigné, pour l'accueil des journalistes, une personne qui se chargera de noter le nom de chacun et le média qu'il représente, et de leur remettre le dossier de presse.

La conférence de presse se déroule habituellement en trois temps :
- une période de présentation,
- une période de questions,
- les entrevues individuelles.

La période de présentation

Pendant cette première partie de la conférence de presse, la personne en charge de diriger la conférence de presse se présente, souhaite la bienvenue aux journalistes et explique le déroulement de la conférence de presse. Par la suite, l'animateur de la conférence présente à tour de rôle la ou les personnes qui prendront la parole. Dans l'éventualité où il y aurait des personnalités invitées,

---

71. <http://www.capitale-nationale.gouv.qc.ca/medias/RepertoireMedia.asp?region=Capitale-Nationale>.

le protocole veut que la personnalité la plus importante prenne la parole en dernier. Selon la conférence de presse, il pourra y avoir un seul orateur ou quelques orateurs, la règle d'or consistant à repérer la personne qui porte le message principal et à établir en quoi les autres personnes qui prennent la parole viendront y apporter un complément intéressant. La durée totale de ces interventions ne devrait pas dépasser 20 à 30 minutes pour avoir du temps pour la période de questions qui suivra.

La période de questions

Une fois les exposés terminés, on passe à la période de questions : « C'est la période clé de la conférence, car, désormais, ce n'est plus l'organisation qui règle le rythme des débats, mais les journalistes qui amorcent le dialogue[72]. » Cette période pourra être dirigée soit par l'animateur de la conférence de presse, soit par l'orateur principal. À ce moment, le groupe doit bien garder en tête qu'il a un message à faire passer et que c'est celui-là qu'il souhaite transmettre. Donc, si les journalistes tentent d'amener le groupe vers d'autres sujets, on pourra rappeler avec tact le sujet de la conférence de presse et ramener l'échange sur le message à communiquer[73]. La période de questions pourra être plus ou moins longue selon le nombre et l'intérêt des journalistes présents. Dès qu'il n'y a plus de questions, on peut mettre fin à la conférence de presse en remerciant les journalistes et en leur indiquant, le cas échéant, sa disponibilité pour des entrevues individuelles.

Les entrevues individuelles

Les entrevues individuelles sont l'occasion pour les journalistes de poser une question directe qui permettra à l'un des orateurs de résumer en 30 ou 60 secondes l'essentiel du message que le groupe souhaite livrer. Dans le cas des bulletins de nouvelles télé et radio, c'est souvent le message qui sera retenu en ondes. Il faut donc savoir se montrer bref, clair et livrer l'essentiel de son message avec le plus d'impact possible. Pour les journalistes, la période des entrevues est non seulement une manière d'aller chercher l'essentiel du message pour le bulletin de nouvelles, mais aussi l'occasion de poser « sa » question et d'être le seul à obtenir cette réponse. L'entrevue individuelle peut aussi être l'occasion d'approfondir

---

72. *Ibid.*, p. 196.
73. FRAPRU, *op. cit.*, p. 13.

le sujet. Dans ce cas, il s'agira d'un entretien plus long. Enfin, la période des entrevues pourra être utilisée par les photographes de la presse écrite pour obtenir une photo plus percutante ou, mieux, « faire parler » la photo.

Une fois la conférence de presse terminée, il est souvent d'usage, surtout si l'on s'approche de l'heure du dîner ou du souper, d'offrir un léger buffet. Ce sera pour les organisateurs de la conférence l'occasion de tisser des liens avec les journalistes et d'essayer de renforcer le message livré.

Après l'événement

Les tâches liées à une conférence de presse ne se terminent pas après le départ du dernier journaliste. D'autres tâches devront être effectuées.

Informer les médias absents

Dès que la conférence de presse est terminée, une vérification des médias présents permet de relever les médias qui n'ont pas envoyé de représentants afin de s'assurer que les médias qui ne se sont pas présentés recevront une copie du communiqué de presse. Si c'est possible et que cela ne requiert pas trop d'énergie, le groupe pourra acheminer tout le dossier de presse. Cette distribution se fera rapidement, le jour même ou le lendemain de la conférence de presse. Le groupe qui a organisé la conférence de presse aura idéalement pris soin de prendre quelques photos de l'événement. Il pourra donc joindre une photo avec légende aux médias de la presse écrite à l'envoi du communiqué.

L'analyse de la couverture de presse

Dans les heures et les jours qui suivront la conférence de presse, il importe de faire le suivi de la manière dont les médias ont diffusé la nouvelle. L'analyse de la couverture de presse permettra de voir si le traitement de la nouvelle est celui auquel on s'attendait. Une analyse rapide de la couverture de presse est aussi une bonne manière de se préparer aux réactions provoquées par la conférence de presse. Dans certains cas, la couverture de presse pourra se révéler décevante et il faudra savoir anticiper les actions à poser pour éviter que les choses n'empirent. Dans certains cas, la couverture de presse pourra susciter de nouvelles demandes d'entrevue de la part d'autres médias, voire une demande d'entretien de la part des décideurs concernés par le dossier. Le groupe prendra soin, d'une part, de conserver les enregistrements de la couverture télé et radio, et, d'autre part, de bien analyser la couverture faite par la presse écrite et de classer les articles dans une revue de presse. L'analyse de la couverture de presse est riche d'enseignements. On pourra, par exemple, constater que la ligne éditoriale d'un média ou les convictions d'un journaliste ont «biaisé» la communication du message. On pourra aussi comprendre que la conférence de presse n'était pas le meilleur moyen de faire passer son message, ou qu'il est parfois préférable de ne pas rendre certains événements publics. Dans certaines circonstances, il conviendra de contacter un journaliste pour le remercier de la qualité de sa couverture.

Quelques variantes à la conférence de presse

Une rencontre avec les médias pourra prendre une forme différente de celle, plutôt «ritualisée», de la conférence de presse. Voici deux variantes de la conférence de presse qui peuvent être un bon choix selon le contexte.

Le déjeuner de presse

Un déjeuner de presse est une invitation aux médias à partager un petit-déjeuner, moment durant lequel on s'entretient avec eux d'un sujet donné d'une manière un peu plus informelle. Le déjeuner de presse donne souvent de très bons résultats en termes de participation des médias, car il laisse aux journalistes toute la journée pour vaquer à d'autres occupations.

Le point de presse

Un point de presse est en quelque sorte une conférence de presse plus brève et parfois organisée de manière plus spontanée qu'une conférence de presse. Le point de presse pourra, par exemple, être utilisé lorsque le groupe souhaite répondre immédiatement à une déclaration ou réagir à un événement. Il pourra aussi être une bonne formule de contact direct avec les médias lorsqu'on veut attirer leur attention sur un événement (p. ex. la nuit des sans-abris) qui s'échelonnera sur plusieurs heures et leur offrir la possibilité d'être présents à un moment précis de l'événement pour entendre une déclaration ou solliciter une entrevue.

3.5. L'événement médiatique

Dans certaines situations, un groupe choisira d'organiser un événement symbolique ou spectaculaire pour que les médias se déplacent. Sur la scène internationale, Greenpeace est bien connu pour l'impact médiatique des événements qu'il organise pour attirer l'attention de l'opinion publique sur des dossiers environnementaux. Au Québec, le FRAPRU est aussi connu pour l'impact de ses événements médiatiques, par exemple un bidonville construit avec des panneaux électoraux ou encore le CAMP DES 4 « SANS » pour les « sans-toit », les « sans l'sou », les « sans-droit » et les « sans-voix » lors des fêtes du 400ᵉ anniversaire de la ville de Québec. Selon le FRAPRU, l'organisation de tels événements comportent sa part de pièges, car le caractère anecdotique, symbolique ou spectaculaire de l'événement peut prendre le dessus sur le message que le groupe souhaite véhiculer.

3.6. L'invitation de presse ou la convocation aux médias

La convocation aux médias ou l'invitation de presse vise non seulement à informer les médias de la tenue d'un événement (conférence de presse, événement média, manifestation, activité de sensibilisation, etc.), mais aussi à les inciter à y venir. En ce sens, la convocation ou l'invitation de presse doit contenir suffisamment d'information pour éveiller l'intérêt des médias sans pour autant révéler l'essentiel de l'information qui sera divulguée lors de cet événement[74].

La convocation aux médias ou l'invitation de presse sera brève et devra contenir le nom du groupe qui invite, le sujet, la date, l'heure, le lieu ainsi que les coordonnées de la personne à contacter pour plus d'informations.

Maison des jeunes L'Envolée
50, rue des Pignons
Québec (Québec)

INVITATION DE PRESSE

SUJET :   Lancement de la semaine de sensibilisation
          contre l'hétérosexisme
LIEU :   50, rue des Pignons, Québec
DATE :   Le mercredi 8 février 2020
HEURE :   15 h

-30-

Pour plus d'informations
Karine Beausoleil : 418 123-4567

---

74. *Ibid.*, p. 9.

3.7. L'entrevue

L'entrevue, qu'elle soit sollicitée par le groupe ou par un média, requiert des habiletés particulières. Certaines personnes sont très à l'aise en entrevue, alors que d'autres vont avoir tendance à figer et à chercher leurs mots. Bien que l'entrevue soit une technique qui s'apprend et se développe au fil des expériences, mieux vaut désigner une personne aussi à l'aise avec le sujet qu'avec la communication orale. Les principales qualités d'une bonne entrevue sont : être capable de faire passer le message dès les premières questions du journaliste ; donner des réponses courtes, concises et précises ; dégager une attitude de confiance et de maîtrise de soi ; réagir rapidement aux « questions pièges » en restant sur son propre terrain ; prendre un ton posé et avoir un débit adéquat ; ne pas avoir de « tics » et être persuasif. La plupart des entrevues se limitent à quelques minutes, dont on ne retiendra que quelques secondes pour la diffusion en ondes ; on vit à l'ère du « clip » de six secondes ! Donc, mieux vaut prévoir de courtes phrases d'impact que de subir le montage d'un journaliste ou d'un chef de pupitre. Il ne s'agit pas d'apprendre un texte par cœur, mais de maîtriser le sujet et de le répéter plusieurs fois sous des formes différentes au besoin ; c'est d'ailleurs un art dans lequel les politiciens sont passés maîtres !

3.8. Le témoignage

Le témoignage est une stratégie d'intervention sociale et culturelle de plus en plus utilisée et de mieux en mieux balisée sur le plan éthique. Ce moyen d'action vise à agir contre les problèmes d'exclusion sociale, de discrimination et de stigmatisation que vivent les groupes minorisés en raison de leurs expériences ou de leurs identités sexuelles ou de genre.

Comme le souligne le groupe de recherche-action Cultures du témoignage[75] :

S'il permet à un individu de se dire, le témoignage peut également servir à exprimer une expérience partagée par une communauté, le témoin pouvant

---

75. Cultures du témoignage regroupe des partenaires possédant chacun un ensemble d'expériences, de réflexions et de connaissances importantes en ce qui concerne l'utilisation du témoignage comme stratégie d'intervention sociale et culturelle. Les expertises qui se retrouvent au sein du groupe comprennent le vécu des personnes vivant avec le VIH/sida, les travailleuses et travailleurs du sexe, l'inclusion sociale des minorités sexuelles et la compréhension des personnes déplacées par la guerre, le génocide et d'autres violations des droits de la personne.

attester de l'expérience d'un groupe entier. Ainsi, le témoignage est utilisé par de nombreux individus et groupes qui souhaitent sensibiliser, éduquer ou créer, dans un objectif de changement social[76].

Le groupe Cultures du témoignage a effectué une recension et une compilation de centaines de témoignages livrés par des personnes appartenant à des groupes minorisés. Le groupe travaille à créer une base de données pour rendre disponibles leurs archives de ces témoignages et réalise plusieurs activités, notamment la publication de la trousse Porte-voix sur les pratiques de l'accompagnement au témoignage, de même que la tenue d'ateliers thématiques et la rédaction d'articles. Ces activités permettent la coproduction du témoignage public en contexte de travail social, d'éducation populaire et de traitement médiatique.

CONCLUSION

Dans ce chapitre, nous avons fait ressortir l'importance d'une stratégie de communication à l'intérieur de la stratégie globale d'action des comités de citoyens, des groupes populaires et des organismes communautaires.

La communication vient en effet soutenir l'action des groupes à bien des égards, d'abord en leur permettant de mieux se faire connaître, en informant la communauté et en la sensibilisant aux problèmes sociaux qui la concernent, en donnant plus de poids aux revendications des groupes et en soutenant leurs efforts sur le plan de la mobilisation.

Nous avons aussi voulu insister sur le fait que le choix, et surtout l'utilisation d'un moyen de communication ne doit pas s'effectuer en dehors d'une réflexion plus globale, soit la réponse aux questions sous-jacentes à l'élaboration d'une stratégie de communication, et plus particulièrement: quel est notre message? à qui s'adresse-t-il? La réponse à ces deux questions préalables ne pourra qu'accroître l'impact et l'efficacité du ou des moyens choisis.

Par ailleurs, l'élaboration d'une stratégie de communication peut rarement négliger l'utilisation des médias de masse. À cet égard, malgré les limites et les contraintes inhérentes au rôle que ceux-ci jouent dans la société (véhicule de

---

76. Cultures du témoignage, «Le projet», <http://www.culturesdutemoignage.ca/fr/a-propos/le-projet>.

transmission de l'idéologie dominante, intérêts économiques et parti pris politique, etc.) et malgré leur difficulté d'utilisation (techniques d'utilisation à maîtriser), nous estimons que les groupes ont tout intérêt à mieux comprendre leur fonctionnement et à connaître les techniques d'utilisation qui s'y rattachent, les avantages à bien s'en servir l'emportant manifestement sur les inconvénients.

Mais il ne faut pas non plus être dupe : les idées et les actions des mouvements sociaux plus radicaux et contestataires soit ne « passeront » pas à travers les filtres idéologiques des médias de masse traditionnels, soit seront présentées d'une façon manichéenne ou encore comme une menace à l'ordre social. C'est pourquoi les médias communautaires et alternatifs, dont la mission est la diffusion d'informations porteuses de changement social, demeurent une voie incontournable pour poser un regard critique sur les idées reçues et proposer des analyses qui favorisent la formation d'un jugement politique.

En outre, les usages des TIC par les acteurs communautaires et les divers mouvements sociaux constituent désormais un élément clé de toute stratégie de communication, notamment parce qu'ils permettent à leurs usagers d'être à la fois lecteurs, auteurs, émetteurs et destinataires.

BIBLIOGRAPHIE SÉLECTIVE

BRETON, P. et S. PROULX (2002), *L'explosion de la communication à l'aube du XXIe siècle*, Montréal, Boréal, coll. « Boréal compact », 390 p.

CARDON, D. (2010), *La démocratie Internet. Promesses et limites*, Paris, Seuil, coll. « La république des idées », 102 p.

CARDON, D. et F. GRANJON (2010), *Médiactivistes*, Paris, Presses de Sciences Po, coll. « Contester », 147 p.

GRANJON, F. (2001), *L'Internet militant. Mouvement social et usages des réseaux télématiques*, Rennes, Apogée, 189 p.

JOCHEMS, S. (2007), « La fracture numérique : un problème social ? », dans H. Dorvil (dir.), *Les problèmes sociaux. Tome IV : Théories et méthodologies de l'intervention sociale*, Québec, Presses de l'Université du Québec.

JOCHEMS, S. (2007), « Les pra-TIC en organisation communautaire au Québec », dans D. Bourque, Y. Comeau, L. Favreau et L. Fréchette (dir.), *L'organisation communautaire : fondements, approches et champs de pratique*, Québec, Presses de l'Université du Québec, chap. 21, p. 325-338.

PROULX, S., COUTURE, S. et J. RUEFF (dir.) (2008), *L'action communautaire québécoise à l'ère du numérique*, Québec, Presses de l'Université du Québec, 242 p.

VIAU, M., en collaboration avec B. VALLÉE, revu et augmenté par P. VALOIS (1993), *Les médias et nos organisations*, 3e édition, Montréal, Centre de formation populaire, 63 p.

WEBOGRAPHIE SÉLECTIVE

CDÉACF : <http://www.cdeacf.ca>

Le CDÉACF se spécialise dans la documentation et l'information sur la condition des femmes, l'alphabétisation, l'éducation et la formation des adultes. Depuis 1883, le Centre rend accessibles les savoirs et savoir-faire produits par ces milieux et ceux dont ils pourraient avoir besoin pour agir. On y trouve les services de veille et de diffusion d'informations stratégiques, des formations, de la référence et des milliers de titres en texte intégral dans une bibliothèque virtuelle.

COMMUNAUTIQUE : <http://www.communautique.qc.ca>

Communautique est un organisme à but non lucratif visant l'appropriation collective des technologies de l'information et de la communication et œuvrant pour les organismes communautaires et les populations à risque d'exclusion des technologies.

CYBERSOLIDAIRES : <http://www.cybersolidaires.org>

Cybersolidaires, Femmes de la francophonie et l'Observatoire sur le développement régional et l'analyse différenciée selon les sexes forment le noyau fondateur d'un réseau de sites qui s'alimentent entre eux tout en gardant leur autonomie et leur couleur. Cybersolidaires se concentre sur les Amériques tout en mettant l'accent sur les femmes marginalisées.

FÉDÉRATION DES FEMMES DU QUÉBEC : <http://www.ffq.qc.ca>

Plusieurs exemples intéressants d'usages d'Internet, notamment du Web 2.0.

KOUMBIT : <http://www.koumbit.org>

Koumbit est une organisation à but non lucratif dont la mission est de créer un espace d'entraide et de partage de ressources pour les travailleurs des TIC engagés socialement et de favoriser l'appropriation de l'informatique libre.

PraTIC COMMUNAUTAIRES : <http://www.pratic.uqam.ca/>

Ce site est l'un des principaux outils pédagogiques conçus par le Service aux collectivités de l'UQAM pour offrir une formation sur les enjeux et les usages des TIC à trois regroupements nationaux féministes et familles.

CHAPITRE 8

L'ORGANISATION ET L'ANIMATION D'UNE RENCONTRE

JOCELYNE LAVOIE
JEAN PANET-RAYMOND

PLAN DU CHAPITRE 8

INTRODUCTION

La vie d'une équipe, d'un groupe, d'une organisation ou d'un établissement public est ponctuée de rencontres, de réunions et d'assemblées de toutes sortes.

- ◆ Certaines de ces rencontres se rattachent à la vie associative du groupe et à son fonctionnement, par exemple les réunions d'équipe, les réunions du conseil d'administration ou les assemblées générales.

- ◆ D'autres sont davantage liées aux activités qu'un groupe offre à la communauté qu'il sert, par exemple les cafés-rencontres, les sessions de formation, les activités spéciales, les activités de financement, etc.

- ◆ Il y a aussi les multiples rencontres et réunions portant sur la réalisation d'un projet d'action collective. Par exemple, le travail de sensibilisation et de mobilisation pourra nécessiter l'organisation d'une série d'assemblées publiques d'information, alors que le travail de mise en œuvre d'une action collective exigera plusieurs réunions en comité de travail ou en comité de coordination.

- ◆ D'autres rencontres, comme les colloques et les forums, sont ponctuelles : elles visent à rassembler les personnes et les groupes partageant une préoccupation commune pour en explorer les contours et dégager des pistes d'action.

- ◆ Enfin, les réunions en table de concertation visent à mettre en commun des analyses et la recherche de solutions à des problèmes communs au sein des communautés locales et régionales.

L'ensemble de ces réunions et rencontres sont autant d'activités importantes dans la vie d'un groupe ou d'une organisation. Elles sont l'occasion de mettre les idées des membres en commun, de s'informer, de se sensibiliser, de planifier, d'organiser et d'évaluer le travail accompli. Ces rencontres et réunions offrent de belles possibilités d'apprentissage, car chaque personne développe son habileté à travailler en équipe dans un groupe, tout en respectant des valeurs de démocratie, de solidarité et de coopération. Voilà pourquoi les réunions et rencontres qui ponctuent la vie d'un groupe doivent aussi être perçues comme des moyens privilégiés d'éducation populaire. Dans ce sens, le processus suivi par le groupe est aussi important que l'atteinte des objectifs. Ainsi, le mode d'organisation et le fonctionnement que le groupe choisira sera le reflet des valeurs et des principes qu'il souhaite mettre de l'avant. Par exemple, une forme organisationnelle qui privilégie la décentralisation du pouvoir, la mise en place d'un processus décisionnel transparent, la recherche de consensus, le partage des pouvoirs et une rotation des tâches constituera une façon concrète de « préfigurer » un projet de société basé sur l'égalité et la démocratie.

Mais quels que soient le mode d'organisation et les mécanismes de fonctionnement interne privilégiés par le groupe, il est utile de développer certaines compétences liées à l'animation des réunions et rencontres de travail. Voici pourquoi ce chapitre vise à présenter les principales techniques, procédures et moyens qui peuvent être utiles pour organiser, animer et évaluer une réunion. Cela va de soi que le groupe devra choisir et adapter les techniques et les moyens qui lui semblent les plus appropriés, selon le type de réunion et les objectifs poursuivis.

1. LA PRÉPARATION

Est-il nécessaire de rappeler qu'une réunion ou une rencontre qui se déroule bien et de manière efficace doit souvent une grande part de sa réussite au soin accordé à sa préparation ? Cela va de soi que l'énergie et le temps qui y seront consacrés pourront considérablement varier suivant le type de rencontre et les ressources dont le groupe dispose.

Ainsi, la préparation d'une réunion d'équipe ou de comité de travail où tous les participants ont à peu près le même niveau de responsabilités et détiennent sensiblement la même part d'information sera relativement simple. Par contre, une assemblée générale annuelle où tout doit être mis en œuvre pour à la fois mobiliser le plus grand nombre de membres possible et fournir tous les éléments d'information leur permettant d'avoir une discussion éclairée sur chacun des dossiers exigera une préparation beaucoup plus élaborée. Mais quelle que soit l'ampleur du travail à accomplir, voici les principaux aspects de la préparation d'une rencontre :

- l'avis de convocation et le projet d'ordre du jour,
- le choix du lieu et l'aménagement du local,
- la conception et la préparation de supports informatifs et d'activités d'apprentissage,
- l'organisation de services connexes et d'activités de soutien à la vie du groupe.

1.1. L'avis de convocation et le projet d'ordre du jour

L'avis de convocation et le projet d'ordre du jour

L'avis de convocation sert à convoquer les membres d'un groupe à une rencontre où ils seront appelés à recevoir de l'information et à prendre des décisions.

L'avis de convocation contient généralement les renseignements suivants :

- le nom et les coordonnées du groupe qui convoque la réunion ;
- la date, l'heure et le lieu de la réunion ;
- le type de réunion.

Seront joints à l'avis de convocation le projet d'ordre du jour et le procès-verbal de la réunion précédente. Une copie de tous les documents ou renseignements qui permettront aux personnes convoquées de mieux participer aux débats et de prendre des décisions éclairées devrait aussi accompagner l'envoi.

À cet égard, rappelons que le choix des informations qui sont jointes à l'avis de convocation et au projet d'ordre du jour n'est pas neutre. En effet, il est facile de s'arranger pour que, sous des apparences démocratiques, seules quelques personnes soient en mesure de comprendre les enjeux d'un débat et de prendre des décisions éclairées. L'information doit donc être la plus complète et la plus accessible possible et distribuée assez longtemps à l'avance, de manière à favoriser la participation de chacun. Afin que les participantes et les participants se préparent encore mieux, il est utile de préciser, dans l'ordre du jour, les points qui commandent une décision et ceux qui relèvent plutôt de l'information.

L'avis de convocation doit aussi respecter les règlements de régie interne touchant les délais et les modalités d'envoi. Par ailleurs, dans le cas où un quorum est requis pour tenir l'assemblée, il est bon de demander aux personnes de confirmer leur présence. Enfin, mentionnons qu'il peut être judicieux de procéder à un rappel par courriel ou autrement, car celui-ci joue souvent un rôle décisif dans la participation de certaines personnes.

L'invitation

L'invitation s'adresse à toute personne ou à tout groupe que l'on souhaite mobiliser pour participer à une activité qui les concerne, mais où le statut de membre n'est pas exigé.

Dans le cas d'une invitation, on retrouvera à peu près les mêmes informations que celles qui accompagnent un avis de convocation. Cependant, le projet d'ordre du jour sera remplacé par une description de l'objet de la rencontre ou une présentation du programme d'activités, accompagné des modalités d'inscription.

Lors de la tenue d'un événement qui fait appel à une participation populaire locale, le choix de la date fera l'objet d'une attention particulière. Ainsi, le groupe qui organise l'événement doit tenir compte du rythme de vie des citoyens de la communauté, de leur réalité socioéconomique et de leurs autres occupations. Il doit en outre connaître les activités organisées par les autres groupes du milieu et ne pas négliger les réalités culturelles propres à la communauté à qui il s'adresse, comme l'organisation de fêtes populaires, d'événements sportifs, de foires, d'expositions, etc., qui suscitent l'intérêt de la population locale.

1.2. Le choix du lieu et l'aménagement du local

Le choix du lieu

Le choix du lieu se fera en fonction du nombre de personnes attendues et de certaines considérations pratiques comme l'accessibilité, le coût de la location, la sécurité, la tranquillité et le confort des lieux, de même qu'en fonction des services et de l'équipement disponibles. Le type de rencontre sera aussi un élément à considérer, puisqu'il est parfois préférable que certaines rencontres se déroulent en dehors du cadre habituel de travail, de manière à diminuer les sollicitations au travail et à offrir un environnement agréable qui facilite l'organisation d'activités de soutien à la vie du groupe.

L'aménagement du local

L'aménagement du local où se déroulera la rencontre sera soigneusement planifié. Selon la nature de la rencontre et le nombre de personnes attendues, les lieux seront aménagés pour favoriser le type de communication et de participation souhaité.

Bien planifier l'aménagement des lieux n'est pas une précaution superflue, car un aménagement inadéquat risque d'avoir un effet négatif sur la participation et, par le fait même, sur l'exercice de la démocratie. Par exemple, une disposition de type salle de classe ne convient pas à une rencontre où l'on souhaite stimuler les échanges et la discussion. Par ailleurs, une pareille disposition pourra être acceptable lors d'une assemblée générale annuelle, du moins pour les points reliés à la lecture du rapport d'activités et du rapport financier.

Enfin, la décoration devrait aussi faire l'objet d'une attention particulière, l'utilisation d'affiches, de photos ou de banderoles contribuant à personnaliser les lieux et à créer un sentiment d'appartenance. À cet effet, il peut être intéressant que le groupe se permette d'investir dans la confection d'une banderole portant son nom et son logo, celle-ci pouvant par la suite être réinstallée dans n'importe quel lieu où le groupe se réunira.

1.3. Les supports informatifs et les activités d'apprentissage

Les intervenants communautaires savent qu'il est important de varier le choix des outils d'éducation populaire, car cela contribue à maintenir l'attention des participants tout en favorisant une meilleure compréhension de l'information qui est transmise. Plusieurs autres outils peuvent faciliter la transmission d'information et accroître les possibilités d'échange de connaissances entre les membres d'un groupe.

Les supports visuels et audiovisuels

Divers types de supports visuels et audiovisuels peuvent être utilisés pour varier le contenu d'une présentation ou attirer l'attention sur certains éléments jugés importants: graphique, image, photo, vidéo ou présentation en mode PowerPoint ou Prezi. Une documentation écrite distribuée aux participants permet aussi de gagner du temps, tout en offrant la possibilité de conserver l'information à titre de référence.

Le recours aux supports visuels et audiovisuels permet d'alléger une présentation orale ou de la rendre moins monotone. L'audiovisuel possède l'avantage de servir de déclencheur à un échange ou à une discussion. Rappelons qu'il est indispensable de visionner un document audiovisuel avant son utilisation. Ce visionnement permet non seulement de s'assurer que le document choisi est bien adapté aux objectifs poursuivis et aux personnes à qui il est destiné, mais aussi de mieux préparer l'animation qui suivra.

Les activités d'apprentissage

Les activités, particulièrement celles qui sont puisées dans les pratiques d'éducation populaire, favorisent la mise en valeur des expériences et des connaissances, la réflexion, l'échange et l'intégration des apprentissages lors d'une rencontre, d'une réunion ou d'une assemblée. Selon le contexte, il pourra s'agir de jeux, d'exercices, de mises en situation ou de structures coopératives servant à organiser les interactions sociales dans le groupe.

En plus de favoriser la transmission d'information ou le développement d'habiletés, de telles activités contribuent à transformer le rapport expert-participants. Les groupes qui interviennent avec une approche particulière, qu'elle soit conscientisante, féministe ou autre, accordent un soin particulier à la conception ou à l'adaptation de telles stratégies et activités pédagogiques afin qu'elles soient cohérentes avec le cadre d'analyse, les valeurs et les principes de leur approche.

Quelques autres idées

La mise en scène d'une réalité à l'aide du théâtre, de la présentation d'un mono-logue humoristique, d'un témoignage, d'une conférence ou d'une table ronde s'ajoutent aux supports et stratégies d'éducation populaire déjà présentés. Les groupes les utilisent d'ailleurs couramment pour ouvrir un colloque ou un forum, de manière à stimuler la discussion lors du travail en ateliers ou, tout simplement, pour varier la façon traditionnelle de présenter leur contenu.

1.4. Les services connexes et les activités de soutien à la vie du groupe

Le succès d'une rencontre ne dépend pas uniquement du soin que l'on aura apporté à la planification du contenu et de l'animation. Il faut aussi avoir le souci de créer un climat de travail chaleureux qui facilitera l'établissement des contacts entre les gens. À cet effet, le choix et l'aménagement du local ne sont pas les seuls éléments sur lesquels on puisse compter. La mise en place de services connexes et d'activités de soutien à la vie du groupe contribuera également à la réussite d'une rencontre.

Les services connexes

Offrir un choix de boissons ou une collation sera généralement la première chose à laquelle le groupe songera au moment d'organiser une rencontre. Lorsqu'un service de pause-café est offert, pourquoi ne pas en profiter pour servir du café équitable dans de véritables tasses au lieu des tasses jetables en styromousse, posant ainsi un geste en cohérence avec les valeurs de l'action communautaire ? Selon le contexte et la durée de la rencontre, divers autres services pourraient se révéler utiles, comme un service de halte-garderie, un service de transport, un repas et de l'hébergement.

Les activités de soutien à la vie du groupe

Plus la période de temps passée en réunion sera longue, plus il sera opportun de prévoir une ou plusieurs activités de soutien à la vie du groupe. De telles activités aident à maintenir la cohésion et la qualité de la participation ; elles apportent des moments de détente, de joie et de rires, et font vivre des heures agréables qui se transformeront en souvenirs chaleureux.

Le choix de telles activités se fera en tenant compte de certaines variables, dont l'âge des participants, leur milieu social, leurs capacités et champs d'intérêts, le stade de développement du groupe, ainsi que les ressources ou les attraits locaux propres à l'endroit où se déroule l'événement. Parmi les activités que l'on retrouve le plus souvent, mentionnons les sorties découvertes à caractère patrimonial ou militant[1], les activités sportives ou de plein air, l'exposition, les kiosques de littérature, les 5 à 7, le dîner échange et les spectacles avec des artistes locaux.

Lors d'un même événement, le groupe pourra ainsi combiner diverses activités afin d'assurer une qualité de vie aux personnes présentes et d'harmoniser travail, plaisir et convivialité. En somme, c'est le type d'événement qui guidera le choix des activités. Avec un colloque de deux jours, on gagnera à intercaler une activité à saveur culturelle. Un forum jeunesse sera l'occasion de présenter un spectacle de musique par un groupe de la relève de la région. C'est au comité organisateur qu'il revient de choisir ce qui conviendra le mieux au groupe et à l'événement.

2. LE DÉROULEMENT

Qu'une rencontre soit décisionnelle, formelle et débouchant sur l'action, ou plus axée sur l'échange informel et sans visée d'action immédiate, son déroulement comporte toujours sensiblement les mêmes phases : accueil, animation, évaluation et suivi.

2.1. L'accueil

«Tout ce qui favorise un contact chaleureux au départ facilitera la participation active ensuite[2].» Bien que cet énoncé semble relever de l'évidence, l'accueil des participants est malheureusement trop souvent négligé lors d'une rencontre ou d'une assemblée.

---

1. Par exemple, le Collectif d'animation urbaine L'Autre Montréal et Montréal Explorations sont deux groupes ayant une mission éducative en histoire, patrimoine et analyse urbaine. Des animateurs accompagnent des groupes de citoyennes et de citoyens dans des circuits d'exploration urbaine à pied ou en autobus. Ces groupes offrent aussi des services sur demande à des organismes, syndicats, établissements d'enseignement, etc., pour adapter un circuit existant ou en créer un nouveau.
2. C. De Robertis et H. Pascal (1987), *L'intervention collective en travail social : l'action auprès des groupes et des communautés*, Paris, Le Centurion, 303 p.

Accueillir individuellement les personnes, les présenter à d'autres, leur indiquer où elles peuvent s'asseoir, où se trouvent certains services, voilà autant de façons de mettre les nouveaux participants à l'aise. Il ne faut pas oublier non plus l'utilité de remettre un porte-nom à chaque participant afin de faciliter les présentations entre les personnes. L'accueil sera fait par les membres de l'organisme hôte qui y apporteront leur couleur locale et leur touche d'originalité.

À l'occasion d'une activité plus importante, cette responsabilité sera assumée par un comité d'accueil. Ce comité sera chargé de diverses responsabilités, telles que l'inscription, les pochettes d'accueil, le kiosque d'information durant l'événement, l'évaluation, etc.

Un bon accueil passe aussi par une signalisation claire et bien visible. La personne qui a déjà arpenté corridors et escaliers dans l'espoir de trouver le local où se déroule une réunion comprendra aisément de quoi il s'agit. Il faut donc prévoir le balisage des lieux avec des panneaux et des flèches indiquant le chemin à suivre jusqu'à l'endroit précis où se tient la rencontre.

2.2. L'animation

2.2.1. *Les étapes d'une réunion*

Afin de mieux introduire le contexte global dans lequel se situe le rôle de l'animateur et quelques-unes des compétences qui s'y rattachent, il serait d'abord utile de présenter les étapes d'une réunion.

Les étapes d'une réunion renvoient à un processus général cohérent et intégrateur, axé sur la prise de décision et la résolution de problèmes dans un contexte de travail d'équipe.

1re étape : l'ouverture et l'adoption de l'ordre du jour

1re étape : l'ouverture et l'adoption de l'ordre du jour

L'ouverture d'une réunion est en quelque sorte le prolongement de l'accueil des participants avant que ne débute formellement la réunion. En effet, lorsque les participants ne se connaissent pas entre eux ou lorsque de nouveaux participants se joignent à un groupe, un soin important doit être apporté à l'ouverture de la réunion de manière à instaurer un climat de travail favorable à l'implication de tous.

Selon l'objectif de la réunion, la taille et la composition du groupe, l'animateur pourra faire appel à diverses activités d'ouverture de réunion. Mentionnons notamment le tour de table à l'aide de questions suggérées par l'animateur, le «Comment ça va?» et la présentation en dyade.

La clarification des objectifs de la réunion se fait ensuite par l'adoption de l'ordre du jour. C'est à partir du projet d'ordre du jour que les participants pourront s'approprier les objectifs de la rencontre en apportant les modifications nécessaires. C'est à ce moment-là que l'animateur ou le président d'assemblée confirmera l'ordre de priorité des sujets auprès du groupe. Il vérifiera s'il y a des imprévus, établira le caractère réaliste de la durée de la réunion et du temps prévu pour chacun des sujets à l'ordre du jour et s'assurera que les personnes responsables des différents dossiers sont présentes. L'ordre du jour sera ensuite adopté par les participants qui, à partir de ce moment, auront la responsabilité de le respecter. Il n'est pas rare que l'ordre du jour soit trop chargé ou que l'ordre des sujets soit mal planifié. Cette situation, qui nuit autant à l'efficacité qu'au climat de la réunion, traduit généralement un manque de planification ou de réalisme. Il arrive aussi que l'on place un sujet plus litigieux en fin de réunion, ce qui a comme conséquence que les participants en traitent rapidement, sans soulever de véritable débat. Comme on peut le constater, l'adoption de l'ordre du jour est une étape importante d'une réunion et l'animateur doit, dès cette étape, favoriser un fonctionnement démocratique et efficace.

L'adoption du procès-verbal de la réunion précédente, les suivis au procès-verbal ainsi que le choix d'un secrétaire et d'un animateur ou d'un président d'assemblée font aussi partie de cette première étape de la réunion.

2e étape: l'information et la discussion

Chaque point à l'ordre du jour doit être présenté de façon à ce que tous les participants comprennent clairement le sujet et les enjeux qui s'y rattachent. Même si cela relève de l'évidence, le groupe doit fournir à cette fin les informations nécessaires pour débattre intelligemment des sujets de la réunion. Mentionnons que le fait de ne distribuer ces informations qu'au début de la réunion est une pratique qui peut nuire à la démocratie. Une période de temps sera donc préférablement allouée aux questions de clarification, afin de s'assurer que le sujet et les enjeux qui y sont rattachés sont bien compris. Il arrive aussi que certains sujets soient apportés à l'ordre du jour uniquement à titre d'information, aucune décision ne devant être prise à leur égard.

Pour les points à l'ordre du jour qui nécessitent une prise de décision, une fois la période d'information terminée, le rôle de l'animateur consistera à favoriser la discussion et l'échange de points de vue pour que chacun des participants exprime ses idées, ses propositions et ses opinions. À ce stade, l'animateur pourra avoir recours à des techniques favorisant la créativité, comme le remue-méninges, pour stimuler l'émergence d'idées nouvelles, et à des méthodes qui donnent la possibilité à tous de s'exprimer : tour de table, période de travail en sous-groupes, etc. L'animateur favorise également l'évolution des débats en établissant des liens entre les interventions, en réalisant des synthèses et en notant les éléments de solution qui se dessinent. Selon le type de réunion, ces éléments de solution pourront prendre la forme de propositions. L'animateur freinera la tentation que pourraient avoir certains de monopoliser le débat. Il évitera les dialogues et stimulera la participation, tout en respectant ceux qui ne sentent pas le besoin d'intervenir. Comme on peut le constater, l'animation d'une réunion relève certes de la technique, mais aussi de l'art.

3ᵉ étape : la prise de décision

Lorsque tous les aspects d'une question semblent avoir été examinés, l'animateur amène le groupe vers une décision. Il peut être utile de rappeler les objectifs recherchés, ou la nature du problème auquel le groupe doit faire face, avant de résumer les diverses positions qui ont été exprimées. Le groupe devra maintenant se prononcer sur les diverses hypothèses de solution qui auront été amenées sous forme de propositions. Certains compromis seront peut-être nécessaires, et ils pourront être introduits par la formulation d'amendements à la proposition principale.

Même s'il ne faut pas en faire une obligation, il est préférable qu'une décision fasse l'objet d'un consensus. Cela stimule la cohésion du groupe et favorise la solidarité et l'engagement des participants. La décision majoritaire demeure cependant le mode de prise de décision normalement accepté. L'animateur veille alors à ce qu'il n'y ait pas d'intimidation de la part de certains membres, tout en soulignant qu'il s'agit de trouver la meilleure solution pour les intérêts du groupe, et non pour les intérêts individuels. Au moment de prendre une décision, les participants seront invités à se prononcer à main levée ou par vote secret. Lorsqu'une décision est prise par vote majoritaire, chacun doit être solidaire de la décision prise par la majorité des membres. Certaines décisions commandent cependant une majorité des deux tiers des voix, comme lorsqu'il s'agit d'une modification aux règlements généraux ou aux lettres patentes.

L'exercice de la démocratie dans le cadre d'une dynamique communautaire exige que tout soit mis en œuvre pour que personne ne perde la face à la suite d'un débat et que la décision qui aura été prise soit bien plus l'affirmation d'une opinion majoritaire que la victoire des uns sur les autres. Les groupes communautaires véhiculent une éthique fondée sur l'autonomie, la démocratie, la solidarité et le respect des personnes ; il est donc souhaitable que ces valeurs s'expriment au moment de conclure les débats.

4ᵉ étape : l'action

Il ne suffit pas de prendre une décision, il faut aussi prévoir comment celle-ci sera mise en application. Quand une décision est prise, il est important que les tâches soient réparties et que des échéanciers soient fixés. Il est aussi préférable de nommer une ou des personnes responsables de son application et, si c'est nécessaire, de la coordination du travail à effectuer.

Cette étape permet de comprendre l'importance du procès-verbal d'une réunion, lequel constitue la principale source d'information relative aux décisions qui ont été prises et aux responsabilités qui ont été attribuées. Chaque membre du groupe peut s'y reporter au besoin, et il sera un instrument précieux pour effectuer le suivi des décisions et des mandats. En cas de difficultés ou de malentendu, le procès-verbal constitue une référence, particulièrement lorsqu'il s'agit de rappeler à certaines personnes leurs responsabilités ou d'inviter les uns et les autres au respect des décisions prises.

Les procès-verbaux seront éventuellement des documents utiles pour effectuer les évaluations ou les bilans, et pour intégrer les nouveaux membres.

2.2.2. Le rôle de l'animateur

Rôle de l'animateur | Le rôle de l'animateur consiste à aider le groupe à atteindre ses objectifs en favorisant la participation optimale des participants. Pour ce faire, il saura soutenir la production du groupe, encadrer la procédure et faciliter les relations.

La personne qui assume le rôle d'animateur est le chef d'orchestre de la réunion. En ce sens, il a la responsabilité de promouvoir certaines valeurs au sein du groupe afin d'orienter la manière dont s'effectue le travail et de créer une certaine cohésion entre les membres du groupe. Parmi les valeurs les plus importantes en animation, mentionnons la démocratie, le respect et l'ouverture ainsi que la solidarité.

En animation, promouvoir la valeur de démocratie signifie susciter la participation et l'autonomie des membres à toutes les étapes de la réunion. L'animateur doit aussi veiller à ce que toutes les personnes soient écoutées et respectées lorsqu'elles émettent leurs idées et opinions. La raillerie, la fermeture, le mépris ou l'indifférence ne sont pas des comportements que l'animateur doit tolérer. Au besoin, l'animateur ramènera le groupe à l'ordre en rappelant l'importance du respect et de l'ouverture durant les échanges et les discussions. Il pourra aussi reformuler les propos qui n'ont pas eu toute l'attention voulue ou objectiver un échange entre participants pour contribuer à dépersonnaliser une divergence d'opinions. En ce qui concerne la valeur de solidarité, l'animateur pourra être appelé à favoriser le compromis et la négociation entre les participants afin que les intérêts individuels ne prévalent pas sur les buts et objectifs communs poursuivis par le groupe. De plus, lorsque des décisions sont prises à la majorité, il est parfois utile de rappeler aux membres que tous doivent être solidaires des décisions prises.

La fonction d'animation dépasse donc largement la fonction de l'animateur-simple-passeur-de-parole. Un bon animateur est bien informé des objectifs poursuivis par le groupe, et possède les connaissances et les compétences se rattachant à son rôle. Dans la mesure du possible, l'animateur doit éviter de prendre position dans les discussions et les décisions du groupe. Notons qu'il peut être difficile pour l'animateur de faire preuve d'impartialité lorsqu'il est directement touché par le sujet de la réunion ou que des tensions importantes existent au sein du groupe. Dans ce cas, il est préférable que le groupe fasse appel à une personne qui n'est pas directement concernée, afin de ne pas nuire au fonctionnement démocratique. Plusieurs organismes communautaires peuvent offrir une ressource en animation si un tel besoin se fait sentir. Certains individus qui connaissent bien les mouvements communautaires peuvent aussi remplir la fonction d'animateur ou de président d'assemblée.

2.2.3. *Les techniques d'animation*

Comme nous le signalions préalablement, l'animation d'un groupe ne peut se réduire au rôle de simple-passeur-de-parole. L'animation d'une rencontre suppose que l'animateur connaît suffisamment les sujets qui sont abordés, la mission et les objectifs visés par l'organisme. Ensuite, il devra savoir choisir et utiliser adéquatement une variété de processus, techniques et outils qu'il mettra au service du groupe dans la poursuite de son objectif. Parmi les techniques que l'animateur devrait maîtriser se trouvent – en tout premier lieu – les techniques d'animation. Leur utilisation contribuera à aider le groupe à soutenir la production, à encadrer la procédure et à faciliter les relations entre les participants. Voici une brève description des techniques d'animation reliées à ces trois fonctions d'animation.

Soutenir la production

Définir

Le groupe étant réuni en vue de réaliser des objectifs communs au niveau de la tâche, il importe dès le départ que l'animateur s'assure que ces objectifs sont bien définis et bien compris par les participants. Cela signifie notamment qu'il doit prendre le temps de bien introduire et d'expliquer la nature des sujets à l'ordre du jour ainsi que le résultat visé par chacun des sujets. Au besoin, il le rappellera au groupe si celui-ci s'éloigne du sujet en cours de discussion. Il voit également à ce que le vocabulaire utilisé par les membres du groupe soit compris de tous.

Questionner

L'animateur est souvent la personne qui pose la première question, de façon à faire démarrer la discussion et à l'orienter dans la bonne direction. Cette technique sera également utilisée en cours de discussion pour aider le groupe à réfléchir sur une question ou trouver des pistes d'action et des solutions. Cette technique sert à l'occasion à aider un participant à préciser une idée, une opinion ou un terme équivoque ou hermétique.

Reformuler

La reformulation d'une idée ou d'une opinion d'un participant permet une meilleure écoute, une meilleure compréhension et stimule les interactions. L'animateur a donc avantage à utiliser cette technique au moment opportun, en prenant soin de vérifier l'accord du participant pour s'assurer que sa formulation respecte l'essence de son propos.

Effectuer des synthèses

L'animateur résume et organise ce qui a été dit. Les principales situations où il est utile d'effectuer une synthèse sont : après une longue intervention, entre deux ou plusieurs opinions, après un temps suffisant de débat et de discussion, au moment où l'animateur sent que le groupe est prêt à prendre une décision, et à la fin d'un sujet, pour résumer les éléments importants avant de proposer de passer au point suivant. L'animateur pourra aussi faire appel au secrétaire pour s'assurer de n'avoir rien oublié ou pour rappeler au groupe les éléments importants du débat.

Faire des liens | Pour favoriser la prise de décision et l'émergence d'un point de vue commun, l'animateur soulignera les liens entre les idées et les opinions des participants, afin de faire ressortir l'existence d'un fil conducteur et la contribution de chacun à celui-ci. L'utilisation de cette technique aide le groupe à constater qu'une opinion majoritaire, voire un consensus se dégage, facilitant ainsi la formulation d'une proposition ou d'une prise de décision.

Demander de l'information | S'il le juge opportun, l'animateur s'adressera à un participant en particulier en sachant que celui-ci détient un savoir et une expérience pertinente. Il pourra aussi inciter le groupe à ne pas s'engager dans une décision précipitée. Pour cela, il fera appel au participant capable de donner des précisions sur le sujet discuté ou, au besoin, il suggérera le report de la décision jusqu'à ce qu'un complément d'information permette au groupe de prendre une décision éclairée.

Encadrer la procédure

Suggérer | Il appartient à l'animateur de suggérer au groupe des façons de procéder et des méthodes de travail. Le groupe souhaite-t-il utiliser certaines procédures d'assemblée ? La méthode du tour de table serait-elle utile pour favoriser la participation ? L'utilisation du tableau est-elle souhaitable pour visualiser les idées suggérées et faciliter la discussion ? Les décisions seront-elles prises par consensus ou de façon majoritaire ? Autant de façons de faire qui doivent correspondre à la culture du groupe et aux impératifs d'un fonctionnement démocratique.

Donner la parole | Le groupe s'attend à ce que l'animateur soit celui qui donne la parole aux participants. Pour cela, l'animateur doit constamment balayer le groupe du regard afin de ne pas omettre de mains levées. Pour s'assurer d'être juste, l'animateur peut noter le nom des participants au fur et à mesure que ceux-ci demandent la parole. Une rotation peut aussi être effectuée entre ceux qui ont déjà sollicité le droit de parole et ceux qui en sont à leur première intervention. Certains groupes pour lesquels la valeur d'égalité entre les hommes et les femmes est centrale pourront souhaiter accorder la parole en alternance homme-femme. D'autres groupes fixent une période de temps (p. ex. trois minutes) pour chaque intervention. Il est important que l'animateur s'entende avec le groupe sur la procédure à suivre. L'animateur garde toujours la priorité de parole et il peut l'utiliser pour rappeler les participants à l'ordre, faire des liens, résumer, refréner ou stimuler.

Modérer ou refréner

Tous les groupes comptent des participants qui parlent facilement, longtemps et souvent, parfois même en s'écartant du sujet. Ces personnes, en monopolisant les débats, soit exercent une influence disproportionnée sur le groupe, soit suscitent des réactions d'exaspération. La tâche de l'animateur consiste à rééquilibrer la place des uns et des autres dans les rapports collectifs en invitant les personnes qui prennent un peu trop de place à limiter la durée et le nombre de leurs interventions, et en leur rappelant de ne pas se répéter. Cela demande bien sûr un certain tact, une évaluation juste du moment opportun et parfois un peu d'humour. Pour y arriver, l'animateur pourra inviter la personne à conclure son intervention ou encore résumer lui-même cette intervention pour ensuite céder la parole à un autre participant. Il pourra aussi accorder la priorité de parole aux participants qui ne se sont pas encore exprimés sur le sujet. Tout cela en prenant soin de faire accepter cette contrainte par le groupe. Signalons que l'animateur a toujours le droit d'intervenir dans le débat pour ramener le groupe dans le sujet s'il constate qu'il s'en éloigne.

Stimuler ou susciter

La plupart des groupes sont formés de participants qui parlent peu ou pas du tout. Sans insister outre mesure, l'animateur doit favoriser la participation de ceux qu'on appelle les « silencieux ». La méthode du tour de table ou du travail en sous-groupes peut alors être efficace. Une autre façon de faire consiste à tenter de trouver un moment opportun pour inviter ces personnes à parler. C'est souvent lorsque la discussion est le plus animée que l'animateur doit être attentif aux signaux non verbaux des silencieux et leur donner la priorité de parole. L'animateur peut même, dans certains cas, interpeller directement une personne plus discrète et lui demander son avis si aucun droit de parole n'a été demandé sur la question.

Sensibiliser au temps

Il appartient à l'animateur de rappeler au groupe la contrainte horaire en fonction de l'ordre du jour et du temps que le groupe a alloué pour chaque sujet ou pour la réunion. L'animateur peut aussi demander au groupe de réévaluer son emploi du temps en fonction de l'importance accordée à un sujet particulier, quitte à modifier l'ordre du jour par la suite, s'il y a lieu, pour reporter les points qui ne sont pas urgents.

Faciliter les relations entre les participants

Accueillir

L'animateur peut favoriser l'établissement d'un bon climat de travail par son accueil chaleureux. Au besoin, il arrive au lieu de la rencontre avant les participants pour leur souhaiter la bienvenue. Il mettra aussi tout en œuvre pour mettre les nouveaux participants en confiance et pour favoriser la prise de parole au moyen de techniques d'ouverture de réunion.

Favoriser un climat d'échange	L'animateur doit chercher à créer un climat favorable à l'échange et à l'ouverture dans le groupe. Cet effort suppose que l'animateur veille à ce que les participants s'écoutent les uns les autres, qu'ils se respectent, critiquent les idées et non les personnes et fassent preuve d'ouverture d'esprit.
Encourager	Favoriser un climat d'échange signifie encourager les participants en soulignant le travail accompli, les progrès réalisés, la qualité du climat d'échange, de même que l'importance de l'apport de chacun.
Détendre	Plaisir et travail sont tout à fait conciliables, contribuant même à solidariser le groupe. À cet effet, l'animateur utilisera l'humour à bon escient, soit pour dédramatiser une situation, soit pour détendre l'atmosphère. S'il le juge opportun, l'animateur proposera une pause afin d'atténuer certaines tensions, un temps d'arrêt permettant aux participants de prendre un recul parfois nécessaire et de parler de certains éléments de la discussion dans un contexte moins formel. Il est étonnant de constater le changement de disposition d'esprit et l'émergence de solutions nouvelles au retour d'une pause !
Objectiver	Lorsqu'une tension ou un conflit surgit entre deux personnes émotionnellement engagées l'une par rapport à l'autre, l'animateur peut objectiver la situation en reformulant les idées émises par ces membres sans la charge émotive qui peut y être associée. Par le fait même, cela rappelle aux participants qu'ils sont là pour discuter du contenu et qu'ils doivent éviter de se laisser emporter par leurs émotions. L'animateur veillera aussi à ce qu'aucun dialogue ne s'engage entre deux participants, de manière à éviter de personnaliser les divergences d'opinions.
Verbaliser	Si le climat est tendu et que l'animateur observe que les malaises et les tensions s'expriment de manière indirecte, il peut être indiqué d'offrir aux participants la possibilité de s'exprimer sur ce qu'ils pensent ou ressentent afin de les aider à résoudre leurs difficultés et, par la suite, à mieux se centrer sur la tâche.

LES TECHNIQUES D'ANIMATION

Soutenir la production	Encadrer la procédure	Faciliter les relations entre les participants
Définir • Bien expliquer la nature des sujets à l'ordre du jour et ramener le groupe au sujet discuté si nécessaire.	**Suggérer** • Suggérer au groupe des façons de procéder.	**Accueillir** • Accueillir les participants et trouver des moyens de briser la glace ou favoriser la mise en train.
Questionner • Démarrer la discussion et l'orienter dans la bonne direction.	**Donner la parole** • Accorder la parole aux participants au fur et à mesure que ceux-ci la demandent, ou selon un autre mode de fonctionnement.	**Favoriser un climat d'échanges** • Veiller à ce que les participants s'écoutent, se respectent et fassent preuve d'ouverture d'esprit.
Reformuler • Reformuler une idée ou une opinion.	**Modérer ou refréner** • S'il y a lieu, aider certains participants à limiter la durée et la fréquence de leurs interventions.	**Encourager** • Encourager les participants en soulignant leur contribution au regard du travail accompli et de la qualité du climat d'échange.
Effectuer des synthèses • Résumer et organiser les interventions ou déterminer les points majeurs du débat.	**Stimuler ou susciter** • Favoriser la participation des « silencieux ».	**Détendre** • Utiliser l'humour à bon escient pour détendre l'atmosphère et suggérer des pauses au moment opportun.
Faire des liens • Faire ressortir les liens entre les idées des participants. Refléter au groupe qu'un consensus se dégage.	**Sensibiliser au temps** • Rappeler au groupe les contraintes temporelles et, si nécessaire, revoir l'emploi du temps.	**Objectiver** • Reformuler les idées émises par des participants trop émotivement engagés dans une discussion et interrompre les dialogues.
Demander de l'information • Trouver, chez un participant ou à l'extérieur de la réunion, l'information nécessaire à la prise de décision.		**Verbaliser** • Offrir aux participants l'occasion de verbaliser ce qu'ils pensent ou ressentent si les tensions s'expriment indirectement.

2.2.4. *Les styles d'animation*

La plupart des études ayant systématisé la fonction d'animateur ont relevé trois principaux styles d'animation : autoritaire, démocratique et laisser-faire[3].

Le style autoritaire

L'animateur qui adopte un style autoritaire insiste sur la fidélité aux objectifs du groupe, sur le strict respect du plan de travail et de l'échéancier. La procédure et les activités sont déjà prévues et il ne tolère aucune déviation par rapport au programme. L'animateur mène tout et cherche à remplir tous les rôles. Il peut aussi avoir tendance à vouloir influencer le groupe dans le sens de ses opinions. Dans certains contextes, une animation de type autoritaire peut être choisie et acceptée par le groupe parce que cela le rassure. L'obligation de résultat caractérise ce type d'animation ; le climat est alors relégué au second plan.

Le style démocratique

L'animateur ayant un style démocratique prend soin de bien définir les objectifs de la réunion avec le groupe. Il propose au groupe diverses procédures et activités entre lesquelles il devra choisir et, une fois ce choix fait, il maintient le groupe dans cette direction de manière ferme et souple. L'animateur stimule la participation aux discussions et vérifie l'engagement de chacun à l'étape de la prise de décision. La charge de travail pourra varier selon la dynamique du groupe. L'animateur encourage aussi l'évaluation en fin de réunion. Ce style d'animation favorise un bon rendement de travail, une motivation accrue et une satisfaction élevée de la part des participants, de même qu'une cohésion de groupe supérieure aux autres styles d'animation.

Le style laisser-faire

Avec un animateur qui adopte le style laisser-faire, il n'est pas rare que le groupe s'éloigne du sujet. Un tel animateur ne propose généralement pas de procédures ou d'activités. S'il le fait, ce sera de façon vague, et le souci de recentrer le groupe sur ses choix sera souvent absent. L'animateur laisse les leaders prendre les initiatives, ne stimule pas la participation de ceux qui sont en retrait et refrène à peine les participants qui s'imposent et interviennent à tout propos. Habituellement, ce style d'animation produit un travail peu efficace, puisqu'il dépend de l'initiative de chacun et que le groupe a alors tendance à s'éparpiller. Le climat de la réunion, même s'il peut être détendu et agréable au début, risque fort de se détériorer en cours de réunion en raison des insatisfactions engendrées par ce style d'animation.

---

3. A. Beauchamp, R. Graveline et C. Quiviger (1976), *Comment animer un groupe*, Montréal, Les Éditions de l'Homme, 115 p.

Parmi ces trois façons d'animer, on aura compris qu'il est souhaitable que l'animateur adopte un style qui soit le plus démocratique possible. Cela dit, il peut arriver, par exemple en situation de crise ou lorsque la nécessité d'une décision se fait sentir de manière impérieuse, qu'une animation de type plus autoritaire soit souhaitée et souhaitable, car elle peut être plus utile dans ce contexte-là. De même, une animation plus souple, de type laisser-faire, est généralement mieux adaptée à une rencontre d'échange où aucune décision ne sera prise, par exemple lors d'un café-rencontre. Dans ce cas, ce type d'animation contribuera à créer un climat plus détendu et permettra aux personnes d'avoir du plaisir tout en se sensibilisant à un sujet donné. On aura donc compris qu'il n'y a pas que des vertus du côté de l'animation démocratique et que des défauts du côté de l'animation autoritaire et laisser-faire. Ainsi, selon l'objectif de la réunion ou encore l'étape où le groupe est rendu dans son échéancier, on aura plutôt intérêt à varier le style d'animation.

2.2.5. *Les procédures d'assemblée*

Les procédures d'assemblée délibérante constituent parfois un complément essentiel aux techniques d'animation et autres méthodes favorisant un fonctionnement à la fois efficace et démocratique. Le recours aux procédures d'assemblée sera particulièrement utile dans des assemblées réunissant un nombre passablement élevé de participants où l'on souhaite prendre des décisions de façon démocratique, tout en évitant les pertes de temps, l'indiscipline et les digressions.

La plupart des organismes communautaires qui se sont dotés d'un code de procédure se sont inspirés de codes de procédure existants, comme ceux de Morin ou Filion, ou des codes de procédure de grandes centrales syndicales (p. ex. la CSN). Il revient donc à chacun des groupes d'adapter l'un ou l'autre de ces codes de procédure à ses besoins et à sa réalité, puisque la procédure d'une assemblée est celle que se donne cette assemblée, à moins qu'elle n'ait été établie antérieurement dans le règlement de régie interne du groupe.

L'utilisation des règles de procédure nécessite que les membres ou les délégués soient adéquatement formés, sinon elle risque fort d'intimider les participants et de contribuer à ce que les « habitués » prennent le contrôle de l'assemblée. Si le groupe souhaite que les procédures soient vraiment utiles, il est recommandé de favoriser leur apprentissage. À cet effet, le groupe pourra utiliser ou concevoir des outils de formation et procéder à des simulations d'assemblée à l'aide de jeux de rôles.

Les limites de ce livre ne nous permettent pas de définir et d'expliquer en détail chacune des règles de procédure. Cependant, le tableau-synthèse qui suit présente les règles de procédure les plus couramment utilisées dans les réunions et assemblées.

LES PRINCIPALES RÈGLES DE PROCÉDURE

Le droit de parole

Toute personne désireuse d'intervenir pendant l'assemblée lève la main. Le président accorde les droits de parole dans l'ordre où ils sont demandés. Le droit de parole équivaut à la technique de « donner la parole » sur le plan du contrôle de la procédure dans les techniques d'animation.

La proposition

Une personne soumet à l'assemblée une position à adopter quant au sujet qui est discuté. Un appuyeur est requis. Il est recommandé d'écrire sa proposition avant de la formuler devant l'assemblée.

L'amendement et le sous-amendement

L'amendement modifie la proposition, y ajoute ou en retranche une partie sans en changer le sens. Le sous-amendement est une modification à l'amendement. Dans les deux cas, un appuyeur est requis.

Le dépôt d'une proposition

Par ce moyen, on vise à repousser provisoirement la discussion et la décision sur une proposition, de façon à pouvoir reprendre le débat lors d'une prochaine assemblée. Un appuyeur est requis.

Le point d'ordre

Au cours d'un débat, une personne peut à tout moment soulever un point d'ordre pour rétablir les faits, pour protester contre une injure, un langage grossier, des propos sexistes ou racistes ou pour exiger d'un orateur qu'il retire des paroles blessantes. On peut également soulever un point d'ordre pour réclamer le maintien de l'ordre et du décorum et pour demander que l'on s'en tienne au sujet en discussion.

La question de privilège

Une question de privilège peut être invoquée lorsqu'il y a violation ou atteinte aux prérogatives de l'assemblée ou des personnes présentes, particulièrement en ce qui a trait aux conditions matérielles du lieu de la réunion ou de faits analogues. On peut également saisir l'assemblée d'une question de privilège sur tout sujet important qu'il est urgent de discuter. Si elle est accordée par la présidence, la question de privilège peut donner lieu ou non à une proposition.

La question préalable

La question préalable a pour but de faire cesser la discussion et de demander à l'assemblée si elle est prête à procéder au vote immédiatement. Un appuyeur est requis et une majorité des deux tiers de l'assemblée est obligatoire. Cette question ne peut généralement être posée que si au moins cinq délégués ont pris part au débat.

Le vote

Le vote sur une proposition se prend normalement à main levée et il est déterminé par une majorité simple de 50 % plus 1 des voix exprimées, sauf sur certains sujets comme les statuts et la mission, où la majorité est de 66 %. Les abstentions (ni pour, ni contre) ne sont pas comptabilisées dans le calcul de la majorité.

L'ajournement d'une assemblée

La proposition d'ajournement a pour résultat d'interrompre l'assemblée en cours et de reporter sa poursuite à une date ultérieure. Un appuyeur est requis.

2.2.6. *Les rôles naturels*

Contrairement aux rôles formels, c'est-à-dire ceux qui sont choisis ou attribués selon les intérêts ou les compétences de l'individu et qui sont rattachés à une fonction particulière au sein du groupe (animateur, secrétaire, etc.), les rôles naturels sont attribuables aux comportements caractéristiques d'un individu. Ces rôles sont liés aux traits de personnalité dominants et aux capacités de l'individu.

Tout comme les techniques d'animation, qui sont regroupées en trois grandes catégories selon les fonctions de l'animateur, les rôles naturels ou psychosociaux correspondent à trois modes de participation : le mode de participation axé sur la tâche ou le contenu, le mode de participation axé sur la procédure et le mode de participation axé sur le climat socioaffectif. Même si la plupart des membres d'un groupe interviennent en passant d'un mode de participation à un autre, il est fréquent que les personnes adoptent les comportements caractéristiques d'un mode de participation donné. Ils sont ainsi appelés à jouer un rôle naturel au sein du groupe. Chaque mode de participation comporte divers rôles naturels selon ce qui caractérise le plus la contribution du membre. Ainsi, dans le mode de participation axé sur le climat socioaffectif, on retrouvera le leader affectif, le médiateur et l'humoriste.

Le leadership | Le concept de rôle naturel n'est pas le seul phénomène propre au processus d'interaction entre les membres d'un groupe qu'il est important de saisir lors de l'animation d'un groupe. Le concept de leadership est, lui aussi, une réalité importante à comprendre et à reconnaître en animation, le leadership étant l'art de stimuler et d'influencer les autres. Comme le fait remarquer Saint-Arnaud[4], le leader se distingue par sa force d'attraction plus grande que celle qu'exercent les autres membres du groupe. Il participe au leadership de façon positive si sa personnalité et son comportement au sein du groupe suscitent l'intérêt des autres pour la recherche, la définition et la poursuite collective d'une cible commune, tout en leur permettant de percevoir et d'entretenir des liens de solidarité. Le leadership est généralement partagé au sein d'un groupe, puisqu'il est rare qu'une seule personne cumule toutes les aptitudes dans l'exercice de son leadership. De ce fait, une personne exercera davantage un leadership dans la tâche (p. ex. le leader fonctionnel), alors qu'une autre se démarquera sur le plan des relations humaines (p. ex. le leader affectif).

Enfin, il convient de mentionner que, tant sur le plan du concept de leadership que sur celui du concept de rôle naturel, la contribution des membres au sein d'un groupe n'est pas toujours positive. En effet, le leadership peut s'exercer

---

4. Y. Saint-Arnaud (2009), *Les petits groupes. Participation et animation*, 3e édition, Boucherville, Gaëtan Morin, 182 p.

de manière négative au sein d'un groupe, et les rôles naturels peuvent être assumés de manière individualiste ou dysfonctionnelle.

Savoir reconnaître les rôles naturels et l'exercice du leadership au sein d'un groupe est fort utile à l'animateur, qui peut ainsi se servir des forces et des caractéristiques naturelles de chacun pour favoriser le bon déroulement d'une réunion. Par exemple, l'animateur peut stimuler la participation de l'humoriste lorsque l'atmosphère devient tendue ou faire appel au leader fonctionnel lorsque le groupe s'enlise.

La connaissance des rôles naturels aide en outre à faire un choix plus judicieux des techniques d'animation. En effet, la présence de un ou deux verbomoteurs ou de dominateurs obligera l'animateur à recourir davantage à certaines techniques d'animation afin d'assurer l'encadrement de la procédure. Par ailleurs, la présence de leaders fonctionnels et idéologiques l'obligera probablement à faire plus de liens, à résumer, donc à utiliser davantage les techniques d'animation rattachées à la fonction de soutien à la production. Enfin, l'absence de leader affectif ou d'humoriste incitera l'animateur à veiller à ce que le climat soit suffisamment détendu et agréable, donc à accorder une attention particulière aux techniques liées à la fonction de facilitation des relations.

De manière à mieux présenter et expliquer ces notions de rôles naturels et de leadership au sein d'un groupe, nous proposons ici une brève description des principaux rôles naturels que l'animateur peut déceler chez les particiapants d'une réunion.

Les rôles relatifs à la tâche

Les rôles relatifs à la tâche sont assumés par des participants qui orientent leur contribution principalement vers la production du groupe. Les comportements caractéristiques de ces participants visent à faciliter et à coordonner les efforts du groupe pour définir ses objectifs, déterminer les moyens à prendre pour les atteindre et exécuter ou coordonner les tâches identifiées. Parmi ceux-ci, on retrouve en particulier :

Le leader fonctionnel | Ce type de leader est axé sur la tâche. Il se préoccupe de l'action et propose des idées nouvelles ; il invite à l'efficacité, rappelle les objectifs, etc. Il exerce une influence importante sur le groupe, prend beaucoup de place et s'affirme avec force. Il constitue un atout indéniable, bien qu'il ait parfois tendance à trop en faire, à ne pas volontiers partager les responsabilités. Il peut aussi être écrasant et inciter le groupe à l'activisme.

Le leader idéologique | Ce type de leader est une personne qui apporte des idées originales, propose de nouvelles perspectives d'analyse et amène le groupe à repenser ses orientations. Il n'est cependant pas toujours facile de compter sur lui pour mettre en œuvre un plan d'action ; cette difficulté à passer à l'action peut avoir un effet paralysant sur le groupe. De plus, il arrive parfois que les leaders idéologiques versent dans un certain dogmatisme, contribuant ainsi à déstabiliser le groupe.

Le silencieux actif | Le silencieux actif participe peu aux débats, mais il est très attentif et observe beaucoup. Ce recul apparent lui permet parfois d'émettre une opinion qui peut être fort utile dans des moments où le groupe fait du surplace. Solidaire du groupe, le silencieux actif accepte volontiers d'assumer des tâches ou des responsabilités au sein du groupe.

Les rôles relatifs à la procédure

Les participants jouant des rôles relatifs à la procédure axent leurs interventions principalement sur la structure et la méthode de travail du groupe. La contribution de ces individus aide le groupe à établir ou à maintenir des règles de fonctionnement. Parmi les rôles relatifs à la procédure, mentionnons :

L'orienteur | L'orienteur facilite la progression du groupe en ramenant les membres à la ligne de conduite qu'ils s'étaient donnée. Il aide à faire respecter le plan de travail et les procédures établies et, lorsque c'est nécessaire, rappelle aux membres la mission et les objectifs du groupe, ainsi que les politiques ou règles de conduite qu'il a adoptées.

Les rôles relatifs au climat socioaffectif

Les rôles relatifs au climat socioaffectif servent à maintenir une ambiance harmonieuse au sein du groupe. Les participants qui les assument contribuent au progrès du groupe en instaurant, en maintenant et en renforçant de saines relations. Voici quelques-uns des types de participants associés à ce rôle :

Le leader affectif | Ce type de leader plutôt axé sur le climat à l'intérieur du groupe pourra être successivement stimulateur, médiateur et pacifiste. Ce participant accorde beaucoup d'importance aux relations humaines. Il tente notamment de réduire les tensions et de susciter une harmonie entre les membres du groupe. Il encourage et soutient. Il favorise aussi l'expression des frustrations, et ce, de façon positive. Il peut être un contrepoids à l'influence du leader fonctionnel.

L'humoriste	L'humoriste détend le groupe et contribue à rendre le climat de travail agréable. L'humoriste peut aussi aider le groupe à se sortir de certaines situations tendues en dédramatisant les événements. Il doit cependant prendre garde d'esquiver l'expression des conflits ou des désaccords au sein du groupe.

Les rôles individualistes ou dysfonctionnels

Les rôles individualistes sont adoptés par des participants qui cherchent principalement à satisfaire leurs besoins personnels et à protéger leurs intérêts propres, sans se préoccuper du bien commun et de l'atteinte des buts et objectifs fixés par le groupe. Quant aux rôles dysfonctionnels, ils sont adoptés par des personnes qui n'ont pas nécessairement des intérêts égoïstes, mais à qui il manque certaines habiletés sur le plan de la communication ou dont les traits de personnalité irritent les autres membres du groupe. Les rôles dysfonctionnels peuvent aussi être le signe d'un dysfonctionnement au sein du groupe ou d'une intolérance du groupe à l'égard d'un participant.

Le verbomoteur	Le verbomoteur parle constamment sans écouter les autres, se répète souvent et s'écarte parfois du sujet. Il est centré sur ses besoins au détriment de ceux du groupe. Il impatiente souvent les autres qui ne l'écoutent plus après un certain temps, malgré la pertinence de ses propos. Le verbomoteur doit être très encadré par l'animateur.
Le dominateur	Le dominateur est sûr de lui, n'écoute pas l'opinion des autres et essaie d'imposer la sienne. Dans certaines situations, il pourra même avoir recours à l'intimidation, à la manipulation et au chantage affectif pour arriver à ses fins.
Le silencieux passif	Contrairement au silencieux actif, le silencieux passif est distrait, apparemment peu motivé. Il hésitera à s'engager et sa passivité peut être l'indice d'un désintéressement ou d'un malaise ressenti à l'égard du groupe. Parfois, cette passivité dissimule un sentiment d'incompétence ou d'impuissance et peut être précurseur d'un désengagement prochain.
L'obstructionniste	L'obstructionniste trouve toujours à redire sur les idées émises par les autres participants. Il prolonge inutilement les discussions. Tout pour lui devient objet de critique et ses interventions retardent les travaux du groupe. De plus, l'obstructionniste fait difficilement des compromis et ne se rallie qu'à contrecœur.

Le oui-oui   Le oui-oui semble n'avoir aucune idée bien à lui. Il donne le plus souvent son appui au participant qui semble le mieux se défendre. Ses valeurs et convictions sont difficiles à saisir puisque ses allégeances se modifient au gré du vent. On peut dire que la cohérence ne figure pas parmi ses comportements caractéristiques.

Le bouc émissaire   Le bouc émissaire canalise le mécontentement du groupe et devient une victime facile à cause de sa personnalité faible ou controversée. La présence d'un bouc émissaire au sein d'un groupe est généralement le symptôme d'un malaise plus profond et de la difficulté du groupe à y faire face collectivement.

2.2.7. *Quelques difficultés courantes en animation*

Faut-il le répéter, animer un groupe relève pour beaucoup de l'art. Or, force est d'admettre que l'exercice de cet art ne se fait pas sans péril et qu'il est parfois difficile pour l'animateur de susciter un esprit de groupe lorsqu'il doit composer avec des comportements perturbateurs ou que des contraintes extérieures ou imprévues surgissent.

Par exemple, comme nous venons de le voir, l'animateur ne doit pas hésiter à faire preuve de fermeté à l'égard de certaines personnes comme les dominateurs, les verbomoteurs, les éternels retardataires et les «personnes-toujours-très-occupées». Le fonctionnement démocratique et la cohésion du groupe obligent parfois à avoir «une main de fer dans un gant de velours». Naturellement, l'animateur doit agir dans le respect des personnes et avec l'intention de servir les intérêts du groupe.

L'animateur ne doit pas se préoccuper uniquement des comportements perturbateurs; il doit aussi déceler par divers petits signes (rires gratuits, déplacements de chaises, etc.) l'état de fatigue du groupe ou, encore, son manque d'intérêt. Bien sûr, il est parfois plus facile de ne pas en faire de cas et de poursuivre une réunion malgré tout, mais cela risque de conduire à une dégradation du fonctionnement démocratique, voire à un effritement sur le plan de la mobilisation. L'animateur doit donc tout mettre en œuvre pour susciter la participation et l'intérêt, quitte à bousculer un peu l'ordre du jour en invitant le groupe à prendre une pause ou à verbaliser un malaise. À la limite, un animateur pourrait même suggérer l'ajournement d'une réunion qui ne semble pas pouvoir se dérouler correctement.

D'autres difficultés qui affectent davantage l'ensemble du groupe peuvent survenir : une discussion désordonnée, l'éloignement du sujet, une difficulté dans la prise de décision ou encore l'éclatement d'un conflit de nature émotive. Dans de telles situations, l'utilisation des techniques d'animation courantes suffit habituellement pour que le groupe poursuive son travail. Cependant, dans certaines circonstances, il faut avoir recours à d'autres méthodes ou à des outils mieux adaptés. Ainsi, l'utilisation d'un processus de clarification de malaise ou de résolution de conflit pourra être nécessaire à la poursuite du travail.

Enfin, il est bon de rappeler quelques « petites contrariétés » ou imprévus avec lesquels l'animateur peut être amené à composer, notamment une salle inadéquate, un projecteur en panne, un sujet urgent et imprévu qui bouscule l'ordre du jour, une personne-ressource qui ne se présente pas, une tempête de neige, etc. C'est dans ces moments que se confirment les habiletés des bons animateurs et que se révèlent leur esprit de créativité, leur capacité d'adaptation et la justesse de leur jugement.

3. L'ÉVALUATION DE FIN DE RÉUNION

On oublie trop souvent de prendre quelques minutes à la fin d'une rencontre pour en faire l'évaluation. La plupart des rencontres se terminent lorsque tous les points à l'ordre du jour sont réglés, ou encore lorsque le temps dont on disposait est écoulé. En effet, dans plusieurs groupes, l'évaluation est perçue comme un exercice annuel ou très ponctuel qui a lieu à la fin d'une période d'activités ou d'un projet d'envergure. On fait alors le bilan des activités réalisées au cours de l'année, ou bien on examine les résultats d'un projet à la lumière des objectifs que l'on s'était fixés. L'évaluation ne devrait cependant pas reposer exclusivement sur le bilan, mais plutôt être intégrée au quotidien, afin d'améliorer le fonctionnement d'un groupe par un processus de retour continu.

À cet égard, il existe différentes façons d'évaluer une rencontre. Selon les besoins et les champs d'intérêts du groupe, l'évaluation pourra s'effectuer de manière informelle, en demandant simplement aux participants ce qu'ils ont aimé et ce qu'ils ont moins apprécié. Elle pourra aussi se faire de manière plus structurée, à l'aide d'un questionnaire d'évaluation qui suggère aux participants des pistes de réflexion portant sur certains aspects importants de la réunion : atteinte des objectifs, qualité de l'animation, climat de travail, etc. Un colloque ou une session de formation se prêtent bien à ce type d'évaluation. Enfin, le groupe pourra opter pour une évaluation par étape qui marquera certaines phases de la réalisation du projet. Les participants prendront alors un peu plus de temps pour formuler une évaluation critique, au terme d'une phase donnée.

Mais quelle que soit la méthode choisie, l'évaluation, si elle est menée de façon constructive, permettra au groupe de faire part de ses insatisfactions et de régler ses conflits à mesure qu'ils surgiront. De toute manière, si elle ne s'exprime pas au cours des réunions, la critique se manifestera dans d'autres lieux et dans des conditions qui risquent de prêter le flanc à des accusations de dénigrement.

L'évaluation, c'est aussi un apprentissage, car au lieu de blâmer telle ou telle personne, on doit essayer de déceler quel aspect du fonctionnement d'un groupe laisse à désirer et chercher à comprendre pourquoi il en est ainsi. Il faut aussi se rappeler que l'évaluation n'exclut pas les témoignages de reconnaissance et de satisfaction. Vous avez trouvé que l'animateur a su habilement composer avec les imprévus qui ont surgi durant la rencontre ? Pourquoi ne pas l'en féliciter ? Vous avez remarqué que tous les participants sont arrivés bien préparés et que chacun y a mis du sien pour que l'on passe à travers un ordre du jour chargé ? Pourquoi ne pas le dire au groupe ?

4. LE SUIVI

Une rencontre, c'est presque toujours un temps fort dans la vie d'un groupe. C'est tantôt le moment où les membres d'un groupe se réunissent pour planifier leur programme d'activités, tantôt l'aboutissement d'un long travail de mobilisation qui permet de réunir en assemblée les personnes vivant le même problème. Le succès de ces rencontres dépend évidemment du travail de chacun pendant leur déroulement. Mais ce n'est pas tout : il dépend aussi du suivi des décisions prises et des tâches à effectuer afin que les échéanciers soient respectés et que chacun reçoive le soutien dont il peut avoir besoin. Le succès repose également sur la solidarité dans l'action qu'auront su démontrer les membres du groupe.

Voilà pourquoi il est essentiel que le groupe se donne des mécanismes permettant un suivi des tâches qui ont été distribuées. Selon les circonstances, on pourra désigner un responsable par dossier, ou encore des responsables pour chacun des comités, et charger une personne de coordonner l'ensemble des activités. Cette fonction de coordination sera d'autant plus utile ou nécessaire s'il y a plusieurs tâches de nature différente à accomplir, par exemple l'organisation d'une manifestation ou d'un forum, qui requiert souvent une étroite collaboration entre plusieurs comités.

La mise en place de tels mécanismes pour assurer le suivi des activités est particulièrement importante lorsqu'une action ou un projet s'étend sur une longue période. Certaines luttes de citoyens ou la réalisation de certains projets mettent parfois plusieurs mois avant d'aboutir, quand ce ne sont pas des années. Les personnes responsables du suivi doivent donc non seulement coordonner le travail, mais aussi motiver, encourager et soutenir ceux qui pourraient éprouver de la fatigue ou du découragement.

CONCLUSION

Au terme de ce chapitre, on aura constaté qu'organiser et animer une rencontre est une tâche plus complexe qu'il n'y paraît au premier abord. Cette tâche requiert certes la maîtrise de compétences techniques, mais elle demande aussi la connaissance de divers processus : résolution de problèmes, prise de décision, résolution de conflits, etc. Le rôle d'animateur exige en outre des compétences reliées à l'intelligence émotionnelle de la personne qui occupe cette fonction[5].

Organiser et animer une rencontre, c'est aussi ne pas perdre de vue la mission du groupe et conserver une vue d'ensemble du travail à accomplir dans la poursuite des objectifs fixés. Enfin, organiser et animer une rencontre dans un milieu communautaire, c'est accorder autant d'importance au processus qu'aux résultats, le sens du travail à accomplir reposant avant tout sur une vision du changement social traversée par des valeurs de démocratie, de solidarité et de respect.

---

5. D. Goleman (1999), *L'intelligence émotionnelle – 2. Accepter ses émotions pour s'épanouir au travail*, Paris, J'ai lu, 385 p.

BIBLIOGRAPHIE SÉLECTIVE

BEAUCHAMP, A., GRAVELINE, R. et C. QUIVIGER (1976), *Comment animer une réunion*, Montréal, Les Éditions de l'Homme, 115 p.

BOISVERT, D., COSSETTE, F. et M. POISSON (1992), *Animateur compétent, groupes efficaces*, Laval, Agence d'Arc, 402 p.

BOISVERT, D., COSSETTE, F. et M. POISSON (1995), *Animation de groupes*, Cap-Rouge, Presses Inter-Universitaires, 324 p.

FILION, M. (1992), *Code de procédure des assemblées*, Montréal, Les Éditions du CEPAQ, 97 p.

LANDRY, S. (2007), *Travail, affection et pouvoir dans les groupes restreints*, Québec, Presses de l'Université du Québec, 516 p.

MORIN, V. (1994), *Code Morin. Procédure des assemblées délibérantes*, mise à jour par Michel Delorme, Laval, Beauchemin, 155 p.

SAINT-ARNAUD, Y. (2009), *Les petits groupes. Participation et animation*, 3e édition, Boucherville, Gaëtan Morin, 122 p.

SOLAR, C. (2001), *Équipes de travail efficaces : savoirs et temps d'action*, Montréal, Logiques.

TURCOTTE, D. et J. LINDSAY (2014), *L'intervention sociale auprès des groupes*, 3e édition, Boucherville, Gaëtan Morin, 228 p.

WEBOGRAPHIE SÉLECTIVE

COMITÉ SECTORIEL DE LA MAIN-D'ŒUVRE, DE L'ÉCONOMIE SOCIALE ET DE L'ACTION COMMUNAUTAIRE/CSMO-ÉSAC, *La boîte à outils. La gouvernance démocratique*, octobre 2007, <http://www.csmoesac.qc.ca/outils/boite_outil.html>, disponible aussi sur DVD.

MÉPACQ, 2006, *Petit guide pour assemblée générale*, <http://www.mepacq.qc.ca/100guidemodele.pdf>.

SOLIDARITÉ RURALE DU QUÉBEC, *L'art d'animer, de décider et d'agir*, par Anim'Action, 2e édition, 2010, <http://www.ruralite.qc.ca/fichiers/guides/Lart_danimer_de_decider_et_dagir_corr.pdf>.

L'ORGANISATION DÉMOCRATIQUE ET LA GESTION DES ORGANISMES COMMUNAUTAIRES

JEAN PANET-RAYMOND
JOCELYNE LAVOIE

PLAN DU CHAPITRE 9

INTRODUCTION

Le processus d'intervention communautaire et les actions qui seront entreprises pour le mener à terme sont soutenus par un groupe organisé de personnes réunies de façon temporaire ou permanente. La structure organisationnelle de ce groupe prendra différentes formes selon la situation et les circonstances, mais, en aucun cas, elle ne devrait être laissée au hasard.

Cette structure est essentiellement un outil pour l'action. Elle devrait donc être cohérente avec l'éthique qui fonde l'action communautaire : autonomie, démocratie, respect des personnes et solidarité. Compte tenu de l'importance de l'éducation populaire en action communautaire, la structure organisationnelle et les diverses composantes de la gestion doivent aussi favoriser le développement individuel des membres de l'organisation. Elles doivent enfin posséder la souplesse nécessaire à un fonctionnement efficace.

La structure organisationnelle peut être déterminée par certaines contraintes financières ou législatives. Par exemple, un organisme communautaire qui souhaiterait pouvoir émettre des reçus donnant droit à des déductions fiscales aux donateurs privés ou corporatifs devra inévitablement être une corporation à but non lucratif et répondre aux critères d'admissibilité permettant d'obtenir un numéro en tant qu'organisme de bienfaisance auprès de l'Agence du revenu du Canada. Un projet de coopérative devra aussi se soumettre à des exigences légales strictes.

Quelle que soit la structure organisationnelle privilégiée, les valeurs prônées par l'action communautaire requièrent qu'elle soit démocratique et favorise la participation des membres à l'ensemble des activités. C'est pourquoi nous privilégions une perspective qui valorise un fonctionnement « par et pour » les personnes touchées par une situation, pour l'organisation démocratique et la gestion des organismes communautaires. Dans ce chapitre, nous nous attarderons d'abord aux questions de structure et de vie associative démocratique, de même qu'aux rôles joués par les différentes instances. En deuxième lieu, nous aborderons la gestion des organismes communautaires en présentant divers modèles de gestion avant de décrire les fonctions de gestion et de coordination. Nous discuterons aussi brièvement de la gestion de conflits qui est inhérente aux différentes phases de l'évolution d'un groupe. Enfin, nous ferons un survol des enjeux de la participation à des regroupements, tables de concertation et coalitions.

Les principes et les outils que nous présentons s'appliquent à des structures organisationnelles conçues pour durer. À quelques nuances près, ils sont tout aussi valables pour des formes d'organisation plus ponctuelles et temporaires, comme certains types de comités de citoyens ou de coalitions.

1. L'ORGANISATION DÉMOCRATIQUE

On peut traiter de l'organisation démocratique d'un groupe de différentes façons. À partir de la notion de besoins[1], on peut considérer quatre dimensions qui correspondent à autant de questions :

1) l'orientation ou la mission (pourquoi ?) ;

2) les objectifs d'action (quoi ?) ;

3) la population visée ou les membres (qui ?) ;

4) l'organisation et la structure de fonctionnement (comment ?).

La connaissance de ces variables est indispensable pour comprendre un groupe et apprécier ses succès ou ses échecs ; elles sont en interaction constante et devraient s'adapter pour répondre aux besoins du groupe.

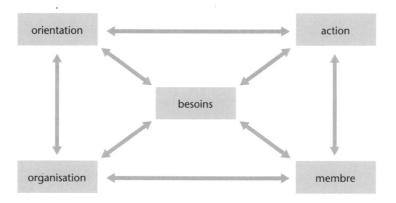

---

1. M. Desforges, M. Desilets et L. Desmarais (1983), *Des outils pour l'action communautaire*, Québec, ministère de l'Éducation du Québec (MEQ), Direction générale de l'éducation aux adultes (DGEA).

La structure de l'organisation sert, entre autres, à réaliser le partage des responsabilités entre les membres agissant à titre bénévoles et les salariés. C'est aussi la formalisation légale de la répartition du pouvoir et du processus de prise de décision qui déterminera des modes de gestion plus précis. Les statuts et règlements d'un organisme ne sont pas neutres : ils traduisent les valeurs et l'orientation du groupe. D'une certaine manière, ils illustrent sa cohérence. La structure devrait être claire, transparente, souple, efficace, ouverte, démocratique. Tout n'a pas à être décidé par tous. Il doit y avoir un minimum de confiance entre les instances et les personnes à partir de la compréhension commune de la mission et des objectifs.

La structure démocratique traditionnelle des organismes communautaires ressemble à une pyramide inversée. Le pouvoir ultime appartient aux membres qui décident des grandes orientations lors des assemblées générales annuelles et spéciales. L'assemblée générale des membres procède à l'élection d'un conseil d'administration à qui elle délègue certains pouvoirs décisionnels. Le conseil a également des pouvoirs touchant le contrôle de la gestion régulière des activités, des ressources humaines et des finances. Un comité exécutif peut aussi être créé pour regrouper les administrateurs élus : président, vice-président, secrétaire, trésorier et, la plupart du temps, la direction générale ou la coordination et une personne représentant la permanence. Le nombre et les fonctions de toutes ces instances peuvent varier selon la nature et l'ampleur de l'organisme.

Cette structure traditionnelle d'apparence assez hiérarchique correspond en gros aux exigences légales de l'incorporation en vertu de la troisième partie de la Loi sur les compagnies du Québec et de la Loi sur les associations coopératives du Québec. L'incorporation des groupes communautaires n'est pas toujours nécessaire, surtout si ces derniers ont très peu de biens et un budget de fonctionnement modeste.

De plus, certains groupes peuvent adopter divers styles de gestion à partir d'une structure légale identique. Ainsi, il n'est pas pertinent pour une coalition ou un comité créés de façon temporaire pour mener une action ponctuelle d'avoir une existence légale. Il sera alors préférable de tout simplement constituer une association de bonne foi ou une association enregistrée légalement. Dans ces deux cas, les membres formant ces associations en sont responsables conjointement et solidairement. Par ailleurs, tout organisme plus permanent, qui a des biens et qui reçoit des contributions publiques ou des subventions, a intérêt à s'incorporer pour protéger ses biens et ceux de ses membres et de ses salariés. L'incorporation crée une personne légale distincte de ses membres. Ainsi, la responsabilité des membres est limitée à leur contribution financière en cas de faillite.

1.1. La mission et les objectifs

Avant même de se donner une structure, un organisme devrait préciser sa raison d'être et sa finalité. La mission d'un groupe détermine sa finalité et ses orientations. Ainsi, un groupe qui lutte contre le sida et ses conséquences sociales rassemble les victimes de cette maladie afin d'entreprendre collectivement cette lutte. La mission orientera ce groupe en fonction d'un travail d'éducation et vers la prestation de services essentiels aux personnes atteintes.

La mission | La mission détermine les objectifs d'action, la population visée et le *membership* du groupe, sa structure de fonctionnement et ses sources de financement.

La mission du groupe doit être claire, simple et transparente, en plus de s'exprimer concrètement. Il arrive parfois que des groupes oublient leur mission et perdent de vue les balises, voire les valeurs sur lesquelles devraient s'appuyer les décisions majeures quant aux actions à entreprendre ou aux alliances à créer. La mission et l'orientation sont les points de référence pour toute décision touchant l'action d'un groupe.

1.2. L'assemblée générale

L'assemblée générale | Instance suprême de tout organisme, elle est constituée de tous les membres en règle.

C'est donc une instance souveraine qu'il n'est pas utile de réunir à tout propos. Elle doit normalement être convoquée au moins une fois l'an pour sanctionner l'ensemble des activités, se prononcer sur divers points essentiels au bon fonctionnement d'un organisme et adopter les rapports financiers. L'assemblée générale est aussi le lieu où se débattent les grandes orientations d'un groupe communautaire et où s'articulent les grandes stratégies. On peut aussi y discuter de tout autre sujet pertinent, comme la modification des règlements internes ou même celle de la mission. L'assemblée générale peut être un lieu privilégié de participation active et critique des membres. C'est enfin l'instance où sont élus les membres du conseil d'administration.

1.3. Le conseil d'administration

Le conseil d'administration | Les membres du conseil d'administration sont habituellement élus par l'assemblée générale, par un vote secret ou par acclamation s'il n'y a pas de contestation.

L'élection peut toucher des postes précis – présidence, secrétariat, vice-présidence – ou l'ensemble des administrateurs, qui, par la suite, seront nommés à des postes exécutifs par le conseil d'administration (CA).

Selon l'importance de l'organisme et la diversité de ses membres sur les plans socioéconomique, géographique et ethnique, on s'assurera généralement d'un équilibre dans la composition du conseil d'administration, qui reflète cette diversité. Parfois, certaines variables, comme l'âge et l'origine ethnique, pourront intervenir dans la composition du conseil d'administration. Par exemple, certains organismes jeunesse pourront réserver des sièges pour des jeunes au conseil d'administration. La formation d'un conseil d'administration constitue souvent un enjeu politique important qu'il faut gérer en tenant compte des principes démocratiques.

Ainsi, certains groupes peuvent choisir les membres du CA en fonction de la représentativité de leur *membership* ou de la population qu'ils servent. Par exemple, un centre de femmes voudra n'avoir que des femmes à son conseil ; un centre d'action bénévole voudra compter sur une variété de participantes, tant des personnes aidées, devenues bénévoles, que des représentants des milieux publics et privés qui peuvent assurer des liens avec les bailleurs de fonds et des collaborateurs privilégiés.

Les critères de sélection des membres d'un conseil d'administration peuvent donc varier selon les orientations du groupe, sa stratégie de développement ou son champ d'intervention. On peut aussi miser sur la mixité afin de favoriser une ouverture sur les diverses réalités économiques, culturelles et sociales des membres, voire sur des collaborateurs du milieu, qui peuvent ne pas être membres de l'organisme.

1.4. Le comité exécutif

Le comité exécutif | Le comité exécutif est formé de certains membres du conseil d'administration, généralement ceux qui ont été élus à la présidence, à la vice-présidence, au secrétariat et à la trésorerie. Ce nombre peut varier selon la nature et la taille de l'organisme.

Le comité exécutif prépare les réunions du CA et prend certaines décisions si le conseil ne peut se réunir : prise de position publique, décision administrative, etc. Les décisions de l'exécutif doivent être ratifiées par le conseil d'administration. Son rôle est important. En effet, un comité exécutif qui fait bien son travail permettra de gagner beaucoup de temps lors des réunions du CA. Cela dit, il est impératif de bien circonscrire le mandat de ce comité, car il arrive que cette instance prenne une place démesurée et devienne dans les faits source de conflits. Le comité exécutif assume donc un leadership très fort dans un organisme et il doit exercer son autorité avec prudence et transparence.

1.5. Les membres

Un organisme communautaire naît de la volonté des personnes d'être des sujets actifs de leur développement et de celui de leur communauté. La position du membre d'un organisme communautaire autonome ne saurait donc être celle d'un « client ». On parle souvent de participants aussi lorsque les membres reçoivent des services de l'organisme. Il ne faut pas négliger la force symbolique des termes utilisés, car une appellation plus valorisante comme *participant* peut contribuer au développement personnel, à l'affirmation et à l'autonomie (*empowerment*) des personnes.

Les membres sont les antennes du groupe dans le milieu et l'oxygène de l'organisme ; ils apportent des idées, de l'énergie et des ressources financières. Ils sont des agents multiplicateurs. Le *membership* constitue une source de crédibilité par rapport à l'opinion publique. Il offre une garantie de sérieux à la population que l'on souhaite rejoindre et aux bailleurs de fonds. Les membres témoignent de l'enracinement dans le milieu et assurent une sensibilité aux besoins et aux préoccupations de la population.

1.6. Les salariés

Malgré la place importante que l'on peut accorder aux membres, il demeure que les salariés ou « permanents » sont souvent essentiels pour assurer le maintien des services, la formation, la coordination des activités, des membres et des bénévoles. Une personne salariée est une source de compétence et elle assume des tâches qui peuvent être difficilement confiées à des bénévoles ou à des membres dont les disponibilités sont souvent limitées. Avant d'engager une ou des personnes, un groupe doit se poser la question du partage des responsabilités, des rôles et des tâches à assumer. Il doit y avoir une bonne dynamique de complémentarité entre les salariés et les membres pour favoriser une interaction productive et assurer le développement de l'autonomie personnelle et organisationnelle. Il y a toujours le danger qu'une « permanence » prenne la place des membres, surtout dans les organismes fortement orientés vers la prestation de services. Tout est dans l'équilibre entre le maintien du contrôle de la destinée du groupe entre les mains des membres, d'une part, et l'appui technique et même politique que peut apporter une permanence, d'autre part. On fait parfois la distinction entre les tâches politiques de représentation publique qui sont assurées par les membres et les tâches techniques qui sont assurées par les personnes salariées. Dans les faits, les salariés assument aussi des tâches politiques et participent à l'élaboration des orientations politiques. Ce qui importe, c'est qu'un partage favorise la participation active des membres.

Au-delà du contrôle formel du conseil d'administration, ce sont les membres actifs et les élus qui doivent encadrer les salariés. Il est possible d'envisager un jumelage de permanents et de membres ou de bénévoles dans la réalisation d'activités. Ce jumelage peut aussi se faire par l'entremise de comités de travail créés par l'assemblée ou par le CA. Il se développe ainsi une collégialité et un partage de tâches dans un rapport égalitaire marqué par la complémentarité des expertises et un souci de formation mutuelle.

1.7. Les comités de travail

Les comités de travail forment le cœur de l'action d'un organisme et constituent un instrument privilégié d'intégration et de formation des membres. Les comités peuvent être soit permanents, chargés de l'information, du financement, de la planification, de la formation, de l'accueil; soit temporaires, pour encadrer une activité précise, telle qu'une campagne de sensibilisation, une évaluation, une réaction à un événement imprévu qui demande une position publique ou un mémoire, une réorganisation interne, etc. Le mandat des comités temporaires ou *ad hoc* devrait être le plus clair possible et circonscrit dans le temps afin qu'ils soient efficaces et utiles. Les comités de travail favorisent l'échange d'idées et l'élaboration de méthodes de travail originales. Ce sont aussi des lieux privilégiés de développement de la solidarité.

Cette collaboration favorise le contrôle et l'encadrement dans un climat de confiance où peut s'exprimer une critique ouverte et constructive. On évitera ainsi l'isolement des membres et des salariés.

2. LA GESTION

Tout ce qui précède vient soutenir l'une des prémisses les plus importantes de l'action communautaire, soit que l'action devrait être menée collectivement et que, par conséquent, le travail en équipe est au cœur du processus d'intervention.

Le travail en équipe repose sur la valorisation de la mise en commun des forces de personnes ayant des origines, des perspectives et des talents différents. Les valeurs de démocratie et de solidarité sont aussi sous-jacentes au travail d'équipe. On présume qu'un projet – ou une idée – élaboré en équipe aura plus facilement un effet d'entraînement que s'il était issu d'un seul cerveau. Enfin, on estime que le travail en équipe est un lieu privilégié de formation, car il permet l'expression des talents et des connaissances de chacun tout en favorisant de nouveaux apprentissages par l'interaction entre les membres du groupe.

Cela ne veut pas dire que le travail d'équipe est toujours facile, loin de là ! La dynamique peut être lourde et stérile en raison de désaccords personnels ou de conflits idéologiques et organisationnels. Comme dans tout groupe, chacun y défend des intérêts, des attentes et des besoins. Chacun y apporte aussi des disponibilités et des compétences différentes. C'est pourquoi il est si important de clarifier les mandats des individus et le mode de fonctionnement des équipes de travail avant de les constituer.

Les rôles fonctionnels et naturels, le leadership, les processus de prise de décision et de résolution de problèmes, la communication interne et l'animation sont toutes des dimensions du travail en équipe qu'il faut connaître pour en faire des outils efficaces, formateurs, démocratiques et qui favorisent la solidarité.

Lorsqu'un organisme est prêt à entrer en action, il faut établir les modes de gestion qui permettront de le gérer de façon convenable et en accord avec les principes de l'action communautaire. Il existe plusieurs modèles de gestion et il s'en crée de nouveaux à mesure que les organismes tentent de s'adapter à une réalité qui change rapidement. La mise en œuvre d'un mode de gestion passe par le choix d'outils qui peuvent être plus ou moins pertinents selon les organisations.

Avant de préciser les modèles et outils de gestion, proposons une définition de la gestion.

La gestion | La gestion, c'est l'ensemble des moyens qu'on utilise pour atteindre nos objectifs ; c'est donc un processus. Le but de la gestion est d'identifier et de préciser les moyens à mettre en œuvre, de prévoir les ressources humaines et matérielles nécessaires et d'établir l'échéancier qui permettra d'atteindre les objectifs opérationnels d'un organisme. La gestion concerne trois domaines particuliers : les activités, les ressources humaines et les ressources financières.

2.1. Les modèles de gestion

Cinq modèles généraux de gestion sont couramment utilisés par les organismes communautaires.

2.1.1. *Le modèle traditionnel*

Le modèle traditionnel

Le modèle taylorien ou traditionnel correspond à une structure plutôt hiérarchisée. Le pouvoir est exercé par un conseil d'administration formé de membres peu engagés dans les activités quotidiennes. Le conseil délègue l'essentiel des responsabilités de gestion à une direction générale qui organise le travail des employés et assure leur encadrement directement ou par l'entremise de cadres. La direction est responsable de l'embauche et n'a de comptes à rendre qu'au conseil d'administration ou au comité exécutif. Les employés n'ont pas de contacts directs avec le CA.

La direction est donc assumée individuellement et s'exerce en fonction d'une division précise des responsabilités. Dans un tel contexte, les comités de travail peuvent exister, mais ils sont plutôt rares et n'impliquent qu'exceptionnellement des employés ou des membres. La notion même de membres n'existe pas nécessairement. On parle plutôt de bénévoles qui ne participent pas à la structure décisionnelle, à moins de siéger au CA.

Ce sont surtout des organismes axés sur les services directs ou l'hébergement qui adoptent une telle structure : centres d'action bénévole, organismes de « développement de l'employabilité » et d'« insertion », maisons d'hébergement de jeunes, ressources pour les itinérants, banques alimentaires, ressources d'accueil pour les immigrants, etc. Le conseil d'administration de ces organismes est habituellement formé de personnes qui y souscrivent financièrement ou qui offrent un soutien politique. Ce mode de gestion, hérité de l'entreprise privée et des sociétés philanthropiques, favorise le développement d'une forte concentration de responsabilités entre les mains de la direction générale.

2.1.2. *Le modèle participatif*

Le modèle participatif

Le modèle participatif correspond à une variété de structures qui visent à intégrer les membres ou les bénévoles ainsi que les employés dans une gestion plus collective. On associe les membres et les employés aux décisions et à la réalisation des objectifs. On favorise donc des structures plus horizontales où les pouvoirs sont partagés, même dans un cadre légal traditionnel.

On peut déceler sous ce modèle la volonté de transformer les rapports sociaux afin qu'ils soient plus égalitaires et plus respectueux des contributions différenciées. Un grand nombre d'organismes communautaires de défense des droits ou de services utilisent ce genre de gestion à des degrés variables.

2.1.3. *Le collectif de travail*

Le collectif de travail

Le collectif de travail est un modèle d'inspiration coopérative ou autogestionnaire que l'on associe parfois à de la cogestion des employés et des membres. Valable pour de petits groupes idéologiquement homogènes, ce modèle se caractérise par une intégration de tous les membres, militants et salariés, au processus décisionnel.

Dans ce contexte, les équipes de travail sont formées de personnes qui participent à l'ensemble de la dynamique et qui vivent avec l'ensemble des membres un rapport de solidarité très fort.

> Dans certains milieux, l'équipe de travail et des personnes-ressources se rassemblent dans une instance décisionnelle nommée un collectif qui est le lieu ultime de pouvoir dans l'organisme et où toute décision se prend par consensus. L'équipe de travail reste une instance de prise de décision sur le fonctionnement quotidien mais avec un pouvoir réduit par rapport au collectif[2].

Les organismes qui utilisent ce modèle sont surtout des centres de femmes, certains regroupements d'artistes ou des groupes de défense qui ont une forte tradition d'engagement des membres.

2.1.4. *Le modèle autogestionnaire*

Le modèle autogestionnaire

Le modèle autogestionnaire favorise une direction par les employés ou membres militants seulement, sans la contribution d'une assemblée ni d'un conseil d'administration. Ce sont les salariés qui dirigent seuls l'organisme.

Les organismes qui utilisent ce modèle sont surtout des groupes de services de « deuxième ligne » qui n'ont pas la prétention de représentation publique et qui veulent une structure légère et efficace : groupe de recherche technique, revue socioculturelle, militante ou d'opinion.

---

2. M. Guberman, D. Fournier, J. Belleau, J. Beeman et L. Gervais (1994), « Des questions sur la culture organisationnelle des organismes communautaires », *Nouvelles pratiques sociales*, vol. 7, n° 1, p. 53.

Dans ce modèle, les salariés sont les membres de l'organisme, celui-ci étant la plupart du temps formé en vertu de la troisième partie de la Loi sur les compagnies, qui porte sur les organismes sans but lucratif.

LES MODÈLES DE GESTION			
	Structure décisionnelle	Rôles des membres	Importance et place des salariés	Exemple
Traditionnel	• Hiérarchique • Concentration à la direction générale	• Décision • Notion vague • Peu engagés dans l'action • Peu de comités	• Assurent le fonctionnement quotidien	• Organisme de services directs
Participatif	• Horizontale • Collective	• Fortement engagés dans les décisions et l'action avec les salariés	• Égale à celle des membres	• Organisme de défense des droits
Collectif de travail	• Horizontale, collective et informelle	• Engagés dans les décisions et l'action	• Importante	• Petit groupe homogène (p. ex.: centre de femmes)
Autogestionnaire	• Direction par les salariés	• Faible et ponctuel • Les salariés sont les membres	• Centrale	• Organisme de services et de formation de deuxième ligne
Coopératif	• Hiérarchique selon la loi: – assemblée – conseil – gérance	• Fortement engagés	• Égale à celle des membres	• Coopération de travail et de logement

2.1.5. *Le modèle coopératif*

Le modèle coopératif

Le modèle coopératif est balisé par la Loi sur les associations coopératives. Il comprend donc une assemblée de membres qui ont des pouvoirs très étendus, un conseil d'administration et un gérant à qui l'on confie la gestion quotidienne en lui accordant plus ou moins de marge de manœuvre. On peut lui adjoindre un comité de gérance qui assume ces pouvoirs en reléguant le gérant à un rôle de coordonnateur sans pouvoirs formels importants, mais avec un pouvoir d'influence certain.

Les associations coopératives d'économie familiale (ACEF) pratiquent ce modèle, qu'elles ont adapté au cours des années. Les coopératives de travail et les coopératives d'habitation ressemblent davantage au modèle autogestionnaire en ce sens que les membres qui forment la coopérative et qui doivent minimalement être trois sont essentiellement les sociétaires de l'entreprise. Les coopératives de travail sont encadrées par une loi particulière qui les oblige à privilégier le développement de l'emploi. La formule coopérative est très marginale comme mode de gestion des organismes communautaires autonomes. Depuis quelques années, il existe aussi des coopératives de solidarité régies par cette même loi, qui prévoit une structure démocratique où se retrouvent les producteurs des services (salariés), les membres usagers des services et les représentants de la communauté où la coopérative est enracinée. La loi consacre par cette structure l'interdépendance des trois catégories de membres. On retrouve cette forme de coopérative surtout dans les nouvelles entreprises d'économie sociale offrant des services à domicile pour personnes en perte d'autonomie.

2.2. La gestion des activités

La gestion des activités se réalise suivant la même logique que le processus de prise de décision ou le processus d'intervention. On fait souvent référence à la «gestion par objectifs», car les bailleurs de fonds exigent de plus en plus la formulation de demandes précises qui énoncent clairement ce qu'on veut faire, comment, en combien de temps et, surtout, pour combien de dollars… Tout cela renvoie à la planification stratégique.

Le plan de travail est un outil essentiel à la gestion des activités. Un plan de travail, c'est un instrument collectif qui sert à organiser et à coordonner l'ensemble des activités d'un groupe : c'est un guide qui indique qui va faire quoi, quand et comment.

On peut faire un plan de travail global pour l'ensemble des activités d'un groupe, ce qu'on nomme la programmation, ou pour une activité particulière. Le plan de travail contient normalement les éléments suivants :

- l'état de la situation et le problème posé,
- les objectifs généraux de l'organisme ou de l'année,
- les objectifs spécifiques,
- les stratégies et moyens permettant l'atteinte des objectifs,
- la répartition des responsabilités et des tâches,
- un calendrier ou échéancier.

Ce plan de travail peut être présenté sur un tableau accroché au mur ou sur des feuilles que les salariés et membres pourront consulter facilement. On peut dresser des tableaux par activité, par objectif ou par période en utilisant des calendriers géants. Certains organismes doivent faire une planification sur deux ou trois ans afin de satisfaire aux exigences de bailleurs de fonds comme Centraide ou le gouvernement québécois. Il est important, dans l'esprit d'un travail collectif qui vise à favoriser l'engagement et à former des personnes avec des compétences variées, que ce tableau soit clair et facile à comprendre par toutes les personnes concernées.

Ce plan doit être revu régulièrement et corrigé s'il y a lieu. Un plan est un guide, non un carcan. Comme tous les éléments prévus ne se réalisent pas nécessairement, il faut savoir s'ajuster en conséquence.

Le suivi peut se faire lors d'une réunion d'équipe avec toutes les personnes participantes ou avec celles qui ont la responsabilité d'une équipe de travail et assument la coordination. C'est l'occasion de faire le point, de s'informer mutuellement et de corriger le tir si nécessaire.

La communication interne de l'organisme est un facteur important qui assure une coordination efficace entre les divers acteurs afin de favoriser l'appropriation du plan d'action mis à jour et l'unité d'action.

L'évaluation régulière, à la fin d'une étape et lors de la conclusion d'une action ou d'une activité, est la clé du succès. Dans le cadre d'une action à plus long terme, il faut savoir se ménager des temps d'arrêt. Ces pauses favorisent l'évaluation des objectifs et la réalisation de bilans d'étape qui permettent de redéfinir les priorités ou les stratégies. Un temps d'arrêt peut aussi être l'occasion de fêter. Ces fêtes contribuent à resserrer les liens et permettent de laisser libre cours à l'expression des besoins affectifs des membres et des bénévoles. Enfin, ces activités peuvent être autant d'occasions de relancer l'organisme et d'accueillir de nouveaux membres.

2.3. La gestion des ressources humaines

La gestion des ressources humaines s'applique d'habitude principalement aux salariés. En ce qui concerne les organismes communautaires, cette gestion touche également les bénévoles et les membres, surtout dans un organisme qui repose essentiellement sur leur participation.

2.3.1. *Le personnel salarié*

On ne peut recourir aux mêmes critères d'évaluation pour des salariés travaillant selon des mandats, des personnes engagées sur une base militante, des membres qui offrent une disponibilité ponctuelle et des bénévoles.

En ce qui concerne le personnel salarié, l'évaluation débute lors de l'opération de sélection qui précède l'engagement des personnes. Cette sélection peut se faire à divers niveaux et par différentes personnes, selon l'importance du poste à combler. Un poste de direction ou de coordination relèvera normalement directement du conseil d'administration ou du comité exécutif. Ces instances pourront créer un sous-comité et y adjoindre des personnes-ressources de l'extérieur. Dans tous les cas, le comité de sélection précisera d'abord ses critères de sélection en fonction des exigences du poste à combler et des orientations de l'organisme. Pour certains postes de salariés, on peut confier la responsabilité de la sélection à la direction ou à la coordination, mais il est préférable de constituer un comité, dans une perspective de décision collective et de gestion participative et démocratique.

Les modalités de sélection peuvent prévoir divers types d'entrevues et même des rencontres avec les membres du conseil d'administration et le personnel salarié. La vérification des expériences antérieures est toujours la meilleure manière d'évaluer les compétences professionnelles d'une personne.

La définition de tâches est intimement liée à la programmation; on a donc tout intérêt à ce qu'elle soit claire et bien comprise; le travail n'en sera que plus efficace. Encore faut-il que les bonnes personnes soient affectées aux bonnes tâches pour qu'elles puissent donner le meilleur d'elles-mêmes.

Il est assez rare que les employés des groupes et organismes communautaires soient syndiqués. Par ailleurs, certains organismes proposent un contrat de travail à leurs employés dans le but de préciser les conditions d'emploi et d'éviter ainsi l'arbitraire. Si, en raison de la nature même des organismes communautaires, les salariés peuvent accepter des conditions de travail moins avantageuses que celles qu'ils auraient à titre d'employés de l'État, ils ne doivent pas pour autant cesser de revendiquer de meilleures conditions de travail au fur et à mesure que la situation de l'organisme s'améliore[3]. C'est ainsi que les travailleuses et travailleurs syndiqués des garderies ont utilisé cette approche dans leurs négociations avec le gouvernement québécois.

L'évaluation des mandats peut se faire à l'occasion du bilan des activités. En équipe ou individuellement avec la personne responsable de la direction ou de la coordination, l'évaluation se fera au regard des objectifs visés et de la

---

3. F. Aubry, S. Didier et L. Gervais (2005), *Pour que travailler dans le communautaire ne rime plus avec misère. Enquête sur les avantages sociaux dans les organismes communautaires*, Relais-Femmes et Centre de formation populaire, disponible sur les sites <http://www.lecfp.qc.ca> et <http://www.relais-femmes.qc.ca>.

description des tâches. Puisque les pratiques d'action communautaire sont aussi des activités éducatives, l'évaluation peut tenir compte des objectifs de développement personnel : habiletés, comportements, compréhension des problématiques. Quelle que soit l'approche, l'évaluation des ressources humaines devrait se faire dans une perspective formatrice, visant toujours l'amélioration des personnes. Cela n'empêche pas de porter un regard critique sur soi et sur les autres ; on ne vise pas à « démolir », mais plutôt à construire en misant sur les forces de la personne. À l'heure où la pression du financement est particulièrement forte, il importe de faire appel à des mécanismes adaptés aux situations : le roulement de personnel sera plus grand si les modalités de financement par programme créent des emplois à durée fixe exigeant de surcroît des évaluations statutaires, notamment dans les programmes d'employabilité. Par conséquent, l'évaluation sert les fins, parfois divergentes, de la personne, de l'organisme communautaire et du bailleur de fonds. On devrait être particulièrement sensible au fait que ces salariés ont suivi des parcours très différents, ce qui est le cas, par exemple, d'une personne « formée sur le tas » qui, est passée d'« usager » à participant-bénévole actif puis est devenue salariée. La nature des tâches demandées par l'organisme doit alors être encore mieux planifiée pour soutenir un développement personnel parfois fragile. Il ne faut pas « brûler » une personne que l'organisme veut encourager à s'engager dans la vie associative. Si la participation au conseil d'administration est souvent perçue comme l'aboutissement du cheminement d'une personne qui a utilisé les services d'un organisme, on a souvent vu des personnes « de la base » qui se sont épuisées à la tâche en devenant des administrateurs, ou en occupant des fonctions salariées de direction qui dépassaient leurs champs d'intérêts et leurs compétences. Il y a un équilibre à trouver entre soutenir le développement d'une personne « formée sur le tas » et mettre cette personne dans une situation d'échec potentiel. Donc, l'évaluation des salariés est un moment important qui demande une réflexion sensible et nuancée, mais sans complaisance. L'évaluation d'un salarié devrait être un moment privilégié de prise de conscience des acquis de la personne parallèlement à ceux de l'organisme.

La formation et le perfectionnement, tant du personnel salarié que des bénévoles d'ailleurs, sont le prolongement logique de l'évaluation. Cela s'inscrit dans la mission d'éducation populaire des organismes communautaires. La formation peut prendre l'allure formelle de sessions organisées par et pour le groupe, parfois avec l'aide de personnes-ressources extérieures. Elle peut aussi être permanente et intégrée au plan d'intervention. Peu importe la forme, le souci du perfectionnement doit être une préoccupation constante des groupes en intervention communautaire. Les groupes qui ont développé une culture de formation continue sont plus aptes à s'adapter aux changements conjoncturels et à soutenir un personnel, salarié et bénévole, ce qui favorise la confiance et la cohésion à l'intérieur du groupe. La formation, c'est souvent l'oxygène qui permet de lutter contre le *burnout* et le roulement du personnel.

À cet égard, l'engagement d'un nouvel employé, l'adhésion d'un nouveau membre ou l'offre de services d'un bénévole peut être l'occasion d'un jumelage avec un membre ou un employé expérimenté qui transmettra ses connaissances dans le cadre des activités du groupe.

2.3.2. *Le rôle et la place des membres*

La nécessité des membres étant reconnue, un organisme doit élaborer une structure qui permettra le développement des intérêts individuels et collectifs de ceux-ci. Les individus adhèrent à un groupe pour différentes raisons : rompre la solitude, obtenir de l'information ou une aide qui servira à résoudre un problème, profiter de certains avantages matériels ou même exercer du pouvoir. Au-delà de ces besoins que l'on qualifie de primaires, il y a des besoins secondaires comme la satisfaction personnelle, la reconnaissance, l'affection, l'entraide, le sentiment d'appartenance à un groupe ou à un milieu, le sentiment de pouvoir contribuer à un milieu, ce que l'on appelle parfois le sens communautaire. Tous ces besoins convergent vers le développement de l'autonomie personnelle et éventuellement collective, c'est-à-dire le développement de la capacité d'agir, l'*empowerment*. Il faut connaître les membres et leur motivation : ce sont des usagers satisfaits et reconnaissants, qui cherchent un lieu d'appartenance ou d'assurance devant des problèmes récurrents ; ce sont des bénévoles qui souhaitent contribuer socialement et activement à la qualité de vie de leurs concitoyennes et concitoyens ; ce sont des personnes sensibilisées qui veulent appuyer ponctuellement une « cause » ou une « œuvre ». Parfois, selon les types de groupes, les membres seront des militantes et des militants qui décideront de lutter contre une injustice ou une forme particulière d'oppression.

Toute personne qui le souhaite et qui accepte les orientations, le mode de fonctionnement et les objectifs d'un groupe devrait y trouver sa place, contribuant ainsi, selon ses talents et sa disponibilité, à la réalisation de la mission du groupe. Au moment de répartir les responsabilités et les tâches entre la permanence, les membres et les bénévoles, il est important de respecter la disponibilité des personnes, leur état de santé physique et affective, leurs goûts et leurs habiletés. Inutile de placer une personne dans une situation dévalorisante ou embarrassante, ou de vouer d'avance ses efforts à l'échec. Cela ne signifie pas qu'il faille soustraire des membres à certains défis personnels qui pourraient constituer d'importantes sources d'apprentissage. Mais il faut respecter les considérations personnelles et le rythme d'apprentissage de chacun. Tous les membres n'ont pas à être très actifs. Certains apporteront un soutien ponctuel ; d'autres travailleront très fort tant sur le plan du processus décisionnel que sur celui de l'action. Chaque personne apporte une contribution différenciée qui peut être tout aussi valorisée et valorisante pour les membres que pour l'organisme. Voilà le défi andragogique des organismes communautaires : concilier les objectifs d'action collective, qui nécessitent compétences et efficacité, avec les objectifs de développement personnel, qui demandent de la sensibilité et de la persévérance. Un organisme qui réussit à bien intégrer ses membres, à les orienter vers des tâches valorisantes et génératrices de solidarité, assure son développement et prépare constamment sa relève.

Cette participation des membres à la réalisation des tâches soulève la question des liens avec les salariés et la permanence. S'il faut rechercher la complémentarité entre les uns et les autres, il existe souvent des tensions concernant le partage des tâches et les attentes mutuelles. Les salariés vont avoir tendance à prendre beaucoup de place dans l'activité quotidienne et ne pensent pas toujours à transmettre aux membres toute l'information nécessaire à une intégration harmonieuse des divers niveaux d'intervention. Il peut y avoir des frictions parce que la permanence formule des exigences irréalistes à l'endroit des membres. L'inverse n'est pas moins vrai : certains membres vont considérer les permanents comme étant leurs employés et avoir à leur égard des comportements patronaux classiques. Les responsabilités mutuelles doivent être claires et les rôles de chacun doivent être rigoureusement définis afin d'éviter les mésententes et les conflits stériles.

La transparence et le débat ouvert sont essentiels à la réalisation du partage des tâches dans un esprit de complémentarité et de solidarité. Nous verrons plus loin qu'il existe plusieurs types de structures démocratiques et plusieurs modèles de gestion qui détermineront les modalités du partage des responsabilités et des tâches.

2.3.3. *Le recrutement et la structure d'accueil des membres*

Un organisme doit établir une politique d'adhésion et profiter de toutes les occasions de recrutement qui se présentent. L'utilisation des médias, les événements publics, les campagnes de financement, les fêtes sont autant de façons de faire connaître l'organisme et ses activités et d'y attirer des membres. La légitimité de l'action d'un organisme communautaire demeure cependant l'outil de recrutement par excellence. Les responsables du recrutement auront recours à des outils simples, clairs et concrets, illustrant des réalisations significatives et exprimant le côté intéressant de l'organisme. Peu de gens s'impliquent pour « une cause » qui ne leur rapporte rien personnellement. Ils seront souvent attirés par le côté agréable et valorisant de l'engagement. On est rarement intéressé à travailler avec des gens moroses, accablés par tous les malheurs de la terre, dans un organisme qui ne propose aucune solution. Il faut donc bien comprendre les facteurs de motivation des personnes qui approchent un organisme : il peut y avoir, d'une part, un malaise – pauvreté, solitude, manque d'information sur une situation ; d'autre part, un espoir de développement personnel, de reconnaissance, de statut, l'intérêt des responsabilités confiées, les chances de promotion et d'avancement, le sentiment d'utilité et de contrôle, le sentiment d'appartenance, le plaisir. C'est la combinaison de la « poussée » du malaise et de la « tirée » de l'espoir qui contribue à l'engagement des personnes.

L'accueil constitue le prolongement du recrutement. Pour favoriser la participation active et diversifiée des membres, et l'adhésion à l'organisation, il faut bien les accueillir. La « culture d'accueil » est une autre dimension importante qui favorise le développement des groupes : c'est la capacité des groupes à accepter les personnes qui viennent chercher de l'aide et offrir les contributions les plus diverses à l'atteinte de leurs objectifs organisationnels[4].

L'information sur l'organisme est essentielle à l'engagement des nouveaux membres : origine, mission, objectifs, réalisations importantes, plan d'action, structure de fonctionnement, portrait des membres, succès passés, etc. Il ne faut cependant pas les étouffer sous une avalanche de données dont ils ne retiendront presque rien. Il faut doser le rythme et la quantité de l'information en fonction des capacités et des besoins de chacun. Et le tout devrait se faire dans la convivialité et le plaisir, en prévoyant des moments de célébration.

Le parrainage est une bonne façon de favoriser l'intégration des nouveaux membres. Il peut être complété par une rencontre collective dans un contexte de fête, ce qui permet une intégration agréable et chaleureuse, qui tient compte de la dimension affective de l'engagement. L'intégration par l'action est cependant le meilleur moyen.

---

4. J. Beeman, J. Panet-Raymond, S. Racine, J. Rheault et J. Rouffignat (1997), « Les groupes d'aide alimentaire pour les personnes défavorisées : lieux de sociabilité ou de gestion de la pauvreté », *Cahiers de recherche sociologique*, nº 29, Montréal, Université du Québec à Montréal.

Un bulletin de liaison soutiendra la participation des membres. C'est un instrument qui définit les lieux de l'engagement et qui permet de mieux connaître les réalisations du groupe ; il stimule les membres et favorise la cohésion.

Information, accueil, formation et partage des tâches dans le respect des différences sont garants d'une participation fructueuse des membres et font partie de la gestion des ressources humaines, qui favorise le développement de l'organisation.

2.4. La gestion financière

La gestion financière permet une utilisation maximale des ressources ainsi qu'une lecture rapide, facile et accessible de l'état des finances d'un organisme. On n'insistera jamais assez sur l'importance d'une bonne gestion des ressources financières, d'autant plus que dans trop de groupes cette préoccupation est reléguée au second plan, tant par incompétence que par négligence. Mentionnons qu'il existe une multitude de logiciels et de guides comptables pour faciliter la gestion adaptée aux besoins des groupes de toute taille.

La gestion financière d'un organisme se fait normalement à l'aide de quatre principaux outils : le budget, la tenue de livres, les états financiers et l'audit.

2.4.1. *Le budget*

Le budget porte sur les prévisions de revenus et de dépenses pour une année financière ; il devrait donc traduire les priorités d'action en besoins financiers. Il existe une relation évidente entre la planification des activités ou de l'action et la planification budgétaire. Sans déterminer les objectifs d'action, qui doivent aussi tenir compte du degré de militantisme des membres et de l'apport en temps bénévole, le budget oblige le groupe à soumettre les activités projetées au test de la réalité. Cela va de soi qu'un groupe communautaire doit toujours viser un équilibre entre les revenus et les dépenses, quelles que soient sa taille et les ressources dont il dispose. De façon générale, les organismes qui disposent de fonds relativement importants préparent un budget par programme. D'ailleurs, cette méthode devient impérative lorsque les ressources financières proviennent de diverses sources, pour la réalisation de projets précis. De plus, il est très utile, et facile, d'effectuer une mise à jour mensuelle des prévisions budgétaires. Ainsi, les personnes chargées de l'administration d'un organisme connaîtront en tout temps et de façon précise l'état de la situation financière. Cette connaissance contribue de façon significative à la gestion démocratique d'un groupe et correspond à un désir de transparence.

La préparation du budget peut se faire collectivement avec la participation des personnes responsables, ce qui favorise une évaluation plus juste du coût prévu des différentes activités. Une budgétisation globale équilibrera le poids relatif de chaque activité en fonction des ressources disponibles. La définition préalable des priorités est, dans ce contexte, extrêmement importante.

Il revient au conseil d'administration de soumettre des prévisions budgétaires annuelles pour adoption par l'assemblée générale annuelle. Les ajustements en cours d'année seront effectués par les instances administratives concernées.

2.4.2. *La tenue de livres*

La tenue de livres est l'opération par laquelle chaque dépense et chaque entrée de fonds sont inscrites dans un registre prévu à cette fin. La fonction de comptable est généralement assumée par une personne de la permanence ou par une personne bénévole compétente en cette matière. C'est une tâche technique qui ne peut être laissée entre n'importe quelles mains. Elle doit être rigoureusement contrôlée par la personne mandatée à cette fin et par la personne assumant la responsabilité de la trésorerie au conseil d'administration. Il est cependant souhaitable que plus d'une personne soit formée à cette tâche afin d'éviter la dépendance en cas d'absence de la personne responsable. Soulignons que de plus en plus d'organismes confient à des entreprises bancaires le « service de paie », qui peut assurer le paiement régulier des salaires à moindre coût.

La comptabilité doit constamment être mise à jour – notamment pour éviter les découverts bancaires – et les livres comptables, accessibles. Le CA doit exiger des états financiers mensuels ou trimestriels, afin de prendre des décisions éclairées.

Enfin, nous ne pouvons passer sous silence le fait que la gestion financière des groupes et organismes communautaires relève parfois de l'art et de l'acrobatie. Les exigences stratégiques du financement imposent donc une réelle aptitude à bien comprendre les conventions comptables de manière à pouvoir les interpréter correctement, c'est-à-dire au bénéfice du groupe et de ses membres. Les livres comptables « parlent ». Il est donc important que ce qu'ils révèlent reflète une réalité dont la démonstration est possible. Certaines personnes expertes en la matière peuvent à cet égard être consultées avec profit.

2.4.3. *Les états financiers*

Les états financiers offrent un portrait mensuel ou annuel des revenus et des dépenses ainsi que de l'actif et du passif de l'organisation. Ce portrait permet d'évaluer les tendances et le réalisme des prévisions budgétaires. C'est un outil essentiel grâce auquel on peut apporter les ajustements nécessaires. Les états financiers sont toujours présentés de façon comparative par rapport à une ou à des périodes antérieures afin de voir les progrès ou les retards sur le cheminement anticipé dans la planification.

2.4.4. *L'audit*

La vérification comptable, appelée «audit» depuis 2011, correspond à une confirmation professionnelle de la qualité et de la véracité des états financiers : on parle alors d'états financiers vérifiés ou audités. L'audit est réalisé par une personne qualifiée, généralement un comptable agréé, qui est mandaté par l'assemblée générale. Cette personne confirme la situation financière et peut faire des suggestions sur les procédures de tenue de livres pour que les outils soient le plus clairs et le plus efficaces possible. Le vérificateur ne se prononce pas officiellement sur la qualité de la gestion.

Le recours aux services d'un vérificateur ou «auditeur» comptable est impératif lorsqu'un groupe est soutenu financièrement par Centraide ou par l'État. Certaines firmes de comptables sont particulièrement compétentes en matière de vérification des états financiers des organismes communautaires. Il peut être utile de solliciter l'avis d'un autre organisme communautaire ou d'un regroupement pour les connaître.

2.5. La coordination

Bien que la fonction de coordination soit généralement confiée à une personne attitrée, il arrive que les responsabilités qui y sont rattachées soient partagées entre les membres de la collectivité ou d'un comité de coordination. Certains organismes choisissent aussi de confier ces tâches à une personne assumant la fonction de direction générale. Ce choix n'est pas neutre puisque, dans cette situation, les responsabilités déléguées par un conseil d'administration seront souvent plus nombreuses et investies d'une plus grande autorité à l'égard du personnel salarié. Le terme *direction générale* porte aussi une valeur symbolique qui n'est pas étrangère au modèle traditionnel de gestion. Par contre, les organismes qui choisissent de partager les tâches de coordination entre les membres d'un collectif ou d'un comité affirment clairement des valeurs d'égalité, de démocratie et d'entraide. Le choix que fera le groupe dépendra donc de ses valeurs et de la cohérence éthique ainsi que des impératifs concrets, tels que le nombre de personnes salariées et de bénévoles et la diversité des services et activités offerts à la population. L'histoire de l'organisme, sa mission, la culture des membres et le style de leadership souhaité influencent aussi le choix du type de coordination. Le défi demeure le maintien de l'équilibre entre l'efficacité et le respect de l'autonomie de chacun dans un esprit de responsabilité collective et de solidarité. Le rôle de la coordination consiste à aider le groupe à mieux fonctionner, à assurer l'application et le respect des décisions ainsi que la poursuite des mandats attribués par l'assemblée générale et le conseil d'administration.

La coordination touche trois aspects interdépendants de la gestion d'un organisme communautaire : les tâches politiques, les tâches techniques et les relations humaines.

2.5.1. *Les tâches politiques*

Les tâches politiques concernent la réalisation des objectifs d'action et le suivi des décisions des instances « politiques » : assemblée générale, conseil d'administration, collectif. La coordination se réalise donc au quotidien dans le respect de la mission et des objectifs du groupe. La coordination assure la répartition des responsabilités parmi les salariés, les membres actifs dans les comités de travail et les bénévoles.

La coordination voit à ce que l'information circule à l'intérieur de l'organisation, entre les salariés, les membres et les bénévoles, d'une part, et les instances décisionnelles, d'autre part. Dans certains organismes, la personne qui assume cette responsabilité siège au conseil d'administration, la plupart du temps sans droit de vote mais, concrètement, avec un très grand pouvoir en raison de sa maîtrise de l'ensemble des opérations.

La personne chargée de la coordination peut aussi être chargée de représenter l'organisme publiquement et d'assurer la liaison avec les médias. Dans les organismes communautaires et leurs regroupements, c'est une tâche qui, dans la mesure du possible, devrait être réservée à des membres élus qui peuvent projeter une image de légitimité et de crédibilité auprès de la population et des bailleurs de fonds. Habituellement, surtout dans des organismes nationaux, cette fonction de représentation est assumée par la coordination ou la direction générale. Les responsabilités politiques incluent enfin les relations avec les bailleurs de fonds : la préparation des demandes de financement, la négociation et le suivi. À notre avis, il est préférable que ces tâches soient aussi partagées ou assurées conjointement avec les membres élus pour ajouter force et crédibilité, et pour rechercher l'équilibre entre la démocratie et l'efficacité à court terme.

2.5.2. *Les tâches techniques*

Les tâches techniques sont de nature à être partagées entre les salariés, les membres ou des équipes de travail. La préparation des demandes de subvention, la planification de moyens d'action, le suivi, le contrôle, l'évaluation et la formation, le souci de l'efficacité et de la participation collective, la préparation et l'animation de réunions d'équipe ou du conseil d'administration, le travail de secrétariat, l'amélioration du fonctionnement, le fait de répondre à tous les imprévus qui peuvent survenir sont autant de tâches techniques que la coordination ou la direction générale n'a pas à assumer seule. Bien au contraire, la force d'un organisme communautaire s'exprime souvent par la diversité des acteurs, par sa capacité à susciter l'engagement des membres et des bénévoles dans la réalisation d'un ensemble de tâches. La coordination devient alors le lieu où l'on s'assure que tous les efforts vont bien dans la même direction.

Certains organismes confient à la coordination la responsabilité des communications internes. Nous suggérons que cette tâche, comme d'ailleurs les tâches liées au secrétariat et à la gestion administrative, soit réalisée en équipes de travail, car nous sommes d'avis que ce moyen est plus formateur et plus mobilisateur. Le travail de coordination sera donc centré sur l'encadrement et le soutien de la dynamique générale de l'organisme plutôt que sur des tâches particulières, en maintenant les liens entre celles-ci. En outre, il nous paraît essentiel d'ajouter que la personne responsable de la coordination d'un organisme ou d'une activité doit mettre la main à la pâte, ne serait-ce que pour apprécier concrètement les exigences particulières d'une tâche. En résumé, toutes les tâches doivent être valorisées et distribuées équitablement pour favoriser une dynamique de solidarité et d'entraide.

2.5.3. *Les relations humaines*

Les relations entre les personnes sont sans doute les plus délicates, celles pour lesquelles on est souvent le moins bien préparé. La coordination doit maintenir un esprit d'équipe parmi les salariés, les membres et les bénévoles. Elle doit contribuer au maintien de la cohésion et de l'unité nécessaires à la réussite de la mission du groupe. La personne responsable de la coordination peut être appelée à régler des conflits, à soutenir un collègue qui vit des difficultés personnelles ou connaît des problèmes au travail. La tâche de la coordination est de conseiller, d'encourager, de stimuler et de réconcilier tous les membres de l'équipe. Il faut donc gagner leur confiance en faisant preuve de discernement, de discrétion et de respect.

2.6. La gestion de conflits

Un groupe peut vivre des moments difficiles au cours des différentes phases de son évolution : surcharge de travail, planification déterminée par des événements, absence de visibilité dans les médias, immobilisme ou démobilisation, conflits idéologiques, politiques ou personnels, remise en question de la mission et manque de direction claire, échec des revendications, absence de relève, etc. Les conflits peuvent être de nature politique (valeurs, intérêts, orientations), organisationnelle (structure de pouvoir décisionnelle, communication, distribution des ressources et mandats) ou socioaffective (perception, communications).

Ces problèmes peuvent trouver leur solution dans une bonne organisation, une gestion rigoureuse et l'application de quelques principes élémentaires favorisant le développement harmonieux d'un groupe : des orientations claires, des objectifs cohérents et des moyens (ressources humaines, financières et matérielles) de les atteindre, la prévision d'une gestion démocratique et transparente soutenue par des mécanismes de communication favorisant la participation (mandat et responsabilités) de toutes les personnes qui le désirent. Malgré ces principes, il n'y a pas de recette magique, et des conflits risquent d'éclater autour d'incidents mineurs.

En dépit des efforts d'un groupe pour éviter les conflits, certains surgiront de temps à autre et illustreront parfois les luttes de pouvoir à l'intérieur du groupe. La gestion des tensions et des conflits doit tenir compte à la fois des intérêts du groupe et du respect qu'on doit aux personnes. C'est un équilibre souvent difficile à atteindre. Cela dit, les valeurs portées par l'action communautaire devraient guider en tout temps les intervenants communautaires dans la recherche de solutions à des conflits internes.

Il ne faut cependant pas occulter les conflits ni les ignorer. Une situation conflictuelle doit être considérée comme normale dans la vie d'un groupe et même comme une occasion de clarification et d'apprentissage. Les conflits font partie de la normalité de la vie en société.

Les conflits de nature socioaffective sont plus difficiles à aborder. Ils commandent une bonne dose de sensibilité et d'empathie qui, souvent, fait défaut. Ainsi, on comprendra mieux les motivations qui poussent les personnes à adhérer à un groupe : solitude, besoin d'aide matérielle, de soutien affectif ou d'information, besoin de reconnaissance, volonté de croissance personnelle… Ce n'est que dans un deuxième temps que les gens voudront s'associer à une démarche collective de groupe pour contribuer à un projet en y jouant un rôle actif. Il est aussi important de comprendre la situation économique, familiale et culturelle et l'état de santé physique et mentale des personnes pour mieux saisir les motivations de chacun, les attentes, les disponibilités, les attitudes et les causes des tensions d'origine socioaffective. On peut ainsi mieux comprendre les jalousies, les peurs, la timidité, les besoins de valorisation, qui sont autant de facteurs pouvant expliquer l'incapacité d'un groupe à sortir d'une situation conflictuelle.

L'un des problèmes les plus fréquents dans les groupes, ce sont les conflits de pouvoir provoqués par des personnes qui jouent au « p'tit boss ». Ces personnes s'octroient des mandats et des pouvoirs qui outrepassent ceux qui leur ont été conférés démocratiquement. Elles prennent beaucoup de place, ne favorisent pas les décisions collectives, imposent leurs idées sans écouter celles des autres et prennent des décisions qui risquent d'entraîner le groupe dans une position précaire pour sa survie : engagements financiers, position publique non autorisée ou contraire à la mission, etc.

Il arrive qu'un intervenant communautaire connaissant le groupe soit appelé à intervenir dans le règlement des conflits. Il lui faudra être mis au fait des situations objectives et des perceptions ou opinions qui s'opposent. De façon générale, les conflits de nature socioaffective peuvent trouver leur solution dans des pratiques fondées sur le respect des personnes, la valorisation de leur engagement et l'établissement d'une nette démarcation entre les intérêts du groupe et ceux de chacun des individus qui le composent. L'intervenant favorisera donc une approche de collaboration et de franche confrontation, respectueuse et non accusatrice, pour réconcilier deux personnes ou deux positions divergentes. On a alors tout à gagner à déterminer le plus rapidement possible les aires de convergence. Dans cet esprit, il faut adopter une stratégie « gagnant-gagnant », qui permet à chacun de trouver son compte et surtout de ne pas perdre la face. Voici les étapes génériques d'un processus de gestion de conflits qui peuvent servir de guide[5] :

1) Reconnaître le plus tôt possible la situation conflictuelle.

2) Choisir l'instance et la personne-ressource qui interviendra.

3) Identifier les parties, définir les enjeux et les émotions.

4) Analyser le conflit.

5) Définir le processus d'intervention.

6) Vérifier la volonté des parties de résoudre le conflit.

7) Activer le processus de résolution de conflits.

8) Conclure l'entente et en assurer le suivi.

Si une solution de compromis est impossible à envisager ou si le groupe n'arrive pas à contenir les personnes en conflit, on devra peut-être faire appel à une ressource extérieure dont l'expertise et le regard neuf permettront de sortir de l'impasse. Ces ressources peuvent être des personnes connues pour leur expérience et leur sagesse, des consultants privés ou certains organismes communautaires spécialisés.

Évidemment, le recours à une ressource extérieure qualifiée et acceptée par le groupe n'est pas une panacée, mais il constitue en quelque sorte un filet de sécurité, en atténuant la crainte d'une escalade des hostilités. En effet, on montre généralement une certaine retenue en présence d'un étranger, ce qui contribue à réduire les tensions. La ressource externe peut aussi se permettre de poser des questions et de soumettre des hypothèses sans restriction ni préjugé.

Un expert-conseil compétent sait reconnaître les forces d'un groupe et construire sur cette fondation. Parfois, l'appel à une personne extérieure permet tout au plus de laisser le temps faire son œuvre en suspendant les hostilités. Mais cette « trêve », avec l'arrivée d'une personne extérieure, est souvent suffisante pour rappeler la mission et les objectifs du groupe, et pour définir les divers rôles dans le groupe et leur légitimité. Cet exercice favorise la recherche de points de convergence, notamment entre les intérêts collectifs et individuels.

---

5. Comité intersectoriel de la main-d'œuvre, de l'économie sociale et de l'action communautaire (2007), *La boîte à outils. La gouvernance démocratique,* octobre, p. 413-446 (<http://www.csmoesac. qc.ca/outils/boite_outil.html>). Ce document est aussi disponible sur DVD.

3. LA PARTICIPATION À DES REGROUPEMENTS, TABLES DE CONCERTATION ET COALITIONS

Depuis une trentaine d'années, les groupes communautaires ont senti le besoin de se regrouper sous une forme ou une autre, par affinités, afin d'être moins vulnérables et collectivement plus efficaces. Ces regroupements répondent à des besoins dans différents domaines : formation, coordination de l'action à l'échelon régional, national et fédéral, impact plus marqué lors de la réalisation de certaines actions, soutien mutuel, services communs, communication, etc.

On a assisté à une véritable explosion de regroupements de toutes sortes, et ce, depuis le milieu des années 1980. Plusieurs coalitions et regroupements sont nés des besoins d'opposer un contre-pouvoir aux politiques des gouvernements provinciaux et fédéral, et de négocier la participation et les responsabilités des organismes communautaires dans ces politiques. Cela a parfois donné naissance à des regroupements communautaires calqués sur les ministères ou sur les programmes gouvernementaux et reproduisant, par mimétisme, le jargon et le style lourd des structures gouvernementales. Il devient donc assez difficile de s'y retrouver dans la multitude de regroupements et de tables qui veulent représenter les mouvements communautaires autonomes. De temporaires et axés sur une lutte conjoncturelle, certains sont devenus des structures permanentes qui cherchent à préciser leur rôle tout en menant encore des luttes fort pertinentes. Bien que ces regroupements soient nés pour opposer un contre-pouvoir démocratique, ils sont parfois devenus de lourdes bureaucraties peu favorables à une démocratie active et ouverte à sa base. Les regroupements prennent des formes diverses et adoptent différentes structures pour poursuivre leurs objectifs : regroupements et fédérations, tables de concertation et coalitions sont des formes d'organisation différentes, même si plusieurs les confondent.

3.1. La nature et les formes des regroupements

Regroupement | Regroupement d'organismes autonomes qui décident de mettre en commun une orientation et une action et de se donner les services nécessaires au développement et à la promotion de leur activité respective.

Un regroupement a un caractère permanent ; il est structuré au moyen de règles définissant ses orientations, ses objectifs d'action et de services mutuels, les conditions d'appartenance des groupes-membres, les modalités de prise de décision et la cotisation de chacun. Les membres d'un regroupement sont habituellement de taille et de nature comparables ; ils partagent sensiblement les mêmes objectifs et œuvrent dans le même domaine ou secteur. Or, le mot « sectoriel » suscite de la confusion : il peut être lié aux formes d'intervention (éducation populaire, défense de droits), à la population visée (femmes, familles, jeunes) ou à la problématique touchée (immigration, consommation, logement, alphabétisation). On utilise parfois le terme *intersectoriel* pour qualifier un regroupement de secteurs d'activité (public, privé, communautaire).

Ces regroupements naissent du besoin de mettre en commun une expertise et des services, mais, ils illustrent surtout le besoin d'obtenir un rapport de force susceptible d'avoir un impact sur l'élaboration des politiques étatiques et de provoquer certains changements de nature sociopolitique. C'est en se regroupant que l'on peut influencer et changer des mentalités, une législation et des décisions d'institutions publiques ou privées.

Parmi les regroupements connus au Québec, mentionnons L'R des centres de femmes, la Fédération nationale des associations de consommateurs du Québec (FNACQ), l'Association québécoise de défense des droits des personnes retraitées et préretraitées (AQDR), le Regroupement des maisons de jeunes du Québec (RMJQ) et la Fédération des centres d'action bénévole du Québec (FCABQ). On voit la diversité des termes pour désigner un même genre de regroupement d'organismes semblables. On retrouve aussi des coalitions ou regroupements vraiment plus vastes, qui sont clairement intersectoriels, tel le Réseau québécois de l'action communautaire autonome (RQ-ACA), issu en 2007 du comité aviseur et créé essentiellement pour conseiller le Secrétariat à l'action communautaire autonome (SACA).

| *Coalition* | Une coalition est l'association ponctuelle de groupes autonomes autour d'une action collective de changement social. |

La coalition est centrée sur un objectif plutôt circonscrit, habituellement de nature sociopolitique et donc normalement limité dans le temps : l'abolition d'une loi, la revendication d'une réforme ou le changement d'une décision politique. Les groupes varient tant par leur taille et leur nature que par leurs objectifs. Les coalitions peuvent même inclure des membres individuels. Il peut donc se former des coalitions à caractère sectoriel ou multisectoriel, selon la nature de l'objectif visé et l'ampleur de la coalition. Par exemple, les luttes visant une problématique précise, comme la hausse des loyers dans les HLM, réuniront dans un premier temps des groupes d'un même secteur d'activité, dans ce cas-ci le logement.

Les coalitions sont multisectorielles lorsqu'elles touchent un sujet plus large, comme le financement des organismes communautaires ou le droit au travail. Elles peuvent être locales, régionales, nationales (Coalition opposée à la tarification et à la privatisation des services publics de 2009 à 2014), voire continentales ou internationales (la Marche mondiale des femmes en 2000 et 2010). Les règles de fonctionnement interne d'une coalition sont plus souples que celles d'un regroupement et sont rarement rédigées sous forme de règlements internes formels.

On utilise à l'occasion le mot *front* pour désigner une coalition créée pour mener une lutte dans un rapport conflictuel. Ainsi, le «front commun» est la coalition qui a été formée par les trois grandes centrales syndicales pour négocier un contrat de travail avec le gouvernement du Québec au début des années 1970. Le terme est resté pour désigner certains organismes regroupés qui se définissaient avant tout par une lutte contre des politiques publiques. Cette expression est moins utilisée actuellement, mais il reste des fronts devenus permanents, tels que le Front commun des personnes assistées sociales du Québec (FCPASQ) et le Front d'action populaire en réaménagement urbain (FRAPRU), des regroupements sectoriels qui conservent un rôle de lutte et de mobilisation et sont axés sur la défense des droits collectifs.

C'est le terme *solidarité* qui a pris la relève des «fronts» dans les années 1990. La Coalition solidarité santé est née en 1994 pour protéger le système des services sociosanitaires. Solidarité rurale a été créée pour dénoncer les politiques qui contribuent à la disparition des municipalités rurales et de toute l'économie rurale. On utilise aussi le terme *solidarité* pour nommer des coalitions régionales (Solidarité populaire Estrie) et locales (Solidarité Villeray, Solidarité Mercier-Est) qui tentent de coordonner les organismes communautaires pour favoriser le développement communautaire local. Le terme *solidarité* apparaît plus rarement sur le plan local, où l'on voit plutôt des *tables de quartier* multisectorielles.

Table de concertation	Une table de concertation est un processus formel de gestion et de coordination, qui n'est cependant pas fortement hiérarchisé ni fortement institutionnalisé. Ce processus repose sur l'adhésion volontaire d'un ensemble d'agents autonomes (communautaires ou publics) regroupés en vue de fixer et d'atteindre des objectifs communs touchant l'échange d'information, la formation ou des actions concrètes.

La table de concertation, tout en étant tournée vers l'action, est un lieu d'échange où les membres peuvent se donner des services internes. Possédant d'abord un caractère temporaire, certaines tables s'établissent de plus en plus de façon permanente et se dotent de structures de fonctionnement précises : membres, mode de prise de décision, rythme des réunions, etc. Cette forme de structure se situe entre le regroupement et la coalition. La table de concertation est souvent multisectorielle, réunissant des groupes de nature différente autour d'une même problématique ou d'une même population (enfance-famille, jeunes, personnes âgées). Depuis les années 1980, on a assisté à une véritable explosion de tables de toute nature au Québec. On parle souvent de « concertationite aiguë » et d'hyperconcertation[6].

Mais plusieurs tables sont créées par des établissements publics. Les CSSS sont particulièrement actifs dans la création de tables de concertation où sont abordées diverses problématiques surtout à l'échelle locale, mais aussi régionale. Ce sont les intervenants communautaires qui ont la responsabilité de mettre sur pied et d'animer ces tables. Plusieurs tables sont nées essentiellement en réaction à des politiques gouvernementales : les Tables régionales des organismes volontaires en éducation populaire (TROVEP), en réponse aux politiques d'éducation populaire (1977) ; la Table de concertation des organismes de Montréal au service des réfugiés, contre les coupures de l'aide sociale aux réfugiés (1983) ; la Table des regroupements provinciaux d'organismes communautaires et bénévoles (TRPOCB), mise sur pied dans le sillon de l'adoption de la Loi sur les services de santé et les services sociaux, en 1991, afin de discuter des principes et modalités d'évaluation des organismes financés par le ministère de la Santé et des Services sociaux ; la Table nationale contre la Loi sur la sécurité du revenu ; les tables de concertation (de quartier) contre la pauvreté, regroupées par la Coalition montréalaise des tables de quartier dans les années 2000 ; les tables de concertation (de quartier) jeunesse ; les tables (de quartier) sur le maintien à domicile.

La plupart de ces regroupements, tables et coalitions se forment tant sur les plans local ou régional que national et fédéral, à l'exception des regroupements sectoriels au sens strict du terme qui, eux, ont une envergure nationale. Il faut dire que les termes *regroupement*, *table* et *coalition* sont souvent utilisés indifféremment et que les regroupements au sens large évoluent souvent

---

6. D. Bourque (2008), *Concertation et partenariat. Entre levier et piège du développement des communautés*, Québec, Presses de l'Université du Québec, 142 p.

en s'éloignant de leur mission originale, de sorte que leur nom d'origine ne correspond pas toujours à la réalité d'aujourd'hui. En outre, il y a parfois des considérations tactiques qui poussent à utiliser un terme plutôt qu'un autre.

3.2. Les structures des regroupements

La nature des regroupements et leurs objectifs déterminent en grande partie leur structure. On distingue deux principales catégories d'objectifs : le service et l'action.

Les services internes aux membres, tels que la formation, la recherche, les communications internes et externes, l'échange et le soutien technique, sont offerts pour soutenir l'action sur le plan local. Ils sont développés au fil des besoins et des demandes des groupes-membres. Un regroupement comme l'Association québécoise de défense des droits des personnes retraitées et préretraitées (AQDR) peut aussi soutenir un groupe qui souhaite fonder une organisation locale.

L'action se concrétise par des campagnes de sensibilisation, par des tactiques de pression publique sur les décideurs, par la publicisation de cahiers de revendications, par la création de services, par des activités de démarchage (mieux connues sous le nom de *lobbying*), par des manifestations publiques parfois spectaculaires, comme la Marche mondiale des femmes en 2000 et en 2010. La plupart du temps, les regroupements d'organismes réalisent aussi bien des activités liées à la prestation de services à leurs membres que des actions collectives.

Un regroupement sectoriel se verra confier plus de responsabilités par les groupes qui le composent, quitte à lui céder une part de leur autonomie. Les exigences mêmes de l'action imposent ce transfert afin que l'on puisse modifier les stratégies suivant la conjoncture. Dans ces conditions, les mandats doivent être très clairs pour éviter les « fuites en avant » de la permanence nationale ou régionale.

Les regroupements, souvent sollicités par les événements et les médias, doivent réagir rapidement. Cela peut mener à des prises de position publiques qui devraient se situer à l'intérieur de grandes orientations adoptées par les membres.

Il existe donc une tension entre le local et le national, entre la démocratie directe et une délégation assez large d'autorité à l'instance centrale, d'où l'importance, encore une fois, d'avoir des mandats clairs. Même si ces tensions sont normales, elles doivent être prévues dans le développement organisationnel en créant des contrepouvoirs ou des moyens de contrôle souples mais efficaces.

Certains regroupements se donnent aussi des structures régionales qui ont des responsabilités plus spécifiques de décision ou de coordination. Ces structures peuvent constituer un pont qui favorise une meilleure intégration des niveaux de décision et d'action.

Les tables de concertation sont généralement plus ouvertes, multisectorielles, moins formalisées, et axées sur l'échange, la coordination et l'action. Les structures sont habituellement assez souples, mais elles varient énormément selon la nature (communautaire, publique, privée) des organismes membres et les objectifs. La structure de permanence est très légère et souvent assumée par les organisateurs communautaires de CSSS; cependant, de plus en plus de tables sont devenues des regroupements dans les faits.

Les structures des coalitions reposent sur la confiance et sur des décisions claires quant aux objectifs et aux stratégies. En principe, une coalition est ponctuelle, mais dans les faits et dans la mesure où l'objectif n'est pas atteint rapidement, certaines «coalitions» poursuivent leur action pendant plusieurs années; c'est notamment le cas de la Coalition solidarité santé.

3.3. Les conditions d'existence

Les conditions sociales qui stimulent et justifient l'existence des différentes formes de regroupements peuvent être ramenées au nombre de quatre: 1) la conjoncture; 2) la volonté et l'engagement des groupes-membres; 3) la contribution et la participation des groupes-membres; 4) la disponibilité de personnes compétentes.

La conjoncture correspond à un contexte social où la détérioration des conditions de vie rend les groupes favorables à une action nécessitant la mise en commun d'énergie et de ressources, en vue de combattre les causes à l'origine des difficultés que connaît une partie importante de la population.

Ce sont le caractère d'urgence et la faisabilité qui déterminent l'opportunité de former une coalition ou une table de concertation. Ce sont aussi l'expérience passée et le climat de confiance qui détermineront le désir de collaborer. Un groupe échaudé n'adhérera pas à une concertation ou à une coalition.

L'engagement des groupes est une condition essentielle. Il peut être motivé par un intérêt très immédiat ou par des principes et des valeurs. Il est important de vérifier le niveau d'engagement avant de lancer l'idée de concertation ou de coalition.

La contribution des groupes est un autre élément important. Cette contribution peut être très variée. Certains contribuent par leur cohérence idéologique et leur capacité d'analyse, ce qui peut aider à la formulation des objectifs et à l'établissement du mode de fonctionnement. D'autres le font par la possibilité qu'ils offrent de rejoindre et de mobiliser plusieurs groupes et un grand nombre de personnes. D'autres, enfin, contribuent en fournissant des ressources financières, logistiques et humaines.

Il faut comprendre que le type et l'ampleur de la contribution et de l'engagement peuvent varier considérablement. Ainsi, certains groupes seront au cœur de la démarche et agiront comme « porteurs de dossier » et leaders, alors que d'autres, même s'ils sont très engagés publiquement, n'assumeront pas pour autant un rôle de coordination. Certains apporteront une contribution technique mais non politique : par exemple, un groupe ou même un organisme public comme un CSSS, ne se sentant pas en mesure d'appuyer publiquement un regroupement, peut le soutenir en fournissant des ressources ou en diffusant de l'information. D'autres, enfin, apporteront un appui très ponctuel, comme la signature d'une pétition, la participation à un événement public ou la diffusion d'une déclaration.

La disponibilité de personnes compétentes est aussi nécessaire à la viabilité d'un regroupement. Cette compétence peut s'exprimer sur le plan de la recherche et de l'analyse, de la planification et de la stratégie, des moyens d'action, de la communication, de la gestion et de l'évaluation.

La réunion de toutes ces conditions n'empêche cependant pas l'apparition de conflits entre les groupes, d'où l'importance de prévoir des lieux de discussion et de décision démocratique pour prévenir les crises.

3.4. La pertinence des regroupements

Les regroupements d'organismes favorisent le perfectionnement des pratiques, la circulation de l'information, la formation des membres, la planification d'actions communes, l'émergence de nouveaux leaders et la réalisation de certaines économies d'échelle grâce à la planification de services communs.

Nous pourrions ajouter que les regroupements sont l'expression de la nécessaire solidarité entre les groupes communautaires. Le regroupement représente une force collective non négligeable. Il peut accorder une certaine protection à des organismes qui ne pourraient agir publiquement ou seuls à cause des pressions que pourraient exercer des bailleurs de fonds. Par ailleurs, il ne faut pas nier l'existence d'intérêts divergents parmi les groupes participants. Cette situation peut contribuer aux difficultés d'en arriver à des consensus et à des actions. Les regroupements peuvent être lourds et occasionner une grande perte de temps pour des personnes qui doivent d'abord être au service de leurs membres et de la population qui compte sur eux. Ils peuvent aussi, comme nous l'avons déjà noté, engendrer une perte d'autonomie des groupes de base. À la limite, certains regroupements, particulièrement les tables de concertation qui se multiplient, deviennent des prétextes pour justifier l'inaction. C'est pourquoi plusieurs groupes de base se refusent à toute participation à des tables ou sont très critiques à leur égard, malgré des pressions très fortes pour y participer. Selon nous, ce regard critique sur la participation à une coalition ou à une concertation est un réflexe de bonne gestion. Il permet aussi un débat plus démocratique au sein de l'organisme, qui évalue périodiquement la pertinence de participer, plus ou moins activement, à toutes ces instances de collaboration.

CONCLUSION

L'organisation démocratique et la gestion sont des éléments de base dans l'action communautaire. Les conditions de réussite de l'action collective peuvent tenir à des éléments conjoncturels, mais il est impossible d'ignorer les facteurs internes liés à l'organisation elle-même. Malgré tous les principes et outils que nous avons décrits, l'organisation et la dynamique humaine jouent pour beaucoup et rendent la structure démocratique fragile eu égard aux aléas qui surviennent inévitablement dans la vie d'un groupe.

BIBLIOGRAPHIE SÉLECTIVE

ARSENAULT, G. *et al.* (2006), *Votre association, personne morale sans but lucratif,* Québec, Les Publications du Québec, 128 p.

BOURQUE, D. (2008), *Concertation et partenariat,* Québec, Presses de l'Université du Québec, 142 p.

GUBERMAN, N., FOURNIER, D., BEEMAN, J., GERVAIS, L. et J. LAMOUREUX (2005). *Le défi des pratiques démocratiques dans les groupes de femmes,* Montréal, Saint-Martin, 252 p.

MARTEL, P. (2006). *Administrateurs de corporations sans but lucratif : le guide de vos droits, devoirs et responsabilités,* 3e édition, Montréal, Wilson et Lafleur, 148 p.

MEPACQ ET TABLE DES FÉDÉRATIONS (2006), *Sans détour pour changer le monde ou tomber dans le panneau pour l'éducation populaire*, aussi disponible sur <http://www.mepacq.qc.ca/>.

TABLE RÉGIONALE DES ORGANISMES COMMUNAUTAIRES DE LANAUDIÈRE - TROCL (2008), *Guide sur la reddition de compte et la rédaction du rapport d'activités*. Saint-Esprit. Disponible en PDF sur le site de la TROCL: <http://www.trocl.org/docref/>.

WEBOGRAPHIE SÉLECTIVE

CENTRE DE FORMATION POPULAIRE: <http://www.lecfp.qc.ca>.

CENTRE SAINT-PIERRE: <http://www.centrestpierre.org/publications/outils.html>.

CIVICUS, SUR LA PLANIFICATION STRATÉGIQUE: <http://www.civicus.org/new/media/Planification%20Strategique.pdf>.

COMITÉ SECTORIEL DE LA MAIN-D'ŒUVRE DE L'ÉCONOMIE SOCIALE ET DE L'ACTION COMMUNAUTAIRE/CSMO-ESAC, *La boite à outils. La gouvernance démocratique*, octobre 2007, <http://www.csmoesac.qc.ca/outils/boite_outil.html>, disponible sur CD.

RELAIS FEMMES: <http://www.relais-femmes.qc.ca>.

LE FINANCEMENT

JEAN PANET-RAYMOND
JOCELYNE LAVOIE

PLAN DU CHAPITRE 10

INTRODUCTION

La question du financement des organismes communautaires est cruciale et complexe.

Elle relève non seulement de la dynamique politique au sein de laquelle évoluent les organismes communautaires autonomes, mais aussi de la dynamique des institutions publiques, telles que les centres de santé et de services sociaux (CSSS), les agences de santé et de services sociaux, les directions régionales de santé publique (DSP), les écoles, les conférences régionales des élus (CRÉ) et les municipalités, qui ont recours à des pratiques communautaires au gré de leurs priorités d'action. Ces dynamiques, toujours en évolution, obligent souvent les organismes communautaires à consacrer au financement énormément d'énergie et de ressources, parfois même au détriment de leur autonomie et de leur intégrité.

D'aucuns voient aussi dans l'enjeu du financement des organismes communautaires autonomes la tendance à faire du « secteur communautaire » une expertise à moindre coût au service du « secteur public » dans une perspective de sous-traitance. Plusieurs font même l'apologie de ce qu'ils nomment « l'avènement d'un tiers-secteur d'utilité sociale » qui marquerait un gain qualitatif quant à l'organisation des collectivités[1]. Cette vision de l'État minimal peut paraître favorable aux organismes communautaires. Ne valorise-t-elle pas le bénévolat, la prise en charge, la décentralisation, la concertation et le partenariat ?

Après avoir boudé le financement trop contraignant qu'on leur offrait, plusieurs organismes communautaires semblent aujourd'hui résignés à assumer la responsabilité de cette mission de remplacement, particulièrement du côté des services de première ligne dans le domaine de la santé et des services sociaux.

L'enjeu du financement est encore plus critique pour les organismes communautaires dont la mission repose sur l'action militante et la défense des droits collectifs. La situation financière des organismes communautaires autonomes est donc toujours précaire et les ressources disponibles ne sont jamais acquises et fluctuent trop souvent au gré de la conjoncture politique, de l'état des finances publiques et des courants idéologiques dominants.

---

1. L. Guay (1994), entrevue, *Pop Com*, Montréal, Centre de formation populaire ; J.-L. Laville (1992), *Les services de proximité en Europe : pour une économie solidaire*, Paris, Syros / Alternative ; Y. Vaillancourt (1994), « Éléments de problématiques concernant l'arrimage entre le communautaire et le public dans le domaine de la santé et des services sociaux », *Nouvelles pratiques sociales*, vol. 7, n° 2, p. 227-248.

Malgré cela, certains organismes tirent mieux que d'autres leur épingle du jeu grâce à un financement de base et à l'utilisation d'une variété de moyens créatifs pour compléter ce financement.

Dans ce chapitre, nous ne nous attarderons pas aux détails techniques des activités de financement ni aux sources et programmes de financement, qui sont en constante fluctuation. Plusieurs guides[2] traitent avec compétence de cette dimension de la question. Nous préférons renvoyer le lecteur à ces ouvrages et nous étendre sur certains éléments portant sur le lien entre le financement et la vie d'un organisme communautaire, notamment l'importance de comprendre la conjoncture, la dimension stratégique, les principes que devraient respecter les demandes de subventions et les diverses sources générales de financement. Les défis que pose l'autofinancement seront traités avant de clore ce chapitre par l'évaluation de l'ensemble des activités d'autofinancement. Nous aborderons ces questions en ayant pour constante préoccupation la pertinence, l'utilité et les limites du financement.

1. ■ COMPRENDRE LA CONJONCTURE

Le processus de désengagement de l'État d'un grand nombre de ses responsabilités sociales a des conséquences directes sur les organismes communautaires, particulièrement sur ceux qui offrent des services directs à la population et qui se voient de plus en plus confinés dans des activités orientées vers la complémentarité aux ressources publiques. Les porte-parole de l'État reconnaissent volontiers que le communautaire constitue une solution de rechange non seulement valable, mais de plus en plus recherchée. Depuis le Sommet socioéconomique pour l'emploi en 1996, l'État semble avoir « redécouvert » la rentabilité sociale et économique des organismes communautaires[3] en misant notamment sur l'économie sociale comme mode d'insertion privilégié des personnes exclues, prestataires de

---

2. Centre de formation populaire (1983), *Les finances de nos organisations*, Montréal, Centre de formation populaire ; L'R des centres de femmes (1986), *Les centres de femmes parlent d'argent*, Montréal, L'R des centres de femmes ; TROVEP (1993), *L'Atout. Manuel de ressources pour l'action communautaire*, Sherbrooke, TROVEP.

3. Gouvernement du Québec (2001), document d'orientation du Sommet socioéconomique pour l'emploi, 1996, Québec ; R. Mathieu, V. Van Schendel, D.-G. Tremblay, C. Jetté, L. Dumais et P.-Y. Crémieux (2001), *L'impact socio-économique des organismes communautaires et du secteur de l'économie sociale dans les arrondissements de la Ville de Montréal*, Montréal, Université du Québec à Montréal, Laboratoire de recherche sur les pratiques et les politiques sociales (LAREPPS).

la sécurité du revenu. S'ajoutent de nombreux programmes de financement pour la prestation de services d'alphabétisation, de justice et de réhabilitation, d'hébergement, de services à domicile, de services d'accueil des immigrants, etc.[4].

Notons que les programmes de développement de l'employabilité gérés par Emploi-Québec ont été particulièrement importants pour le financement des organismes communautaires de développement de l'employabilité depuis le début des années 1990. Ces programmes ont aussi servi à plusieurs groupes qui, sans avoir une mission d'employabilité, ont pu utiliser ces fonds pour un ensemble d'activités parce qu'ils engageaient des personnes inscrites à des mesures d'employabilité.

Mais ce qui devait être la pièce maîtresse du gouvernement québécois en matière de financement des organismes communautaires autonomes, c'est la Politique de reconnaissance et de soutien de l'action communautaire, adoptée à l'été 2001[5]. Cette politique prévoit une reconnaissance de la mission autonome des organismes de l'action communautaire, le soutien financier des activités liées à cette mission («financement de base»), le financement d'activités complémentaires aux missions ministérielles par des ententes de service précises ou des projets ponctuels, et l'élaboration de moyens de reddition de comptes compatibles avec le respect de l'autonomie des organismes communautaires autonomes. De plus, la Politique maintient les rôles du Secrétariat à l'action communautaire autonome (SACA), devenu en 2008 le Secrétariat à l'action communautaire autonome et à l'innovation sociale (SACAIS), comme conseiller du ministre, coordonnateur de l'application de la Politique et responsable du Fonds d'aide à l'action communautaire. Le Comité aviseur de l'action communautaire autonome (CA-ACA) devenait, quant à lui, «un interlocuteur privilégié» des organismes communautaires autonomes. Depuis 2009, le CA-ACA est devenu le Réseau québécois de l'action communautaire autonome (RQ-ACA) et a donc pris ses distances du simple rôle de conseiller pour favoriser une mobilisation plus large des organismes communautaires autonomes.

Une recherche évaluative sur la mise en œuvre de la Politique révèle qu'elle n'a pas beaucoup modifié les pratiques des ministères, en assurant une faible augmentation du financement attribué à la mission ou en finançant les activités

---

4. Secrétariat à l'action communautaire autonome et à l'innovation sociale (SACAIS) (2009), *État de situation de l'intervention gouvernementale auprès des organismes communautaires*, Québec, SACAIS.

5. Gouvernement du Québec (2001), *L'action communautaire: une contribution essentielle à l'exercice de la citoyenneté et au développement social du Québec*, Québec, ministère de l'Emploi et de la Solidarité sociale, septembre.

liées à la mission des organismes. Donc, le rapport au financement de l'État demeure relativement utilitaire. Cette recherche soulève aussi la question de la définition et de l'intégrité même des organismes communautaires. Le gouvernement québécois reconnaît en principe la contribution sociale des organismes communautaires[6]. Cependant, il ne cautionne pas nécessairement l'intégralité de leur mission, particulièrement leur dimension «subversive» ou critique, ni leur mode de gestion différent. Cette reconnaissance est donc partielle, utilitaire, voire opportuniste. Elle ne vaut que pour les groupes et organismes qui s'inscrivent dans la continuité et la complémentarité des politiques d'État. Ainsi, les gouvernements financent certains organismes qui contribuent à assurer le maintien à domicile de personnes âgées ou handicapées physiquement ou mentalement, offrent des activités de formation à des parents de jeunes enfants, etc.

Avec des enveloppes budgétaires qui ne progressent pas au rythme des besoins et une tendance au financement par projet, on observe même un resserrement des normes administratives et des critères de financement. Dans le domaine de la santé et des services sociaux, les organismes doivent de plus en plus s'intégrer dans des stratégies nationales et régionales définies par les agences de la santé et des services sociaux (ASSS) et souvent appliquées par l'intermédiaire des directions de santé publique (DSP) et des CSSS, dont les organisateurs communautaires sont des relais importants. On doit plus particulièrement souligner les nombreux programmes touchant la petite enfance, les actions auprès de la jeunesse en difficulté, la sécurité alimentaire, ainsi que les nombreux programmes de prévention des infections transmises sexuellement et par le sang (ITSS). Tous ces programmes se veulent intégrés à une approche globale de la santé visant les déterminants de la santé et misant sur la promotion et la prévention; par exemple, le développement des communautés devient une stratégie privilégiée, notamment dans le cadre du Programme national de santé publique (2003-2012 – mise à jour 2008) qui prône la concertation et les actions intersectorielles. Les organismes communautaires sont donc de plus en plus interpellés comme partenaires du secteur public et des CSSS en particulier[7].

À cette présence du secteur public, il faut ajouter depuis les années 2000 celle des fondations privées, qui sont de plus en plus proactives et qui s'imposent comme partenaires de l'État pour développer de nouveaux programmes auxquels

6. D. White *et al.* (2008), *La gouvernance intersectorielle à l'épreuve. Évaluation de la mise en œuvre et des premières retombées de la Politique de reconnaissance et de soutien de l'action communautaire*, Montréal, Université de Montréal, Centre de recherche sur les politiques et le développement social, mars.
7. Agence de la santé et des services sociaux de Montréal-Centre (2009), *Cadre de référence en développement des communautés*, Montréal, Agence de la santé et des services sociaux de Montréal-Centre.

les organismes communautaires sont appelés à participer, non pas comme concepteurs, mais comme acteurs de la mise en œuvre. Cela soulève toute la question du rôle de l'État dans l'élaboration des politiques publiques : la conception et la mise en œuvre des politiques deviennent de moins en moins transparentes tout en s'assimilant à de la privatisation sous la forme d'un partenariat public philanthropique (PPP). Le cas de la Fondation Chagnon dans le domaine des programmes de promotion de saines habitudes de vie auprès des enfants en est une illustration. Quel doit être le rôle d'une fondation privée ? Soutenir des initiatives citoyennes ou concevoir des politiques et les soumettre au gouvernement avec une contribution financière liée ? Quelle est l'imputabilité des fondations envers l'utilisation des fonds privés, exempts du contrôle de l'État ? Sommes-nous devant un déficit démocratique qui déresponsabilise l'État ? Est-ce que les organismes communautaires autonomes doivent devenir les partenaires minoritaires des fondations et de l'État pour offrir des services dans des programmes définis par les fondations privées ? Voilà les questions stratégiques et éthiques que les organismes communautaires se posent en voulant demeurer fidèles à leur mission transformatrice et critique.

> La Fondation Chagnon. Un simple acteur de plus ? Pas seulement ! Cette Fondation porte un nouveau projet politique offensif, celui de contribuer activement à implanter une perspective de prévention dans l'organisation des services sociaux et de santé, à partir d'une stratégie de ciblage de certains groupes « à risque », en particulier les enfants et les jeunes de certains milieux sociaux ou régions pauvres. Et cette offensive a une prétention à portée politique : réussir là où les programmes gouvernementaux ont jusqu'ici échoué.
>
> La caractéristique des interventions de ces fondations est d'être fondées sur une approche scientifique, sur une collaboration étroite avec les centres de recherche, dans une perspective de démonstration (les données probantes) en direction des décideurs politiques. On veut montrer qu'« on peut faire la différence ». Les fondations ne se définissent plus comme des mécènes, mais comme des « investisseurs sociaux ». La sémantique est fondamentale : on emprunte explicitement au langage du marché et du contrat. On est avec l'État, oui, mais pour le changer !
>
> On est bien en présence de l'implantation d'une toute nouvelle gouvernance dans laquelle l'acteur privé tend à se substituer à l'acteur public, au moins dans les secteurs dans lesquels il choisit d'intervenir. Un pas majeur est franchi dans cette implantation d'un nouveau type d'intervention, tout aussi technocratique, *top-down*, que l'intervention gouvernementale, à la différence radicale qu'elle se donne la liberté de choisir ses lieux, ses populations objets de ses interventions, de les limiter dans le temps, alors que les politiques publiques sont encadrées et conditionnées par leur mission d'universalité et leur caractère illimité dans le temps. C'est bien là que la Fondation se donne

des règles du jeu totalement différentes, ce qui fait toute la différence des politiques *publiques,* et c'est bien là qu'elle entend aussi, au nom de son généreux financement (200 millions $), se donner la liberté de changer ces règles et à ce changement une portée implicitement universelle[8].

Les gouvernements, les fondations et les entreprises acceptent de subventionner des activités précises et ponctuelles. Dans ce contexte, le financement des infrastructures et du fonctionnement général des organismes devient de plus en plus réduit et rare, malgré les gains sensibles amenés par la Politique de reconnaissance et de soutien[9]. Dans les faits, le financement et, plus particulièrement, les conditions liées à son obtention deviennent une des sources potentielles de dérive des organismes les plus dangereuses par rapport à leur mission originale[10]. Des groupes mettent de côté les perspectives de changement social et de défense des droits au profit de services individuels et curatifs qui sont l'objet de financement.

> Le financement public est loin de répondre aux besoins. Les seules nouvelles sources de financement sont celles des fondations d'affaires. Le financement est contractuel et annuel. La docilité peut faciliter le renouvellement du contrat. Cependant, pour accepter de tels contrats, il faut accepter que ce ne soit plus l'assemblée générale qui soit « souveraine ». Les groupes se sont battus contre l'ingérence gouvernementale. Est-ce que l'ingérence privée, financée en grande partie par les fonds publics, est plus acceptable[11] ?

La reconnaissance réelle de l'utilité sociale des organismes communautaires autonomes, la nécessité de leur autonomie, le respect de la dynamique de développement qui leur est propre et de la forme de démocratie qu'ils proposent sont donc autant d'enjeux liés au financement.

---

8. F. Lesemann (2008), « L'irruption des fondations privées dans le "commuautaire" : une nouvelle gouvernance des services publics ? », *Bulletin de liaison,* Fédération des associations de familles monoparentales et recomposées du Québec, vol. 33, n° 2, octobre.
9. White, *op. cit.*
   Pour une analyse de l'évolution des modalités du financement des organismes et les racines des changements en cours, on peut lire la recherche de l'Institut de recherche et d'informations socioéconomiques (IRIS) (2013), *Les organismes communautaires au Québec. Financement et évolution des pratiques* (<http://www.iris-recherche.qc.ca>).
   Pour suivre les suites des rapports de négociation entre les organismes et les instances du gouvernement du Québec, on peut lire le bulletin du RQ-ACA, *ACAPELLA,* disponible sur le site du RQ-ACA: <http://www.rq-aca.org>.
10. E. Shragge (2006), *Action communautaire: dérives et possibles,* Montréal, Écosociété.
11. Fédération autonome de l'enseignement (FAE) et Table ronde des OVEP de l'Outaouais (TROVEPO) (2009), *Mieux comprendre l'affaiblissement des services publics: quand les fondations privées ébranlent les fondations de l'édifice social,* Montréal et Gatineau, FAE et TROVEPO, août.

Cet état de fait rejoint les préoccupations éthiques et politiques d'un nombre important d'intervenantes et d'intervenants communautaires et soulève un questionnement. Il porte sur la substance des choses et, au-delà des opportunismes plus ou moins faciles, ramène à l'avant-plan de nos préoccupations la fonction essentielle du mouvement communautaire, c'est-à-dire offrir aux personnes l'occasion d'affirmer leur volonté d'être des sujets et des citoyens conscients qui peuvent contribuer de façon décisive à l'amélioration des conditions et de la qualité de la vie en société, en l'absence de toute contrainte autre que celle de la solidarité active. La régionalisation des ressources financières de certains ministères contribuera-t-elle au rétrécissement de la marge de manœuvre des groupes ? Doivent-ils accepter d'occuper certains créneaux parce qu'un financement l'accompagne ? Ces questions touchent la finalité même des groupes et organisations communautaires autonomes. Il semble que de nouvelles réflexions sur les liens à développer avec ces modes de financement voient le jour et amènent des positionnements critiques des organismes et regroupements[12].

> Faut-il pour autant renoncer aux financements proposés ? Question délicate et stratégique. Il me semble toutefois que l'enjeu est de savoir dans quelle mesure les groupes communautaires et les associations concernés sont capables de soumettre les projets d'intervention des fondations aux impératifs démocratiques d'une approche *bottom-up*, fondée sur l'histoire et l'ancrage territorial/ou identitaire des groupes concernés, de négocier un rapport de partenariat respectueux de leur dynamique politique propre. Bref, de véritablement coproduire l'action (Lesemann, *op. cit.*, p. 11).

Quel que soit le contexte et bien au-delà des conjonctures, les organismes communautaires autonomes sont condamnés à solliciter le soutien de l'État. Leur espace de liberté sera d'autant plus grand qu'ils pourront faire la preuve non seulement de leur utilité sociale, mais aussi de leur enracinement dans leur milieu. Cela soulève la question du *membership* des organismes, de leur vie associative et démocratique et de la qualité du rapport avec les populations visées.

---

12. FAE/TROVEPO, *op. cit.* ; G. Lévesque (2010), *Notes de préparation et synthèse de la Journée de réflexion sur le financement et les fondations*, Longueuil, CDC Longueuil, 15 avril ; C. Cauchy, « Une cohabitation devenue difficile », *Le Devoir*, 23 mai 2009 ; J.-M. Piotte (sous la dir. du comité Gouvernance de l'État du Réseau québécois de l'action communautaire autonome) (2010), *L'État social et l'action communautaire autonome*, document pour l'assemblée générale extraordinaire du 17 février 2010.

2. LES STRATÉGIES DE FINANCEMENT

Devant les défis actuels et les enjeux liés au financement de leurs services et activités, les organismes communautaires doivent élaborer des stratégies de financement fondées sur leurs besoins réels. Ils doivent également tenir compte des stratégies définies entre les groupes membres d'un même regroupement et entre ces regroupements sur les plans régional et national. Le Comité aviseur de l'action communautaire autonome (CA-ACA), devenu le RQ-ACA en 2008, assume depuis 1996 ce rôle de coordination et de représentation de l'ensemble du mouvement communautaire autonome. Il a réussi à mobiliser les nombreux regroupements sectoriels et intersectoriels pour former un front relativement uni devant le gouvernement, plus particulièrement eu égard au projet de Politique de reconnaissance et de soutien de l'action communautaire. Si les facteurs externes relevés plus haut constituent des variables sur lesquelles il peut être difficile d'exercer un contrôle, les groupes peuvent néanmoins gérer les facteurs internes et mettre en place une administration efficace et créative.

Une stratégie de financement est essentiellement un plan d'ensemble visant à assurer des revenus à un organisme communautaire par divers moyens. Une telle stratégie suppose donc des choix politiques et éthiques.

a) La stratégie doit d'abord être en harmonie avec la mission et les objectifs de l'organisme. On conçoit mal, par exemple, qu'un groupe de défense des consommateurs, telle une association coopérative d'économie familiale (ACEF), reçoive de l'argent d'entreprises qu'elle dénonce.

b) Cette cohérence veut aussi dire que la stratégie est liée à la stratégie de communication : il faut se faire connaître avant de se faire reconnaître pour être financé.

c) La stratégie doit respecter la gestion financière de l'organisme. Un organisme devra avoir une tenue de livres et une gestion transparentes et au-dessus de tout soupçon.

d) La stratégie doit tenir compte de l'environnement social, économique, culturel, politique et organisationnel. Il est bon de connaître les tendances et les attentes des bailleurs de fonds. Il peut être utile de consulter des collaborateurs (groupes locaux ou regroupements) et même de s'entendre avec eux, avant de finaliser une stratégie à l'égard d'un gouvernement, d'une agence de la santé et des services sociaux ou de Centraide, qui restreignent les budgets et privilégient des partenariats avec tel ou tel genre d'organisme.

e) Enfin, la stratégie doit être fondée sur les besoins de l'organisme et sur l'ensemble des sources de revenu potentielles. Trop de groupes ont tendance à définir leur plan d'action en fonction du financement accessible, au risque de perdre le sens de leur mission. Certes, on tient toujours compte des ressources en définissant son plan d'action, mais celui-ci ne doit pas être totalement soumis aux critères des bailleurs de fonds.

La stratégie permettra de définir les priorités de financement en fonction de l'énergie disponible, des chances de réussite, des contraintes administratives et des contraintes politiques. La stratégie de financement commande donc un bon débat entre salariés et membres des instances décisionnelles. Elle devrait être discutée et adoptée à l'assemblée générale. L'élaboration et la mise en œuvre d'une stratégie de financement constituent donc une excellente occasion de mobiliser les membres et de mener des activités d'éducation populaire.

Ce débat et l'acceptation démocratique d'une stratégie de financement devraient aussi permettre de résoudre l'éternel dilemme éthique des groupes qui hésitent entre les contrôles liés aux subventions gouvernementales et l'autonomie relative que procure une bonne base d'autofinancement. La stratégie de financement contribue donc à planifier les démarches auprès des bailleurs de fonds potentiels et à mobiliser les membres dans des activités de représentation et de financement autonome. Elle favorise la distribution des responsabilités quant à la participation à des tables ou regroupements. Elle offre enfin une occasion de mesurer la force réelle de l'organisme, c'est-à-dire non seulement le degré d'ouverture qu'il trouve chez les bailleurs de fonds, mais aussi sa capacité réelle de mobiliser ses membres et la communauté d'appartenance.

La stratégie de financement sera plus ou moins complexe selon la nature et la taille de l'organisme. Certains organismes de services peuvent être financés presque entièrement par une seule source, par exemple le ministère de la Santé et des Services sociaux, par l'entremise du Programme de soutien aux organismes communautaires (PSOC) ou d'Emploi-Québec, alors que d'autres auront une stratégie de financement fondée sur une pluralité de sources de revenu.

La condition de l'indépendance d'action et de l'autonomie politique repose toutefois pour beaucoup sur la diversification des sources de financement et, dans la mesure du possible, sur l'accès à un autofinancement : cotisations des membres, activités, etc. La stratégie de financement d'un organisme s'inscrit dans sa stratégie générale d'action. Il est sans doute utile de noter que certaines activités peuvent combiner des objectifs liés à l'obtention de résultats tant financiers ou éducatifs que sociaux. Par exemple, une assemblée publique d'information sur un problème environnemental peut aussi être une occasion de solliciter l'appui financier des personnes présentes : vente de t-shirts, tirage d'une œuvre d'art, vente de documents, etc.

3. LES SOURCES DE FINANCEMENT

Certains annuaires et guides font connaître les nombreuses sources de fonds accessibles[13]. Ce sont des outils précieux, d'autant plus que plusieurs de ces sources potentielles peuvent changer d'une année à l'autre. Certains programmes gouvernementaux ou issus des agences de la santé et des services sociaux seront modifiés en fonction des priorités du moment, alors que d'autres disparaîtront. Un organisme comme Centraide suivra l'évolution des politiques de l'État et celle des problématiques sociales, tout en ayant des priorités et des particularités adaptées aux besoins de la région.

Cela rend la tâche des groupes plus difficile, car il leur faut constamment être à l'affût des changements. Toutes les sources de financement que nous avons relevées peuvent être ponctuelles ou récurrentes. Elles obéissent aux aléas de l'évolution des politiques sociales et sont liées au caractère impondérable des mesures d'économie décrétées par les différents ordres de gouvernement.

3.1. Le gouvernement fédéral

Plusieurs ministères fédéraux, comme Patrimoine canadien, Ressources humaines et Développement des compétences Canada (RHDCC) et Santé Canada, ont traditionnellement soutenu un grand nombre d'organismes communautaires. On peut même affirmer que l'essor des organismes communautaires autonomes est largement tributaire de ce soutien. De plus, le gouvernement fédéral remet aux provinces la gestion de certains programmes : santé, éducation, sécurité du revenu, formation professionnelle. Parmi les programmes de financement les plus importants dans les années récentes, on doit signaler le Programme d'action

---

13. Le Centre québécois de philanthropie (2013), *Fonds et fondations pour OBNL du Québec 2013*, Montréal, Le Centre québécois de philanthropie (<http://www.cqp.qc.ca/>).

communautaire pour les enfants (PACE), qui permet à plusieurs organismes familiaux et centres d'éducation populaire de mener une variété d'activités éducatives avec les parents et les enfants issus de milieux économiquement démunis.

Enfin, il ne faut pas oublier que Santé Canada cherche à compléter l'action du MSSS en matière de santé des populations en favorisant des actions novatrices et leur évaluation ; ce sont souvent des projets pilotes pouvant servir de modèles par la suite, toujours dans une approche globale de la santé visant à agir sur les déterminants de la santé et misant sur la promotion et la prévention par des stratégies de concertation intersectorielle[14]. On doit souligner que le gouvernement fédéral se préoccupe de plus en plus du statut d'organisme charitable et de la transparence de la gestion des organismes bénévoles et communautaires. L'« industrie » de l'action volontaire – comme on l'appelle au Canada – est en plein développement, notamment grâce à des mesures qui visent à l'encourager : diminution des services publics, reconnaissance accrue de l'action volontaire, fiscalité qui encourage les dons de charité[15].

3.2. Le gouvernement du Québec et les institutions publiques

Le gouvernement du Québec joue un rôle de plus en plus important à mesure que le gouvernement fédéral se retire de champs d'intervention qu'il occupait en profitant de son pouvoir de dépenser. La politique québécoise de soutien financier aux organismes communautaires s'oriente depuis les années 1990 vers des projets inscrits dans des programmes ciblant des populations et des problématiques de plus en plus précises. Il est donc de plus en plus contraignant d'avoir un financement pour des activités de défense des droits, d'éducation populaire et de mobilisation vers des transformations sociales. Sans être complet, le portrait qui suit donne des indications sur l'état actuel de la situation, qui, faut-il le rappeler, évolue constamment[16]. En fait, le Secrétariat à l'action communautaire autonome et aux initiatives sociales (SACAIS) est, par son mandat, la meilleure source d'information sur l'ensemble des programmes gouvernementaux de financement.

---

14. Patrimoine canadien : <http://www.pch.gc.ca/ddp-hrd/canada/grnt-fra.cfm> ; Santé Canada : <http://www.hc-sc.gc.ca/index-fra.php> ; Ressources humaines et Développement des compétences Canada (RHDCC) : <http://www.rhdcc.gc.ca/fra/pip/ds/06_isb.shtml>.
15. On peut en savoir plus long en visitant le site de l'Initiative sur le secteur bénévole et communautaire : <http://www.vsi-isbc.ca/fr/index.cfm>.
16. Un état de situation annuel du financement de l'action communautaire se trouve sur le site du SACAIS/Québec. Ce document décrit chacun des programmes, les montants disponibles et les critères d'admission.

Le **Secrétariat à l'action communautaire autonome et aux initiatives sociales (SACAIS)** devrait aussi favoriser l'accès et les liens entre les organismes communautaires et les divers programmes de financement. De plus, il gère le Fonds d'aide à l'action communautaire autonome qui finance trois programmes, lesquels visent le soutien à la promotion des droits, aux organismes multisectoriels ainsi qu'à des recherches et des études en lien avec la mise en œuvre de la politique gouvernementale. Ce fonds constitue une planche de salut pour plusieurs projets qui ne correspondent pas aux programmes très ciblés des divers ministères et pour les groupes qui ne peuvent ou ne veulent pas devenir des « partenaires » de ces ministères.

Le **Programme de soutien aux organismes communautaires (PSOC)** du ministère de la Santé et des Services sociaux (MSSS) est administré essentiellement par les agences de la santé et des services sociaux (ASSS).

Les **agences de la santé et des services sociaux (ASSS)** sont de plus en plus au cœur du financement des organismes communautaires actifs dans les champs de la santé et des services sociaux. Elles gèrent l'essentiel du Programme de soutien aux organismes communautaires (PSOC)[17]. Le principal objectif ici est d'être reconnu comme organisme d'utilité sociale ayant un statut de partenaire des réseaux publics. Chaque région pouvant avoir des priorités différentes, les groupes communautaires doivent être en mesure de faire valoir les leurs, d'où l'utilité des tables sectorielles et intersectorielles de concertation, qui ont pour principal objectif l'exercice d'une certaine influence sur les politiques régionales. À l'intérieur des agences, les directions de santé publique (DSP) peuvent fournir le soutien de leur service de recherches sociodémographiques et sanitaires et même de planification. Elles peuvent aussi mener des recherches sur des problèmes particuliers et des problématiques générales, favorisant ainsi la prévention et la promotion de la santé dans son sens le plus large. Certaines DSP ont également mis en œuvre des projets en santé communautaire, en collaboration avec des organismes communautaires. Selon les régions, elles sont très actives dans la lutte contre la pauvreté, surtout celle des très jeunes enfants, la prévention des infections transmises sexuellement et par le sang (ITSS) chez les adolescents

---

17. Agence de la santé et des services sociaux des Laurentides (1998), *Proposition d'un cadre de référence pour la reconnaissance et le financement des organismes communautaires*, Saint-Jérôme, Agence de la santé et des services sociaux des Laurentides, février, adopté en avril 1998 ; Agence de la santé et des services sociaux de Montérégie (2006), *Cadre de référence régissant les relations entre l'ASSS de la Montérégie, les établissements régionaux et les organismes communautaires œuvrant dans le domaine de la santé et des services sociaux* ; Agence de la santé et des services sociaux de Laval, *L'action communautaire, une contribution essentielle à la santé et au bien-être de la population lavalloise. Cadre de référence*, 2007.

et les jeunes adultes, le cancer du sein, la violence, etc. Le mouvement de Villes et Villages en santé est un exemple d'un programme auquel participent des groupes, des institutions publiques et des municipalités. Mais le même phéno-mène contraignant s'observe de plus en plus en santé publique, où les pro-grammes nationaux sont planifiés selon des priorités régionales et ensuite administrés en concertation locale avec les « partenaires » publics (les CSSS, les centres jeunesse, les écoles, etc.) et communautaires. Cela entraîne des chocs considérables entre visions différentes : planification technocratique et dévelop-pement participatif de la population et autonomie des groupes[18]. Là encore, l'enjeu est le contrôle par l'institution publique de l'initiative communautaire. C'est aussi le respect de l'autonomie des organismes qui sont réduits à un rôle de sous-traitance, étant considérés comme des « relais » ou des « partenaires » de l'État.

Par ailleurs, les CSSS peuvent fournir le soutien professionnel de travail-leurs communautaires et d'agents d'information ainsi qu'un soutien technique : prêt de locaux, photocopie, diffusion d'information, etc. En fait, les CSSS, qui prennent l'initiative de nombreuses pratiques communautaires à l'intérieur de leur programmation, devraient constituer une première source de référence pour les groupes, avec leurs quelque 350 organisateurs communautaires. L'accès à ces ressources peut procurer un avantage fort important.

Emploi-Québec, par ses nombreux programmes de développement de l'employabilité et d'insertion socioprofessionnelle, soutient des organismes com-munautaires qui n'ont pas nécessairement comme mission l'employabilité. Les organismes acceptent d'apporter un soutien de formation à des personnes qui occupent des postes dans leurs organismes. Par exemple, un centre d'éducation populaire pourra intégrer pendant six mois une personne qui occupe un poste d'entretien ménager ou d'aide éducatrice dans une halte-répit. Ce programme sert de subvention salariale pour l'organisme tout en soutenant un cheminement d'insertion en emploi pour la personne embauchée. Ces programmes comportent des contraintes administratives liées à l'encadrement des personnes engagées (temps de formation, manque de continuité, courte période des stages), et demande du temps pour la formation et l'encadrement.

---

18. R. Lachapelle (2008), *Organisation communautaire et programmes de santé publique. Un espace de négociation à établir*, rapport de recherche, Gatineau, Alliance de recherche université-communauté – Innovation sociale et développement des communautés ARUC-ISDC.

Les **conseils régionaux de développement (CRD)** et les **centres locaux de développement (CLD)** ainsi que les **corporations de développement économique communautaire (CDEC)** sont des acteurs communautaires de plus en plus présents dans la gestion des fonds destinés à l'économie sociale. Ils le sont aussi dans la planification et la mise en œuvre d'actions communautaires à caractère plutôt économique, tout en touchant des problématiques comme la pauvreté et le développement durable, selon leur priorité. La composition de leurs conseils d'administration devant comporter des représentants des organismes communautaires (de façon minoritaire), ce sont des lieux propices pour soutenir des initiatives communautaires. Selon les régions, ils peuvent être des interlocuteurs fort pertinents de l'action communautaire au regard des concertations nécessaires.

Enfin, on oublie trop souvent que certaines institutions, comme les **universités**, les **cégeps** et les **commissions scolaires**, peuvent être une source de soutien, notamment par leurs services aux collectivités, là où elles existent, et leurs centres de ressources éducatives. Ces institutions disposent de ressources qui peuvent soutenir la réalisation de recherches et la formation sur mesure. Certaines personnes travaillant dans ces institutions peuvent être consultées à titre de personnes-ressources. Par ailleurs, plusieurs professeurs et étudiants ne demandent pas mieux que de s'engager et de trouver des lieux d'expérimentation, en développant des projets d'action collective à divers niveaux : autofinancement, recherche-action, action collective, sensibilisation, mobilisation, etc. Ils peuvent apporter une expertise et une reconnaissance au travail des groupes, notamment face à des bailleurs de fond. Certaines disciplines, comme le travail social, l'environnement, le droit, permettent aussi aux étudiants d'effectuer des stages à court et à long terme dans les organismes communautaires. Cependant, il faut savoir que ces institutions ont leur propre logique de fonctionnement, notamment en matière de compétences de stage à développer, de disponibilité des stagiaires, ainsi que du côté de la période scolaire à l'intérieur de laquelle les projets doivent être réalisés. La collaboration souhaitée avec celles-ci peut donc exiger des concessions et des compromis de la part des organismes communautaires.

3.3. **Les municipalités et les CRÉ**

Les **municipalités** et les **municipalités régionales de comté (MRC)** doivent de plus en plus être considérées comme des sources de financement potentielles. La Loi sur les cités et villes les autorise à financer des organismes communautaires et bénévoles. Alors qu'il est de plus en plus question de décentralisation et de municipalisation de certains services, cette perspective devra être abordée et approfondie. D'ailleurs, plusieurs municipalités se sont déjà dotées de politiques de développement social et durable ou de politiques touchant leurs relations avec les organismes communautaires, particulièrement dans le domaine du loisir et de la culture. Plusieurs autres municipalités commencent à s'ouvrir à l'idée du développement économique communautaire. À cet effet, le **ministère des Affaires municipales et de l'Occupation du territoire (MAMOT)** finance les corporations de développement économique communautaire. D'autres municipalités, enfin, s'intéressent et participent à certaines initiatives comme Villes et Villages en santé. Certaines municipalités favorisent aussi le financement des zones de **revitalisation urbaine intégrée (RUI)**, qui s'inscrit dans une vision de développement social local. Enfin, les **conférences régionales des élus (CRÉ)** sont de plus en plus présentes dans la définition des orientations des politiques de développement durable et soutiennent aussi l'engagement jeunesse notamment par les Fonds régionaux d'initiative jeunesse (FRIJ).

Enfin, il ne faut pas oublier que les élus locaux ont souvent accès à des fonds discrétionnaires qu'ils peuvent utiliser pour soutenir des activités communautaires ponctuelles.

3.4. Les fondations et les Centraide

Les fondations sont des organismes privés de charité. Certaines existent depuis longtemps et sont financées par de riches familles (Bronfman et McConnell). D'autres sont la création d'entreprises (Fondations Jean-Coutu, Laidlaw et Chagnon). Si les fondations s'occupent beaucoup de la promotion des arts, certaines investissent dans le domaine de l'éducation, de la santé et des services sociaux, de la petite enfance et de l'action bénévole. Parmi celles-ci, on se doit de souligner la présence de plus en plus importante de la Fondation Chagnon, par un « co-investissement » avec le gouvernement québécois pour un milliard sur dix ans (2010-2020) (Québec en forme, Avenir d'enfants). La Fondation Chagnon a développé une vision de la pauvreté des enfants et prône une approche assez positiviste sur les effets de la pauvreté des enfants : développer les saines habitudes de vie et promouvoir l'exercice physique pour lutter contre l'obésité et soutenir la persévérance scolaire. Les organismes communautaires famille et en sports et loisirs sont confrontés à des options limitées de financement qui doivent « cadrer » dans ces programmes. La concertation imposée sur le plan local par ces programmes confronte les valeurs et visions parfois très différentes des organismes communautaires.

La concertation, voilà la clé de l'approche de la FC. Lorsque Québec enfant ou Québec en forme, les deux principales créatures issues des partenariats entre la FC et le gouvernement, arrive dans une collectivité, on commence par instituer un comité d'action local (CAL), qui réunit les différents intervenants en lien avec les enfants – tels les écoles, les municipalités, les centres de loisir, les organismes communautaires œuvrant auprès des familles, ou encore le CLSC. Accueilli comme un apport d'argent frais par plusieurs, le modèle en fait néanmoins sourciller d'autres, qui craignent de voir l'État abdiquer ses responsabilités dans le champ social. L'argent public est-il mieux dépensé ainsi? Est-ce que le gouvernement se laisse dicter ses politiques par un mécène? Manon Pagette résume cela de façon plus crue : «Ils arrivent dans le milieu en disant : "Voici nos objectifs, nos cibles, vous embarquez ou pas?" Tu ne peux pas dire non, parce qu'ils entrent en plein dans notre champ d'action, dans notre mission. Mais tous les organismes communautaires que je connais dans Lanaudière ont déchanté.»[19].

[…] mais cette fondation ne tient compte que d'une vision. Avec cette vision, on ne parle plus de lutte contre la pauvreté, on veut vacciner contre la pauvreté comme une maladie et non comme étant un phénomène social issu de différents facteurs (vision biomédicale). Pour certaines, à travers les orientations et le diagnostic posé par la Fondation Chagnon, on évacue les causes structurelles de la pauvreté et on met la responsabilité sur le dos des enfants et des parents[20].

Certaines fondations recourent à des formes d'engagement «partenariales» qui leur permettent d'inviter des groupes à participer à des campagnes de sollicitation et à en partager les bénéfices (voire d'organiser des concours et des jeux de hasard [loterie]). Toutes ces formes d'engagement devraient faire l'objet d'une réflexion éthique et stratégique de la part des groupes avant qu'ils ne s'y engagent. Il faut savoir distinguer entre les différentes fondations pour bien cerner leur vocation et leurs champs d'intérêts, sinon on s'y perd. Ainsi, un annuaire comme le *Canadian Directory to Foundations* est essentiel à leur connaissance[21].

Un organisme communautaire peut également créer sa propre fondation afin de procéder à des collectes de fonds indépendamment de ses autres activités. Cela laisse plus de marge de manœuvre à un organisme qui peut avoir à faire des représentations politiques, par exemple. Une telle fondation présente deux avantages marqués. D'une part, elle permet de ne pas mettre en danger des sources de revenu autonomes, en isolant la collecte de fonds des activités plus revendicatrices de l'organisme. D'autre part, la mise sur pied d'une fondation à

---

19. Cauchy, *op. cit.*
20. Lévesque, *op. cit.*
21. On peut se procurer ce bottin par Imagine Canada ; voir le site dans la webographie sélective.

des fins caritatives permet d'obtenir plus facilement l'autorisation d'émettre des reçus pour déduction fiscale. Rappelons que le statut d'organisme de charité est obligatoire si l'on souhaite s'adresser à Centraide et certainement indispensable à l'obtention de fonds importants d'entreprises, de fondations privées ou d'individus.

Centraide/United Way est présent dans 25 pays, dont le Canada. La mission du mouvement Centraide est la suivante : « Améliorer la qualité de vie des gens et bâtir la collectivité en incitant les citoyens à l'action et en suscitant l'action concertée. » Au Québec, 18 Centraide partagent la même philosophie, tout en demeurant des organismes distincts et indépendants. Ensemble, les Centraide du Québec soutiennent environ 1 700 organismes communautaires qui viennent en aide à 1,5 million de personnes qui vivent des situations de pauvreté et d'exclusion. Toutefois, cela ne représente qu'une faible proportion du financement des organismes communautaires, souvent inférieur à 20 %[22].

Les moyens financiers, les priorités et même les approches de Centraide varient d'une région à l'autre. Ainsi, Centraide Montréal favorise le développement local, donc une concertation entre les groupes dans un même quartier pour privilégier une approche locale et moins centrée sur des problèmes ou des populations de façon exclusive. Centraide Québec et Chaudière-Appalaches se définit comme étant plus qu'un bailleur de fonds et se considère comme un investisseur social qui intervient en amont des problèmes en cherchant à informer et à conscientiser la population sur des enjeux sociaux importants. Centraide a fait plusieurs ententes de collaboration avec des bailleurs de fonds telles les municipalités et les directions de santé publique. Centraide peut être parfois innovateur dans sa vision des approches territoriales et de développement local, et son soutien à la formation (programme de leadership rassembleur) et à l'évaluation. Cependant, il faut reconnaître les limites de ces ressources et la difficulté pour de nouvelles initiatives d'accéder à un premier financement. Par ailleurs, les exigences et les formalités de demandes sont lourdes pour beaucoup d'organismes. Le financement peut devenir récurrent au moyen d'ententes triennales, une fois les preuves faites de résultats et de structures démocratiques assurant une vie associative importante.

---

22. Centraide : <http://www.donneracentraide.ca/>.

3.5. Les communautés religieuses

Depuis déjà longtemps, la plupart des communautés religieuses se sont dotées d'un comité dit de priorités dans les dons de la Conférence religieuse canadienne (CRC), qui gère l'allocation des fonds en raison d'une demande de plus en plus forte. Si les communautés religieuses n'ont généralement pas des champs d'intérêts aussi précis que ceux des fondations, elles n'en privilégient pas moins certains, qui peuvent évoluer selon l'apparition de « nouvelles » problématiques. Ainsi, les communautés religieuses ont privilégié les organisations de femmes, de réfugiés et de jeunes qui luttent contre les causes de la pauvreté, ainsi que les organisations de coopération. Il est donc utile de déterminer les priorités de l'heure pour mieux évaluer la possibilité de financement provenant de cette source et même de tenter de connaître certaines préférences en s'informant auprès du comité des dons de la CRC. Cela dit, ces sources de financement ne peuvent que diminuer avec la réduction importante des ressources de ces communautés et le vieillissement de leurs membres.

3.6. Les entreprises privées

Longtemps négligées par les organismes communautaires pour des motifs de cohérence éthique, les entreprises privées sont aujourd'hui de plus en plus sollicitées. Les entreprises elles-mêmes et les personnes qui y travaillent disposent souvent d'un fonds destiné à soutenir certaines initiatives sociales. Certains types d'actions qui ne soulèvent pas trop de controverses ont ainsi la possibilité de bénéficier d'une source de financement ponctuelle qui peut se révéler intéressante. Par exemple, les centres d'action bénévole, les maisons d'hébergement pour femmes victimes de violence, les banques alimentaires, les groupes venant en aide aux enfants, les programmes d'insertion en emploi, les associations de personnes handicapées et les ressources offertes aux personnes itinérantes (hébergement, soupe populaire) intéresseront particulièrement ces bailleurs de fonds.

Des comités de priorités gèrent normalement les nombreuses demandes adressées aux entreprises. Il faut donc bien soigner la préparation et la présentation des demandes, et, bien sûr, se renseigner sur la culture organisationnelle des entreprises et sur leur domaine d'intérêt. Enfin, il est fort possible qu'elles souhaitent obtenir une certaine visibilité en échange de leur don, celui-ci devenant alors un investissement publicitaire. On entre alors dans une relation de commandite, et plusieurs organismes se donnent une politique de visibilité corporative, c'est-à-dire une visibilité de l'entreprise en échange d'une contribution en services ou en argent. Un nom, un logo, une mention sur un rapport, un bulletin, un journal ou un site Web peuvent être intéressants pour une entreprise et une reconnaissance de son rôle social dans un milieu.

On peut aussi associer une entreprise à un organisme communautaire en offrant un siège au conseil d'administration à un représentant de l'entreprise. Cela peut accroître la légitimité de l'organisme auprès de certains autres bailleurs de fonds et créer ainsi un effet multiplicateur. Certains organismes comme les banques alimentaires dépendent particulièrement des entreprises alimentaires et se sont associés avec elles. Il faut cependant savoir que cela peut aussi nuire à l'organisme, qui pourrait être perçu comme opportuniste en s'associant à une entreprise ou à des personnes qui ne partagent pas les mêmes intérêts. Par exemple, une maison d'hébergement pour femmes violentées ou un centre de femmes pourraient se faire reprocher d'avoir des hommes siégeant à leur conseil d'administration à titre de notables (avocat, comptable, notaire, commerçant), alors qu'une entreprise d'insertion pourrait être blâmée d'être gérée par des individus représentant des entreprises polluantes ou ayant des comportements antisyndicaux.

Il faut également se rappeler que certaines entreprises acceptent de s'associer à des causes qui sont compatibles avec leur domaine d'activité et qui contribuent à rehausser leur image de bon citoyen corporatif. On pense notamment à des compagnies pharmaceutiques qui s'associent à des organismes œuvrant auprès des itinérants, des personnes souffrant de toxicomanie ou des personnes âgées. Certaines banques et coopératives financières s'associeront de préférence à des projets de développement économique communautaire ou de développement de l'employabilité chez les jeunes.

Enfin, il ne faut jamais oublier que les organismes communautaires autonomes sont des lieux où les individus agissent à titre de sujets. Ces organismes se caractérisent par leur fonctionnement démocratique, la réalisation d'activités d'éducation populaire, la prestation de services, la revendication d'une plus grande cohérence éthique et, à la limite, un projet de transformation sociale. Or, tout cela n'est pas nécessairement compatible avec certains types de financement. C'est sans doute la raison pour laquelle certains groupes, en particulier aux États-Unis et au Canada, s'intéressent de près à l'éthique institutionnelle de leurs partenaires. Les organismes québécois auraient sans doute également intérêt à accorder beaucoup d'importance à cette variable fondamentale.

4. LA PLANIFICATION ET LA PRÉPARATION DES DEMANDES DE FINANCEMENT

Lorsque la stratégie de financement a été arrêtée, il est temps de repérer les bailleurs de fonds susceptibles de soutenir les activités. Un calendrier indiquant les dates d'échéance des différents bailleurs de fonds constitue un outil essentiel à la planification et à la mise en œuvre de la stratégie de financement. Certains principes peuvent guider la préparation et la présentation des demandes. Il convient d'abord d'être honnête. S'il n'est pas nécessaire de tout dire, il faut cependant être clair quant à ses objectifs. Il importe aussi de ne pas présenter une image faussée de la réalité d'un organisme : nombre de membres, type de services rendus, prévisions budgétaires, etc. Par ailleurs, il n'est pas plus approprié de faire preuve d'une humilité qui pourrait se révéler suspecte. Enfin, la créativité est un atout lors de la préparation des demandes.

4.1. La préparation du dossier

Sachant que tous les bailleurs de fonds reçoivent des tas de demandes et ne veulent pas s'embarrasser de documents qui ne respectent pas leurs règles, la première étape consiste à se renseigner sur les normes appliquées lors de l'évaluation des dossiers. À cet égard, rien n'empêche de s'informer auprès de personnes qui travaillent pour le bailleur de fonds éventuel ou qui connaissent sa grille d'évaluation. On peut aussi profiter de l'expérience d'autres organismes qui ont déjà présenté une demande au bailleur de fonds que l'on souhaite solliciter. Les formulaires prescrits doivent être remplis correctement. Il n'est pas utile d'y ajouter une multitude d'annexes, et certains bailleurs de fonds spécifient même qu'aucune annexe ne sera retenue. Normalement, un dossier complet se compose du formulaire prescrit, des prévisions budgétaires, d'une photocopie des lettres patentes de l'organisme ainsi que d'un dépliant expliquant la nature de l'organisme. Le tout est accompagné d'une lettre de présentation où l'on insiste sur l'arrimage entre les activités de l'organisme et les préoccupations du bailleur de fonds. Le cas échéant, il peut être utile de joindre au dossier de présentation deux ou trois lettres d'appréciation signées par des personnes connues, des organismes partenaires ou même des usagers.

Si le bailleur de fonds n'a pas de formulaire, ce qui est exceptionnel, ou dans le cas d'une demande de commandite, on doit préparer une lettre de présentation assez brève qui décrit l'essentiel sur l'organisme, le projet et la demande.

La documentation d'un projet plus important qu'une simple commandite soumis au bailleur de fonds doit contenir un certain nombre de renseignements qui lui permettront de rendre une décision favorable.

D'abord la présentation de l'organisme : nom, buts, territoire, historique très succinct, membres, structures, nom des responsables politiques et administratifs (p. ex. la présidence et la coordination). On peut décrire les principales activités en mettant en relief les réalisations qui correspondent le mieux aux critères du bailleur de fonds. Un rapport annuel d'activités peut se révéler déroutant et soulever des questions sur des activités qui ne sont pas directement pertinentes. Il en est de même du budget global de l'organisme, surtout s'il n'est pas exigé. À l'occasion, on pourra inclure des coupures de presse favorables qui illustrent la nature des activités du groupe. Mais il vaut mieux éviter de fournir plus de documents qu'il n'est demandé afin de ne pas attirer l'attention sur des éléments négatifs ni détourner l'attention de l'essentiel, soit l'objet de la demande.

Si l'on veut obtenir un soutien financier pour un projet particulier, il faut répondre clairement aux questions suivantes : pourquoi ? (la problématique), quoi ? (les objectifs), pour qui ou avec qui ? (la population visée), comment ? (les moyens, l'organisation, l'échéancier), combien ? (le coût total et le montant demandé), les résultats escomptés. Ce genre de document ne doit pas dépasser cinq à six pages et il doit être accompagné d'une lettre de présentation qui résume le tout en une page.

4.2. La présentation

Dans certains cas, il est possible de rencontrer un représentant des bailleurs de fonds. Un tel entretien peut souvent aider à clarifier certains éléments de la demande ou à corriger des perceptions erronées sur le groupe. Qu'il s'agisse d'un organisme gouvernemental ou privé, un lobbying poli et mené avec diplomatie peut favoriser le traitement positif d'une demande ou, à tout le moins, en accélérer l'étude.

Au moment d'une rencontre avec un bailleur de fonds, il faut prévoir une délégation de deux ou trois personnes dont au moins une qui a un statut de membre bénévole. Il est souhaitable qu'une personne élue soit désignée comme porte-parole de l'organisme. Si c'est nécessaire, cette personne sera soutenue techniquement par le représentant de la permanence, normalement la personne qui occupe la fonction de coordination ou de direction. Au moins une des personnes doit bien connaître les activités de l'organisme et son évolution depuis quelques années. Une autre peut être associée au projet ou à une activité que l'on souhaite réaliser. De telles rencontres doivent être bien préparées et le rôle de chacun, clairement compris. Certaines rencontres avec des politiciens ou des collaborateurs politiques représentant le gouvernement peuvent commander la présence d'un membre de l'organisation qui jouirait d'un certain crédit auprès du parti politique au pouvoir. Cela n'a rien à voir avec des alliances politiques partisanes. Par ailleurs, il est bon de savoir que, même si ce n'est heureusement pas toujours le cas, il arrive souvent que le soutien financier recherché dépende de politiciens qui ne répugnent pas au « patronage ». Inutile de dire qu'on doit savoir traiter avec ces représentants publics et faire montre de beaucoup de circonspection. Il s'agit donc essentiellement de démontrer l'utilité sociale de son organisme, et le politicien saura bien juger par lui-même du profit politique qu'il peut tirer d'un appui au projet que l'on souhaite mettre sur pied.

4.3. Le suivi

Si l'on ne reçoit pas de réponse après un délai raisonnable, il peut être opportun de procéder à un rappel poli par lettre, téléphone ou courriel. Après un refus, une demande d'explication est tout à fait légitime. Il faut cependant éviter le ton plaintif et misérabiliste, mais plutôt laisser sentir que la démarche vise simplement à mieux comprendre les raisons du délai de réponse ou, le cas échéant, les motifs du refus. Qui sait ? l'interlocuteur sera peut-être impressionné par le professionnalisme de la démarche et changera d'idée. La chose s'est déjà vue ! Il faut surtout éviter toutes réactions qui fermeraient la porte à d'éventuels rapports plus féconds avec un bailleur de fonds. Les liens avec les sources de financement peuvent d'ailleurs être entretenus en permanence, notamment par l'envoi d'un bulletin d'information ou de tout autre matériel informatif. On peut aussi demander d'être avisé de tout changement dans les programmes ou critères de financement.

Le rapport avec les sources de financement constitue une occupation importante des groupes communautaires. Il est donc utile d'inscrire cette démarche à la planification générale des activités.

5. L'AUTOFINANCEMENT

Depuis toujours, les groupes communautaires ont dû faire face aux limites du financement gouvernemental et ont donc envisagé la solution de l'autofinancement. Selon les époques, on a opposé autofinancement et dépendance à l'égard des subventions. Ce débat pose un dilemme entre deux sources de financement qui possèdent leurs contraintes propres, l'une comportant plus de contraintes politiques et l'autre plus de contraintes humaines en temps et en énergie, pour des résultats souvent décevants. En fait, une stratégie « mixte » peut concilier les deux. Ce qui importe, c'est beaucoup plus de se débarrasser de la conscience coupable qui accompagne la recherche de fonds pour favoriser plutôt l'élaboration d'une stratégie globale de financement fondée sur l'affirmation de l'utilité sociale de son action. Le financement doit devenir une préoccupation intégrée à l'ensemble des activités et mobiliser les énergies des membres et des bénévoles autant que des salariés. Pour certains groupes, cela exige un changement de mentalité.

Mais qu'est-ce que l'*autofinancement* ? Ce terme très galvaudé est utilisé différemment selon les auteurs et les groupes. L'autofinancement, « c'est l'ensemble des moyens pris par les groupes pour recueillir des fonds sur leurs propres bases[23] ». Cela consiste avant tout à ne pas dépendre ou à dépendre le moins possible de subventions et de bailleurs de fonds qui poursuivent parfois des objectifs politiques très différents de ceux du groupe. Ainsi, une subvention provenant d'un ministère ou d'une agence de la santé et des services sociaux pourrait limiter la critique d'un groupe à leur endroit. À la limite, un groupe ou un regroupement, craignant d'être réprimé financièrement, pourrait même se censurer et se priver de son droit d'expression pendant une campagne de financement ou en tout temps. Cela serait évidemment déplorable, mais, malheureusement, la chose est toujours possible. Certains groupes qui font le choix de la combativité et de la lutte pour le changement social ont intérêt à se financer sur une base autonome. Une même loi s'applique tant aux nations qu'aux groupes et aux individus : l'espace de liberté qui est accessible est directement proportionnel à l'autonomie que l'on aura su se donner. S'autofinancer, c'est donc obtenir les revenus qui sont nécessaires de personnes ou d'institutions qui partagent

---

23. Centre de formation populaire (1983), *Les finances de nos organisations*, Montréal, p. 57.

les objectifs du groupe. L'autofinancement n'est pas un choix facile, mais il ouvre la perspective d'une plus grande autonomie tant dans la définition des objectifs que dans celle des moyens d'action qui seront mis en œuvre pour les atteindre.

5.1. Pourquoi l'autofinancement ?

Dans la mesure où l'on sait que les activités d'autofinancement exigent beaucoup d'énergie au regard des bénéfices nets que l'on peut en tirer, pourquoi s'y engager ? D'abord, pour assurer une certaine autonomie au groupe par rapport aux bailleurs de fonds institutionnels et gouvernementaux. Par ailleurs, la cotisation des membres a une valeur importante d'affirmation de leur appartenance. L'autofinancement n'a donc pas que des buts financiers et ses avantages peuvent être variés :

- Il est un baromètre de la reconnaissance et de l'appui du milieu.
- Il favorise la promotion de l'organisme et la sensibilisation du public à certaines problématiques.
- Il favorise l'engagement des salariés et des membres.
- Il incite d'autres groupes du milieu à s'impliquer, favorisant ainsi l'expression et le développement des solidarités.
- C'est un moment privilégié pour clarifier ou réaffirmer la mission et les objectifs du groupe.
- C'est une activité qui peut être stimulante pour les membres et leur permettre de faire valoir leurs aptitudes et leur créativité.
- C'est une très bonne occasion de recrutement.

5.2. La planification de campagnes et d'activités

Toute stratégie de financement doit s'intégrer dans le plan général d'intervention et tenir compte du mode de gestion de l'organisme. Une stratégie globale permettra d'évaluer les coûts et les avantages ainsi que la cohérence entre les activités de financement et les objectifs de l'organisation. Les étapes d'une collecte de fonds ou d'une activité d'autofinancement suivent celles que nous avons déjà énoncées, soit la planification et l'organisation, la réalisation de l'activité et l'évaluation.

5.3. Les moyens

S'il ne faut pas oublier la cohérence entre les moyens de financement et les objectifs du groupe, il n'en demeure pas moins que ces moyens n'ont de limite que l'imagination des membres. Le degré d'efficacité, les coûts, l'expérience antérieure, la compétence nécessaire pour la réalisation de certains types d'activités, les retombées à plus long terme sur l'organisme, le degré d'engagement des membres et même le plaisir engendré par l'activité sont tous des facteurs à considérer dans le choix des moyens. Il faut aussi trouver des moyens qui sont compatibles avec la culture organisationnelle du groupe et de ses membres. Plusieurs sont connus et sont souvent utilisés.

La publication d'une recherche peut se révéler relativement lucrative tout en étant très éducative. La production d'une pièce de théâtre ou d'un spectacle peut être à la fois un événement culturel local, une occasion de mobiliser beaucoup de monde et d'avoir du plaisir, de même qu'une source de revenu. La vente de services et de documentation aux personnes qui fréquentent un organisme, ou qui en utilisent les services, est un moyen souvent délicat, car la plupart du temps les organismes communautaires offrent des services à une population à faible revenu. On pense notamment aux organismes d'éducation populaire qui demandent des frais d'inscription, ou des frais de halte-répit. Cela n'empêche évidemment pas de mettre en vente divers objets dont l'utilité est précisément d'apporter une base de financement autonome : macarons, t-shirts, affiches, crayons, calendriers, confitures, vidéos, DVD peuvent faire connaître l'organisme tout en générant des revenus. Les soirées, les repas, les encans et les activités culturelles au profit d'un organisme ont un bon rapport des énergies investies aux bénéfices. De plus, ils peuvent avoir des retombées secondaires sur le plan culturel ou sur les solidarités locales. Un tirage peut connaître un franc succès ou être un fiasco complet et coûteux.

Le choix de personnes connues (artistes, gens d'affaires, personnages politiques) comme porte-parole, président d'honneur ou marraine peut être efficace pour faire connaître un organisme et attirer l'appui financier du public. Le lien entre l'image de cette personnalité et l'image que veut projeter l'organisme sera important. En outre, on peut vouloir « doser » l'implication de cette personnalité et il faut savoir évaluer ou négocier cette implication. La sollicitation postale de groupes sociaux ciblés demande beaucoup d'énergie et ne vaut pas nécessairement le coup. Enfin, on peut aussi envisager la mise en commun de ressources (local, téléphone, télécopieur, photocopieur, services administratifs) comme moyen de réduire les dépenses.

6. L'ÉVALUATION

On ne soulignera jamais assez l'importance d'évaluer chaque activité et l'ensemble d'une stratégie de financement. On peut tenir un dossier pour chaque activité et un dossier général pour l'ensemble d'une campagne de financement; cela permet d'évaluer tout le processus. Cette évaluation pourrait se révéler très profitable lors de la prochaine activité de financement ou pour un autre groupe qui serait tenté de faire une démarche semblable.

Il est particulièrement utile de noter les coordonnées des personnes et organismes qui ont pu aider à divers moments. Une liste complète des demandes de subventions et des institutions sollicitées ainsi qu'un calendrier des échéances sont indispensables. L'évaluation est le moment de cerner les failles de sa stratégie et ses éléments positifs. En ce sens, l'évaluation constitue une excellente occasion de mener une activité d'éducation populaire dont bénéficieront tant la permanence que les membres.

Dans tous les cas, l'évaluation se fait dans le cadre de la stratégie d'ensemble de l'organisme. Encore une fois, la cohérence entre la stratégie générale d'action et la stratégie de financement doit être évidente. Les organismes qui cherchent à se financer à toutes les portes, en faisant fi de ce qui justifie leur existence et en se travestissant au gré des priorités institutionnelles, risquent de perdre beaucoup de crédibilité et de nuire à leur propre croissance. Cette attitude peut aussi créer des tensions avec d'autres groupes et nuire considérablement au développement social de leur milieu.

CONCLUSION

Nous avons vu dans ce chapitre les éléments de contexte qui peuvent influencer la situation du financement et la complexité qui peut en découler. Ces éléments de contexte vont influencer les stratégies mises en œuvre par les organismes pour réunir des fonds, mais parfois aussi les activités des organismes et même la vie démocratique. Sans minimiser l'influence du financement sur les activités, il faut toujours revenir à la mission et se rappeler la raison d'être de l'organisme avant de faire des démarches de sollicitation ou même d'association avec des bailleurs de fonds publics ou privés. Une bonne analyse des besoins, des forces et des faiblesses de l'organisation est une étape préalable importante et un atout avant de faire des sollicitations. Une perspective à plus long terme permet de mieux planifier les sollicitations et les efforts d'autofinancement. On a vu la montée de la présence du secteur privé et son influence grandissante dans la perspective de partenariat privé-public (PPP) et l'on sait les limites du financement public eu égard à la multitude des sollicitations. Si les guides techniques et les « boîtes à outils » sont utiles, ils ne peuvent remplacer l'analyse conjoncturelle et politique que tout organisme doit faire avant d'entreprendre des démarches de financement.

BIBLIOGRAPHIE SÉLECTIVE

FÉDÉRATION AUTONOME DE L'ENSEIGNEMENT (FAE) et TABLE RONDE DES OVEP de l'Outaouais (TROVEPO) (2009), *Mieux comprendre l'affaiblissement des services publics : quand les fondations privées ébranlent les fondations de l'édifice social*, Montréal et Gatineau, FAE et TROVEPO, août.

GOUVERNEMENT DU QUÉBEC (2001), *L'action communautaire : une contribution essentielle à l'exercice de la citoyenneté et au développement social du Québec*, ministère de l'Emploi et de la Solidarité sociale, septembre.

IMAGINE CANADA (2010), *Canadian Directory to Foundations*, Toronto, <http://www.imaginecanada.ca/fr/>.

INTER-ACTION COMMUNAUTAIRE (2009-2010), « Dossier sur Fondations privées et $$$$: un enjeu tentaculaire ! », *Bulletin de liaison du RQIIAC*, automne-hiver, n° 82.

LESEMANN, F. (2008), « L'irruption des fondations privées dans le "commuautaire" : une nouvelle gouvernance des services publics ? », *Bulletin de liaison*, Fédération des associations de familles monoparentales et recomposées du Québec, vol. 33, n° 2, octobre.

SACAIS (2009), *État de situation de l'intervention gouvernementale en matière d'action communautaire 2008-2009*, septembre.

WHITE, D. *et al.* (2008), *La gouvernance intersectorielle à l'épreuve. Évaluation de la mise en œuvre et des premières retombées de la Politique de reconnaissance et de soutien de l'action communautaire*, Centre de recherche sur les politiques et le développement social, Université de Montréal, mars.

WEBOGRAPHIE SÉLECTIVE

CENTRE QUÉBÉCOIS DE PHILANTHROPIE, *Fonds et fondations pour OBNL du Québec 2013*, <http://www.cqp.qc.ca/>.

FLEMING, P. et N. LARMER (1989), *Levée de fonds pour votre organisation*, <http://www.omafra.gov.on.ca/french/rural/facts/89-079.htm>.

GEEVER, J. (2004), *Cours succinct portant sur la rédaction d'une proposition*, <http://foundation-center.org/getstarted/tutorials/shortcourse/prop_fr.html>.

IMAGINE CANADA, <http://www.imaginecanada.ca/fr/> ; sur les ressources de financement, <http://www.imaginecanada.ca/fr/repertoire/ressources>.

PATRIMOINE CANADIEN, <http://www.pch.gc.ca/ddp-hrd/canada/grnt-fra.cfm>.

RÉSEAU QUÉBÉCOIS DE L'ACTION COMMUNAUTAIRE AUTONOME (RQ-ACA), <http://www.rq-aca.org/>.

RESSOURCES HUMAINES ET DÉVELOPPEMENT DES COMPÉTENCES CANADA (RHDCC), <http://www.rhdcc.gc.ca/fra/pip/ds/06_isb. shtml>.

SACAIS, <http://www.mess.gouv.qc.ca/francais/saca/index.htm>.

SACAIS, programme de soutien financier, <http://www.mess.gouv.qc.ca/sacais/soutienfinancier/soutien_sacais/FAACA/index.asp>.

SANTÉ CANADA, <http://www.hc-sc.gc.ca/index-fra.php>.

SANTÉ CANADA, <http://www.phac-aspc.gc.ca/ph-sp/determinants/link-con-fra.php>.

SHAPIRO, J. (2003), *Rédiger une demande de financement*, Civicus, <http://www.civicus.org/new/media/Rediger%20une%20proposition%20de%20financement.pdf>. « Cette boîte à outils se penche sur la planification et sur la recherche d'une proposition de financement avant de l'écrire ; comment rédiger la proposition ; et le suivi nécessaire une fois la proposition rédigée et envoyée... » (p. 1).

L'ÉVALUATION

JEAN PANET-RAYMOND
JOCELYNE LAVOIE

AVEC LA COLLABORATION DE WILLIAM NINACS

PLAN DU CHAPITRE 11

INTRODUCTION

L'évaluation a longtemps été le parent pauvre de l'action communautaire avant de devenir un enjeu important pour les organismes communautaires, notamment dans leur rapport avec l'État québécois, mais aussi dans leurs rapports avec les autres bailleurs de fonds. L'évaluation a tranquillement acquis ses lettres de noblesse avec la reconnaissance de l'importance de tirer des leçons de la pratique.

Dans les institutions d'enseignement universitaire, la création d'Alliances de recherche universités-communautés (ARUC) a contribué à apporter des ressources pour valoriser encore plus les liens entre la théorie et la pratique, ainsi que pour mettre en valeur les recherches sur les pratiques d'intervention. L'évaluation des pratiques communautaires a ainsi pu se faire avec des ressources humaines et financières beaucoup plus importantes. Enfin, les exigences de transfert de connaissances des recherches universitaires en vue de leur dissémination vers les milieux de pratiques ont favorisé l'arrivée de ressources pour réaliser des recherches et contribuer à leur diffusion sur le terrain de la pratique. Dorénavant, l'évaluation est reconnue comme un véritable outil de soutien des pratiques communautaires, tant par les intervenants que par les bailleurs de fonds.

Dans ce chapitre, nous traiterons d'évaluation «par et pour» les groupes et organismes communautaires comme partie intégrante du processus d'intervention. Nous établirons d'abord la pertinence et les principes de l'évaluation. Nous cernerons ensuite les enjeux de l'évaluation des pratiques d'action communautaire. Nous dégagerons enfin une méthode de réalisation de l'évaluation et terminerons avec quelques exemples de recherches portant sur des évaluations.

1. DÉFINITIONS, PERTINENCE ET PRINCIPES DE L'ÉVALUATION

1.1. Définitions

En raison de la confusion que suscitent souvent les termes *reddition de comptes*, *bilan* et *évaluation*, nous croyons utile de préciser ces termes ainsi que leur utilisation.

La reddition de comptes

La reddition de comptes est une forme d'évaluation utilisée pour les bailleurs de fonds[1]. Elle doit servir à mesurer les réalisations et les ressources qui ont été été nécessaires pour le projet subventionné. C'est donc une obligation légale et morale qui vient avec l'utilisation de fonds.

Dans ce chapitre, nous n'aborderons pas la reddition de comptes comme telle, car elle demeure nettement plus liée à l'enjeu du financement des organismes. La reddition de comptes porte généralement sur des résultats quantitatifs et peu sur les éléments qualitatifs de processus comme l'*empowerment*.

Malgré la portée limitée de la reddition de comptes, on peut négocier dans quelle mesure les besoins et les attentes du bailleur de fonds peuvent s'ajuster à ceux du groupe, le but de la négociation étant de rendre l'exercice utile et pertinent. Comme le soulignent certains auteurs : « La plupart d'entre eux veulent un rapport sur le travail réalisé avec la subvention qui leur dira si les objectifs ont été atteints. Ils affectionnent souvent les chiffres et les statistiques-nombres d'activités organisées, d'ateliers, le volume de clientèle desservie. Pour certains, cela suffit. D'autres réclameront une évaluation détaillée de tous les aspects du travail du groupe, documentation à l'appui. Leurs exigences sont généralement à la mesure de la subvention accordée[2]. »

Le bilan

Le terme *bilan* renvoie à une tradition militante qui a été très populaire dans les années 1970 et 1980 pour analyser les effets des luttes réalisées par différentes organisations du milieu populaire sur des enjeux politiques. Sans être disparue, la notion de bilan a progressivement pris un sens plus restreint, soit celui d'un portrait des réalisations dressé à un moment précis, souvent à la fin d'une étape ou d'un projet d'action collective.

Plusieurs organismes communautaires ont encore recours à ce terme pour rendre compte de leurs actions à des bailleurs de fonds ou dans des publications sur une action collective. Dans le cas d'une publication qui veut continuer à influencer ou à transformer des situations ou des politiques sociales, on veillera à situer les résultats du bilan dans une conjoncture donnée et d'en faire ressortir les effets.

---

1. L. Gaudreau et N. Lacelle (1999), *Manuel d'évaluation participative et négociée*, Montréal, Centre de formation populaire.
2. J. Barnsley et D. Ellis (1992), *La recherche en vue de stratégies de changement. Guide de recherche-action pour les groupes communautaires*, traduit et réimprimé en 2011, Montréal, Relais-Femmes, 101 p., p. 10.

L'évaluation | L'évaluation est un processus qui conduit à la formulation d'une opinion ou d'un jugement sur l'atteinte d'objectifs ou sur la valeur d'une action ou d'une situation[3]. Cette démarche répond à la double question : « Qu'est-ce que cela a donné ? » (efficacité) et « Comment les moyens pris ont-ils permis d'atteindre les objectifs ? » (efficience). L'évaluation sert donc à mesurer l'efficacité, soit l'atteinte de l'objectif, et l'efficience, c'est-à-dire les ressources ou moyens nécessaires pour atteindre cet objectif.

L'évaluation doit en outre répondre à la question : « Qu'est-ce que cela nous dit ? » C'est le jugement et l'analyse portés sur les résultats. Quel sens donnons-nous à ces résultats ? Quelles sont les leçons à en tirer ? Ces questions nous renvoient aux valeurs, aux finalités et aux objectifs de l'organisation, que l'on a parfois formulés dans une « théorie du changement[4] ». L'évaluation vise aussi à comprendre l'impact de l'action à l'interne, sur l'organisation porteuse de l'action, ou à l'externe, sur le contexte social et politique de la société au-delà des actions posées. On parlera alors non seulement de changements quantitatifs, mais aussi de perceptions ou de pouvoir accru d'une population ou d'un milieu (*empowerment*). Enfin, l'évaluation répond à la question : « Qu'est-ce qu'on fait ? » Ce seront les pistes d'action qui découlent de l'analyse pour soutenir, maintenir, relancer ou terminer l'action.

Cette définition de l'évaluation nous renvoie à un processus continu qui peut se poursuivre à l'une ou l'autre des étapes de l'action. L'évaluation peut, de ce fait, porter sur différentes dimensions de l'action ou sur l'ensemble de l'intervention, et elle peut s'effectuer à différents moments (quand ?), impliquer la participation de différentes personnes, membres de l'organisme et personnes-ressources (qui ?) en appliquant différentes méthodes, au moyen de divers outils ou grilles (comment ?) et poursuivre divers objectifs (pourquoi ?). Dans ce processus se posera l'enjeu sur la façon de mener la démarche en favorisant le plus possible la participation et l'appropriation par les acteurs, car les personnes-ressources extérieures risquent parfois de prendre beaucoup de place en ne favorisant pas cet *empowerment* des acteurs eux-mêmes.

---

3. F. Midy, C. Vanier et M. Grant (1998), *Guide d'évaluation participative et de négociation*, Montréal, Centre de formation populaire, p. 124.
4. Tamarack Institute : <http://tamarackcommunity.ca>.

1.2. La pertinence de l'évaluation

L'étape de l'évaluation est souvent perçue par les intervenants comme un mal nécessaire. On craint que ce soit une activité énergivore et onéreuse, qui détourne les efforts à consentir à l'action. Pourtant, l'évaluation est une occasion d'apprendre et de corriger ou de modifier les façons de faire afin de relancer une action qui aura plus d'impact vers le changement visé. L'évaluation constitue en fait une façon d'assurer un regard critique, une vigilance et un certain contrôle sur la réalisation de l'action planifiée. Mais c'est surtout une démarche continue pour soutenir et relancer l'action. Donc, c'est un mécanisme qui devrait être intégré au plan d'action dès le départ en tant que processus continu au service de l'action. La démarche d'évaluation doit guider l'intervention à tout moment de la démarche de développement.

- Avant le début de l'intervention, elle permet de fixer clairement les objectifs du processus, les résultats attendus et les principes que nous voulons respecter.

- Pendant l'intervention, elle permet de réajuster la démarche en fonction des objectifs et des cibles fixés.

- Après l'intervention, elle permet de mesurer l'ensemble de la démarche afin d'apprendre de nos succès/erreurs et surtout d'analyser l'état du développement de la communauté afin de le poursuivre et, éventuellement, de reprendre un nouveau cycle de mobilisation.

- Il s'agira de l'évaluation tant des résultats des projets sur la population et les problèmes à résoudre que des effets du processus de mobilisation sur la communauté[5].

1.3. Les principes de base de l'évaluation

Quels sont les principes de base pour mener une évaluation dans le contexte d'une action communautaire ?

L'évaluation se veut un processus participatif et collaboratif d'appropriation et d'apprentissage continus et «en développement». C'est une prise de conscience collective qui vise à évaluer les contributions des acteurs (les actions posées) et les changements apportés par des activités planifiées et réalisées. Cette distinction est importante, car il ne faut pas se limiter aux seuls résultats planifiés

---

5. S. Racine (2008), *Le cycle de la mobilisation. Étapes et enjeux à cerner pour assurer son développement*, document de formation à Québec, Victoriaville, LA CLÉ.

mais toujours rester ouvert aux résultats ou processus qui surviennent sans avoir été planifiés. L'évaluation se réalise dans un contexte local et national changeant qui peut influencer les résultats et le processus ; donc, des résultats non prévus peuvent survenir.

La finalité de cette étape du processus d'intervention est de mieux évaluer quantitativement et qualitativement les actions posées, les résultats atteints et, ultimement, les changements apportés, le tout pour trois raisons :

1) Maintenir : ce qu'on fait déjà bien.

2) Ajuster : ce qu'on pourrait mieux faire.

3) Revoir ou modifier : ce qu'on devrait faire.

Bref, on tente de répondre aux trois grandes questions suivantes : «Qu'est-ce que ça donne à court, moyen et long terme ? » ; «Qu'est-ce que ça nous dit ? » (les leçons à tirer) ; «Qu'est-ce qu'on fait ? » (les pistes d'action). Il faut être humble et réaliste, mais audacieux, et choisir un certain nombre de dimensions, dans un processus d'évaluation continue, participatif, intégré dans l'action, soutenant et convivial.

2. LES ENJEUX DE L'ÉVALUATION DES PRATIQUES COMMUNAUTAIRES

Malgré toute l'importance que les organismes communautaires et les milieux institutionnels accordent à l'évaluation, certains défis se posent aux organismes. En voici quelques-uns.

2.1. La dimension éducative de l'évaluation

Il convient d'abord d'insister sur la dimension éducative de l'évaluation plutôt que sur sa dimension normative, puisque ses retombées peuvent affecter autant le développement du groupe que celui des personnes du milieu visé : quartier, ville, région. Soulignons que plusieurs bailleurs de fonds exigent une évaluation basée sur les objectifs d'une politique ou de principes définis à l'extérieur de l'organisme. Pensons notamment aux groupes financés dans le cadre des programmes de santé publique, où l'évaluation risque d'être détournée de ses objectifs éducatifs pour devenir une évaluation axée essentiellement sur les résultats. Cette forme d'évaluation correspondrait ainsi davantage à une reddition de comptes. Cependant, l'évaluation «imposée» par un bailleur de fonds, et même financée par celui-ci, peut être une occasion à saisir par le groupe ou l'organisation pour porter un regard critique sur les projets et les actions et faire les ajustements qui s'imposent. L'expérience a aussi démontré que les évaluations ont souvent servi à justifier *a posteriori* des décisions administratives[6], évacuant ainsi la dimension éducative de l'évaluation.

2.2. Les caractéristiques des groupes et les éléments du contexte

À propos de l'évaluation des groupes communautaires, plusieurs auteurs[7] ont précisé qu'une telle évaluation doit prendre en considération les caractéristiques particulières des groupes ainsi que les éléments de contexte dans lesquels se déroule l'action. On parle de plus en plus d'un processus en développement qui évolue et s'adapte avec souplesse[8]. Cela dit, l'évaluation des groupes communautaires suppose une transformation du modèle traditionnel d'évaluation, car ce dernier est trop centré sur les objectifs et procède d'un schéma expérimental d'évaluation. Il est clair que les groupes communautaires se prêtent mal à ce type d'évaluation. Bref, les organismes communautaires posent de nombreux défis à la recherche évaluative. Cette dernière exige une collaboration étroite entre les bailleurs de fonds, les chercheurs et les personnes-ressources, et les responsables de l'action. Les grands fonds de recherche gouvernementaux dans le domaine social privilégient et imposent de plus en plus des recherches évaluatives impliquant des modes de diffusion qui favorisent le « transfert de connaissances » sous des formes variées et adaptées.

2.3. Les rapports entre l'évaluation et l'État

Au cours des dernières années, l'évaluation des pratiques communautaires a constitué un enjeu important des rapports entre les organismes communautaires et l'État. La Politique de reconnaissance et de soutien de l'action communautaire (2001) soutient en effet que le processus d'évaluation et les indicateurs sur

---

6. A. Beaudoin, R. Lefrançois, F. Ouellet (1986), « Les pratiques évaluatives : enjeux, stratégies et principes », *Service Social*, vol. 35, nos 1-2, p. 52-74, p. 54.
7. C. Mercier et M. Perreault (2000), « Évaluation de programme. Notions de base », dans H. Dorvil et R. Mayer (dir.), *Problèmes sociaux. Tome I : Théories et méthodologies*, Québec, Presses de l'Université du Québec, p. 413-430 ; C. Messier (2001), « Soutenir les parents pour le mieux-être des enfants », dans H. Dorvil et R. Mayer (dir.), *Problèmes sociaux. Tome II : Études de cas et interventions sociales*, Québec, Presses de l'Université du Québec, p. 533-560.
8. P. Simard (2009), *Guide d'évaluation participative*, Québec, Réseau québécois de Villes et Villages en santé ; M.Q. Patton (2009), *Developmental Evaluation*, Montréal , Fondation McConnell.

lesquels celui-ci sera fondé doivent être négociés avec les organismes communautaires. La perspective des milieux communautaires en matière d'évaluation est donc celle d'une évaluation participative dans la mesure où « ce sont les personnes liées à l'organisme qui font l'évaluation et fournissent l'information pour la faire[9] ».

3. LES PRINCIPALES ÉTAPES DE L'ÉVALUATION

Le processus d'évaluation consiste : à préciser la question d'évaluation ; à choisir une méthode d'évaluation et à réaliser l'évaluation ; à analyser les résultats ; à rédiger le rapport final ; à formuler des propositions ; à prévoir des outils de diffusion et de formation pour alimenter la suite des actions.

La question d'évaluation est essentielle, puisqu'elle conduit à un examen en profondeur d'une étape ou d'un aspect particulier de l'intervention. Une fois cette question précisée, il s'agit de déterminer l'objet de l'évaluation. Certains principes doivent être respectés afin de réaliser une démarche évaluative qui soit utile pour faire le point et relancer l'action du groupe. Nous les présentons à partir des quatre étapes principales : le démarrage, la planification, la réalisation et la prise de décision.

Étape 1 : Le démarrage

La phase de démarrage consiste à préciser les objectifs de l'évaluation, puis à décrire une pratique ou une intervention à évaluer. Concrètement, à cette étape, on s'efforcera de répondre aux diverses questions de base pour bien définir le cadre de l'évaluation :

1) *Pourquoi ?* Il est important de savoir d'abord pourquoi on réalise cette évaluation et dans quel but. Quelles sont les raisons qui rendent cette évaluation nécessaire ? Ensuite, il convient de se demander qui fait quoi et avec qui. En somme, avant de se précipiter dans une démarche évaluative, il importe que l'ensemble des partenaires puissent s'entendre, dans un consensus le plus large possible, sur les objectifs de l'évaluation. Si l'on réussit à se mettre d'accord sur le « pourquoi », il sera plus facile par la suite

---

9. Gaudreau et Lacelle, *op. cit.*, p. 12.

de bien cibler l'objet de l'évaluation (quoi ?). En conséquence, l'évaluation peut viser à améliorer la qualité des services, à optimiser les résultats obtenus en fonction des ressources investies, à connaître l'impact d'une intervention ou d'une activité donnée, ou encore à documenter les dossiers des organismes communautaires auprès des instances concernées.

2) *Quoi ?* Ensuite, il faut préciser l'objet de l'évaluation. Sur quoi l'évaluation doit-elle porter ? De manière générale, voici les questions que l'on doit se poser : Est-ce que le projet répond à un besoin ? Quelle est sa raison d'être ? Quels sont les points forts et les points faibles de la mise en œuvre du projet : organisation, ressources humaines, financières et matérielles, activités ? Les résultats obtenus sont-ils conformes aux résultats prévus ? Quels sont les effets et les retombées de ce projet ?

Un document du Comité ministériel sur l'évaluation[10] reconnaît l'importance de thèmes comme l'efficacité, l'efficience, l'impact et les conséquences inattendues d'un projet, d'un programme, d'activités ou d'interventions réalisés par un ou des organismes communautaires. Toutefois, ces notions soulèvent des débats, car elles font toutes référence à la « performance » des groupes communautaires. D'où la nécessité qu'elles soient bien définies au départ, notamment par l'ensemble des acteurs.

Le plus souvent, nous sommes en présence de divers objectifs. L'évaluation de l'efficacité permet de faire le lien entre les résultats obtenus et les objectifs fixés par l'organisme. Encore faut-il bien définir au préalable la notion de résultats. S'agit-il de résultats quantitatifs ou qualitatifs ? De plus, il faut prendre en considération les facteurs externes qui influencent positivement ou négativement l'atteinte des résultats. L'évaluation de l'efficience permet de mesurer les résultats atteints en fonction des ressources (humaines, matérielles, financières) investies, ou encore, de l'utilisation maximale des ressources. Quant à l'évaluation de l'impact, elle permet de saisir les modifications de situation engendrées par l'action de l'organisme communautaire quant au bien-être de la population visée. Signalons qu'il est également possible d'évaluer les conséquences non prévues de l'action d'un organisme communautaire.

---

10. Gouvernement du Québec (1997), *L'évaluation des organismes communautaires et bénévoles*, Québec, gouvernement du Québec, Comité ministériel sur l'évaluation, p. 39.

Dans plusieurs de ces questionnements, on peut trouver des éléments quantitatifs, comme le nombre de membres atteints et mobilisés, les montants amassés durant une campagne de financement ou encore les résultats d'une revendication à caractère économique. Il peut aussi y avoir des éléments qualitatifs, comme le degré de satisfaction des membres à la suite d'une assemblée ou la qualité de la participation des membres dans l'organisme. Des critères pertinents seront élaborés suivant les aspects particuliers à évaluer. Le tableau ci-dessous illustre la relation qui existe entre l'objectif fixé à l'origine de l'action, les moyens prévus pour l'atteindre et les indicateurs de réussite, l'indicateur étant ce qui permet de savoir ou de vérifier si l'on a atteint l'objectif. Ainsi, le nombre de nouveaux membres sera l'indicateur de réussite ou d'échec d'une campagne de recrutement.

FORMULATION DES CRITÈRES D'ÉVALUATION D'UNE ACTIVITÉ

Objectif	Moyen	Critère/indicateur
Recruter 300 nouveaux membres.	• Organiser une campagne de recrutement.	• Nombre de nouveaux membres.
Amener la population à avoir une meilleure connaissance du groupe.	• Réaliser des activités d'information.	• Nombre de rencontres réalisées. • Nombre de participantes aux activités d'information. • Quelle est la satisfaction des participantes vis-à-vis de ces activités ? • Qu'ont-elles appris sur notre groupe ?
	• Réaliser des outils de promotion.	• Combien d'outils de promotion ont été créés ? • Lesquels ont été les plus efficaces ? Pourquoi ? • La promotion a-t-elle donné les résultats attendus : davantage d'appels téléphoniques pour obtenir des informations, une plus forte utilisation de nos services, une participation accrue à nos activités ?
Impliquer les nouveaux membres au sein du groupe.	• Mettre sur pied des sessions de formation.	• Nombre de sessions réalisées. • Nombre de participantes aux sessions de formation. • Nombre de nouveaux bénévoles impliqués dans le groupe. • Quelle est la motivation des participantes à s'impliquer dans l'un ou l'autre des secteurs du groupe ?
	• Développer les structures d'accueil.	• Quels sont les changements apportés pour développer l'accueil de nouvelles personnes bénévoles ? • Quel effet ces changements ont-ils eu sur la participation des bénévoles ?

Source : TROVEP-Estrie (1994), *L'Atout*, cahier n° 9 : *L'évaluation*, p. 17-18.

3) *Pour qui ? Par qui ?* L'évaluation reconnaît le savoir et l'expertise des personnes qui coordonnent et exécutent le travail et ceux des usagers ou des membres de la population visée. C'est une démarche qui favorise la contribution et la participation du groupe lui-même. Les résultats de l'évaluation peuvent aussi aider d'autres groupes œuvrant dans le même domaine. Ils peuvent également permettre aux bailleurs de fonds de justifier le financement des activités du groupe, de même que des projets futurs. Un comité d'évaluation pourra assumer concrètement le travail et rendre compte de l'évolution de ces aspects à l'ensemble du groupe. Au besoin, le groupe pourra faire appel à une personne-ressource pour coordonner la collecte de données et l'analyse de l'information. Ensuite, il convient de se demander qui fait quoi et avec qui.

Dans la perspective de l'action communautaire, cette étape doit être la plus collective possible, c'est-à-dire réunir le maximum de participants engagés dans l'action. En pratique toutefois, on sait que c'est rarement le cas. Habituellement, la mise en marche d'un processus d'évaluation vient soit de l'intérieur (par exemple de la direction de l'organisme), soit de l'extérieur (par exemple du bailleur de fonds).

Il est important de distinguer les personnes qui dressent le bilan de celles qui y contribuent par différents moyens. Les personnes qui y contribuent peuvent être des membres, des bénévoles ou des participants à qui l'on fera appel, notamment par une consultation au moyen d'un questionnaire ou par l'expression d'opinions sur l'objet du bilan, afin d'avoir leur perception de l'impact de l'action ou de l'organisme, tant sur le plan collectif qu'individuel. Cependant, même si tous les membres ou participants peuvent être consultés lors d'une évaluation, il est préférable que la coordination de l'ensemble des étapes de sa réalisation soit assumée par un nombre plus restreint de personnes. Il existe plusieurs façons de faire, mais, généralement, les groupes mettent sur pied un «comité de pilotage» composé d'un nombre limité de salariés et de membres du conseil d'administration. Si les salariés exécutent souvent le gros du travail d'évaluation, il est recommandé que des membres élus gardent un certain contrôle sur les conclusions et les suites à y donner.

Tout en y associant plusieurs personnes pour des tâches précises, le noyau plus directement responsable coordonnera le processus d'ensemble, notamment la collecte et l'analyse des données, tout en se chargeant de la rédaction d'un rapport d'étape ou d'un document de consultation. Ce rapport pourra ensuite être soumis à l'ensemble des salariés et des membres élus, ainsi qu'à tous les membres lors d'une assemblée générale. En procédant ainsi, le comité restreint ne soumettra qu'un portrait de la situation afin de laisser à une instance plus large la responsabilité des suites à donner.

Cela dit, il peut être intéressant de faire appel à une ressource extérieure pour l'évaluation. Cette ressource peut être un organisme spécialisé dans ce genre d'exercice ou des universitaires (étudiants ou enseignants), par l'intermédiaire des services aux collectivités. Les ressources extérieures ont l'avantage du recul par rapport à l'action en plus de posséder la maîtrise des principes et méthodes qui guident la réalisation d'une évaluation. La participation de ces personnes pourra varier de la simple consultation à l'élaboration d'outils de collecte des données, jusqu'à l'analyse elle-même, voire à certaines recommandations de suivi. Mais il est important que l'organisme qui utilise de telles ressources ne perde pas le contrôle de l'évaluation et de son utilisation. Dans tout ce processus, il importe de favoriser l'appropriation par les membres de l'organisation du jugement à porter et des décisions qui en découlent. Cela demeure un enjeu de pouvoir important.

Le tableau qui suit illustre un outil permettant de consulter les membres ou les personnes participant à une action. Une telle consultation est une façon privilégiée de mettre en valeur la dimension éducative des groupes par rapport à leurs membres et un moyen de favoriser la démocratie en permettant l'expression des opinions.

ÉVALUATION DES MEMBRES/PARTICIPANTS À L'ACTION

Êtes-vous satisfaite de la façon dont s'est fait (ou faite) :	Beaucoup	Assez	Un peu	Pas du tout
▪ L'élaboration des objectifs	☐	☐	☐	☐
▪ Le choix des moyens	☐	☐	☐	☐
▪ L'organisation du travail	☐	☐	☐	☐
▪ Le partage des tâches	☐	☐	☐	☐
▪ L'exécution des tâches	☐	☐	☐	☐
▪ La participation	☐	☐	☐	☐
▪ L'évaluation de l'activité	☐	☐	☐	☐

À travers l'action, avez-vous réussi à exprimer vos opinions ?

Les échanges étaient-ils intéressants ?

Indiquez ce que vous avez appris sur :
▪ Le milieu rejoint
▪ Le groupe
▪ L'activité
▪ Votre fonctionnement dans le groupe

Source : TROVEP-Estrie (1994), *op. cit.*

4) *Quand ?* Quand faut-il réaliser l'évaluation ? L'évaluation peut se faire à la fin d'une action, une fois les objectifs atteints. On peut aussi la réaliser au terme d'une étape importante de l'action, à la jonction avec une action à long terme, comme un plan triennal, où elle pourra alors servir à réajuster les objectifs d'action. Un groupe peut également dresser un bilan sommaire, saisonnier ou annuel, dans le cadre de la planification régulière de ses activités. L'évaluation peut également être faite après une action interrompue à cause d'un échec évident ou d'un changement de conjoncture qui ne justifie plus ou ne permet plus la poursuite du projet. Dans l'ensemble, il faut savoir déterminer les échéances de l'évaluation en tenant compte de l'urgence des décisions à prendre et des tâches prévues.

Et comme l'évaluation est de plus en plus envisagée comme un processus continu qui fait partie de la planification de l'action, il est intéressant que des outils, des personnes responsables ainsi que les objectifs de l'évaluation soient mis en place dès le début de l'action.

Étape 2 : La planification

Il s'agit de préciser comment on va réaliser cette évaluation. À cette étape se posent les questions suivantes :

5) *Combien ?* Combien cela va-t-il coûter ? Est-ce que le coût est justifiable ou raisonnable (au point de vue des ressources humaines ou financières) ? Les ressources financières acquises sont-elles disponibles ? Si oui, à l'intérieur de quel budget ? Compte tenu des coûts, est-ce que les bénéfices envisagés à la suite de l'évaluation justifient celle-ci ?

6) *Quelles sont les conditions matérielles et humaines nécessaires ?* Cette réflexion collective devrait être menée dans des conditions matérielles optimales (p. ex. dans un endroit isolé des activités routinières et des dérangements) et surtout dans un climat qui favorise le calme, le respect et la confiance. L'évaluation peut en effet être un moment difficile si l'on doit constater des échecs ou des faiblesses organisationnelles ou personnelles. On ne souhaite pas de tensions, mais on peut en sentir dans la recherche des explications d'un échec, et il peut y avoir des attaques ou des insinuations à l'égard de certaines personnes. Malgré cela, si la démarche est bien animée, et si toutes les personnes participantes se témoignent mutuellement respect et ouverture, elle peut être l'occasion de rapprochements. Enfin, même si l'évaluation doit être assez bien circonscrite autour de l'objet à évaluer, elle peut aussi être une occasion de revoir d'autres aspects de la

vie de l'organisation comme la gestion financière, la stratégie d'information, ou les rapports entre les membres et les salariés. Sans y aller tous azimuts, on peut profiter de l'évaluation pour se pencher sur certaines dimensions que le groupe juge pertinentes. Enfin, si l'évaluation est vue comme un processus continu qui est intégré à l'action et à la culture des organisations, il y a moins de tensions, car les acteurs se sont donné des méthodes et outils, et ces temps forts arrivent alors comme des aboutissements naturels.

7) *Comment ?* Il s'agit ici de préciser la méthode selon l'objet à évaluer et selon le degré d'appropriation par le groupe que l'on souhaite obtenir. Par exemple, va-t-on procéder à une analyse documentaire, à une série d'entrevues, utiliser un questionnaire ? Pour déterminer la méthode, il faut d'abord repérer les sources d'information accessibles et les techniques de collecte de données, qui sont généralement de deux ordres : les documents et les personnes. Les techniques de collecte d'informations les plus utilisées sont très variées : le questionnaire, l'entrevue (individuelle, de groupe), le groupe de discussion (*focus group*), l'observation participante, le cahier de bord, le sondage, etc. Ensuite, il faut définir le plan d'analyse. Dans tous les cas, il faut que les outils soient conviviaux, souples, pas trop lourds et faciles à s'approprier par les acteurs participants. Les outils les plus sophistiqués sont de peu d'utilité si les acteurs ne peuvent se les approprier pour les utiliser de façon régulière.

L'évaluation peut porter sur deux types de données : les données quantitatives, qui constituent le courant dominant en recherche dans les institutions publiques, et les données qualitatives. C'est surtout ce dernier courant qui nous intéresse, parce que l'analyse se fait davantage avec les intervenants et les participants. L'évaluation du matériel qualitatif consiste à mettre l'accent sur ce qui est particulier dans chaque situation plus que sur un ensemble de caractéristiques générales. Les données qualitatives sont des descriptions détaillées de situations, d'événements, d'interactions ou de comportements observés. On y trouve des récits, des opinions, des points de vue ou des croyances d'individus ou de groupes.

Quelques outils utiles

Les organismes communautaires ont mis au point des outils pour tenir compte des besoins. Ces outils pourraient être utilisés comme moyens d'évaluation : sondages auprès des membres ou de la population d'un quartier donné, évaluation des activités, boîte à suggestions, entrevues en profondeur avec des utilisatrices et des utilisateurs dont les connaissances et les expériences en font des interlocuteurs privilégiés, etc. La même démarche peut être employée pour évaluer la satisfaction des utilisateurs. Là encore, « il importe de déterminer des indicateurs de satisfaction. Et les utilisateurs eux-mêmes sont appelés à jouer un rôle fondamental dans la détermination de ces indicateurs[11] ».

Étape 3 : La réalisation

L'étape de la réalisation de l'évaluation regroupe deux types d'activités : la collecte de données ainsi que l'analyse et la synthèse des données. Rappelons que c'est à cette étape qu'il peut être le plus utile pour le groupe de confier l'évaluation à une personne-ressource, dans la mesure où l'organisme garde le contrôle des paramètres de l'évaluation et des suites.

8) *La collecte des données.* L'étape de la collecte des données permet de réunir les informations dont le groupe a besoin. L'ampleur de la collecte des données dépendra non seulement des ressources financières, matérielles et humaines de l'organisme, mais aussi des acteurs participants et de leurs limites ou capacités.

Les données recouvrent généralement les activités exercées par l'organisme, le contexte interne, de même que les éléments de contexte externe qui peuvent influer sur les activités ou sur les résultats des activités. Ces deux dimensions peuvent être cernées par des instruments de type quantitatif (nombre de personnes concernées, montant des coûts, etc.) ou qualitatif pour décrire des processus, recueillir des impressions de satisfaction, des descriptions d'activités et des retombées (à moyen terme) sur les populations visées. Les données peuvent aussi porter sur la dynamique interne de l'organisme et sur les liens entre les membres, les salariés, les bénévoles/militants, etc. Il est toujours important de comprendre l'impact (à long terme) d'une action sur le développement personnel des individus en cause, sur le fonctionnement de l'organisme qui a mené l'action et, éventuellement, sur le milieu dans lequel se déroule l'action (quartier, ville, région). Les procès-verbaux ou rapports de réunion ne rendent pas toujours très bien compte de ces éléments et l'évaluation doit être une occasion d'approfondir les faits et les impressions par des entrevues avec les personnes concernées. Le tableau qui suit donne un aperçu des données à recueillir, selon qu'il s'agit d'instruments quantitatifs, qualitatifs ou liés à la dynamique interne de l'organisme.

---

11. Gouvernement du Québec, Comité ministériel, *op. cit.*, p. 44.

OUTILS D'ÉVALUATION

Type d'outils	Caractéristiques	Exemples
Instruments quantitatifs	Ces instruments recueillent une quantité de données objectives. Ces données doivent être classifiées et systématisées de façon à en faciliter l'interprétation.	▪ Statistiques (nombre d'activités, de participantes, de bénévoles, caractéristiques des personnes rejointes, etc.). ▪ Nombre de membres. ▪ Questionnaires. ▪ Sondages. ▪ États financiers, etc.
Instruments qualitatifs	Ceux-ci font plutôt appel à un jugement de valeur sur la réalité. Ces documents rassemblent l'évaluation de une ou plusieurs activités menées au cours de l'année.	▪ Rapports d'activités. ▪ Rapports de comités. ▪ Coupures de presse. ▪ Questionnaires. ▪ *Focus group*. ▪ Évaluation des participantes aux activités, etc. ▪ Entrevues individuelles.
Documents relatifs aux objectifs du groupe	Ces documents sont essentiels au moment de l'évaluation. Sans ces documents, il sera très difficile de faire l'évaluation, car celle-ci a pour objet de confronter la réalité avec les buts visés. Si les objectifs n'ont pas été préalablement définis, on ne saura pas trop dans quel sens orienter l'évaluation.	▪ Résolutions de la dernière assemblée générale. ▪ Objectifs pour l'année en cours. ▪ Programme d'activités. ▪ Mission de l'organisme (charte), etc.
Documents relatifs au fonctionnement de l'organisme	Tout document qui regroupe des propositions importantes quant au fonctionnement.	▪ Procès-verbaux du CA. ▪ Procès-verbaux de l'exécutif. ▪ Rapports de réunions d'équipe. ▪ Rapports du comité des finances. ▪ Rapports de toute autre instance propre à l'organisme, etc.
Outil-synthèse	Cet outil a pour fonction de systématiser les principaux éléments nécessaires à l'évaluation. C'est un outil qui permet de visualiser rapidement les objectifs, les activités réalisées, les échéances ainsi que les responsables pour chacune des activités prévues au plan d'action. C'est le genre d'outil essentiel à une bonne préparation.	▪ Objectifs spécifiques. ▪ Moyens. ▪ Échéances. ▪ Responsables.

Source: C. Daniel (1992), *L'évaluation d'un organisme social et communautaire*, Montréal, Centre de formation populaire, p. 8.

9) ***L'analyse et la synthèse des données.*** Cette étape demande de porter un jugement critique sur une situation parfois complexe. L'analyse vise à expliquer les faits et à saisir les liens entre les objectifs visés, les moyens, les personnes responsables, les échéanciers et les résultats atteints. Elle exige une bonne connaissance et une perspective d'ensemble des faits, d'où l'importance des tableaux pour établir des liens et des comparaisons et comprendre les degrés de succès ou d'échec. Il peut y avoir d'abord une comparaison de la réalité par rapport aux objectifs originaux, mais aussi par rapport aux attentes et aux besoins des personnes concernées à différents titres. Les données amassées peuvent être présentées sous forme de tableaux visuels qui permettent à des membres ou participants de voir l'ensemble des données et donc d'en faire l'analyse à l'occasion d'une réunion de comité ou d'une assemblée. L'analyse repose aussi souvent sur les indicateurs de réussite, que les bailleurs de fonds affectionnent particulièrement. En identifiant les objectifs des actions, on peut se donner des indicateurs quantitatifs et qualitatifs qui permettent de constater si on a atteint ou non un objectif. Par ailleurs, la rigueur souvent imposée par les bailleurs de fonds ne doit pas limiter la découverte de réalisations inattendues qui émanent de l'action.

L'analyse de documents peut se révéler fort utile à cette étape. Il s'agit alors de passer en revue la documentation écrite pertinente afin de reconstituer l'« histoire » du projet. Les informations manquantes pourront être recueillies par des entrevues individuelles ou collectives. Quelques questions peuvent aider à mieux préciser cette étape. Qu'est-ce qui a changé à la suite du projet (les connaissances, les attitudes, les compétences, les comportements) ? Qui a changé à la suite du projet (les membres de la population visée, le personnel du projet, les responsables) ? Les activités réalisées dans le cadre du projet ont-elles suscité des changements que l'on n'avait pas prévus ? Lesquels ?

Les tableaux qui suivent sont des exemples de grilles permettant d'analyser les résultats d'une action ou d'un projet en les comparant aux objectifs de départ.

GRILLE POUR UNE ÉVALUATION

Notre objectif

Au départ	Actuellement

Les résultats acquis/nos forces/Pourquoi ?

Nos échecs/Pourquoi ?

Notre priorité pour la prochaine étape

Source : V. Thaels *et al.* (1980), *Le plein d'idées. Se former et agir ensemble*, Bruxelles, Vie ouvrière, cité dans F. Marcotte (1986), *L'action communautaire*, Montréal, Albert Saint-Martin, p. 84.

GRILLE POUR UNE ÉVALUATION					
Objectifs (pourquoi)	Mobilisation (avec qui)	Moyens (comment)	Acquis (forces)	Erreurs/ irritants (faiblesses)	Perspectives (leçons, suites à donner)

Source : F. Marcotte (1986), *ibid.*

Étape 4 : La prise de décision

L'étape de la prise de décision, c'est d'abord l'étape de la présentation de la synthèse préliminaire. Le comité d'évaluation (ou l'évaluateur) fait une première présentation des résultats de l'évaluation. Il peut ensuite formuler certaines recommandations.

10) *La rédaction du rapport final de l'évaluation et la diffusion des résultats.* Le rapport final sert à informer les principaux utilisateurs de l'évaluation, les partenaires du milieu, les bailleurs de fonds actuels ou potentiels et peut-être aussi un public plus large. On a souvent constaté qu'un rapport final volumineux a moins d'impact que les échanges en face à face avec les participants. Pour la diffusion des résultats, il faut tenir compte des publics visés et des diverses utilisations envisagées ; en ce sens, la formation et les outils d'apprentissage constituent une priorité afin d'assurer l'*empowerment* des acteurs et personnes visées ainsi que de donner des suites aux leçons tirées de l'évaluation.

Parmi les formes de diffusion, on peut relever celles-ci : des écrits vulgarisés, des vidéos (bilan des laboratoires, témoignages), des rencontres de formation, des présentations dans les soirées communautaires de quartier, assemblées annuelles ou réunions d'équipe, des témoignages/histoires de vie/narrations (*story telling*), des capsules de «bons coups» de personnes et d'organismes, etc.

11) *Les décisions et les suites de l'évaluation.* Une fois le jugement posé sur la situation à évaluer, il faut prendre les décisions qui s'imposent. S'il y a déjà des recommandations d'un comité de travail ou d'un évaluateur, l'instance qui représente démocratiquement le groupe devra tout de même décider du bien-fondé de ces recommandations. C'est l'heure de vérité où l'on doit décider d'ajuster soit les objectifs, soit les méthodes ou approches de travail, soit les moyens. Ainsi, il faudra parfois admettre que les objectifs visés étaient trop ambitieux ou que les moyens et ressources disponibles n'étaient pas à la hauteur des objectifs. Il peut même être nécessaire de réviser la mission du groupe ou de modifier le partage des responsabilités parmi les salariés ou membres. Enfin, en dernière instance, une évaluation peut amener un groupe à mettre fin à un volet de ses services ou activités, voire à décider de sa dissolution. Mais, en règle générale, l'évaluation sert avant tout à relancer l'action avec enthousiasme.

La fin d'une évaluation peut aussi être une bonne occasion de célébrer et de faire la fête : bouffe, musique, sortie collective. L'important est de se faire plaisir après un travail accompli et de recharger les batteries ! Enfin, le groupe pourra profiter de sa démarche d'évaluation pour produire un document écrit ou audiovisuel, voire une animation théâtrale, et en faire un outil de communication et d'éducation afin de permettre à d'autres de profiter de son expérience. Ce document est aussi un symbole de fierté. De plus en plus de groupes prennent conscience de l'importance d'établir des bilans écrits ou audiovisuels pour les diffuser et ainsi faire connaître les facteurs ayant contribué à leur réussite. Sans devoir être de gros *success stories*, les bilans des groupes peuvent servir de modèles d'action et inspirer des organismes dans d'autres régions ou secteurs d'activité et même constituer une source de revenu s'ils sont vendus. Ces documents sont des symboles de dynamisme et de continuité de l'action qui contribuent à maintenir un certain fil conducteur et une cohérence au sein des organismes communautaires.

4. QUELQUES EXEMPLES DE RECHERCHES PORTANT SUR DES ÉVALUATIONS

De plus en plus, les rapports de recherche évaluative traduisent le souci de retombées d'apprentissage et se font donc avec la participation des acteurs. Les groupes produisent donc des rapports vulgarisés et des outils de formation pour permettre l'appropriation plus large des leçons tirées. Au-delà des acteurs immédiats, plusieurs organismes vont avoir le souci de diffuser plus largement, par l'entremise de leur regroupement ou de leur table à l'échelle locale, régionale ou nationale. Depuis quelques années, on observe de plus en plus de communautés de pratiques nationales et internationales qui se partagent des fruits de recherche et d'outils.

Nous présentons ci-après quelques illustrations et références à des réseaux de formation et d'échange sur l'évaluation de l'action communautaire. On doit souligner plus particulièrement le Réseau québécois de développement social (voir la webographie), très actif au Québec, au Canada et au plan international. Ce réseau publie beaucoup de guides et des illustrations d'évaluation sous forme de rapport classique, de vignettes, de vidéos et d'histoires ou témoignages[12].

> **L'évaluation continue illustre un processus de réflexion-évaluation-formation qui doit toujours nourrir l'action de la Fédération des moissons du Québec (2002)**
>
> Un exemple d'évaluation continue concerne l'expérience de partenariat entre la Fédération des moissons du Québec et un groupe de chercheurs. Devant l'augmentation fulgurante de la demande d'aide alimentaire au Québec au cours des dernières années, la Fédération s'est associée à une équipe de chercheurs afin de procéder à une évaluation critique de ses actions, tant à l'échelle nationale qu'à l'échelle régionale et locale. Cette expérience a suscité des actions évaluatives et formatives dans plusieurs organismes et tables de concertation, avec la collaboration d'une même équipe de chercheurs et d'intervenants. Cette démarche, qui s'est échelonnée sur plusieurs années, a permis de développer des outils théoriques pour comprendre le phénomène et des outils pratiques d'animation et de formation pour les organismes.

---

12. J. Beeman, J. Panet-Raymond et J. Rouffignat (1997), *Du dépannage alimentaire au développement communautaire : des pratiques alimentaires*, Montréal, Université de Montréal, École de service social, 11 fascicules ; L. Bertrand et M. Dumont (1998), *Évaluation du projet régional de développement de la sécurité alimentaire dans la région de Montréal-Centre*, Montréal, Agence de la santé et des services sociaux de Montréal-Centre, 91 p. ; J. Rheault, J. Panet-Raymond, S. Racine et J. Rouffignat (2000), *Réfléchir, innover, agir. Guide de formation et d'animation*, Québec et Montréal, Moisson Québec et Centre de formation populaire, 88 p. ; J. Rouffignat, L. Dubois, J. Panet-Raymond, P. Lamontagne, S. Cameron et M. Girard (2001), *De la sécurité alimentaire au développement social. Les effets des pratiques alimentaires dans les régions du Québec, 1999-2000*, Québec, Université Laval, Département de géographie, 301 p. ; J. Rouffignat *et al.* (2002), *Agir pour la sécurité alimentaire : soutenir des pratiques d'intervention en favorisant le développement social*, Guide de formation, Québec, Université Laval.

L'évaluation participative de démarches de développement des communautés (*Estrie*) (2009)

Plusieurs recherches participatives impliquant les intervenants communautaires de CSSS ont été menées, notamment en Estrie avec la collaboration de l'Université de Sherbrooke et d'une structure mixte universitaire, publique et communautaire comme l'Observatoire estrien en développement des communautés. On a mené des recherches et un travail sur des outils d'observation continue (tableau de bord) qui permettent un meilleur diagnostic et des évaluations de pratiques communautaires. Une telle évaluation a porté sur les expériences dans sept territoires de CSSS. Le développement des communautés (DC) peut être au service d'une action publique plus efficace, car plus proche des citoyens. La construction de liens avec la communauté assurerait une cohésion des actions, ainsi que des services publics de meilleure qualité. Ce rapport de recherche présente l'analyse de pratiques innovantes de développement des communautés dans les sept MRC de l'Estrie. L'objectif principal de cette étude exploratoire est de mieux comprendre, afin de les appuyer, les pratiques en développement des communautés dans les CSSS estriens, le contexte dans lequel s'est construit le projet de recherche dans un contexte de proximité et d'échanges entre des chercheurs universitaires (et d'un centre affilié universitaire) et des praticiens de l'organisation communautaire en CSSS. Les observations ont été réalisées autour de quatre dimensions qui apparaissent être au cœur du développement des communautés : l'innovation organisationnelle, les modes d'articulation entre l'intervention clinique et l'intervention communautaire, les pratiques de partenariat, l'*empowerment* des usagers. Toutefois, au fil des analyses, c'est la notion de communauté territoriale agissante, la notion de territorialité, qui a émergé comme phénomène central des pratiques de développement des communautés. À la lumière de cette étude, et pour favoriser l'essor de leurs communautés, les CSSS sont invités à : revoir la mise en œuvre des approches par programme pour y introduire de la souplesse, surtout en matière de reddition de comptes, et permettre une meilleure articulation de ces programmes avec les particularités de chaque territoire ; repenser les processus de planification selon des approches participatives, en référence à des territoires vécus, de quartier ou de petites municipalités ; favoriser l'innovation en matière d'articulation des interventions cliniques (de type individuel et de petits groupes) et des interventions communautaires (de type collectif) ; s'engager activement comme acteurs dans leur communauté, en concertation avec les autres acteurs de la scène locale, selon des principes de participation citoyenne et d'ouverture de l'action publique au renforcement des communautés locales[13].

---

13. J. Caillouette *et al.* (2009), « Territorialité, action publique locale et développement des communautés », *Économie et Solidarités*, vol. 38, nº 1, p. 8-23 ; J. Caillouette *et al.* (2009), *Étude de pratiques innovantes de développement des communautés dans les sept Centres de services de santé et de services sociaux de l'Estrie. Analyse transversale de sept études de cas*, Montréal, Université du Québec à Montréal, Centre de recherche sur les innovations sociales, p. xv.

La revitalisation des anciens quartiers de Salaberry-de-Valleyfield – PRAQ (*Montérégie*) (2009)

La corporation Partenaires pour la revitalisation des anciens quartiers (PRAQ) vise à soutenir le développement d'actions concrètes, relevant des volets suivants : l'aménagement, la participation citoyenne, l'habitation, le soutien à la vie scolaire et l'intégration sociale. Les instigateurs du projet sont le CSSS et la municipalité. À leur initiative se sont greffés à la démarche plusieurs organismes communautaires et institutionnels ; on compte aujourd'hui 80 partenaires du milieu. Depuis le début du processus et depuis les premières phases d'enquêtes de quartier et des forums citoyens, les résidents ont toujours été au centre de la démarche. Les processus de participation varient selon la démarche empruntée. Parfois, la participation a une visée de transformation sociale. Ce fut le cas pour les projets menés avec les jeunes marginalisés qui ont réalisé deux expositions (*Vision changeante* et *Unir les différences*) et l'opération populaire d'aménagement. Les partici-pants se penchaient sur l'aménagement du territoire et la lutte contre les préjugés. La prise de parole publique est au cœur de la démarche. D'autres fois, la mobilisation citoyenne vise l'appropriation par les citoyens de leur milieu de vie et un renforcement de leurs capacités. Ce fut le cas avec la fête de quartier qui a été menée avec une approche d'*empowerment* collectif. Cela comporte aussi les festivals de rue, de musique, les corvées de propreté, etc. Dans cette visée, une approche d'animation populaire et plusieurs outils de communication adaptés ont été réalisés pour sensibiliser la population à un enjeu territorial, quel qu'il soit, pour prévenir les situations à risque, telles que les logements insalubres[14].

La concertation toujours au cœur des mobilisations communautaires dans la MRC des Moulins (*Lanaudière*) (2010)

Ce document présente une démarche sur les pratiques de concertation amorcée en 2007 par le Comité de développement social des Moulins. Lors d'un lac-à-l'épaule réunissant les membres de ce comité et des individus provenant d'autres lieux de concertation, l'importance de poursuivre une réflexion sur les pratiques de concertation sur le territoire de la MRC Les Moulins a été soulignée. Le rapport expose l'ensemble des étapes de la recherche, ainsi que les résultats de la démarche sur les pratiques de concertation. « En somme, nous avons constaté, tout au cours de cette démarche, que la perception et le vécu des individus à l'égard des pratiques de concertation sont assez positifs sur le territoire de la MRC les Moulins. La démarche a toutefois mené à l'identification de tendances qui pourraient compromettre l'appréciation actuelle à l'égard des pratiques de concertation. Parmi ces tendances, on retrouve notamment la multiplication des lieux de concertation et le recours systématique à la concertation pour mettre en place des projets ou résoudre une problématique, une transformation des façons de se concerter dont une spécialisation des lieux et des objets

---

14. C. Mercier *et al.* (2009), *Participation citoyenne et développement des communautés au Québec : enjeux, défis et conditions d'actualisation*, Gatineau, Université du Québec en Outaouais, ARUC-ISDC, 74 p., p. 36.

de concertation, une concentration de la participation, un possible essoufflement et un manque de ressources pour répondre aux exigences inhérentes aux pratiques de concertation. De plus, nous constatons que la concertation est perçue avant tout comme un outil pour mieux accomplir son travail et que les pratiques s'appuient surtout sur une volonté de mieux se connaître et de mieux travailler ensemble. En contrepartie, la concertation repose souvent davantage sur les individus que sur les organisations qui y participent. Nous avons noté également que les pratiques de concertation sont peu organisées entre elles et qu'elles offrent très peu d'espace aux citoyens. »

CONCLUSION

L'évaluation est un champ d'activité qui représente un point de rencontre entre la recherche et l'action. Le défi consiste à intégrer, au sein d'une même démarche, les objectifs d'évaluation et les objectifs d'action. L'évaluation se déroule de façon continue, parallèlement à l'action, et les résultats permettent, au besoin, de réorienter l'action ou d'améliorer les pratiques.

Les organismes communautaires ont avantage à poursuivre l'évaluation de leurs actions avec des outils améliorés et des expertises externes au besoin, en gardant le souci d'y associer les membres, les salariés et les bénévoles. Cela leur assure l'appropriation du processus d'évaluation, sans quoi ce dernier risque de se transformer en exercice plus ou moins utile. Les organismes communautaires devraient aussi profiter des recherches évaluatives qui peuvent favoriser un regard critique, contribuant ainsi à légitimer et à mieux faire reconnaître l'action communautaire.

BIBLIOGRAPHIE SÉLECTIVE

COYNE, K. et P. COX (2008), *L'effet de ricochet : partir des résultats pour planifier et gérer les activités communautaires*, 4e édition, Ottawa, Patrimoine canadien, 32 p.

FOURNEAUX, L. (2009), *Regard sur Solidarité Mercier-Est : une évaluation des pratiques de la table de concertation intersectorielle et multiréseaux du quartier de Mercier-Est*, Montréal, 32 p.

GAUDREAU, L. et N. LACELLE (1999), *Manuel d'évaluation participative et négociée*, Montréal, Centre de formation populaire, 124 p.

GUERNON, S. (2009), *Rapport d'évaluation sur la concertation dans la MRC de l'Assomption*, Table de concertation des organismes communautaires de la MRC de L'Assomption, 14 p.

LECLERC, M. (2005), *Analyse des pratiques d'évaluation dans les organismes communautaires*, Montréal, Université du Québec à Montréal, Service aux collectivités.

MAYER, R., OUELLET, F., SAINT-JACQUES, M.-C. et D. TURCOTTE (2000), *La recherche évaluative : méthodologie de recherche pour les intervenants sociaux*, Boucherville, Gaëtan Morin, 424 p.

MIDY, F., VANIER, C. et M. GRANT (1998), *Guide d'évaluation participative et de négociation*, Montréal, Centre de formation populaire, 118 p.

SIMARD, P. (2008), *Guide d'évaluation participative*, RQVVS, disponible sur Internet.

ZARINPOUSH, F. (2006), *Project Evaluation Guide for Non Profit Organizations*, Imagine Canada, 90 p., disponible sur Internet.

WEBOGRAPHIE SÉLECTIVE

AGIR DANS SON MILIEU, <http://www.centrestpierre.org/accueil/projets.html>.

ALLIANCE DE RECHERCHE UNIVERSITÉ-COMMUNAUTÉ/INNOVATION SOCIALE ET DÉVELOPPEMENT DES COMMUNAUTÉS (ARUC-ISDC), <http://www4.uqo.ca/aruc/>.

L'IMPACT, <http://www.mobilisation-communautes.qc.ca/>.

OBSERVATOIRE ESTRIEN DU DÉVELOPPEMENT DES COMMUNAUTÉS, <http://www.oedc.qc.ca/>.

RÉSEAU QUÉBÉCOIS DE DÉVELOPPEMENT SOCIAL, <http://communaute-rqds.ning.com/>.

RÉSEAU QUÉBÉCOIS DES VILLES ET VILLAGES EN SANTÉ, <http://www.rqvvs.qc.ca/>.

TAMARACK INSTITUTE, <http://tamarackcommunity.ca/>.

NOTICES BIOGRAPHIQUES

SYLVIE JOCHEMS

Sylvie Jochems est professeure depuis 2005 à l'École de travail social de l'Université du Québec à Montréal (UQAM), où elle enseigne la méthodologie de l'action collective et s'investit à la formation pratique en travail social. Outre son intérêt pour les discours féministes et l'écocitoyenneté, l'objet principal de ses recherches concerne les usages des technologies numériques en travail social, notamment en action communautaire. Elle a fondé en 2019 le Groupe de travail international Travail social à l'ère numérique au sein de l'AIFRIS (Association internationale pour la formation, la recherche et l'intervention sociale). Elle codirige également le Groupe de travail 26, Technologies de communication et réseaux familiaux, à l'AISLF (Association internationale des sociologues de langue française).

ANNA KRUZYNSKI

Anna Kruzynski est professeure titulaire en affaires publiques et communautaires et directrice du programme de 2e cycle en développement économique communautaire à l'Université Concordia. Elle conjugue depuis vingt ans militantisme et travail intellectuel. Elle s'intéresse au rôle des femmes dans l'action communautaire, aux pratiques militantes libertaires, (pro)féministes et queers radicales ainsi qu'aux processus économiques, culturels et politiques de transition vers une société post-capitaliste. Avec le collectif TREEs (Transformation, Recherche, Économie et Écosystèmes), elle travaille à documenter les initiatives économiques émancipatrices qui prolifèrent à la marge de l'économie sociale, dont notamment le déploiement de l'autogestion à grande échelle au Bâtiment 7.

JOCELYNE LAVOIE

Jocelyne Lavoie a été professeure en techniques de travail social au Cégep de Saint-Jérôme de 1988 à 2013, ainsi que superviseure de stage à l'Université du Québec en Outaouais (UQO) et chargée de cours à l'Université de Montréal. Elle a aussi été coordonnatrice et chercheuse pour le Réseau des femmes des Laurentides. Titulaire d'un baccalauréat et d'une maîtrise en travail social de l'Université de Montréal, elle fut d'abord organisatrice communautaire au CLSC de Rivière-des-Prairies et au Comité-logement Ville-Marie à Montréal. Ces dernières années, elle travaille principalement dans les secteurs de l'animation urbaine et de la médiation culturelle.

NANCY LEMAY

Nancy Lemay est professeure en techniques de travail social au Cégep Marie-Victorin, où elle enseigne les cours en lien avec l'intervention communautaire depuis 2005. Titulaire d'un baccalauréat en travail social et d'une maîtrise en intervention sociale de l'Université du Québec à Montréal (UQAM), elle a travaillé plusieurs années comme agente de développement au sein des Coopératives jeunesse de services. Son implication militante s'exerce principalement à l'international en tant que présidente-fondatrice de la Maison de Kamu au Pérou qui vient en aide aux jeunes filles en difficulté, et localement comme membre de la collective du Centre d'aide et de lutte contre les agressions à caractère sexuel (CALACS) la Chrysalide à Terrebonne.

CLÉMENT MERCIER

Clément Mercier, Ph. D. en sociologie, a enseigné l'organisation communautaire à l'Université du Québec en Abitibi-Témiscamingue (UQAT) de 1976 à 1991, et à l'École de travail social de l'Université de Sherbrooke de 1992 à 2004. Ses recherches ont porté sur les nouvelles problématiques de pauvreté, le développement des communautés et les conditions de l'action intersectorielle en développement local. Militant au sein du mouvement communautaire autonome, il poursuit ses activités dans les secteurs des pratiques émergentes de concertation intersectorielle, de la participation citoyenne et des métiers de l'intervention collective dans le développement des communautés.

WILLIAM NINACS

William Ninacs est consultant, chercheur et formateur. Il a travaillé à la Coopérative de consultation en développement LA CLÉ jusqu'à sa fermeture en 2020. Il a été actif sur le plan du développement économique communautaire (DEC) au Canada pendant plus de 30 ans. Depuis une vingtaine d'années, il est chercheur dans ce domaine ainsi que dans les domaines de l'intervention sociale et de l'intervention communautaire axée sur l'*empowerment*, la mobilisation et le développement des communautés locales et de l'économie sociale. Titulaire d'un doctorat en service social (Université Laval), sa thèse portait sur les types d'*empowerment* dans des initiatives de DEC au Québec.

JEAN PANET-RAYMOND

Jean Panet-Raymond a enseigné à l'École de service social de l'Université de Montréal de 1979 à 2005. Nommé professeur émérite en 2005, il a continué à enseigner aux universités Concordia et McGill à Montréal, ainsi qu'à Lausanne et Fribourg. Auparavant, il a été organisateur communautaire au CLSC Hochelaga–Maisonneuve, au Conseil de développement social du Montréal métropolitain et à l'ACEF (Association coopérative d'économie familiale) de 1971 à 1979, président du Conseil canadien de développement social et président fondateur du Conseil québécois de développement social. Il a collaboré de 2007 à 2015 avec l'Institut national de santé publique comme formateur en développement des communautés. De 2006 à 2020, il a été chargé de la participation citoyenne et de l'évaluation avec *Vivre Saint-Michel en santé* dans le quartier Saint-Michel à Montréal. Il est toujours actif dans les milieux communautaires en tant que militant, membre, formateur et conseiller.

JEAN-FRANÇOIS RENÉ

Jean-François René est professeur à l'École de travail social de l'Université du Québec à Montréal (UQAM). Docteur en sociologie et diplômé en travail social, il se préoccupe depuis plusieurs années des questions touchant à la pauvreté et à l'exclusion des jeunes et des familles. Ses travaux récents portent sur les pratiques et les méthodologies de recherches qui facilitent l'affiliation et la participation citoyenne, avec un intérêt particulier pour les approches de recherche participatives.